O SOL E A SOMBRA

LAURA DE MELLO E SOUZA

O sol e a sombra

Política e administração na América portuguesa do século XVIII

1ª reimpressão

Grafia atualizada segundo o Acordo Ortográfico da Língua Portuguesa de 1990, que entrou em vigor no Brasil em 2009.

Capa
Ettore Bottini

Pesquisa iconográfica
Fernanda Carvalho

Preparação
Carlos Alberto Bárbaro

Índice onomástico
Luciano Marchiori

Revisão
Carmen S. da Costa
Otacílio Nunes
Eduardo Russo

Dados Internacionais de Catalogação na Publicação (CIP)
(Câmara Brasileira do Livro, SP, Brasil)

Souza, Laura de Mello e
O sol e a sombra : política e administração na América portuguesa do século XVIII / Laura de Mello e Souza. — 1ª ed. — São Paulo : Companhia das Letras, 2006.

Bibliografia.
ISBN 978-85-359-0907-4

1. Administração pública — Brasil — Período colonial — Século XVIII — História 2. Brasil — História — Período colonial — Século XVIII 3. Brasil — Condições sociais — Período colonial — Século XVIII — História 4. Brasil — Política econômica — Período colonial — Século XVIII — História I. Título.

06-6605 CDD-981

Índice para catálogo sistemático:
1. Brasil : Período colonial : Política e administração na América portuguesa no Século XVIII : História 981

[2021]

EDITORA SCHWARCZ LTDA.
Rua Bandeira Paulista, 702, cj. 32
04532-002 — São Paulo — SP
Telefone (11) 3707-3500
www.companhiadasletras.com.br
www.blogdacompanhia.com.br
facebook.com/companhiadasletras
instagram.com/companhiadasletras
twitter.com/cialetras

Para Leila Mezan Algranti,
por uma vida de amizade.

A sombra, quando o sol está no zênite, é muito pequenina, e toda se vos mete debaixo dos pés; mas quando o sol está no oriente ou no ocaso, essa mesma sombra se estende tão imensamente, que mal cabe dentro dos horizontes. Assim nem mais nem menos os que pretendem e alcançam os governos ultramarinos. Lá onde o sol está no zênite, não só se metem estas sombras debaixo dos pés dos príncipes, senão também dos de seus ministros. Mas quando chegam àquelas Índias, onde nasce o sol, ou a estas, onde se põe, crescem tanto as mesmas sombras, que excedem muito a medida dos mesmos reis de que são imagens.

Padre Antonio Vieira

Sumário

Introdução

Forjada por Vieira no final do século XVII e presente na epígrafe deste livro, a metáfora do sol e sua sombra ilustra bem o que era mandar e governar no império português, sobretudo depois da Restauração dos Bragança no trono (1640). É certo que Vieira pensava em algo muito mais complexo, que transcendia o poder temporal e norteava todo o seu pensamento teológico. Contudo, na medida em que a irradiação de luminosidade permanece igual mesmo que a sombra varie, torna-se possível pensar no sol enquanto metáfora do poder temporal dos reis, sendo o próprio jesuíta quem, na sequência da alusão à figura solar, se refere à prática administrativa do Império.[1] Assim, se em princípio as diretrizes metropolitanas deviam ser seguidas, a distância distendia-lhes as malhas, as situações específicas coloriam-nas com tons locais. Nessas zonas de sombra, por outro lado, os interesses metropolitanos se combinavam aos regionais e acabavam produzindo

1. Agradeço, aqui, as ponderações preciosas de Carlos Zeron, Sérgio Alcides Amaral e Adone Agnolin.

alternativas peculiares, já que, como viu Edmund Burke para um império bem diferente — o britânico do século XVIII —, os mares se encrespavam e passavam-se meses entre a ordem e a execução. Elites locais e administradores enviados pelo rei buscaram ações comuns com frequência maior do que se imaginou há cerca de cinquenta anos, e fizeram-no de forma ambivalente: o enriquecimento desenfreado, os interesses escusos, o contrabando, as várias arbitrariedades e injustiças combinaram-se não raro com a busca de soluções eficazes para crises econômicas e fiscais, a melhoria das condições de vida, o sonho de uma formação política capaz de atender aos interesses do Reino e aos das conquistas. O ideal de um império luso-brasileiro deve também ser visto nessa chave: a tentativa de combinar as várias zonas de sombra e repensar o centro solar de irradiação do poder, pois acreditava-se, como Giovanni Botero no final do século XVI, que os Estados constituídos por partes não eram mais desunidos que os dotados de territórios contínuos: em perspectiva oposta à de Burke — espectador horrorizado de revoluções —, o mar podia ser poderoso elemento de união.

Aprendemos com a história que essa empreitada era impossível por serem irredutíveis os interesses em jogo, irreconciliáveis a metrópole e suas colônias, e porque ideias e disposições mudavam de significado quando atravessavam os oceanos, conforme ensinou Fernando Novais num dos clássicos da historiografia brasileira, *Portugal e Brasil na crise do antigo sistema colonial*.[2] Mas só o tempo e a possibilidade da interpretação são capazes de fornecer esta certeza: para os homens que viveram naquela época, os jogos ainda não estavam feitos, ou pelo menos não se sabia que estavam. Talvez nenhuma análise historiográfica tenha captado as contradições, os impasses e os limites da Ilustração nas colônias ameri-

2. Fernando A. Novais, *Portugal e Brasil na crise do antigo sistema colonial*, São Paulo, Hucitec, 1979.

canas como o fez a ficção de Alejo Carpentier: contradições que tornavam Madri triste, feia e apagada para um senhor mexicano crescido entre "a largueza e o adorno" das ruas de sua cidade natal, pródigas em fachadas cobertas de azulejos, querubins e "cornucópias que extraíam frutas da pedra"; impasses e limites expressos na figura de Henri Christophe, ex-escravo feito tirano no Haiti; na guilhotina implacável a desembarcar no Novo Mundo junto com a liberdade; nos "últimos jacobinos" que, perseguidos na França, levantavam a cabeça em território americano para, em seguida, preservarem a escravidão.[3]

Este livro é uma tentativa de entender aspectos da política e administração setecentistas do império português atlântico à luz de algumas situações específicas sem, contudo, perder de vista o enquadramento geral. Não se preocupa com a questão mais técnica dos órgãos que viabilizaram o mando português na América: o governo-geral, as provedorias, as juntas, os tribunais, que começam, por sinal, a ser estudados por jovens historiadores brasileiros, mais de trinta anos depois de publicado o livro inovador e hoje clássico de Stuart Schwartz, *Burocracia e sociedade no Brasil colonial*.[4]

3. Referências, respectivamente, a *Concierto barroco* e *El reino de este mundo*, 2ª ed., Santiago do Chile, Andrés Bello, 1999; *O século das luzes*, São Paulo, Companhia das Letras, 2004.

4. Alguns exemplos: Maria de Fátima Gouvêa, "Poder político e administração na formação do complexo atlântico português (1645-1808)", in João Fragoso, Maria Fernanda Bicalho e Maria de Fátima Gouvêa (orgs.), *O Antigo Regime nos trópicos: a dinâmica imperial portuguesa (séculos XVI-XVIII)*, Rio de Janeiro, Civilização Brasileira, 2001, pp. 285-315; Maria de Fátima Gouvêa, "Poder, autoridade e o Senado da Câmara do Rio de Janeiro, ca. 1780-1820", *Tempo*, vol. 7, nº 13, Rio de Janeiro, jul. 2002, pp. 111-5; Maria de Fátima Gouvêa, Gabriel Almeida Frazão e Marília Nogueira dos Santos, "Redes de poder e conhecimento na governação do Império português, 1688-1735", *Topoi*, nº 8, Rio de Janeiro, 2004, pp. 96-137. Sobre a cidade e a câmara do Rio de Janeiro: Maria Fernanda Bicalho, *A cidade e o império — o Rio de Janeiro no século XVIII*, Rio de Janeiro, Civilização Brasileira, 2003. Sobre as câmaras em geral, id., "As câmaras ultramarinas e o governo do Impé-

Há sem dúvida muito a fazer nesse campo, mas os objetivos do presente estudo são outros: entender os significados do mando no império português, o modo como se constituíram estruturalmente e, ao mesmo tempo, foram se tecendo ao sabor de conjunturas e de atuações individuais; situações e personagens que obedeciam a normas e determinações emanadas do centro do poder, mas que as recriavam na prática cotidiana, tornando às vezes o ponto de chegada tão distinto do ponto de partida que, não raro, ocultava-se ou mesmo se perdia a ideia e o *sentido* originais — se é que cabe falar de um *sentido*, por mais cara que me pareça a ideia, conforme expressada por Caio Prado Jr. com relação aos nexos colonizadores lusos na América.[5]

Em que pese o interesse predominante que, ao longo de minha trajetória, dediquei à história cultural e social, a preocupação com os aspectos políticos e administrativos do Império não é nova para mim. No final da década de 1970, a dialética do mando metropolitano havia chamado minha atenção a ponto de merecer tratamento mais detido num dos capítulos de *Desclassificados do ouro* (1980). Ali, a ação dos governadores da capitania de Minas Gerais foi qualificada de "prática do bater e soprar", e a

---

rio", in João Fragoso, Maria Fernanda Bicalho e Maria de Fátima Gouvêa (orgs.), *O Antigo Regime nos trópicos*.... Sobre a Provedoria Real da Fazenda numa região: Mozart Vergetti de Menezes, *Colonialismo em ação – fiscalismo, economia e sociedade na capitania da Paraíba (1647-1755)*. Tese de Doutorado em História Econômica, USP, São Paulo, 2005. Sobre práticas governativas: Francisco Carlos Cardoso Consentino, *Governadores-gerais do Estado do Brasil (séculos XVI e XVII): ofício, regimentos, governação e trajetórias*. Tese de Doutorado em História, UFF, 2005. Ver ainda: Nauk Maria de Jesus, *Na trama dos conflitos: a administração na fronteira oeste da América Portuguesa (1719-1778)*. Tese de Doutorado em História, UFF, Niterói, 2006.

5. Caio Prado Jr., "O sentido da colonização", in id., *Formação do Brasil contemporâneo*, 13ª ed., São Paulo, Brasiliense, 1973, pp. 19-32.

natureza do poder foi vista como eminentemente contraditória, tendendo ora à centralização, ora à autonomia; pautando-se ora pela violência, ora pela contemporização. Essa busca oscilante da justa medida foi constitutiva do processo de construção do poder nos Estados modernos por ser imprescindível à preservação e à perpetuação do mando no mundo de então: no meu entender, os absolutismos procuraram seguir uma prática política pendular, evitando identificarem-se com um grupo social específico e combinando o rigor com certa dose de contemporização.[6] As dimensões do império português, onde grandes distâncias separavam as diferentes conquistas e o centro decisório do sistema — Lisboa —, imprimiram uma complexidade notável ao poder exercido no seu âmbito. Até onde se podia apertar sem que a corda arrebentasse? Como temperar o rigor com a tolerância, ou vice-versa, sem pôr em risco o funcionamento do todo — o mando no Império e, em última instância, o próprio Império?

Os dez capítulos que constituem este livro foram escritos ao longo dos últimos dez anos, o reavivar do interesse pelo mando e pela administração do Império tendo sido atiçado quando da edição crítica que organizei, entre 1993 e 1994, para o *Discurso histórico e político sobre a sublevação de 1720*, a pedido da Fundação João Pinheiro. Parte da correspondência do conde de Assumar referente aos anos entre 1717 e 1720 já havia sido estudada por mim em *Desclassificados do ouro*, mas o contato com outras cartas, suas e de sua família, bem como a leitura de outros documentos — o inventário de sua biblioteca, o discurso que proferiu ao tomar posse do governo de São Paulo e Minas do Ouro (1717), a memória que escreveu quando foi vice-rei da Índia —, permitiram-me ver a personagem e a própria prática administrativa

6. Discordo, neste sentido, do belo clássico de Perry Anderson, *El Estado absolutista* [1974], Madri, Siglo XXI, 1979.

sob viés novo. Assumar me ensinou que não importava desqualificar os capitães-generais portugueses sem procurar entender a lógica de suas ações, não cabia querer que tivessem feito diferente, identificando-se com os da terra e defendendo seus interesses em detrimento dos da metrópole, mesmo porque tal distinção era, na época, quase impossível. Ao contrário, é surpreendente que vários administradores tivessem conseguido ir além de posições dominantes nos conselhos do Reino e enxergado a especificidade presente em nexos que eram, sobretudo, coloniais. A trajetória e a inteligência incomum de Assumar ensinaram-me, igualmente, que os administradores tinham defeitos mas também qualidades, e que o compromisso brasileiro de construir uma nação jovem e espaná-la do legado colonial impunha, ao mesmo tempo, a construção de *certa* memória, as mais das vezes unilateral, assentada em abordagens que davam conta de um único lado da moeda. Por ter convivido tanto tempo com essa personagem, acabei lhe dando aqui atenção maior que a dedicada a outros governantes.

Sob a inspiração desse governador, passei a selecionar, desde 1994, problemas e trajetórias referentes ao império português, tentando ir além da relação Brasil-Portugal e, sempre que possível, entender o sistema como um todo. A importância crescente do centro-sul no contexto da América portuguesa acirrou rivalidades regionais, expressou-se em situações peculiares e implicou a reavaliação do controle português sobre as colônias, em particular as atlânticas. Homens como Rodrigo César de Meneses e Luís Diogo Lobo da Silva têm sua história engastada também no continente africano. Outros, como Sebastião da Veiga Cabral, Dom Antonio de Noronha ou José Tomás de Meneses, deslocaram-se apenas entre Portugal e a América, mas as peripécias por que passaram se tornam mais inteligíveis quando postas em contexto imperial.

As fontes para o estudo da administração podem ser maçantíssimas: decretos, cartas régias, consultas, promoções militares secas e burocráticas, listas intermináveis de nomes — nada que se compare com as divertidas Devassas Eclesiásticas ou os extraordinários processos da Inquisição com que me ocupei durante boa parte de uma vida de pesquisa. O primeiro obstáculo, portanto, é contornar o tédio que invade a leitura dos documentos e se acostumar a extrair leite de pedra. Mas há também conjuntos documentais interessantes, constituídos pelos papéis reunidos com o objetivo de comprovar os serviços prestados e úteis ao estudo mais vertical de alguns governos e experiências administrativas.

Trabalhar com a administração implica ainda ultrapassar mais de um obstáculo ideológico (cap. 1): o tema parece menor, cheira a conservadorismo, embaralha Reino e conquistas, administradores e administrados, antes justificando a ação dos avós afinados com as políticas metropolitanas, ou mudos ante sua iniquidade, do que a dor da violência cometida contra os antepassados índios e escravos. E, no entanto, a análise das tensões entre a metrópole e as colônias — ou conquistas — brasílicas sugere que a unidade política destas foi ideia surgida antes na cabeça dos integrantes dos centros decisórios do poder em Lisboa que na dos insurretos — muitos deles reinóis — *alevantados* em Minas, Bahia ou Pernambuco no início do século XVIII (cap. 2). Preconceitos bem enraizados no passado colonial, como os que exaltam, mas com maior frequência denigrem os paulistas — abomináveis predadores de índios —, foram manipulados por administradores coloniais e tiveram defensores ilustres como o jesuíta Andreoni, autor de *Cultura e opulência do Brasil por suas drogas e minas* — obra até hoje fundamental para a compreensão de nossa história (caps. 2 e 3). Mais de um governador se arvorou em descendente de estirpes ilustres para intimidar mamelucos rebeldes, e quase todos ficaram pasmos com a "nobreza" que, inspirada na da Europa e manipulando o costume, ia-se construindo nesta terra ao arrepio de qualquer critério estratificador respeitável para europeus: esse olhar horrorizado só captou a desordem e o absurdo da situação, mas ao registrá-la tornou possível desvendar-lhe a extraordinária dinâmica e criatividade (cap. 4).

Estudar administradores é igualmente espinhoso. Esses homens desempenharam a tarefa ingrata de fazer valer a voz do rei, prendendo negro fugido e propondo até que se lhes cortasse o tendão de aquiles para que sossegassem, matando e enforcando quem — preto, branco, índio ou mestiço — contestava a ordem e propunha outra diversa. Mas alguns deles escreveram textos que ajudam a entender não só a natureza do poder metropolitano como nossa própria tradição política, revelando que o governo na colônia extrapolava os limites do serviço e propiciava reflexões originais (cap. 5). Outros, envolvidos em negócios ilícitos até a raiz dos cabelos, proporcionam com suas trajetórias pessoais exemplos concretos dos limites de tolerância no Império, dos meandros do *spoil system*, do enraizamento, em nível local, das redes clientelares que se teciam em Lisboa e, de quebra, ilustram com atos de bravura extrema ou de medo pânico o contraditório da condição humana (caps. 6 e 7). Há ainda os que, com suas vicissitudes, mostram como a nobreza e o prêmio se construíam em grande parte na administração das conquistas, mas que este serviço não era, por si, condição soberana. Assim, o sistema da dádiva, da graça ou da mercê, que sem nomear desta forma Maquiavel já reputava, no início do século XVI, como atributo entre os principais do príncipe, essencial à manutenção do poder, e que seu contemporâneo Castiglione insistia dever se pautar antes na magnanimidade do governante que no empenho do súdito, tinha limites e mistérios (caps. 8 e 9). Por fim, a história de um desses homens pode ser vista como síntese de aspirações comuns a um império luso-brasileiro, gestadas na passagem do século XVIII para o XIX: partindo-se da análise de um poema célebre, oferecido à personagem quando de seu nascimento em Vila Rica — e quase sempre tomado como exemplo de protonativismo —, procura-se, com este caso limite, captar as contradições abertas pelas possibilidades da administração portuguesa na América (cap. 10).

As trajetórias pessoais não têm interesse em si, mas pelos problemas que colocam. As que aqui se encontram não tratam de vidas ilustres: com exceção da de Dom Pedro Miguel de Almeida Portugal, conde de Assumar, as demais dizem respeito a personagens quase secundárias. A escolha não foi contudo fortuita, pois muitas vezes o acessório tem mais força explicativa que o fundamental, e penso ser o que acontece com o estudo de Sebastião da Veiga Cabral, Rodrigo César de Menezes, Luís Diogo Lobo da Silva, Dom Antonio de Noronha e José Tomás de Meneses. O que em grandes administradores da envergadura de Antonio de Albuquerque Coelho de Carvalho ou Gomes Freire de Andrada talvez ficasse esmaecido ante o brilho das ações notáveis, aparece, nos menores, com todo o relevo. Ao fim das contas, foi com eles, mais que com os outros, que se fez a administração do império português.

Por fim, a análise dos indivíduos sempre apresenta perigo, sobretudo quando estes fazem parte das elites. Primeiro, porque há a sombra ameaçadora do culto do herói ou da personalidade, da *história velha* que se explica pela vida das personagens. A forma que se buscou neste trabalho foi oposta: os problemas nortearam a escolha das personagens, as trajetórias só fazendo sentido pelas questões — quase sempre estruturais — que suscitavam: a reflexão política sobre os limites do mando em conquistas ultramarinas; a teoria e a prática da concessão de dons ou mercês; a promiscuidade entre governo, poder e ganhos ilícitos; a tensão entre o âmbito público e o privado das carreiras imperiais. Assim sendo, não importava que se tratasse de personagens secundárias, e, de certo modo, era até melhor que o fossem. Em segundo lugar, porque a reconstituição dessas vidas parte quase sempre das genealogias, infelizmente eivadas de equívocos, sem falar no caráter muitas vezes exaltatório e encomiástico que as norteia. Ora, genealogias falham menos quando as personagens são ilustres e a variedade de documentos por meio dos quais se pode acompanhar suas vidas e confrontar informações é considerável. Um obstáculo complementar consiste na existência de homônimos: persegui a identidade de Dom Antonio de Noronha ao longo de dezesseis anos, a pesquisa se emaranhando e se perdendo em pistas falsas, induzindo, por mais de uma ocasião, erros graves, até chegar ao resultado que aqui se apresenta e, espero, esteja próximo de ser o definitivo. Como princípio geral, tentei driblar tais limitações recorrendo ao maior número possível de referências documentais e bibliográficas.

Enquadramentos e trajetórias são o modo encontrado para pensar o Brasil na administração do império português setecentista, mas também para acertar contas com um legado intelectual específico, que é nosso e que nos precedeu. Creio haver neste trabalho propostas analíticas sugestivas e talvez originais, entre elas o meu namoro, já longo, com a antropologia: a preocupação com estrutura e evento ajuda a sustentar a carpintaria dos capítulos, mas o que se faz mais presente, sobretudo na segunda parte, é uma *etnografia da prática governativa* — na esteira da *etnografia da prática mágico-religiosa* que, vinte anos atrás, busquei no capítulo final de *O diabo e a Terra de Santa Cruz* (1986). Ao lado de possíveis originalidades, o nervo deste livro é a tentativa de dialogar criticamente com uma tradição brasileira de pensamento, incorporando-a sempre que possível, relativizando-a quando necessário, sobretudo ante o avanço considerável da pesquisa empírica e da reflexão nos últimos vinte anos. Se o mundo globalizado impõe o diálogo constante com a produção internacional, há tradições específicas que conferem identidade e devem ser preservadas, mesmo se sujeitas à revisão de muitas de suas "verdades". Refiro-me a autores que pensaram o Brasil na sua condição subalterna, latino-americana, como — para citar apenas alguns — Caio Prado Jr., Sérgio Buarque de Holanda, Fernando Novais, Raymundo Faoro. Não por acaso, vários dos capítulos deste livro que se debruçam sobre trajetórias comportam, ao lado da *etnografia*, uma detida crítica historiográfica.

A representação iconográfica escolhida para esta capa mostra, em primeiro plano, os homens que exerciam o mando político e gozavam de preeminência social na América portuguesa: vestidos, montados ou conduzidos à moda da Europa, como se estivessem em Lisboa, mas movimentando-se nas imediações de uma praia tropical, emoldurada por vegetação muito diversa da encontrada no Velho Continente. O poder político não prescindia do religioso, mantendo-se distinto mas sendo por ele enquadrado: à direita e à esquerda do cortejo, a igreja, o convento. Mais longe, junto à costa, quase imperceptíveis, figuras de homens nus, possivelmente índios, aqueles que o poder dos brancos metropolitanos, leigos ou religiosos, buscava dominar. Impondo-se ao todo, pontilhado por uma ou outra embarcação de porte variável, o mar a perder de vista, o mar que, no horizonte, acabava se confundindo com o céu. Mar que era oceano, unindo Impérios — conforme as concepções do século XVI —, mas também os separando — como temia Burke, crítico acerbo das revoluções do século XVIII. Distâncias oceânicas distorciam práticas, tradições e ordens: do mar ao oceano, do próximo ao distante, da sombra ao sol, eis-nos de volta à metáfora de Vieira.

Durante o longo período em que estive absorvida pelos meandros da política e da administração colonial, contei com o apoio de várias instituições e pessoas. Primeiramente, quero agradecer à Fundação de Amparo à Pesquisa do Estado de São Paulo — FAPESP —, que financiou as primeiras etapas da investigação quando de meu mestrado, entre 1977 e 1980, e continuou acreditando em meu trabalho ao longo dos últimos 25 anos; sem falar nos vários congressos e seminários de que participei com seu apoio, essa instituição me concedeu em 1996 um auxílio que permitiu aprofundar a pesquisa sobre administração setecentista nos arquivos mineiros, e agora, em 2005, aprovou por quatro anos o auxílio ao Projeto Temático *Dimensões do Império Português — Estruturas e Dinâmicas*, que coordeno junto à Cátedra Jaime Cortesão da Faculdade de Filosofia, Letras e Ciências Humanas da Universidade de São Paulo. Agradeço igualmente ao CNPq, junto ao qual sou bolsista de produtividade, e que tem apoiado minha pesquisa desde 1992, possibilitando a compra de bibliografia especializada e a reprodução de documentos depositados em arquivos estrangeiros. Devo ainda mencionar a CAPES, que, por meio de um convênio firmado entre a Faculdade de Filosofia, Letras e Ciências Humanas de minha Universidade e o ICS-Universidade de Lisboa, permitiu, em fevereiro de 2005, a finalização desta pesquisa em arquivos portugueses.

Sou grata aos meus companheiros de Projeto Temático, os principais interlocutores com quem, nos últimos dois anos, partilhei muitas das inquietações aqui expressas: José Jobson de Andrade Arruda, Vera Lúcia Amaral Ferlini, Leila Mezan Algranti, Pedro Luís Puntoni, Carlos Alberto de Moura Ribeiro Zeron, Adone Agnolin, Ana Paula Torres Megiani, Iris Kantor, Marina de Mello e Souza, Maria Cristina Cortez Wissenbach e os pós-doutorandos Ana Lucia Nemi e Bruno Feitler. Maria Fernanda Bicalho, com quem escrevi um livrinho que também trata de política e administração, leu e comentou alguns destes textos, bem como Katia de Queirós Mattoso, Maria Verônica Campos, Sérgio Alcides Amaral, Luís Carlos Villalta e Luciano Raposo de Almeida Figueiredo, trazendo acréscimos e críticas que procurei incorporar. A leitura final de Lili Schwarcz, amiga e editora, ajudou a dar ao livro uma forma mais harmoniosa e, espero, acessível. André Figueiredo Rodrigues me ajudou com a formatação das fontes e da bibliografia.

Por fim, alguns dos textos que compõem este livro foram apresentados pela primeira vez em congressos, seminários e cursos dados no exterior, a convite de Maria Beatriz Nizza da Silva, Stuart B. Schwartz, Diogo Ramada Curto, Fernando Mascarenhas, Mafalda Soares da Cunha, Serge Gruzinski, Ivan Nichols e Nuno Gonçalo Monteiro; a eles deixo aqui registrado o meu reconhecimento. Sem Tiago Reis Miranda, interlocutor permanente durante todos estes anos, companheiro no interesse pelas coisas aparentemente sem importância e exímio genealogista, muito do que aqui está não teria esta forma, sobretudo no que diz respeito aos mistérios da identidade de Dom Antonio de Noronha: nenhum agradecimento pode expressar o quanto lhe devo nem como admiro sua generosidade permanente e irrestrita. Com Leila Mezan Algranti — junto com Sílvia Hunold Lara, outra amiga de longa data — fiz os primeiros avanços, décadas atrás, no estudo da administração. Pela vida afora, Leila e eu continuamos a conversar sobre este assunto, bem como sobre tantos outros que nos unem desde — literalmente — os bancos escolares. Por isso, este livro é para ela.

Se tantos me ajudaram para que acertasse, sou obviamente a única responsável pelos enganos que aqui se encontrarem.

São Paulo, março de 2006.

PARTE I

Enquadramentos

Eu não considero menos seguros e duráveis os domínios desunidos [...] do que os unidos. [...]. Depois, embora muito distantes um do outro, os Estados não se devem de maneira nenhuma considerar desunidos, já que [...] estão unidos por meio do mar, pois não há Estado tão distante que não possa ser socorrido pelas armas marítimas, e os catalães, biscainhos e portugueses são tão hábeis na marinhagem que se podem dizer realmente donos da navegação.

Giovanni Botero, *Da razão de Estado*

1. Política e administração colonial: problemas e perspectivas

[...] e como este Governo todo é de engonços, por ora se não deve obrar cousa alguma que não seja por jeito, principalmente aonde não há forças, e ainda que as houvesse, na conjuntura presente consegue mais o modo que a indústria, que assim m'o tem mostrado a experiência. [...]
Rodrigo César de Menezes, governador e capitão-general de São Paulo, 1721-1728

TRADIÇÕES ANALÍTICAS BRASILEIRAS

Durante muito tempo, o estudo da administração portuguesa no Brasil dos tempos coloniais foi relegado a um segundo plano pouco honroso. Alguns trabalhos já antigos, como os de Rodolfo Garcia, Vicente Tapajós e Augusto Tavares de Lira dedicaram-se exclusivamente ao assunto, sem contudo contribuir de forma mais incisiva para uma reflexão consistente sobre o problema. O mesmo se pode dizer acerca de um trabalho mais recente e muito importante, *Fiscais e meirinhos*, de Graça Salgado, obrigatório sobretudo pelo caráter de obra de referência, mas destituído de maiores preocupações com o sentido, ou melhor, os sentidos da administração.[1] A exceção que confirma a regra seria o trabalho de Edmundo Zenha, *O município no Brasil*, em que o enfoque mais empírico acabou por render dividendos.[2]

A reflexão acerca dos sentidos e significados dos estudos sobre administração remete a problemas muito interessantes, que trazem à tona a dificuldade de separar uma produção historiográfica do tempo no qual ocorreu. Isso pode parecer chavão ou lugar comum na era pós-*Annales* em que vivemos, ainda tributária de muitos dos corolários fixados por Bloch e Febvre no primeiro quartel do século passado, entre eles o de que "a história é filha de seu tempo". Olhando mais detidamente o objeto, contudo, fica claro o quanto tem sido contaminado por enfoques profundamente comprometidos, em intensidade maior, talvez, do que temas considerados mais dignos ou nobres, com os quais, por isso mesmo, há maior cuidado em refinar argumentos.

Tome-se, como primeiro exemplo, o sentido da *ausência*. Por que, durante tanto tempo, a administração não suscitou trabalhos interessantes, ao contrário do que aconteceu em outros países? Por que motivo alguns dos principais marcos no assunto são fruto da investigação de historiadores estrangeiros, todos pertencentes à tra-

1. Rodolfo Garcia, *Ensaio sobre a história política e administrativa do Brasil (1500-1810)*, Rio de Janeiro, José Olympio, 1956; Vicente Tapajós (org.), *História administrativa do Brasil*, 2ª ed., São Paulo, DASP, 1965-1974, 7 vols.; Augusto Tavares de Lira, *Organização política e administrativa do Brasil (Colônia, Império e República)*, São Paulo, Editora Nacional, 1941; Graça Salgado (coord.), *Fiscais e meirinhos — a administração no Brasil colonial*, Rio de Janeiro, INL/Nova Fronteira, 1985.
2. Edmundo Zenha, *O município no Brasil, 1532-1700*, São Paulo, Inst. Progresso Editorial, 1948.

dição anglo-saxônica: Charles R. Boxer, Stuart B. Schwartz, Dauril Alden, John Russell-Wood?[3] Talvez haja uma só resposta para essas indagações preliminares: a necessidade de uma jovem nação — a Independência é de 1822 mas a República, que rompeu de vez as ligações com a dinastia portuguesa, é de 1889 — em se afirmar ante a metrópole de ontem, opressora, incompetente e iníqua, responsabilizando-a por vícios e equívocos. O ressentimento pós-colonial deixou livre o caminho para que historiadores estrangeiros traçassem suas hipóteses e preenchessem lacunas óbvias, desimpedidos que estavam do peso de um passado que não era o seu e contra o qual não precisavam acertar contas. Cabe lembrar ainda que entre os anglo-saxões existia uma forte tradição de estudos sobre impérios, tanto o deles quanto os dos outros. Para os brasileiros, inclusive alguns de minha geração, a administração era tema sem nobreza nenhuma, bem ao gosto de historiadores afeitos à tradição e ao conservadorismo, numa senda em tudo oposta à que levava ao estudo do sistema escravista ou da formação da classe operária. O luso-tropicalismo de Gilberto Freyre só fazia complicar ainda mais as coisas, prova evidente de que o campo estava minado.[4] Estudar governadores, instituições locais — câmaras municipais, irmanda-

3. Charles R. Boxer, *O império marítimo português*, São Paulo, Companhia das Letras, 2002; *Portuguese society in the tropics — the municipal councils of Goa, Macao, Bahia and Luanda, 1510-1800*, Madison, University of Wisconsin Press, 1965; Stuart B. Schwartz, *Burocracia e sociedade no Brasil colonial*, São Paulo, Perspectiva, 1979; Dauril Alden, *Royal Government in colonial Brazil — with special reference to the administration of the Marquis of Lavradio, vice-roy, 1769-1779*, Berkeley/Los Angeles, University of California Press, 1968; A. J. R. Russell-Wood, *Fidalgos e filantropos. A Santa Casa de Misericórdia da Bahia (1550-1755)*, trad., Brasília, UnB, 1981.

4. Para uma interpretação que limita o papel de Freyre na constituição da teoria do luso-tropicalismo, ver Yves Leonard, "Immuable et changeant, le lusotropicalisme au Portugal", in *Le Portugal et l'Atlantique — Arquivos do Centro Cultural Calouste Gulbenkian*, vol. XLII, Lisboa e Paris, 2001, pp. 107-17.

des, misericórdias — ou gerais — conselhos, como o Ultramarino; tribunais, como a Relação — era atividade para os empoeiradíssimos Institutos Históricos, e quase inevitavelmente redundava em obras apologéticas ou encomiásticas.

Na versão mais ligeira, o ranço pós-colonial acabava em discussões intermináveis sobre a dor e o azar de ter feito parte do império português. No limite, lamentava-se o fracasso do empreendimento colonizador dos holandeses no Nordeste, pois, se bem-sucedidos, os batavos possivelmente teriam sido capazes de nos dotar de administração mais competente; ou olhava-se com uma ponta de despeito para as colônias hispânicas, melhor conduzidas por um Estado que, apesar de tão burocrático quanto o português, soubera lidar com a descentralização, atribuindo papéis às elites locais e não temendo a criação in loco de instituições de vários tipos, como as universidades e os tribunais regionais do Santo Ofício.

Objeto negado, incapaz de merecer dos brasileiros estudos monográficos, a administração foi contudo alvo de algumas interpretações preocupadas com o desvendamento do seu significado mais fundo. Antes pela escassez no campo do que pela força própria que eventualmente apresentassem, acabaram por se tornar pontos de referência e por se perpetuar, sem que com isso o melhor conhecimento do assunto ganhasse muito em qualidade — e eu mesma tenho minha parte nessa história.

Intrigada, há cerca de 25 anos, com o aspecto contraditório que ressaltava dos documentos sobre a administração portuguesa na região de Minas Gerais durante o século XVIII, comecei a pensar sobre a natureza do mando na colônia. Meu objeto era outro, aparentemente muito distinto: os homens livres pobres que, na economia do ouro, viviam nos interstícios do sistema escravista. A ambiguidade dos papéis por eles desempenhados imbricava-se na ambiguidade das práticas políticas e administrativas adotadas com relação a eles, deixando claro que, naquela região nevrálgica, não se podia apenas bater, havia também que soprar, e com frequência. Em colônias, separadas dos centros decisórios do poder — as metrópoles — por meses de navegação marítima e habitadas por grandes contingentes de escravos, o mando estava fadado a ser contemporizador, pois caso vestisse apenas a máscara da dureza, o edifício todo se esboroava, a perda do controle levando à da própria colônia. Administração, portanto, só podia ser entendida à luz da política: separar uma da outra condenava o observador à apreensão mecânica e funcionalista do fenômeno, impondo a perda do seu sentido dialético.

Duas das principais interpretações que a historiografia brasileira havia elaborado sobre a administração até aquela época — final dos anos 1970 — coadunavam-se perfeitamente com o que surgia nos documentos, mas absolutizando ora um aspecto, ora outro, e perdendo dessa forma a ambiguidade, a nuance e a contradição. Abordei o assunto no capítulo 3 de *Desclassificados do ouro*, chamado de "Nas redes do poder", e ali indiquei duas formas possíveis, mas igualmente extremadas, de se examinar o problema da administração: aquela escolhida por Raymundo Faoro em *Os donos do poder* (1959 e 1975), e a adotada por Caio Prado Jr. em *Formação do Brasil contemporâneo* (1942).[5] É preciso retomá-las para recolocar o argumento da presente reflexão.

Raymundo Faoro é autor de uma interpretação marcante sobre o Brasil, em que ressalta o papel central do Estado no processo de constituição do país e sua capacidade de moldar uma criatura — o *estamento burocrático* — que sempre reproduzisse a ordem dominante sem alterar-lhe a essência. No primeiro volume de *Os donos do poder*, o autor recua aos tempos de formação do Estado português e se detém nos primórdios da colonização da América,

5. Laura de Mello e Souza, "Nas redes do poder", in id., *Desclassificados do ouro — a pobreza mineira no século XVIII*, Rio de Janeiro, Graal, 1982, pp. 91 ss.

retratada em capítulos muito importantes, mesmo se bastante discutíveis.[6] O que ali escreveu sobre a administração colonial tornou-se ponto de referência durante décadas, pois conseguia um certo equilíbrio entre a demonstração empírica e a análise, ultrapassando tanto os trabalhos meramente descritivos — como os indicados na abertura desta reflexão — quanto os eminentemente analíticos e generalizantes — como o de Caio Prado Jr., que se examinará a seguir.

Segundo a interpretação de Faoro, o sistema administrativo português foi transposto com sucesso para suas colônias graças a um Estado que cedo se centralizou e soube, com maestria, cooptar as elites, inclusive as locais, como os "bandeirantes" paulistas. Nesse processo, contudo, manietou os funcionários, que se tornaram meras sombras, e se superpôs à realidade local, alheio à própria dinâmica histórica:

> A ordem pública portuguesa, imobilizada nos alvarás, regimentos e ordenações, prestigiada pelos batalhões, atravessa o oceano, incorrupta, carapaça imposta ao corpo sem que as medidas deste a reclamem. O Estado sobrepôs-se, estranho, alheio, distante à sociedade, amputando todos os membros que resistissem ao domínio. [...] Ao sul e ao norte, os centros de autoridade são sucursais obedientes de Lisboa: o Estado, imposto à colônia antes que ela tivesse povo, permanece íntegro, reforçado pela espada ultramarina, quando a sociedade americana ousa romper a casca do ovo que a aprisiona.[7]

6. Sobretudo os de número 4, 5 e 6, respectivamente: "O Brasil até o governo geral", "A obra da centralização colonial" e "Traços gerais da organização administrativa, social, econômica e financeira da colônia", in Raymundo Faoro, *Os donos do poder — formação do patronato político brasileiro*, 2ª ed., Porto Alegre/São Paulo, Globo/Edusp, 1975, pp. 97-234, vol. 1.
7. Ibid., pp. 164-5.

Faoro ressaltou o papel do Estado também porque desejava relativizar a poderosa interpretação de Gilberto Freyre em *Casa-grande & senzala* (1933), segundo a qual a família marcava a colonização desde o início e orientava toda a formação da sociedade.[8] Conseguiu desse modo fornecer uma alternativa analítica para a compreensão do Brasil e de suas elites, mas negligenciou o matiz das situações específicas ou desviantes e, exagerando o papel do Estado, disseminou a ideia perigosa de que, independentemente do contexto, ele antecedeu a sociedade: "As vilas se criavam antes da povoação, a organização administrativa precedia ao afluxo das populações", a realidade era gerada pela lei e pelo regulamento e, em forte contraste com o ocorrido nas colônias inglesas ao norte, "a América seria um reino a moldar, na forma dos padrões ultramarinos, não um mundo a criar".[9] O papel da dinâmica social e das contradições viu-se, assim, minimizado: não houve lugar, em sua análise, para as tensas e complexas relações entre os administradores coloniais e as oligarquias, amiúde documentadas nas fontes coevas.

Faoro escreveu a primeira versão de *Os donos do poder* durante o governo de Juscelino Kubitscheck, quando o Brasil vivia sob regime democrático, mas publicou a segunda versão em 1975, em plena ditadura militar. Não por acaso, o tamanho da obra duplicou, buscando exemplificar de modo exaustivo a presença secular de um Estado sufocador e de um *estamento burocrático* que se descolava da sociedade para gerir o governo em benefício próprio, alheio às necessidades nacionais. A matriz teórica mais reconhecida é Max Weber, mas há outras, menos evidentes. Em primeiro lugar, Faoro reeditou uma ideia expressa de Oliveira Viana, um dos grandes expoentes do pensamento conservador no Brasil dos anos 1930, para quem, numa passagem de *Populações meridionais do Brasil*

8. Cf. ibid., por exemplo, pp. 110 e 114.
9. Ibid., pp. 120-1.

(1920), a administração não tinha sido, como na América inglesa, uma criação consciente dos indivíduos, nem havia emanado da própria sociedade, mas se impusera a ela como "uma espécie de carapaça disforme". Para Oliveira Viana, a administração portuguesa que amordaçou a colônia era em tudo díspar da sociedade, então rarefeita, dispersa e ganglionar.[10] Curiosamente, contudo, Faoro descontextualizou e como que inverteu a explicação de Viana, que havia também se dado conta do "conflito interessantíssimo" entre "o espírito peninsular e o novo meio", ou seja, entre "a velha tendência europeia, de caráter visivelmente centrípeto, e a nova tendência americana, de caráter visivelmente centrífugo".[11] De Oliveira Viana, portanto, Faoro pinçou uma afirmação que confirmasse sua tese da hipertrofia do Estado, e minimizou o destaque dado pelo autor ao mando local, à ruralização e ao papel dos grandes proprietários locais, esvaziando a complexidade das relações ali evidenciadas entre administração, política e sociedade. Procedimentos como este acabaram por gerar uma série de distorções fatais na obra de Faoro: se o autor apela para a onipresença e o peso excessivo do Estado, fornece, a cada momento, evidências empíricas que inviabilizam sua tese, indicando os processos de centrifugação presentes na sociedade. Em artigo recente e muito sugestivo, Antonio Manuel Hespanha notou com acuidade essa distorção.[12]

10. Citado em ibid., p. 165. Cf. Oliveira Viana, "Populações meridionais do Brasil", in Silviano Santiago (org.), *Intérpretes do Brasil*, Rio de Janeiro, Nova Aguilar, 2000, p. 1139, vol. 1.
11. Oliveira Viana, "Populações..., p. 938.
12. Antonio Manuel Hespanha, "A constituição do império português. Revisão de alguns enviesamentos correntes", in João Fragoso, Maria Fernanda Bicalho e Maria de Fátima Gouvêa (orgs.), *O Antigo Regime nos trópicos: a dinâmica imperial portuguesa (séculos XVI-XVIII)*, Rio de Janeiro, Civilização Brasileira, 2001, pp. 163-88, notadamente p. 168.

Em segundo lugar, Faoro bebeu no pensamento liberal português do fim do século XIX e início do século XX, representado por Oliveira Martins, Antero de Quental e, posteriormente, Antonio Sérgio.[13] Não foi o único a sofrer tal influência, decisiva em boa parte do pensamento brasileiro da primeira metade do século XX, alimento para as críticas ao atraso de Portugal e suas colônias ante outros povos colonizadores, à rotina e ignorância de suas elites, ao preconceito imperante contra o trabalho manual. O pessimismo inerente a essa visão impediu, muitas vezes, perceber especificidades próprias à história de Portugal e de seu império, forçando os juízos negativos e fazendo prevalecer a perspectiva liberal. Não é de se estranhar, portanto, o anticlericalismo, a identificação mecânica entre força da Igreja e atraso e, no outro polo, a valorização permanente, nas comparações, da América inglesa e da Inglaterra como metrópole ideal.

Nesse ponto, Raymundo Faoro e Caio Prado Jr., marxista de formação, aproximam-se bastante. Mas suas perspectivas acerca da administração foram, em quase todo o resto, opostas. Mais de quinze anos antes, num dos capítulos de *Formação do Brasil contemporâneo*, de 1942, Prado Jr. qualificara a administração portuguesa de caótica, irracional, contraditória e rotineira, ressaltando "a complexidade dos órgãos, a confusão de funções e competência; a ausência de método e clareza na confecção das leis" e estranhando a "verborragia abundante em que não faltam às vezes até dissertações literárias". Os órgãos centrais pareciam-lhe excessivamente burocráticos, o funcionalismo era "inútil e numeroso", meramente deliberativo, sem haver, por outro lado, agentes que bastassem para executar as decisões. O centralismo excessivo não tinha sentido, já que Lisboa, a "cabeça pensante"

13. Ana Lúcia Nemi chamou-me a atenção para o fato de que, influenciados pelo liberalismo, muitos dos componentes dessa geração foram sinceros socialistas no plano da política.

da administração, situava-se "a centenas de léguas que se percorrem em lentos barcos à vela":

> [...] tudo isto [...] não poderia resultar noutra coisa senão naquela monstruosa, emperrada e ineficiente máquina burocrática que é a administração colonial. E com toda aquela complexidade e variedade de órgãos e funções, não há, pode-se dizer, nenhuma especialização. Todos eles abrangem sempre o conjunto dos negócios relativos a determinado setor, confundindo assuntos os mais variados e que as mesmas pessoas não podiam por natureza exercer com eficiência.[14]

Prado Jr. alerta para a impossibilidade de se pensar a administração daquele tempo tomando-se por base a do nosso: os princípios eram diversos, o público não se distinguia claramente do privado, não havia a unidade e a simetria que hoje se observam, discriminando funções, definindo competências e atribuições. Percebe, portanto, que há uma diferença essencial, mas a vê como caótica, e não como específica: "um amontoado", "um cipoal", um "caos imenso de leis", uma "confusão inextricável" que sempre atrapalhava e quase nunca esclarecia:

> Como resultado, as leis não só não eram uniformemente aplicadas no tempo e no espaço, como frequentemente se desprezavam inteiramente, havendo sempre, caso fosse necessário, um ou outro motivo justificado para a desobediência. E daí, a relação que encontramos entre aquilo que lemos nos textos legais e o que efetivamente se pratica é muitas vezes remota e vaga, se não redondamente contraditória. *Sendo assim, e como é esta prática que mais nos interessa aqui, e não a teoria, temos que recorrer com a maior cautela àqueles*

14. Caio Prado Jr., *Formação do Brasil contemporâneo*, 13ª ed., São Paulo, Brasiliense, 1973, capítulo "Administração", pp. 298-340, citação à p. 333.

textos legais, e procurar de preferência outras fontes para fixarmos a vida administrativa da colônia.[15]

A posição do autor é portanto muito peculiar. Reconhece que se está diante de um sistema distinto, mas desconsidera que este tenha uma lógica própria. À luz da perspectiva do Estado liberal, assentado sobre a teoria dos três poderes, ressalta a irracionalidade do mundo do Antigo Regime — "passado caótico por natureza" —, e não leva em conta que, nele, o Estado português não era exceção, incorrendo, nesse tocante, em anacronismo. Mas cabe destacar outro ponto, muito positivo: a constatação da irracionalidade — que é discutível — o leva a perceber o fosso entre a teoria e a prática e, em última instância, a mostrar que o texto normativo, sobretudo o de natureza jurídica, não pode ser tomado ao pé da letra. Aqui a situação específica conta, levando-o a valorizar não só a utilização de outras fontes, de tipo variado, como também — marxista que era — a dinâmica social, capaz de transformar as teorias toda vez que se mostrassem distantes da realidade. Como se procurará mostrar adiante, o alerta de Prado Jr. tem sido negligenciado.

Por último, há ainda um aspecto intrigante a invocar: a insistência com que o autor recrimina o Estado português por ter sido incapaz de criar algo original na administração da colônia, "órgãos diferentes e adaptados a condições peculiares que não se encontravam no Reino".[16] Forçados pelas circunstâncias específicas, governadores "arbitrários" puderam, eventualmente, alterar as disposições metropolitanas, mas nunca de modo sistemático. O único âmbito no qual o Estado português procurou sair da rotina

15. Ibid., pp. 300-1, citação nesta última. Nessa edição há um erro: na passagem citada — "as leis não só não eram" — omite-se o segundo não, alterando toda a sua argumentação. Conferir id., *Formação do Brasil contemporâneo — Colônia*, São Paulo, Livraria Martins Editora, 1942, p. 299.
16. Ibid., p. 301.

foi o do fisco, conclui, com certo espanto, Caio Prado Jr. Porém, nem a reedição dos parâmetros administrativos metropolitanos em terras coloniais, nem o empenho em repensar o fisco deveriam causar espécie ao autor de "Sentido da colonização", o notável capítulo inicial do mesmo livro. Afinal, a colonização portuguesa não visava, primordialmente, criar uma sociedade original na América, mas explorar ao máximo a colônia — daí o empenho em aperfeiçoar o sistema fiscal — e, ao mesmo tempo, nela estabelecer "um outro Portugal", como observou, no fim do século XVI, o padre jesuíta Fernão Cardim.[17]

Para fechar a análise desse primeiro momento, quando certos historiadores brasileiros começavam a buscar um sentido na administração portuguesa da colônia, é preciso invocar ainda Sérgio Buarque de Holanda, que não entrara em minhas cogitações iniciais quando da realização de *Desclassificados do ouro*. Antes de Caio Prado Jr. ou de Raymundo Faoro, em 1933, ele havia tratado tangencialmente do problema em *Raízes do Brasil*, iluminando-o, como sempre fazia, com uma interpretação instigante, e inserindo-o no escopo comparativo tão inovador que caracteriza o livro, no qual a América espanhola fornece a cada passo os elementos de aproximação e de oposição para a análise da América portuguesa. Segundo Buarque de Holanda, da mesma forma como dirigiu a fundação das cidades com "um zelo minucioso e previdente", Castela impôs sobre a América, desde cedo, "a mão forte do Estado". Contraste flagrante com o "empreendimento [...] tímido e mal aparelhado para vencer" dos portugueses, feitorizadores que se fixavam na costa e reluta-

17. Cf. Fernando Novais, "Condições da privacidade na colônia", in Laura de Mello e Souza (org.), *História da vida privada no Brasil. Cotidiano e vida privada na América portuguesa*, São Paulo, Companhia das Letras, 1997, pp. 13-39, vol. 1; Evaldo Cabral de Melo, *Um imenso Portugal — história e historiografia*, São Paulo, Editora 34, 2002, notadamente o ensaio do mesmo nome, pp. 24-34.

vam em adentrar o território em iniciativas mais propriamente colonizadoras, semeando cidades sem planejá-las com o rigor dos quadriláteros espanhóis. Mais fluida e até mais liberal, a colonização portuguesa deveu tal feição à centralização precoce do Estado, que na explicação de Sérgio assume papel oposto ao desempenhado na de Faoro. Se a Espanha tinha uma "fúria centralizadora, codificadora, uniformizadora" que se manifestava "no gosto dos regulamentos meticulosos", projetando para o Império a monarquia do Escorial, isto se devia porque, internamente, o país era formado de partes desconexas e aspirava a uma unidade quase sempre impossível: "O amor exasperado à uniformidade e à simetria surge, pois, como um resultado da carência de verdadeira unidade".[18] A precoce centralização do Estado português teria decorrências opostas, e a ausência de problemas sérios nesse campo permitiu que as "situações concretas e individuais" levassem a melhor e propiciassem o afloramento do "realismo" e do "naturalismo" tão portugueses.

> Explica-se como, por outro lado, o natural conservantismo, o deixar estar — o "desleixo" — pudessem sobrepor-se tantas vezes entre eles [os portugueses] à ambição de arquitetar o futuro, de sujeitar o processo histórico a leis rígidas, ditadas por motivos superiores às contingências humanas. Restava, sem dúvida, uma força suficientemente poderosa e arraigada nos corações para imprimir coesão e sentido espiritual à simples ambição de riquezas.[19]

Como ocorreria alguns anos depois na obra de Caio Prado Jr., a interpretação de Sérgio Buarque de Holanda é marcada pelo tom

18. Sérgio Buarque de Holanda, *Raízes do Brasil*, 9ª ed., Rio de Janeiro, José Olympio, 1976, p. 83. Para as citações anteriores, ver pp. 62, 64 e 82.
19. Ibid., p. 83.

desconsolado ante os pendores administrativos dos portugueses, rotineiros e faltos de imaginação. O exame desses três autores mostra, portanto, que o melhor do ensaísmo brasileiro nos anos 1930, 1940 ou 1950 ajudou a firmar uma visão negativa da administração portuguesa na América. A "explicação do Brasil" não se desprendia, nesses ensaios, do ressentimento ante a antiga metrópole, e a má gestão da ex-colônia alinhava-se com outros "pecados" e doenças, o escravismo sendo o maior deles. Como observou com agudeza Stuart Schwartz, Gilberto Freyre foi, na sua geração, o único a ter uma visão otimista do Brasil e de seus primórdios, boa parte das críticas que recebeu decorrendo dessa perspectiva antes rósea.[20]

Por outro lado, sendo autores de ensaios explicativos, buscaram o enquadramento geral e deixaram para segundo plano o exame dos fenômenos específicos, muitas vezes elucidativos. Faoro é um caso à parte, já que invoca particularidades com maior frequência mas, ao fazê-lo, contradiz as explicações propostas. Apesar de datadas, entretanto, essas explicações são pontos de referência obrigatórios e não podem ser esquecidas: há que colocá-las no seu tempo, entender suas implicações ideológicas e, *last but not least*, considerar com mais cuidado as evidências empíricas

20. Stuart Schwartz, "O país do presente", entrevista à *Veja*, nº 1594, 21 de abril de 1999: "Gilberto Freyre foi um raro otimista deste século. Havia nos anos [19]30 um pessimismo racial que dizia que a miscigenação era uma coisa negativa. Gilberto Freyre dizia que não, que a mistura era positiva. Repare que ele sempre foi um autor festejado mas não fez discípulos. Viveu e morreu isolado". Com modificações, a entrevista foi depois publicada como artigo: id., "Gilberto Freyre e a história colonial: uma visão otimista do Brasil", in Joaquim Falcão e Rosa Maria Barbosa de Araújo (orgs.), *O Imperador das ideias*, Rio de Janeiro, Topbooks, 2001, pp. 101-20; Gilberto Freyre, *Casa-grande & senzala*, org. de Guillermo Giucci et al., Paris, Allca XX, 2002, pp. 909-1. Para uma interpretação matizada da obra de Freyre, especialmente *Casa-grande & senzala*, ver Ricardo Benzaquém de Araújo, *Guerra e paz. Casa-grande & senzala e a obra de Gilberto Freyre nos anos 30*, 2ª edição, São Paulo, Editora 34, 2005.

e as situações particulares, já que, como observou E. P. Thompson em formulação consagrada, a história é a disciplina do contexto.[21]

UMA NOVA VOGA DO IMPÉRIO

Na última década, intensificou-se no Brasil o interesse pela história do império português e da administração colonial. Talvez isso se deva em parte à expansão dos programas de pós-graduação e à prosaica necessidade de escolher temas de pesquisa, mas o motivo principal foi a percepção de que o Atlântico Sul, a partir do século XVII, passou a constituir um sistema próprio dentro do império português. De modo mais ou menos incisivo, vários trabalhos começaram a veicular essa ideia, e se *O trato dos viventes* (2000), de Luís Felipe Alencastro, alcançou justa notoriedade, cabe destacar os de outros especialistas há muito empenhados em mostrar a estreita conexão entre África e Brasil: Alberto da Costa e Silva, Manolo Florentino, Marina de Mello e Souza.[22] Alencastro tem afirmado ser impossível compreender o Brasil como expressão peculiar dentro do Império, impondo-se a comparação com as outras partes, inclusive as do Oriente.[23] Malgrado

21. E. P. Thompson, "L'antropologia e la disciplina del contesto", in id., *Società patrizia, cultura plebea*, Turim, Einaudi, 1981, pp. 251-74.
22. Alberto da Costa e Silva, *Um Rio chamado Atlântico — a África no Brasil e o Brasil na África*, Rio de Janeiro, Nova Fronteira, 2003; id., *Francisco Félix de Souza, mercador de escravos*, Rio de Janeiro, Eduerj/Nova Fronteira, 2004; Manolo Florentino, *Em costas negras — uma história do tráfico de escravos entre a África e o Rio de Janeiro (séculos XVIII e XIX)*, São Paulo, Companhia das Letras, 1997; Marina de Mello e Souza, *Reis negros no Brasil escravista — história da festa de coroação de Rei Congo*, Belo Horizonte, UFMG, 2002.
23. Em recente entrevista, Alencastro lembrou que Macau foi fundada poucos anos depois de São Paulo e afirmou: "não dá para fazer história do Brasil sem situá-la na vertente do Atlântico Sul. E o Atlântico Sul não é só Angola, é a Costa da Mina, é

sua indiscutível originalidade, *Trato dos viventes* inspira-se no clássico de Charles Boxer, *Salvador de Sá e a luta pelo Brasil e Angola*, e a repercussão que alcançou serviu também para relembrar a importância desse grande historiador britânico do império luso, recentemente falecido.

Boxer vinha sendo presença cada vez mais frequente na bibliografia das teses sobre irmandades e câmaras municipais, e a sua conhecida teoria da importância dessas instituições como cimento do Império voltou à baila. Em sentido contrário ao de Prado Jr., considerara a reprodução de instituições metropolitanas nas colônias como elemento positivo e fecundo, capaz de assegurar a existência do império português por tempo tão longo:

> A Câmara e a Misericórdia podem ser descritas, com algum exagero, como os pilares gêmeos da sociedade colonial portuguesa do Maranhão até Macau. Elas garantiam uma continuidade que os governadores, os bispos e os magistrados transitórios não podiam assegurar. Seus membros provinham de estratos sociais idênticos ou semelhantes e constituíam, até certo ponto, elites coloniais. Um estudo comparativo de seu desenvolvimento e de suas funções mostrará como os portugueses reagiram às diferentes condições sociais que encontraram na África, na Ásia e na América, e em que medida conseguiram transplantar essas instituições metropolitanas para meios exóticos e adaptá-las com êxito.

Além de apelar para a necessidade da comparação, conectando histórias espacialmente distintas, Boxer não se esquecia de

---

também Buenos Aires e, no século XIX, Moçambique, cujo tráfico é puxado para o Rio de Janeiro nessa época". In "Um historiador na esquina do mundo", entrevista à *Revista de História da Biblioteca Nacional*, ano 1, nº 4, outubro 2005, pp. 45-6.

uma das principais peculiaridades daquele império, e, invocando o escravismo, completava:

> Desse modo, podemos também testar a validade de algumas generalizações amplamente aceitas, como, por exemplo, a afirmação de Gilberto Freyre de que portugueses e brasileiros sempre tenderam, na medida do possível, a favorecer a ascensão social do negro.[24]

Infenso às dores do passado colonial, própria aos brasileiros, ou à má consciência de senhores de um Império, comum entre os portugueses mais críticos — afinal, o seu Império era outro... —, Boxer enfatizava com naturalidade o que havia de comum e partilhado entre ambos, e em outro trecho conhecido lembrou que, conforme rezava um provérbio alentejano, "*Quem não está na Câmara está na Misericórdia* [...] e isso também valia para as duas instituições no ultramar".[25]

Em Portugal, o estudo do império português colocava, da mesma forma, problemas complexos, e as gerações recentes procuraram fugir da história mais oficial e presa a celebrações que, independentemente da qualidade (muitas vezes boa), mostra-se em obras como a *História da colonização portuguesa no Brasil*, organizada entre 1921 e 1924 por Carlos Malheiro Dias, ou nos vários trabalhos publicados sob incentivo da *Agência Geral do Ultramar* nos anos de chumbo da ditadura salazarista.[26] Nesse sentido, os estudos de Vitorino Magalhães Godinho caíram num certo vazio: de qualidade indiscutível, não conseguiram entusiasmar as gerações mais jovens, para quem estudar o Império significava compactuar com aspectos conde-

24. Boxer, *O império marítimo português...*, p. 286.
25. Ibid., p. 299.
26. Carlos Malheiro Dias, *História da colonização portuguesa do Brasil*, Porto, Litografia Nacional, 1921, 1923, 1924, 3 vols.

náveis do Estado Novo.[27] Preenchendo uma lacuna considerável, portanto, Francisco Bethencourt e Kirti Chaudhuri publicaram, em 1998, os cinco volumes da *História da expansão portuguesa*, para a qual, além de portugueses e de um brasileiro — Caio Cesar Boschi —, contribuíram autores de nacionalidades várias, entre eles um dos mais conhecidos discípulos de Boxer, A. J. R. Russell-Wood. Escapando, no título, da associação ideologicamente comprometida — afinal, *Império* teimava em invocar o Estado Novo[28] —, a *História da expansão portuguesa* procurava assim aliar duas tradições de estudos sobre impérios: a portuguesa e a britânica, representada ali por Kirti Chaudhuri. O que ressalta da obra como um todo é a preocupação em buscar os nexos comuns do Império e, ao mesmo tempo, destacar as especificidades.

No que diz respeito ao Brasil, e dentro do assunto tratado aqui, cabe destacar dois capítulos: "Governantes e agentes", de A. J. R. Russell-Wood, e "América Portuguesa", de autoria de Francisco Bethencourt.[29] Ambos indicam a necessidade de estudar as

27. Cf. Vitorino Magalhães Godinho, "Portugal, as frotas do açúcar e as frotas do ouro (1670-1770)", *Revista de História, nº* 15, São Paulo, 1950, pp. 69-88; *Prix et monnaies au Portugal (1750-1850)*, Paris, Armand Colin, 1955; *Mito e mercadoria, utopia e prática de navegar. Séculos XIII-XVIII*, Lisboa, Difel, 1990. Sobre a dimensão atlântica do império português, particularmente nas relações com o Brasil, ver Frédéric Mauro, *Le Portugal et l'Atlantique au XVIIe siècle (1570-1670) - Étude économique*, Paris, 1960, e, ainda, id., *Études économiques sur l'expansion portugaise, 1500-1900*, Paris, Centro Cultural Português da Fundação Calouste Gulbenkian, 1970. Ao lado da de Boxer, a obra de Mauro também influenciou o trabalho de Luís Felipe de Alencastro.

28. Em comunicação ainda inédita, Maria Fernanda Bicalho destacou essa associação. Cf. "Historiografia e Império", comunicação feita no simpósio "O governo dos povos", Paraty, 1º de setembro, 2005.

29. A. J. R. Russell-Wood, "Governantes e agentes"; Francisco Bethencourt, "A América portuguesa", in Francisco Bethencourt e Kirti Chaudhuri (orgs.), *História da expansão portuguesa. O Brasil na balança do Império (1697-1808)*, Lisboa, Círculo de Leitores, 1999, respectivamente, pp. 169-92, 228-49, vol. III.

carreiras de administradores para melhor entender o funcionamento do Império, e realizam um ótimo trabalho sistematizador dos níveis da administração colonial, aliando, assim, a empiria e o enquadramento mais analítico. Quando reconhece, nas páginas iniciais, a "tirania da distância" e o caráter impreciso das áreas de jurisdição, Russell-Wood deixa vislumbrar a presença da matriz explicativa de Caio Prado Jr. Ao insistir, contudo, sobre o aspecto sistêmico da descentralização administrativa e as numerosas atribuições e responsabilidades do "homem no local", remete a outro paradigma explicativo, tributário dos estudos de Jack P. Greene, como se verá adiante, consideravelmente popular entre os estudos mais recentes sobre o assunto.[30]

Russell-Wood fornece importantes subsídios para se detectar um aspecto fundamental, ainda mais explícito no capítulo de Bethencourt: as lógicas próprias do sistema administrativo do Império. Isso fica evidente quando mostra que a duração dos governos era mais ou menos uniforme, ocorrendo certa flutuação no cotejo entre a Índia e o Brasil; ou que havia "qualidades desejáveis num vice-rei, capitão-geral ou governador", capazes de nortear a escolha para o cargo — tais como sangue nobre, pertencimento a redes familiares, idade madura, experiência militar. Não é esse aspecto sistêmico, nem essa lógica específica, contudo, que mais mobilizam Russell-Wood, mas a atuação dos agentes locais e a sua capacidade de flexibilizarem o sistema. "Uma história institucional do império ultramarino português", afirma, poderia dar a impressão de que ele era muito centralizado e que "existiam cadeias de comando e áreas de jurisdição bem definidas, de acordo com os regimentos e instruções entregues aos vice-reis,

30. Russell-Wood, "Governantes...", pp. 169-72, sobretudo p. 171. Jack P. Greene, *Negotiated authorities. Essays in colonial, political and constitutional history*, Charlottesville, Londres, University Press of Virginia, 1994.

governadores e capitães". O "estudo da dimensão humana, principalmente governadores e agentes", aponta contudo para uma realidade distinta, que nega a "rigidez administrativa" e mostra como as situações específicas impunham a flexibilidade na "interpretação das ordens ou decretos metropolitanos". Sem explicitá-lo desta maneira, Russell-Wood sugere a existência de um eixo vertical que, de Macau a Minas Gerais, permitia aos colonos tornarem suas vozes audíveis junto ao centro decisório do poder (Lisboa), bem como de um eixo horizontal passível, no plano local, de aproximá-los dos agentes e governantes.[31] Com base em seu capítulo, é possível concluir que a eficácia e duração do império português decorreram da combinação desses dois eixos.

O capítulo de Bethencourt preocupa-se de modo mais explícito com a análise de um *sistema administrativo*, e aí reside sua maior contribuição. Destacando, de início, a conflitualidade constante das colônias portuguesas na América, passa a analisar a organização que permitiu enfrentar essa situação, e desvenda suas lógicas de modo mais sistemático que Russell-Wood. Analisando os comportamentos e decisões metropolitanas ante as diferentes capitanias, mostra como a estrutura administrativa e organizacional respondia a conjunturas históricas e a necessidades específicas, alterando-se quando necessário.[32] O exame dos cargos, por sua vez, indica haver os que eram patrimonializáveis e os que não o eram. Aqui, cabe ressalvar que a questão é polêmica: trabalhos mais recentes indicam a generalização da venda de cargos em todo o Império, incluindo-se a América portuguesa.[33]

31. Russell-Wood, "Governantes...", p. 192.

32. Bethencourt, "A América portuguesa", p. 241.

33. Ibid., p. 247. Para posições distintas, ver: Fernanda Olival, "Pagamentos de serviços e formas de comunicação entre o império português e a metrópole (século XVII)", exemplar datiloscrito, 2004; id., *As ordens militares e o Estado moderno —*

Outro aspecto importante do capítulo de Bethencourt é o cuidado em indicar no que a comparação entre a América portuguesa e a América espanhola pode trazer benefícios para a análise, retomando a tradição, bastante esquecida, de Sérgio Buarque de Holanda. Isso acontece não apenas na questão da venalidade, mas também quando aborda o problema da amplitude de poder dos administradores. O Estado português mantinha um contato direto com os governadores das capitanias — os capitães-generais — porque havia interesse em enfraquecer o governo central — os governadores-gerais ou vice-reis. Por outro lado, o cerimonial de nomeação dos vice-reis portugueses revestia-se de maior formalidade que o dos de Castela: "Dir-se-ia que o maior investimento simbólico na nomeação dos vice-reis portugueses funcionava como elemento de comparação para competências mais reduzidas, sobretudo no que diz respeito às relações hierárquicas".[34]

Por fim, Bethencourt mostra-se atento às diferenças entre o império português no Atlântico e no Oriente. Seria possível pensar que "o padrão de longevidade dos vice-reis da América espanhola contaminou a prática portuguesa de exercício dos altos cargos", mas os motivos são diversos. Na América portuguesa os governadores podiam ficar mais tempo, porque a distância da metrópole era menor, sendo assim maior a possibilidade de controle.

---

honra, mercê e venalidade em Portugal (1641-1789), Lisboa, Estar, 2001, parte II, cap.1, item 1, "O mercado de hábitos - 1. A Coroa e o estatuto da venalidade em Portugal", pp. 237-82. Ernst Pijning, *Controlling contraband: mentality, economy and society in Eighteenth-Century Rio de Janeiro*, Tese de Doutorado apresentada à Johns Hopkins University, Baltimore, Maryland, 16 de maio de 1997, pp. 294-6, em que o autor mostra que cargos como escrivão de almoxarife e outros ligados à administração das alfândegas eram vendidos. Para um quadro sobre a venalidade na capitania do Rio de Janeiro, ver Apêndice 2, página não numerada.

34. Bethencourt, "A América portuguesa", p. 241.

Na Índia, ao contrário, o risco de se reforçarem as solidariedades horizontais era mais ameaçador, fazendo com que fosse necessário encurtar as estadias dos governantes.[35]

A pouca atenção dada à especificidade dos diferentes contextos imperiais — ou mesmo o descuido quanto aos contextos imperiais — é o calcanhar de aquiles dos estudos de Antonio Manuel Hespanha, hoje bastante influentes entre os historiadores brasileiros. Conhecendo muito bem as lógicas internas da administração portuguesa quinhentista e seiscentista, a obra de Hespanha tem sido decisiva no sentido de chamar atenção para a importância de se olhar o passado como "um país estrangeiro", sem incorrer nos anacronismos que pontuam a obra de Caio Prado Jr. e, em menor escala, a de Raymundo Faoro. O que hoje soa confusão de atribuições ou superposição de jurisdições é elemento constitutivo e característico do Estado europeu entre os séculos XV e XVIII, do período que, de modo talvez impreciso, se convencionou chamar de Antigo Regime.[36] Além disso, aquele era um mundo onde os "atos informais" importavam tanto ou mais do que os formais, onde os "poderes senhoriais", a "autonomia municipal", "os órgãos periféricos da administração real" eram decisivos.[37] O "complexo orgânico da administração central" da época se caracterizava, assim, por

35. Ibid., p. 243.

36. É preciso lembrar que Aléxis de Tocqueville chamou de Antigo Regime a ordem desaparecida com a Revolução Francesa, e, pensando-a sobretudo com base na história de seu país, reconheceu que era identificável nas diversas regiões europeias. Grosso modo, referia-se ao sistema vigente no século XVIII europeu. Estudos mais recentes sobre o Estado moderno sugerem contudo que ele teve várias faces: renascentista, barroca, republicana. Seria pertinente considerar que formas políticas específicas se alternassem sob uma ordem mais geral que permanecia a mesma — o aludido Antigo Regime? Voltarei à questão logo a seguir.

37. Hespanha, *As vésperas do Leviathan. Instituições e poder político. Portugal, século XVII*, Coimbra, Livraria Almedina, 1994, pp. 33 ss.

um "paradigma de ação político-administrativa", que era jurisdicionalista; por um "modelo de organização", que era o "governo polissinodal"; por um "estilo de processamento", que era o processo burocrático.[38] No mundo ibérico, o paradigma jurisdicionalista teria limitado muito a ação da Coroa, e o esquema polissinodal fez com que cada um defendesse veementemente a sua esfera de competência, gerando conflitos cotidianos e contribuindo de modo decisivo "para a paralisia e a ineficácia da administração central da Coroa".[39]

Se contribui significativamente para entender o Estado português e a administração do Império em chave renovada, fornecendo a matriz teórica das lógicas de um outro tempo e aproximando mais a política da análise da administração, o enfoque de Hespanha apresenta problemas a contornar. Como já observou Nuno Gonçalo Monteiro, sua análise vale sobretudo para o século XVII,[40] deixando de funcionar no mundo complexo do século XVIII, quando o equilíbrio do Império e as políticas metropolitanas se alteraram profundamente — seja no meado do governo de Dom João V, seja com o consulado pombalino.[41] O apreço ao esquema polissinodal e à *microfísica do poder* levam-no a enfraquecer excessivamente

38. Ibid., p. 278.
39. Ibid., pp. 286, 288-9.
40. Nuno Gonçalo F. Monteiro, "Trajetórias sociais e governo das conquistas: notas preliminares sobre os vice-reis e governadores gerais do Brasil e da Índia nos séculos XVII e XVIII", in Fragoso, Bicalho e Gouveia (orgs.), *O Antigo Regime nos trópicos*, p. 283.
41. Muita coisa mudou com Pombal, sobretudo nas colônias, mas há quem diga, com razão, que mudanças substantivas vieram antes, no meio do reinado joanino. Cf. Mafalda Soares da Cunha e Nuno Gonçalo F. Monteiro, "Governadores e capitães-mores do império atlântico português nos séculos XVII e XVIII", in Nuno Gonçalo F. Monteiro, Pedro Cardim e Mafalda Soares da Cunha (orgs.), *Optima Pars — elites ibero-americanas do Antigo Regime*, Lisboa, ICS, Imprensa de Ciências Sociais, 2005, pp. 191-252.

o papel do Estado e a criar armadilhas para si próprio, sobretudo no capítulo que escreveu para uma coletânea brasileira, *O Antigo Regime nos trópicos*, organizada por João Fragoso, Maria de Fátima Gouvêa e Maria Fernanda Bicalho. Ali, há insights originais, como a já referida crítica a Raymundo Faoro e a observação de que "a imagem de um Império centralizado era a única que fazia jus ao gênio colonizador da metrópole", mostrando, mais uma vez, a permanente contaminação ideológica sofrida pelo tema da administração, conforme destaquei no início deste capítulo. Mas há também certo descuido quanto à especificidade do império português na América, que o leva a generalizar com base em situações próprias ao Oriente. Um exemplo: para fortalecer sua argumentação de que os "nichos de poder" contam mais do que o poder central, invoca, entre outros, o argumento da distância:

> os governadores ultramarinos estavam isolados da fonte de poder por viagens que chegavam a levar anos, tendo necessidade de resolver sem ter de esperar a demorada resposta às suas demoradas perguntas.[42]

Em que pese o argumento, as distâncias entre o Centro e as diversas partes do Império tinham *escalas* distintas, e não podem ser consideradas em termos absolutos: nunca, no caso da América ou da África Ocidental, uma viagem levaria mais do que alguns meses, as viagens ao Oriente, por sua vez, podendo durar até um ano. Como se viu acima, Bethencourt analisou a distância em chave totalmente diversa, diferenciando, em função dela, a duração dos governos no império Atlântico e no do Oriente.

42. Nuno Gonçalo F. Monteiro, "A constituição do império português. Revisão de alguns enviesamentos correntes", in Fragoso, Bicalho e Gouveia (orgs.), *O Antigo Regime nos trópicos*, pp. 163-88, aqui, p. 175.

Outro problema, advindo tanto da importância dada aos "nichos institucionais de onde o poder pode ser construído" como à excessiva fragilidade do poder central, é a desconsideração de que, ao fim e ao cabo, tudo se fazia em nome do rei e de Portugal. Rodrigo Bentes Monteiro deixou claro qual era o processo de construção da imagem real na ausência do rei, a autoridade régia sendo "respeitada como elemento mantenedor da ordem na América, mais amada do que temida" e, ao mesmo tempo, capaz de preservar a integridade territorial da América portuguesa.[43] Hespanha tem certa razão ao sustentar que o Império não era "centrado, dirigido e drenado unilateralmente pela metrópole", mas não consegue, a meu ver, ir fundo na análise das peculiaridades do poder num mundo distinto do nosso, caindo, por isso, na própria armadilha. Se, como ensinou, a anatomia do poder era, então, distinta da de hoje, nem por isso havia "ausência do Estado", mas um Estado em que as racionalidades eram outras. O Estado esteve indiscutivelmente presente na colonização e na administração das possessões ultramarinas: o que se deve perscrutar é a expressão e a lógica dessa presença, pois podem, constantemente, nos iludir. Se aquela era, como afirma o autor, uma sociedade de Antigo Regime, sua própria essência, assentada na hierarquia e no privilégio, impediriam que fosse diferente.

A análise do mundo colonial em geral e da América portuguesa em particular havia estado, até o capítulo que se acabou de mencionar, quase ausente das preocupações de Hespanha. Na introdução a *As vésperas do Leviathan* (1994), o autor deixou claro que o objeto do livro era "o Portugal continental, o 'Reino'" e que, consequentemente, "as dependências atlânticas e ultramarinas ficam fora do seu alcance".[44] No volume que organizou

43. Rodrigo Bentes Monteiro, *O rei no espelho — a monarquia portuguesa e a colonização da América (1640-1720)*, São Paulo, Hucitec, 2002, p. 329.

44. Hespanha, *As vésperas do Leviathan...*, p. 11.

sobre o século XVIII para a *História de Portugal* dirigida por José Mattoso, o único capítulo que dedicou ao Império — "Os poderes num império oceânico" — é curtíssimo, o que na época provocou certa estranheza devido ao fato de o Brasil ser, conforme expressão conhecida, a "vaca de leite" de Dom João v. De modo resumido, Hespanha reiterava ali a teoria da estrutura polissinodal, sugerindo que a lógica do império português se assentava na "modularidade das partes componentes e sobre a economia dos custos políticos da administração dos territórios". O último período do capítulo reforça o sentimento de que o império de suas cogitações era sobretudo o oriental:

> Além do mais, esta economia da ocupação territorial (*com excepção do Brasil e*, muito mais tarde, da África) explica ainda o relativo igualitarismo das relações raciais no Império oriental, pois, no Oriente, os contactos permanentes na terra tinham finalidades que teriam sido destruídas com uma estratégia de violência.[45]

Apesar disso, as análises de Hespanha vêm alcançando considerável ressonância entre a produção acadêmica brasileira recente, das teses e dissertações ainda inéditas à coletânea brasileira já mencionada.[46] Por outro lado, não são poucos os problemas que a aplicação indiscriminada da análise de Hespanha ao contexto brasileiro pode trazer.

Primeiro, porque a corrente à qual se filia — dos estudos da historiografia constitucional alemã à discussão mais contemporâ-

45. Id., "Os poderes num império oceânico", in id. (coord.), *História de Portugal. O Antigo Regime (1620-1807)*, obra sob a direção de Jorge Mattoso, Lisboa, Editorial Estampa, 1998, pp. 351-64, citação à p. 361, vol. IV.
46. Apenas um exemplo: Marilda Santana da Silva, *Poderes locais em Minas Gerais setecentista — a representatividade do Senado da Câmara e Vila Rica (1760-1808)*, Tese de Doutorado em História, IFHC-Unicamp, 2003.

nea, voltada para a revisão daquilo que se convencionou chamar de Estado moderno — tem por objeto as manifestações eminentemente europeias do fenômeno. O que lhes interessa, muitas vezes na dependência de análises jurídicas tributárias dos escritos de Otto Brunner, é evidenciar a indistinção entre público e privado própria ao mundo do Antigo Regime, bem como as especificidades de uma ordenação social estamental e corporativa.[47] Na Itália, onde a discussão sobre o Estado alcançou um de seus ápices nos estudos de Federico Chabod,[48] o assunto continua na ordem do dia, girando em torno da perplexidade quanto ao fato de os italianos terem organizado o poder no "momento ideal e genético" dos Principados, sem contudo "produzirem" formações monárquicas absolutistas.[49] Sem ser

47. A maior parte da obra do austríaco Otto Brunner se encontra em alemão. A mais importante, talvez, data de 1939 e se acha traduzida em italiano e inglês. Ver Otto Brunner, *Terra e potere*, intr. de P. Schiera, Milão, 1983; *Land and lordship: structures of governance in medieval Austria*, Philadelphia, University of Pennsylvania Press, 1992. Sobre a influência do autor na historiografia política do pós-guerra, António Manuel Hespanha avalia que foi grande, sobretudo na Alemanha e na Itália, e acha paradoxal que tenha incidido menos sobre a historiografia conservadora e mais sobre "historiadores críticos em relação aos modelos políticos estabelecidos, que se encontravam com Brunner na sua crítica implícita ao paradigma democrático-representativo". Hespanha reconhece tratar-se de um "estranho casamento, típico da nova vaga de historiadores do poder e do direito dos anos setenta [do século XX]", a cavaleiro de influências marxistas e dos escritos de Brunner, "inspirados por uma visão política muito conservadora". Cf. Hespanha, "O debate acerca do Estado moderno", *Working Papers*, nº 1, Faculdade de Direito, Universidade Nova de Lisboa, 1999, p. 5.
48. Sobretudo "Esiste un Estado del Renacimiento?", mas também toda a terceira parte de *Escritos sobre el Renacimiento*, denominada "Los orígenes del Estado moderno". Cf. Federico Chabod, *Escritos sobre el Renacimiento*, México, Fondo de Cultura Económica, 1990, pp. 523-93.
49. Cf. Pierangelo Schiera, "Legitimità, disciplina, istituzioni: tre presupposti per la nascita dello Stato moderno", in G. Chittolini, A. Molho e P. Schiera (orgs.), *Origini dello Stato. Processi di formazione statale in Italia fra Medioevo ed età moderna*, Bolonha, Il Mulino, 1994. Giuseppe Petralia, "'Stato' e 'moderno' in Italia e nel rinascimento", *Storica*, nº 8, 1997, pp. 7-48.

elemento determinante na questão, os impasses sofridos pelo Estado nacional na Europa de hoje ajudam a entender a voga desses estudos, intensos sobretudo entre o início da década de 1970 e a de 1990, e que, na sua versão mais radical e pós-moderna, implodem a própria possibilidade de existência de um Estado absoluto, solapando o "paradigma estatalista" e enfatizando "os elementos não absolutistas do absolutismo".[50] Nessa vertente, sequer cabe o conceito mais genérico de um "Estado moderno", "brilhante construção historiográfica forjada pela necessidade de legitimação de uma burguesia europeia nem sempre revolucionária e quase sempre nacionalista".[51] A peculiaridade do cenário italiano fornece, mais uma vez, munição para o debate: L. Mannori opõe a ideia de um "Estado-arena" — em que se busca harmonizar a monarquia administrativa e a sociedade de corpos por meio da vigilância contínua sobre a conflitualidade dos sujeitos — à de "Estado-pessoa", pautado na concepção de absolutismo. Para ele, a noção clássica de Estado moderno tende a se restringir: "Moderno é apenas o Estado dotado de vocação para projetar; moderno é apenas o Estado-administrador contemporâneo".[52] Nessa discussão, a existência de Estados com impérios coloniais

50. Aurélio Musi, "Um assolutismo preriformatore?", in *L'Italia dei Viceré — integrazione e resistenza nel sistema spagnuolo*, 2ª ed., Salerno, Avagliano, 2001, pp. 225-41, citação à p. 234. Alguns exemplos dessa historiografia: L. Blanco, "Note sulla piú recente storiografia in tema di 'Stato moderno'", in *Storia amministrazione costituzione*, Annale ISAP 2, 1994, pp. 259-97; C. J. Hernando Sanchez, "Repensar el poder. Estado, Corte y Monarquia Católica en la historiografia italiana", in *Diez años de historiografia modernista*, Bellaterra, Universitat Autonoma de Barcelona, 1997, pp. 103-39; Elena Fasano Guarini, "'Etat Moderne' et anciens états italiens: éléments d'Histoire comparée", *Revue d'Histoire moderne et contemporaine*, nº 45, 1998, pp. 15-41.

51. P. Fernández Albaladejo, *Fragmentos de Monarquia. Trabajos de Historia política*, Madri, Alianza, 1992.

52. Comentário de Aurélio Musi ao livro de Mannori, *Il sovrano tutore. Pluralismo istituzionale e accentramento amministrativo nel Principato dei Medici* (*sécs. XVI-XVIII*), Milão, 1994. Aurélio Musi, "Un assolutismo preriformatore?", p. 236.

tem interesse marginal, e, quando ocorre, relativiza, mais uma vez, os elementos centralizadores; no entanto, cabe ponderar que os impérios contaram muito na estruturação e no delineamento das peculiaridades daqueles que os possuíram: pense-se no caso da Espanha, onde a estrutura interna invertebrada valeu-se muito do apoio dado pelo império ultramarino.[53] Isso ajuda a entender por que Hespanha havia centrado seu foco em Portugal, negligenciando o fato de ter sido, por tanto tempo, metrópole de um vasto Império.

A segunda ordem de problemas advém da supervalorização dada por Hespanha aos textos jurídicos. Estes são o seu principal material de trabalho, "o maior legado", junto com a teologia, "da civilização antiga, medieval e moderna da Europa ocidental", coletivos por natureza, observatório privilegiado, portanto, para se entender uma época.[54] As relações entre direito e moral sustentam algumas de suas ideias mais características, e é a via pela qual recupera a análise clássica de Marcel Mauss sobre o dom.[55] Imerso no mundo dos juristas e dos teólogos, deixa-se magnetizar por eles e supervaloriza os limites impostos pelo direito ao poder dos reis, escorando-se, para tanto, na "historiografia a mais atual".[56] Por

53. Cf. a análise instigante de Perry Anderson, *El estado absolutista*, Madri, Siglo Veintiuno Editores, 1979, pp. 55-80. A prata americana proporcionou à Espanha rendas específicas e distintas das demais na Europa de então. "Desta forma, o absolutismo espanhol pôde continuar prescindindo por muito tempo da lenta unificação fiscal e administrativa que foi condição prévia do absolutismo em outros países" (p. 66). Para as relações contraditórias e complementares entre Espanha e Império num contexto histórico posterior, ver o ensaio luminoso de José Ortega y Gasset, *España invertebrada — bosquejo de algunos pensamientos históricos*, 13ª edição, Madri, Austral, 2002.

54. Hespanha, *As vésperas do Leviathan...*, sobretudo pp. 295 ss.

55. Marcel Mauss, "Essai sur le don — forme et raison de l'échange dans les sociétés archaïques" (1929), in id., *Sociologie et anthropologie*, int. Claude Lévi-Strauss, 9ª edição, Paris, PUF, 2001, pp. 143-279.

56. Hespanha, "La economía de la gracia", in *La gracia del Derecho: economía*

mais importantes que tenham sido as análises sobre as teorias contratualistas subjacentes à constituição do poder político na Época Moderna,[57] o mundo das colônias — e aqui, lembrem-se as ressalvas feitas por Caio Prado Jr. — não pode ser visto predominantemente pela ótica da norma, da teoria ou da lei, que muitas vezes permanecia letra morta e outras tantas se inviabilizava ante a complexidade e a dinâmica das situações específicas. Aliás, para uma das maiores expressões do pensamento político, sequer o mundo do Antigo Regime poderia ser visto sob tal ótica: caracterizando-o por "uma regra rígida" e "uma prática flácida", Aléxis de Tocqueville ensinou: "Quem quisesse julgar o governo daquele tempo pelo conjunto de suas leis incorreria nos erros os mais ridículos".[58]

Em terceiro lugar, mas nem por isso menos importante, porque a América portuguesa se assentou na escravidão. Durante cem anos no mínimo, de Joaquim Nabuco a Florestan Fernandes e Fernando Novais, os historiadores e pensadores brasileiros chamaram atenção para o fato de o Brasil ter tido uma sociedade escravista.[59]

---

de la cultura en la edad moderna, Madri, Centro de Estudios Constitucionales, 1993, p. 176.

57. Para Portugal, o trabalho decisivo, neste sentido, é o de Luís Reis Torgal, *Ideologia política e teoria do Estado na Restauração*, Coimbra, Biblioteca Geral da Universidade, 1981, 2 vols.

58. De Tocqueville, "Les moeurs administratives sous l'Ancien Régime", in id., *L'Ancien Régime et la Révolution*, Paris, Flammarion, 1988, livro II, cap. VI, p. 160. Comentando esta passagem, diz Furet: "[Tocqueville] viu-se diante do dilema bem conhecido de todos os historiadores do Antigo Regime: no alto, a minúcia extraordinária na regulamentação de tudo; embaixo, desobediência crônica". François Furet, *Penser la Révolution française*, nova edição revista e corrigida, Paris, Gallimard, 1983, p. 186.

59. Joaquim Nabuco, *O abolicionismo — discursos e conferências abolicionistas*, São Paulo, Instituto Progresso Editorial, 1949; Florestan Fernandes, "A sociedade escravista no Brasil", in id., *Circuito fechado*, São Paulo, 1976. Fernando Novais, *Portugal e Brasil na crise do antigo sistema colonial*, São Paulo, Hucitec, 1979.

Leis, relações de produção, hierarquia social, conflitualidade, exercício do poder, tudo teve, no Brasil, que se medir com o escravismo. Administrar uma sociedade composta predominantemente por brancos não era a mesma coisa que fazê-lo quando o contingente escravo podia chegar — como chegava em algumas regiões — a 50% da população. Mesmo que a lei vigente na primeira — a europeia, a metropolitana ou ambas — fosse igual à que se tinha para a segunda.

Por tudo isto, parece-me que os pressupostos teóricos abraçados por Antonio Manuel Hespanha funcionam bem no estudo do seiscentos português, mas deixam a desejar quando aplicados ao contexto do Império setecentista em geral, e das terras brasílicas em específico. Olhar para os estudos sobre o Império espanhol talvez possa, mais uma vez, trazer benefícios: se ali, até os Bourbon, vingou antes um *sistema imperial* que um *Império*,[60] a Restauração tirou Portugal da égide dos Áustrias e impôs desenho novo. Ao mesmo tempo, a Europa pós-Westfália tornava-se crescentemente multipolar e atropelava, no percurso, o pequeno Portugal.[61] A rela-

60. Para J. H. Elliott, o relativo sucesso do sistema imperial dos Habsburgo residiria na conjugação de um governo regional efetivo e de uma centralização elevada à máxima potência. Cf. *Imperial Spain*, Londres, 1963. Já Geoffrey Parker sugeriu enfatizar as relações entre as diferentes políticas regionais dos Habsburgo. Cf. *The army of Flanders and the Spanish Road — 1567-1659. The logistics of Spanish victory and defeat in the Low Countries' war*, Cambridge, 1972. Sigo neste tocante as observações de Musi, "L'Italia nel sistema imperiale spagnuolo", in *L'Italia dei viceré...*, pp. 13, 15.

61. O conceito de Europa multipolar se opõe ao da "balança de poderes" e ao das "hegemonias". Sustenta que se formaram, então, três polos: um mediterrânico, com a França no centro; um polo centro-europeu, cujo coração é a Inglaterra, mas que presencia a emergência do Brandemburgo/Prússia e, por fim, um polo que, no Norte, gravita em torno da Suécia e da Rússia. Esse sistema constituído por vários polos de influência formou-se no bojo da crise do sistema imperial espanhol que, "de Filipe II até o governo do Conde-Duque de Olivares, representou não apenas um modelo de organização interna de uma formação política supra-estatal e supranacional, como também um centro em torno do qual gravitou toda

tiva autonomia das partes, efetiva no sistema espanhol, foi assim sendo substituída por controle maior: a culminância do processo foi o Consulado pombalino.

O PROBLEMA DO ANTIGO REGIME

Na coletânea organizada por Fragoso, Bicalho e Gouveia — *O Antigo Regime nos trópicos* —, a atração por trabalhos que, como o de Antonio Manuel Hespanha, minimizam o alcance do Estado soma-se a um relativo abandono da problemática da escravidão enquanto elemento constitutivo da sociedade luso-americana no século XVIII.[62] O poder local, as redes clientelares, os arranjos informais, os "bandos" — para citar expressão cara a Fragoso em vários de seus trabalhos —, a capacidade de negociação direta com a Corte dissolvem amarrações que, por muito tempo, se acreditou sustentarem a estrutura do mundo colonial — entre elas, o escravismo, ou seja, o sistema complexo que articulava as relações sociais naquela formação histórica.[63] Sendo também autor do livro, Hespanha é, nele, o campeão das referências ali presentes: a bibliografia arrola vinte trabalhos diferentes de sua autoria. Sintomaticamente, outros historia-

---

a política internacional". Musi, "L'evoluzione político-costituzionale dell'Italia nell'Europa multipolare", in *L'Italia dei viceré*..., pp. 207-23, citação à p. 211.

62. Em escrito posterior, Maria Fernanda Bicalho matizou sua posição pessoal: "No entanto, o que a colônia, no caso do Brasil, ou o império atlântico português possuíam de específico — e que dotava igualmente suas elites de uma singularidade em relação às elites europeias do Antigo Regime — era o fato de terem-se gerado numa sociedade escravista, que se gerou por sua vez na dinâmica do tráfico negreiro". "Elites coloniais: a *nobreza da terra* e o governo das conquistas", in Nuno G. F. Monteiro et al., *Optima Pars*..., pp. 73-97, citação nesta última página.

63. Cf. Fernando Novais, *Portugal e Brasil na crise do* ..., op. cit., passim.

dores que trataram do Brasil no império português em chave analítica mais estrutural, como Kenneth Maxwell, nem sequer são mencionados. Isso não invalida, por certo, a qualidade das análises ali presentes, que trazem questões muito interessantes e, sobretudo, exibem magníficas contribuições empíricas. O cuidado com a pesquisa documental e a utilização de fundos arquivísticos até agora pouco frequentados talvez constitua, aliás, o ponto alto do livro. O mesmo destaque não pode ser dado ao aspecto mais conceitual, que contudo se apresenta ambicioso, os próprios autores considerando o livro "fruto de uma perspectiva historiográfica inovadora".[64] Além de formulações nem sempre claras o suficiente, como *economia do bem comum* e *economia política de privilégios*[65] — contaminadas, talvez, por uma impre-

64. Fragoso, Bicalho e Gouveia, "Introdução", in id. (orgs.), *O Antigo regime nos trópicos...*, p. 21. A mesma crença no potencial inovador do grupo revela-se em "Uma leitura do Brasil colonial — bases da materialidade e da governabilidade do Império", *Penélope*, nº 23, Oeiras, Celta Editora, 2000, pp. 67-88, que conclui, à p. 83: "O artigo procurou abordar alguns aspectos — econômicos e administrativos — do 'Brasil-Colônia', a partir de um novo enfoque; qual seja, apreende-lo [sic] enquanto parte componente do Império ultramarino português, enfatizando as práticas políticas do Antigo Regime".
65. Em outro escrito, João Fragoso explica mais detidamente o que entende por economia do bem comum: "Um outro lado da questão, é que tanto o Senado da Câmara e a Coroa (como cabeças da República) retiravam do mercado e da livre concorrência bens e serviços indispensáveis ao público, passando a ter sobre eles o exercício da gestão. Em outras palavras, entremeando e interferindo nas lavouras, comércio e artesanato dos moradores dos conselhos/súditos do rei teríamos, no Antigo Regime português, um conjunto de bens e serviços que poderiam ser identificados pelo nome de economia do bem comum, ou de economia da República". João Fragoso, "A nobreza da República: notas sobre a formação da primeira elite senhorial do Rio de Janeiro (séculos XVI e XVII)", *Topoi*, nº 1, Rio de Janeiro, 7 Letras, 2000, pp. 45-122, citação à p. 94. Se, conforme o trecho citado, a sociedade parece tender a um jogo econômico livre e autorregulado, o Senado e o rei impunham o monopólio. Seria possível tal situação antes do liberalismo econômico? Cf. Eli F. Hecksher, *La época mercantilista*, México, Fondo de Cul-

cisão do próprio Hespanha, a *economia do dom*, que desloca a análise feita por Mauss com base sobretudo num mundo desmonetarizado e a lança no universo do capitalismo nascente —, as diferenças entre metrópole e colônia são irrelevantes a ponto de justificarem a abordagem da América portuguesa como quase uma versão tropical do Antigo Regime europeu. Se não, como explicar o título?

Em que pese a importância do estabelecimento de relações e da comparação na análise dos fenômenos históricos, a História, como lembrou Thompson na passagem já invocada, é a disciplina do contexto, a indistinção sendo, consequentemente, uma de suas maiores ameaças. Não me parece que a questão seja, como assinalaram os autores de *O Antigo Regime nos trópicos*, romper "com uma visão dualista e contraditória das relações metrópole-colônia", mesmo porque a contradição, enquanto princípio, define-se como a antítese do dualismo. Em situação colonial, onde as contradições são particularmente exacerbadas, a convergência ou coincidência de práticas e interesses é não raro antes forma que conteúdo.

É importante tentar compreender os pressupostos que nor-

---

tura Económica, 1943. Para o modo bastante livre com que Fragoso utiliza certos conceitos, ver ainda "A nobreza vive em bandos: a economia política das melhores famílias da terra do Rio de Janeiro, século XVII. Algumas notas de pesquisa", *Tempo* 15, Rio de Janeiro, 7 Letras, 2003, pp. 11-35, em que, às pp. 33-5, refere-se a uma "economia plebeia" e a um "açúcar plebeu", cabendo mencionar ainda a relativa facilidade com que associa *nobreza* a *riqueza* ou *poder*, descuidando do sentido sociológico do conceito e da diferenciação entre *nobreza* e *aristocracia*. A mesma indistinção aparece em outro artigo, "Potentados coloniais e circuitos imperiais: notas sobre uma nobreza da terra, supracapitanias, no Setecentos", in Nuno G. F. Monteiro et al., *Optima Pars*..., pp. 133-68, ao qual voltarei no capítulo 4 deste livro. Já para a expressão *economia política de privilégios*, ver Fragoso, Gouveia e Bicalho, "Uma leitura do Brasil colonial...", passim.

teiam *O Antigo Regime nos trópicos*, porque eles têm se manifestado também em outras interpretações sobre política e administração e, a meu ver, implicam alguns equívocos que cabe evitar ou, pelo menos, discutir. Realimentados pela perspectiva analítica de Antonio Manuel Hespanha, esses pressupostos retomam, aliás, tendência que já vinha se esboçando entre nós, e conforme a qual o papel do Estado e o antagonismo dos interesses de colonos e reinóis apareciam diminuídos. Tomando como exemplo a historiografia sobre Minas Gerais, com a qual tenho maior familiaridade, vê-se que, após o peso considerável dado ao controle da Coroa sobre as irmandades religiosas — penso em *Os leigos e o poder*, de Caio César Boschi —, ou ao destaque que eu mesma conferi aos representantes do poder enquanto agentes que intensificavam os processos desclassificadores, Júnia Ferreira Furtado procurou desmontar a sujeição do Distrito Diamantino ao poder real — em *O livro da capa verde* — e valorizar as redes de solidariedade que fortaleciam a atuação dos comerciantes e, de certa forma, os autonomizava ante o controle estatal da economia — em *Homens de negócio*.[66] Nos anos 1990, portanto, foi se delineando tendência oposta à que dominara nos vinte anos anteriores,[67] e na

66. Caio César Boschi, *Os leigos e o poder*, São Paulo, Ática, 1986; Laura de Mello e Souza, *Desclassificados do ouro*; Júnia Ferreira Furtado, *O livro da Capa Verde — o regimento diamantino de 1771 e a vida no Distrito Diamantino no período da Real Extração*, São Paulo, Annablume, 1996; id., *Homens de negócio — a interiorização da metrópole e do comércio nas Minas setecentistas*, São Paulo, Hucitec, 1999.

67. No que diz respeito aos estudos sobre escravidão, levantei esse problema num ensaio bibliográfico, "O escravismo brasileiro nas redes do poder: comentário de quatro trabalhos recentes sobre escravidão" (resenha dos livros de Leila Mezan Algranti, *O feitor ausente*; Caio Cesar Bochi, *Os leigos e o poder*; Ronaldo Vainfas, *Ideologia e escravidão*; Sílvia Hunoldt Lara, *Campos da violência*), *Estudos Históricos*, vol. 2, nº 3, Rio de Janeiro, 1989, pp. 133-46.

qual o papel do Estado foi, em certos aspectos, hipertrofiado: reação, portanto, salutar e compreensível.[68]

Politizando a análise no polo das relações horizontais — o empenho dos *bandos* em controlar as Câmaras e a governança, ou ainda a desenvoltura com que atuavam junto aos agentes metropolitanos do poder, alinhavando interesses comuns ou complementares —, essa perspectiva despolitizou-a — ou, melhor, conferiu-lhe uma conotação política *diferente* — no tocante às relações verticais, distendendo as relações de dominação que se verificavam de cima para baixo e enfatizando a capacidade de habitantes da colônia comunicarem-se diretamente com a metrópole. Neste ponto, tal perspectiva se inspira não apenas no reequacionamento das análises sobre o escravismo — que passam a valorizar os estratagemas dos escravos e sua capacidade de negociação — como nos estudos desenvolvidos por Russell-Wood desde os anos 1980, voltados para as formas peculiares de comunicação com a metrópole encontradas pelos colonos.[69] Aliás, a influência de Russell-Wood neste volume — para o qual escreveu o *Prefácio* — nota-se igual-

68. Além das obras já citadas nas notas acima, remeto a Nicholas Henshall, *The myth of absolutism — change & continuity in Early Modern European Monarchy*, Londres e Nova York, Longmans, 1992. De certa forma, também François Furet, em seu célebre estudo, já minimizava — ou, pelo menos, relativizava —, em 1978, o absolutismo enquanto concentração suprema de poder, ressaltando seu caráter de compromisso. *Penser la Révolution française...*, pp.145 ss.

69. O principal representante da tendência que discute a ideia da escravidão-cárcere e do escravo-coisa, destacando seu papel como agente histórico, é, entre nós, João José Reis; ver, sobretudo, *Rebelião escrava no Brasil — a história do levante dos malês (1835)*, São Paulo, Brasiliense, 1986; com Eduardo Silva, *Negociação e conflito — a resistência escrava no Brasil escravista*, São Paulo, Companhia das Letras, 1989; com Flávio Gomes, *Liberdade por um fio — história dos quilombos brasileiros*, São Paulo, Companhia das Letras, 1996. De Russell-Wood, veja-se sobretudo *Escravos e libertos no Brasil colonial*, Rio de Janeiro, Civilização Brasileira, 2005; "Centros e periferias no mundo luso-brasileiro, 1500-1808", *Revista*

mente na ênfase dada ao poder local, à autonomia crescente das periferias com relação ao centro, na busca dos interstícios que possibilitam a negação do poder enfeixado a partir da metrópole, enfim, daquilo que Jack P. Greene qualificou de "autoridades negociadas".[70]

A categoria de *Antigo Regime* é privilegiada porque, para os autores, denota um mundo onde a política predominava sobre a economia.[71] Mas há implicações mais fundas. Mesmo que, acatando críticas, se limite o alcance do conceito de Antigo Sistema Colonial ao século XVIII ou, quando muito, ao período posterior à Restauração de 1640; ou ainda que se pense na sua acepção plural — Sistemas Coloniais expressaria melhor relações tão distintas quanto as estabelecidas, através dos séculos, entre a França, a Holanda, a Inglaterra e suas respectivas possessões —, é significativo que tal conceito venha sendo eclipsado pelo de Antigo Regime, criado para designar a ordem imediatamente anterior à Revolução Francesa.[72]

O Antigo Regime foi definido e circunscrito a partir de um

Brasileira de História, vol. 18, nº 36, pp. 187-249, 1998; "Autoridades ambivalentes: o Estado do Brasil e a contribuição africana para a 'boa ordem na República'", in Maria Beatriz Nizza da Silva (org.), *Brasil: colonização e escravidão*, Rio de Janeiro, Nova Fronteira, 1999, pp. 105-23.

70. Cf. Russell-Wood, "Centros e periferias...", pp. 242 ss. Jack P. Greene, *Peripheries and center. Constitutional development in the extended polities of the British Empire and the United States, 1607-1788*, Athens/Londres, University of Georgia Press, 1986. Ver ainda: id., "O governo local na América Portuguesa: um estudo de divergência cultural", *Revista de História*, vol. LV, nº 108, ano XXVIII, 1977, pp. 25-79.

71. Fragoso, "Potentados...", in Nuno G. F. Monteiro et al., *Optima Pars...*, pp. 165, 166.

72. Penso aqui, evidentemente, no livro de Fernando Novais, *Portugal e Brasil na crise do antigo sistema colonial.*

contexto histórico específico. Inicialmente referido às formas de vida e de governo franceses destruídos pela Revolução, passou, aos poucos, a qualificar um fenômeno mais geral, europeu. Um ano após eclodir a revolução, Mirabeau teria sido, segundo Tocqueville, um dos primeiros a usar a expressão: "Comparai o novo estado das coisas com o Antigo Regime", escreveu secretamente ao rei, "é onde residem os consolos e as esperanças". Agente do processo que ia subvertendo a velha ordem, Mirabeau enxergava-o como reforço da monarquia, e considerava que "a ideia de não formar senão uma única classe de cidadãos teria agradado a Richelieu: essa superfície toda igual facilita o exercício do poder. Inúmeros reinados de um governo absoluto não poderiam fazer tanto pela autoridade real quanto este único ano de Revolução".[73] Mais que a centralidade do poder, portanto, Mirabeau identificava o Antigo Regime à sociedade desigual dos privilégios: em suma, ao feudalismo, sem se dar conta de que o povo não se compunha mais de súditos, e sim de cidadãos; a soberania não mais emanava do rei, e sim do povo. Escrevendo muito tempo depois — seu livro foi publicado em 1856 —, Tocqueville pôde ver além: o Antigo Regime era algo comum a toda a Europa, e sua ruína mostrava-se geral: "não são homens diferentes, são, por toda parte, praticamente os mesmos homens". O que entrava em crise era, portanto, um verdadeiro *sistema*, o do Antigo Regime, que ele se propunha compreender.[74]

Entre os historiadores, Behrens considerou que o Antigo Regime correspondeu ao período no qual a Europa foi dominada

73. Citado por Tocqueville, *L'Ancien Régime et la Révolution*, livro I, cap. 2, p. 104.
74. Id., "Comment presque toute l'Europe avait précisément les mêmes institutions et comment ces institutions tombaient en ruine partout", in *L'Ancien Régime*..., livro I, cap. IV, p. 111. No "Avant-Propos", Tocqueville escreve a passagem frequentemente citada: "Este livro que publico não é uma história da revolução, o que foi feito com brilho suficiente para que eu almeje refazê-la; é um estudo sobre essa revolução", op. cit., p. 87.

pela Áustria, Prússia, Rússia e França: ao século XVIII, portanto, quando, como disse Marc Fumaroli, "a Europa falava francês", e não havia ainda identidade nacional que se antepusesse à autoconsciência eufórica e triunfante de um leque de povos distintos em busca da unidade.[75]

Já para Pierre Goubert — como para muitos contemporâneos do processo, a exemplo de Mirabeau — o regime feudal, abolido na noite de 4 de agosto de 1789, constituía um dos fundamentos do Antigo Regime. Outro de seus elementos constitutivos, conforme Tocqueville, era o absolutismo monárquico, que, na França, tornou inútil o feudalismo, na medida em que chamou para si todas as funções da política. "Tocqueville explicará tudo por meio da ação deste agente único de subversão, a emergência do Estado e a decomposição da sociedade antiga; a revolução política e a revolução social. Num movimento único, ele elaborará uma sociologia política do absolutismo e uma história social do Antigo Regime".[76] François Furet, grande admirador e, em muitos pontos, seguidor de Tocqueville, também glosou o papel do absolutismo como elemento constitutivo do Antigo Regime: "O Antigo Regime inventou a *forma* da autoridade: poder central arbitrário/indivíduo isolado, a partir da qual se moldarão as instituições revolucionárias".[77] Para Furet, a essência do Estado do Antigo Regime é justa-

75. C. B. A. Behrens, *O Ancien Régime*, Lisboa, Verbo, 1967, p. 9. Marc Fumaroli, *Quand l'Europe parlait français*, Paris, De Fallois, 2001. É vasta a produção sobre a ideia de Europa e do seu empenho em se ver como unidade. A título de exemplo, ver Federico Chabod, *Storia dell'idea d'Europa* [1961], Roma, Laterza, 1995; *Lo specchio dell'Europa — immagine e immaginario di un continente*, Rimini, Il Cerchio, 1999; Anthony Pagden (org.), *The idea of Europe — from Antiquity to the European Union*, Woodrow Wilson Center Press e Cambridge University Press, 2002; Robert Darnton, "A unidade da Europa: cultura e civilidade", in id., *Os dentes falsos de George Washington*, São Paulo, Companhia das Letras, 2005, pp. 91-104.
76. Françoise Mélonio, "Préface" a Tocqueville, *L'Ancien Régime...*, p. 25.
77. Furet, *Penser la Révolution française...*, p.187. Cabe lembrar que Furet, comu-

mente a supressão dos poderes concorrentes: "A monarquia absoluta não é senão essa vitória do poder central sobre as autoridades tradicionais dos senhores e das comunidades locais", diz.[78] De fato, Tocqueville acreditava que o Antigo Regime francês havia conseguido levar a cabo a centralização administrativa, "a única parte da constituição política" da época capaz de sobreviver à Revolução, por ser a única compatível com o novo Estado social então criado.[79]

Esbater o papel do Estado, valorizando os poderes intermediários, e manter, sem nuances, a designação de Antigo Regime para um mundo que, como o luso-americano, não conheceu o feudalismo, traz portanto problemas consideráveis. Nesse sentido, a coletânea que se vem aqui discutindo propõe um Antigo Regime totalmente atípico ao mesmo tempo que afirma a sua tipicidade: ele é também atlântico e escravista, já que "[a] escravidão foi uma instituição *plenamente* incluída na lógica societária do Antigo Regime".[80] De fato, numa sociedade hierarquizada e assentada em ordens que se distinguiam conforme o privilégio, a honra e a estima social — na Península Ibérica distinguiam-se ainda pelos *estatutos de pureza de sangue* —, a escravidão vinha a calhar.[81] Por que,

---

nista de formação, migrou para o neoliberalismo e alvejou, na passagem citada, o terror e a vanguarda leninista revolucionária.

78. Ibid., p. 144.

79. Tocqueville, *L'Ancien Régime...*, livro II, cap. 2, "Que la centralisation administrative est une institution de l'Ancien Régime, et non pas l'oeuvre de la Révolution ni de l'Empire, comme on le dit", pp. 127-36, citação à p. 127.

80. Hebe Mattos, "A escravidão moderna nos quadros do império português: o Antigo Regime em perspectiva atlântica", in Fragoso, Gouveia e Bicalho (orgs.), *O Antigo Regime nos trópicos*, pp. 141-62, citação à p. 162. Itálico meu.

81. Cf. Maria Luiza Tucci Carneiro, *Preconceito racial em Portugal e Brasil Colônia — os cristãos-novos e o mito da pureza de sangue*, São Paulo, Perspectiva, 2005 (1ª edição: *Preconceito racial no Brasil Colônia — os cristãos-novos*, São Paulo, Brasiliense, 1983).

contudo, teria ela sido "plenamente" recriada — na forma da escravização de africanos — apenas no contexto de sociedades europeias de Antigo Regime que, ademais, tinham colônias — Portugal, Espanha, França, Holanda, Inglaterra —, e não em outras — Áustria, Prússia, Rússia, Polônia? Em outros termos: seria historicamente enriquecedor considerar equivalentes ou até iguais as lógicas societárias de Portugal, Espanha e suas colônias, por um lado, e, por outro, as da Prússia e da Áustria — este país, indiscutivelmente, um dos mais tipicamente *Ancien Régime* da Europa?

Longe de mim propor o abandono do conceito de Antigo Regime. Mas acredito que, ao utilizá-lo, deve-se ter clareza quanto às implicações subjacentes ao seu uso, e sobretudo quanto à relação que algumas das sociedades assim qualificadas estabeleceram com possessões externas à órbita europeia. O que houve nos nossos trópicos, sem dúvida, foi uma *expressão* muito peculiar da sociedade de Antigo Regime europeia, que se combinou, conforme análise que os autores de *O Antigo regime nos trópicos* buscaram programaticamente evitar, com o escravismo, o capitalismo comercial, a produção em larga escala de gêneros coloniais — que nunca excluiu a de outros, obviamente —, com a existência de uma condição colonial que, em muitos aspectos e contextos, opunha-se à reinol e que, durante o século XVIII, teve ainda de se ver com mecanismos de controle econômico nem sempre eficaz e efetivo, mas que integravam, qualificavam e definiam as relações entre um e outro lado do Atlântico: o exclusivo comercial. Em suma, o entendimento da sociedade de Antigo Regime nos trópicos beneficia-se quando considerada nas suas relações com o antigo sistema colonial.[82]

82. Fernando Novais, *Portugal e Brasil na crise do antigo sistema colonial*... Valho-me aqui, igualmente, das reflexões de Leila Mezan Algranti na aula dada durante seu Concurso de Livre-Docência na Unicamp: "Monocultura e diversidade econômica: novas visões da economia colonial", Campinas, 3 de maio, 2002.

Ao contrário do que se afirma com alguma frequência, *Portugal e Brasil na crise do antigo sistema colonial* não aborda apenas questões econômicas — o que é objeto sobretudo do capítulo 2, "A crise do antigo sistema colonial" —, mas procura esmiuçar "o conjunto das relações entre as metrópoles e suas respectivas colônias, num dado período da história da colonização".[83] Na verdade, o livro é uma história da "política econômica colonial da metrópole portuguesa, relativa ao Brasil",[84] e dá grande ênfase às peculiaridades da Ilustração em Portugal, mostrando como os significados do movimento na Europa podiam se transformar uma vez em solo colonial.[85] Não trata diretamente de questões administrativas, mas fornece uma perspectiva analítica riquíssima para se entender as relações contraditórias entre a metrópole e sua colônia americana, sensível, por um lado, à especificidade do mundo que se construiu nos trópicos e, por outro, à sua inextricável ligação com a metrópole e, além dela, com a África e a Europa.

A especificidade da América portuguesa não residiu na assimilação pura e simples do mundo do Antigo Regime, mas na sua recriação perversa, alimentada pelo tráfico, pelo trabalho escravo de negros africanos, pela introdução, na velha sociedade, de um novo elemento, estrutural e não institucional: o escravismo. Subordinadas à monarquia portuguesa, que entre a Restauração e o período pombalino tornou-se crescentemente centralizadora, tendo assim que recriar suas relações com os domínios ultrama-

83. Fernando Novais, *Portugal e Brasil...*, p. 57.

84. Ibid., p. 5.

85. "A política colonial portuguesa relativa ao Brasil na última etapa do Antigo Regime articula-se de forma sistemática com a política econômica executada na metrópole, e configuram ambas uma manifestação muito clara da Época das Luzes. Na maneira de focalizar os problemas, na teorização que lastreia o seu esquema de ação, nas próprias hesitações com que foi levada à prática revelam-se as marcas características das incidências da Ilustração." Ibid., p. 299.

rinos, as terras brasílicas integraram o mundo do Antigo Regime por meio do antigo sistema colonial. Enxergar os dois lados do sistema — a metrópole e, no caso, as colônias americanas — por meio de perspectiva em que a homologia tende a dominar enquanto a especificidade acaba circunscrevendo-se ao caráter *tropical* parece-me inexato, discutível e, no limite, perigoso. A ideia de um Antigo Regime nos trópicos ameniza as contradições e privilegia olhares europeus, inclusive no campo da historiografia.

Corre-se assim o risco de cair no que hoje é engodo e que, no século XVIII, foi mesmo ideologia, enxergando-se a relação entre os continentes de modo análogo a Gianbattista Tiepolo quando pintou o teto do palácio dos bispos príncipes de Wurzburg, família principesca sem nenhum contato com navegação e comércio transoceânicos. Representando a Ásia, a América, a África e a Europa, fê-lo de tal forma que, estando onde estiver, o observador só pode ver cada uma das alegorias em relação à Europa. A figura alegórica da Ásia está sentada num elefante, a África num camelo e a América num crocodilo, ameaçador, lânguido e anfíbio.

> Só a Europa está sentada num trono e não num animal, e em vez de achar-se identificada por meio dos produtos naturais do continente que representa, só ela se encontra rodeada por aquilo que seus povos criaram, pelos atributos das artes, da música, da pintura, das ciências e da tecnologia da guerra. Além disso, a Europa é o ponto a partir do qual as outras figuras têm de ser vistas.[86]

Europa cosmopolita, triunfadora, capaz de impor leis, línguas, regimes políticos, formas societárias e religiosas, costumes e mer-

86. Anthony Pagden, "Europe: conceptualizing a continent", in id. (org.), *The idea of Europe...*, pp. 33-54, citação à p. 51.

cadorias sobre o resto do globo, permanecendo incólume e impoluta ante qualquer contaminação externa.

Os impérios, afinal, se construíram sobre relações de dominação mas também de intercâmbio, como frisou Russell-Wood num trabalho recente.[87]

PERSPECTIVAS DE RENOVAÇÃO

Há muito que fazer quanto à análise da política e da administração nos tempos coloniais, e as ponderações aqui tecidas têm por único objetivo contribuir ao refinamento conceitual da discussão, lembrando que, ao lado de certa escassez no tocante a estudos monográficos, há, entre nós, tradições a considerar, evitando o vício um tanto infantil de, a cada passo, jogar a criança fora junto com a água do banho.

Não se trata, evidentemente, de defender uma historiografia mais nacional: muito pelo contrário. Entre os melhores trabalhos escritos recentemente sobre aspectos da administração no Império estão os de Nuno Gonçalo Monteiro, historiador português. Com base numa investigação empírica exaustiva — que vem desenvolvendo, cabe destacar, juntamente com Mafalda Soares da Cunha —, o autor elabora de modo criativo algumas das ideias de Antonio Manuel Hespanha e traz subsídios decisivos para o estudo da administração imperial.[88] No capítulo publicado na coletânea

87. Russell-Wood, *Um mundo em movimento. Os portugueses na África, Ásia e América — 1415-1808*, Lisboa, Difel, 1998.

88. Nuno Gonçalo F. Monteiro, "Trajetórias sociais e governo das conquistas: notas preliminares sobre os vice-reis e governadores-gerais do Brasil e da Índia nos séculos XVII e XVIII", in Fragoso, Bicalho e Gouveia, *O Antigo Regime nos trópicos...*, pp. 251-83. Mafalda Soares da Cunha e Nuno Gonçalo F. Monteiro, "Governadores e capitães-mores do império atlântico português nos séculos XVII e XVIII", in Monteiro, Cardim e Cunha (orgs.), *Optima Pars...*, pp. 191-252.

O Antigo Regime nos trópicos, lança luz sobre o papel desempenhado pelo Império na remuneração dos serviços de funcionários coloniais, mostrando que, após a Restauração, quando as vias de acesso à nobreza foram se estreitando, os vice-reinados da Índia e do Brasil tiveram papel nobilitador de destaque. Num trabalho anterior, Monteiro havia relativizado, talvez de modo excessivo, o vulto das colônias no enriquecimento das casas nobres, mas ultimamente tende a concordar que isso ocorreu sobretudo entre os secundogênitos das grandes casas, para ele os grandes beneficiários do sistema das carreiras imperiais durante o século XVIII.[89] Uma de suas contribuições mais substantivas se anuncia em nota final, em que recoloca — de modo um tanto tautológico — a "centralidade do centro", ou seja, de Lisboa, que, após a Restauração e durante o século XVIII, manteve-se como núcleo de onde emanava o mando. No "sistema de poderes" que caracterizou o Império, "a comunicação política quase universal com a Corte" foi "pressuposto decisivo da flexibilidade do sistema": é ela, para além da centralização propriamente dita, que cabe considerar.

No último balanço publicado sobre seu projeto de pesquisa,[90] Monteiro e Soares da Cunha avançam substancialmente na análise interna da administração imperial, reiterando a importância do centro decisório e mostrando como ele mudou ao longo dos séculos. No seio de uma "monarquia pluricontinental caracterizada pela comunicação permanente e pela negociação com as elites da periferia imperial", cresceu a diferenciação entre as esferas institucionais, que tinham lógicas específicas e "distintos padrões de circulação no espaço da monarquia". Não foi, a seu ver, o enraizamento local dos agentes do poder que possibilitou a integração

89. Nuno Gonçalo F. Monteiro, *O crepúsculo dos grandes — 1750-1832*, Lisboa, Imprensa Nacional/Casa da Moeda, s/d.
90. O projeto denomina-se *Optima Pars — As elites na sociedade portuguesa do Antigo Regime*, financiado pela Fundação para a Ciência e Tecnologia desde 2000.

das periferias e o "equilíbrio dos poderes no Império", mas o "fato de as distintas instâncias, e as respectivas elites, mutuamente se tutelarem e manterem vínculos de comunicação com o centro".[91] A contribuição principal reside, contudo, no mapeamento das lógicas que presidiam à escolha dos governantes coloniais: qual a hierarquia dos cargos — como, quando e por que os governos da Índia foram mais importantes que os do Brasil e África, ou vice-versa —; qual o mecanismo das escolhas — por quais Conselhos elas passavam; quais os cargos que enobreciam, e de que categorias sociais saíam os seus ocupantes. Por trás de tudo, o rei e os conselhos definiam quem governava o Império, mesmo que houvesse pressões próximas — da Corte — ou distantes — das Conquistas.

O cuidado com o sistema de recompensas vigente na monarquia lusitana e de grande repercussão em âmbito imperial — o pagamento ou remuneração de serviços — é outra contribuição decisiva dada pela historiografia portuguesa aos estudos do Império, cabendo destacar os trabalhos de António Manuel Hespanha, Ângela Barreto Xavier e Fernanda Olival. O tema já figurava na nossa historiografia, sobretudo nas análises da Guerra de Restauração pernambucana: Cleonir Xavier de Albuquerque escreveu sobre o assunto um estudo específico no final dos anos 1960, e tanto José Antonio Gonsalves de Mello como Evaldo Cabral de Mello estiveram, em boa parte de seus escritos, atentos à questão, recorrendo sistematicamente aos fundos arquivísticos específicos

91. "Governadores e capitães-mores do império atlântico português nos séculos XVII e XVIII", p. 194. A "centralidade do centro" aparece, de certa forma, no interessante capítulo que João Fragoso escreveu para a mesma coletânea e que representa certa revisão de seus pressupostos anteriores. A ideia de uma "nobreza da terra supracapitanias" deve bastante, na concepção, à engenhosa tese de Maria Verônica Campos, *Governo de mineiros — de como meter as Minas numa moenda e beber-lhe o caldo dourado*, Tese de Doutorado em História, FFLCH-USP, 2002. No tocante à conceituação, *nobreza da terra* continua, a meu ver, merecendo maior cuidado. Cf. Fragoso, "Potentados...", passim.

a esse assunto.[92] Além da verticalização da análise, a novidade trazida pelo grupo português residiu em associar a remuneração dos serviços, em geral, e a concessão de hábitos militares, em particular, à teoria do dom, ou dádiva, de inspiração maussiana, assim definindo, para o império português, uma *economia da graça*, do *dom* ou, como viu Olival, *das mercês*, por ela considerada o sistema mais abrangente de todos.[93] Reconhecendo o potencial interpretativo possibilitado por esse viés, cabe lembrar, contudo, que, à medida que o Antigo Regime foi se aproximando do termo, o *sistema atributivo* viu-se paulatinamente solapado por um *sistema contributivo*, e o caráter positivo da liberalidade foi sendo recoberto pela sua negação enquanto valor.[94] No século XVIII, portanto, dom, graça ou mercê tenderam a ser substituídos por valores mais pragmáticos.

92. Cleonir Xavier de Albuquerque, *A remuneração de serviços da guerra holandesa*, Recife, Universidade Federal de Pernambuco, Imprensa Universitária, 1968. José Antonio Gonsalves de Mello, *Henrique Dias — governador dos crioulos, negros e mulatos do Brasil*, Recife, Massangana/Fundação Joaquim Nabuco, 1988; *João Fernandes Vieira — Mestre de campo do terço de Infantaria de Pernambuco*, Lisboa, Comissão Nacional para a Comemoração dos Descobrimentos Portugueses/Centro de Estudos de História do Atlântico, 2000, sobretudo pp. 305 ss. ("A remuneração dos serviços de João Fernandes Vieira"); Evaldo Cabral de Mello, *O nome e o sangue — uma fraude genealógica no Pernambuco colonial*, São Paulo, Companhia das Letras, 1989; *A fronda dos mazombos — nobres contra mascates. Pernambuco, 1666-1715*. São Paulo, Companhia das Letras, 1995.
93. Hespanha, "La economía de la gracia", in id., *La gracia del Derecho*..., pp. 151-76; Ângela Barreto Xavier e António Manuel Hespanha, "As redes clientelares", in José Mattoso (direção), *História de Portugal — o Antigo Regime* (coordenação de António Manuel Espanha), Lisboa, Estampa, 1998, pp. 339-49; Fernanda Olival, *As ordens militares e o Estado Moderno*, passim, sobretudo parte I, cap. 2, "As ordens militares: um forte pilar do Estado Moderno", item 2.2, "A organização da economia da mercê", pp. 107-31.
94. Já lembrei, acima, que Mauss pensou a dádiva para um contexto em que a troca se fazia com base em valores simbólicos, e não materiais. O advento do capitalismo e a teoria marxista da reificação, parece-me, limitam fundamentalmente a aplicabilidade da teoria de Mauss para sociedades complexas. Para uma releitu-

Se a complexidade das questões levantadas pela análise do Império e da administração impõe não perder de vista o enquadramento teórico, os escritos mais recentes — de Russell-Wood, Bethencourt, Nuno Monteiro, Maria Fernanda Bicalho, Maria de Fátima Gouveia, João Fragoso — insistiram na importância de se estudar casos particulares, e creio que isto vale tanto para indivíduos (os agentes) quanto instituições (conselhos, tribunais, câmaras, secretarias).[95] O consórcio entre empiria e teoria deve possibilitar o desenvolvimento de uma história renovada da política e da administração no Império português em geral e na América portuguesa em particular, e o escopo comparativo pode ser, neste sentido, um dos mais interessantes: tanto no interior do Império português — como fez Boxer — quanto externamente a ele, comparando-se impérios diferentes — os ibéricos, mas também o inglês, o holandês, e o francês.[96]

---

ra inteligente da obra de Mauss — além do ensaio clássico de Lévi-Strauss — ver Maurice Godelier, *O enigma do dom*, Rio de Janeiro, Civilização Brasileira, 2001, em que ficam claras as limitações de se aplicar indistintamente — e anistoricamente — o modelo explicativo da dádiva. Para o oposto, ou seja, como modelo do que *não* deve ser feito, ver Jacques T. Godbout, *O espírito da dádiva*, Rio de Janeiro, Fundação Getúlio Vargas, 1999. Para a passagem do sistema *atributivo* ao *contributivo*, ver o instigante artigo de Alain Guéry, "Le roi dépensier — le don, la contrainte et l'origine du système financier de la monarchie française d'Ancien Regime", in *Annales - E.S.C.*, 39e année, 6, 1984, pp. 1241-69. Agradeço a Luciano Raposo de Almeida Figueiredo por esta indicação e ainda por ter me franqueado a consulta de suas anotações sobre o assunto.

95. Um bom exemplo das possibilidades de estudos monográficos sobre instituições — no caso, a Provedoria da Fazenda — é a tese recente de Mozart Vergetti de Menezes, *Colonialismo em ação — fiscalismo, economia e sociedade na capitania da Paraíba (1647-1755)*, Tese de Doutorado apresentada ao Programa de História Econômica, FFLCH-USP, 2005.

96. Nesse sentido, Diogo Ramada Curto organizou, de 11 a 13 de dezembro de 2003, um simpósio muito interessante no Instituto Universitário Europeu de Fiesole-Florença, *The making of the overseas career*. Ver também Stuart B.

Considero promissor combinar análises específicas e enquadramentos gerais, bem como problematizar e questionar modelos explicativos. O balanço aqui empreendido procurou mostrar como se alternaram, no tempo, visões mais afeitas ora ao papel do centro (como Faoro), ora à sua relativização, invocando a incoerência, a desordem (como Prado Jr.) ou, mais recentemente, a sua dissolução em poderes concorrentes, a eficácia da *agência* local, da capacidade de tecer redes clientelares (como em *O Antigo Regime nos trópicos*). Não existem, em história, explicações definitivas nem verdades acabadas, e todas as linhagens que examinei trouxeram, ao longo do tempo, contribuições de peso. Não existe, da mesma forma, inocência, e no estudo da política e da administração os posicionamentos ideológicos pesaram de modo particular.

Por fim, é preciso voltar a insistir na importância dos estudos comparativos, lembrados em várias passagens deste capítulo. Eles mostram a riqueza das situações particulares ao mesmo tempo que colocam o problema de sua validação. Impõem o cuidado com o contexto mas, da mesma forma, invocam o valor das relações. Lembro aqui apenas dois exemplos dessa prática analítica no passado. Ao longo de boa parte de sua obra, Sérgio Buarque de Holanda perseguiu os nexos comparativos entre a América portuguesa e a espanhola, e em um autor hoje tão presente este talvez seja o aspecto menos invocado. Num ensaio luminoso, *Contrapunteo cubano del tabaco y del azucar*, o antropólogo e pensador cubano Fernando Ortiz ilustrou sua teoria dinâmica da transculturação — hoje apropriada por estudiosos norte-americanos — por meio

---

Schwartz, *Da América portuguesa ao Brasil — estudos históricos*, Lisboa, Difel, 2003, sobretudo "A jornada dos vassalos: poder real, deveres nobres e capital mercantil antes da Restauração", pp. 143-83, e "Pânico nas Índias: a ameaça portuguesa ao Império espanhol, 1640-1650", pp. 185-215.

de um diálogo entre o tabaco e o açúcar: o negro africano, o ócio, a natureza, o específico, a América a se contrapor ao branco europeu, ao trabalho, à transformação, ao geral, à Europa mercantil.[97] Mais do que o diálogo, a análise da administração imperial impõe a perspectiva dialógica: há perguntas e respostas, mas, entre uma e outra, entre um lado e outro do oceano — ou entre os vários lados dos vários oceanos —, a massa líquida que com frequência unia as partes diferentes servia também para veicular e transformar, tanto na ida quanto na volta, as práticas, as concepções e os significados que viajavam sobre ela.

Creio ainda ser este um dos aspectos da obra de Fernando Novais que merece ser revisitado: o sentido que as relações entre as partes do sistema colonial adquirem no plano específico e no geral, e como se transformam e se ressignificam. Se insisti na necessidade da comparação entre sistemas coloniais distintos para melhor compreender políticas administrativas; se destaquei o benefício de se olhar para os vizinhos hispânicos de nosso continente, não quero, entretanto, deixar a impressão que, neste livro, emprego o método comparativo ou considero o império português num sentido alargado. Permaneço no Atlântico Sul, sobretudo na América portuguesa setecentista, que, hoje, creio conhecer razoavelmente. Procuro desvendar alguns dos aspectos estruturais que constituíram a especificidade desse espaço num dado momento histórico: a natureza da política e da prática administrativa, talhada no bate e volta dos levantes e da repressão; o nascimento de uma sociedade pluriétnica e pluricultural, tributária de moldes europeus mas fadada a buscar arranjos novos e a

97. F. Ortiz, *Contrapunteo cubano del tabaco y del azúcar* [1948], prefácio de B. Malinowski, Havana, Consejo Nacional de Cultura, 1963. Uma das expressões da voga atual de Ortiz é o trabalho de Mary Louise Pratt, *Imperial eyes — travel writing and transculturation*. Londres/Nova York, Routledge, 1992.

camuflar sua natureza, quase sempre considerada ameaçadora. Procuro ainda ilustrar empiricamente esses aspectos mais abstratos, rastreando as trajetórias que deram carne e ossatura ao que, sem as personagens — fossem elas administradores reconhecidos ou servidores obscuros —, seria apenas elucubração.

Uma primeira versão deste texto, muito reduzida, foi apresentada no seminário de Serge Gruzinski na *Ecole des Hautes Etudes en Sciences Sociales* (fevereiro de 2003), e agradeço os comentários então feitos pelo próprio Gruzinski, Francisco Bethencourt e Luís Felipe de Alencastro. Em agosto de 2005, apresentei versão bem maior em Bogotá, no âmbito do *I Encontro de Historiadores Colombianos e Brasileiros*, organizado pelo Instituto Cultural Brasil Colômbia (Ibraco), e vali-me dos comentários de João Paulo Garrido Pimenta, Maria Helena Capelato e Rafael Marquese. Em setembro desse mesmo ano, apresentei pela terceira vez o texto, agora no seminário *O Governo dos Povos*, em Paraty, e procurei incorporar comentários então feitos por Francisco Cosentino, Antonio Manuel Hespanha e Nuno Monteiro. Por fim, sou grata a todos os meus colegas de Projeto Temático — em particular a Sérgio Alcides Amaral — por terem me passado comentários escritos e auxiliado no refinamento da argumentação.

2. A conjuntura crítica no mundo luso-brasileiro de inícios do século XVIII

[...] *riquezas tão extraordinárias e excessivas fazem muito duvidosa e arriscada a conservação daquele Estado.*

Antonio Rodrigues da Costa, 1732

O Brasil fez-se império antes de se fazer nação.

Evaldo Cabral de Mello, 2002.

RISCOS E PERIGOS, INTERNOS E EXTERNOS

O século XVIII começou crítico em Portugal. Na Europa, não houve como fugir do envolvimento na Guerra de Sucessão Espanhola, alinhando-se com a Inglaterra e contra as pretensões burbônicas. Sobre as colônias, notadamente o Brasil, atiraram-se os corsários franceses, sempre de prontidão para correr uma costa já sua velha conhecida. Ambrósio Jauffret, que viveu cerca de trinta anos entre os paulistas, escrevia ao ministro Pontchartrain em 1704 propondo a invasão e o controle de toda a porção sul, das Minas até Sacramento.[1] As autoridades administrativas se desesperavam: recém-descoberto após mais de cem anos de buscas infrutíferas ou pouco empenhadas, o ouro prenunciava desastres e catástrofes, impondo sobre o interior um controle que os portugueses acreditavam difícil de efetivar.

Em janeiro de 1701, Dom João de Lencastre saudava a chegada do novo século. À primeira vista, augurava para a monarquia riquezas sem conta:

> me animo (prostrado a seus reais pés) a oferecer-lhe com toda a submissão devida este papel, e nele representar-lhe as razões que, pela experiência que tenho deste Brasil, colhi mais sobre as ditas minas de ouro com que o novo século começa, prometendo riquezas e felicidades ao reino de Vossa Majestade.

Logo em seguida, contudo, alertava para as consequências prejudiciais: o ouro era aparência e engano, e saía por onde entrava, o porto do Tejo, com os portugueses, em Lisboa, trabalhando para o proveito alheio, dando armas para que lhes fizessem guerra, nutrindo corpos que logo em seguida lhe fariam sombra.[2] Dom João de Lencastre retomava argumento milenar — entre outros, Plínio, na Antiguidade, e Castiglione, no Renascimento, já haviam aludido ao caráter ilusório das riquezas fáceis ou excessivas, sobretudo o ouro —,[3] mas introduzia elementos novos: o povo

1. *Mémoire inédit d'Ambroise Jauffret sur le Brésil à l'époque de la découverte des mines d'or (1704)*, edição e notas de Andrée Mansuy, Coimbra, v Colóquio Internacional de Estudos Luso-Brasileiros, 1965. Voltarei a Jauffret no capítulo 6 deste livro.
2. Apud André João Antonil, *Cultura e opulência do Brasil por suas drogas e minas*, edição crítica de Andrée Mansuy, Paris, Institut des Hautes Études de l'Amérique Latine, 1968, p. 587.
3. Baltasar Castiglione, *O cortesão*, São Paulo, Martins Fontes, 1997, p. 298: "porque muitas vezes as riquezas excessivas são causa de grande ruína".

que ia às Minas era ruim por natureza, e a ausência de normas tornava-o ainda pior. No sertão ia se formando "uma nova Geneva", a heresia calvinista servindo aqui de imagem negativa a qualificar gente sem lei e capaz de pôr em cuidado todo o Brasil.[4] Homens que não cabiam em parte alguma iam dar nas Minas, "uns corridos da justiça, outros da fortuna".[5] Na sequência, o governador engatava na desqualificação dos habitantes de São Paulo, pesadelo permanente dos agentes metropolitanos: "Tudo se pode esperar de semelhante gente e com grande fundamento, pelo exemplo que se tem dos moradores das vilas de São Paulo".[6]

Complicando ainda mais as coisas, pairava, ameaçadora, a ideia, que começara a ganhar corpo na época, de que o excesso acarretava perda de valor. Ouro em abundância não era sinônimo de riquezas fabulosas: "eis aqui como de haver minas em um reino se não segue o ficar mais rico do que de antes era".[7] O que decorria era assanhar-se a cobiça estrangeira e o empenho em carregar ouro para outras terras.

Homens sem lei nem grei ou estrangeiros cúpidos invalida-

4. Apud Antonil, *Cultura e opulência...*, p. 587. Cerca de vinte anos depois, Nuno Marques Pereira voltaria a associar os moradores de Minas à heresia: "Foi o caso que se começou a introduzir entre os moradores das Minas pelos corretores do Diabo, que toda a pessoa que trouxesse contas consigo, e por elas rezasse, e se encomendasse a Deus, e à Santíssima Virgem Nossa Senhora, não haviam de achar ouro; por esta causa e dito diabólico não havia quem trouxesse contas consigo, e viviam muitos como hereges pelo interesse de acharem ouro. [...] E por isso não falta quem diga que os interesses e bens do mundo têm sido a causa de se introduzirem tantas heresias na cristandade, e ainda entre pessoas eclesiásticas, como se tem visto acontecer em alguns sacerdotes pela grande ambição das riquezas, e dignidades do mundo". *Compêndio narrativo do Peregrino da América*, Rio de Janeiro, Publicações da Academia Brasileira de Letras, 1939, 2 vols., citação no volume 2, p. 139.
5. Apud Antonil, *Cultura e opulência...*, p. 568. Desenvolverei este argumento no capítulo seguinte.
6. Ibid., p. 587.
7. Ibid., p. 588.

vam os benefícios advindos da descoberta das Minas. E havia, por fim, a falsa euforia provocada pelo metal precioso, acarretando abandono da cultura do tabaco e do açúcar, "as duas como bases e colunas em que o Reino de Vossa Majestade estriba as suas maiores dependências", adiantava Dom João de Lencastre.[8]

Sobre a América portuguesa, pairava o duplo temor da ameaça externa (os franceses e demais estrangeiros que investiam sobre a costa brasileira) e da interna (os colonos sem peias, senhores da sua vontade e determinação). Portugal via-se ameaçado pela impossibilidade de manter uma política externa neutra quando a época era de conflagração europeia. O século começava crítico tanto na metrópole como nos seus domínios ultramarinos.

Nestes, a descoberta do ouro havia provocado um desequilíbrio sem precedentes. Levas migratórias numerosíssimas desabaram sobre a nova região das Minas, que até finais do século XVII fora morada de índio e cenário eventual das andanças paulistas. Esses caudais humanos vinham das regiões de colonização mais antiga e eram formados tanto por habitantes luso-brasileiros de Salvador ou do Rio de Janeiro quanto por reinóis atraídos do além-mar ante a possibilidade do enriquecimento fácil.

Do choque entre os primeiros habitantes das Minas, paulistas na maioria, e os adventícios resultou o primeiro conflito do século, a guerra dos emboabas (1707-1709). Importa menos examinar sua dimensão do que seu significado, pois não parece ter sido mais que uma série de escaramuças bastante confusas e de resultado indefinido.[9] Contudo, se os conflitos da segunda metade do Seiscentos — o da Cachaça, no Rio de Janeiro (1660-1661);

8. Ibid.

9. Sobre os emboabas, veja-se a boa síntese de Charles R. Boxer, *A Idade de Ouro do Brasil — dores de crescimento de uma sociedade colonial*, 2ª ed., São Paulo, Companhia Editora Nacional, 1969, pp. 83-105. Entre os estudos mais específicos, ver José Soares de Melo, *Emboabas*, edição fac-similada da primeira edição

o de Beckmann, no Maranhão (1684) — haviam sido marcados pela polêmica em torno da escravização dos índios, opondo nitidamente jesuítas a colonos, confrontando dois projetos colonizadores irredutíveis, tinha-se, agora, uma situação nova. Colonos opunham-se a colonos em função de interesses cuja distinção ia se tornando mais sutil.[10] Tratava-se, no caso emboaba, da luta da rotina contra a aventura, e surpreendentemente os conservadores de então eram os aventureiros da véspera, isto é, os paulistas desbravadores que, uma vez fixados nos arraiais auríferos, desejavam explorar com exclusividade os veios sobre os quais tinham sido os primeiros a deitar olhos. Essa exploração, por sua vez, era imediata e não comportava inovações técnicas, limitando-se ao uso das bateias que, nas águas dos regatos, separava o metal do cascalho. Já os adventícios, batizados pelos paulistas de *emboabas* — palavra cujo significado é obscuro mas tinha indiscutível conotação pejorativa —, iam introduzindo técnicas novas e mais sofisticadas, desviando o curso dos rios e exigindo investimentos mais vultosos.[11]

---

de 1906, São Paulo, Governo do Estado, 1987; Eduardo Canabrava Barreiros, *Episódios dos emboabas e sua geografia*, Belo Horizonte, Itatiaia, São Paulo, Edusp, 1984. Ver ainda Isaías Golgher, *Guerra dos emboabas*, Belo Horizonte, Conselho Estadual de Cultura de Minas Gerais, 1982. No momento, Adriana Romeiro termina livro sobre o assunto, do qual se pode ter uma ideia pelo artigo "Revisitando a guerra dos emboabas: práticas políticas e imaginário nas Minas setecentistas", in Maria Fernanda B. Bicalho e Vera Lúcia Amaral Ferlini (orgs.), *Modos de governar. Ideias e práticas políticas no Império português — séculos XVI-XIX*, São Paulo, Alameda, 2005, pp. 387-401.

10. Cf. Laura de Mello e Souza, "Motines, revueltas y revoluciones en la América Portuguesa de los siglos XVII y XVIII", in Enrique Tandeter e Jorge Hidalgo Lehuedé (coords.), *Historia general de América Latina*, s.l., Ediciones Unesco/ Editorial Trotta, 2000, pp. 459-73, vol. IV.

11. Adriana Romeiro acredita que os paulistas abraçavam concepções políticas assentadas na ideia de contrato, diferentemente dos emboabas. Cf. "Revisitando a guerra...".

Os paulistas invocavam a tradição para justificar o controle sobre as datas minerais: tinham chegado antes, e isto lhes daria mais direitos. Os emboabas, fossem reinóis ou luso-brasileiros, postulavam oportunidades iguais para todos. Para completar o quadro, muitos dos emboabas eram comerciantes, enquanto os paulistas se arranchavam em roças para atender às necessidades dos viajantes e dos recém-chegados, procurando controlar com exclusividade os germes do aparelho administrativo: eram guarda-mores, e jactavam-se da confiança real. Os parentes de Fernão Dias Pais ilustram admiravelmente essa oligarquia paulista: seu filho, Garcia Rodrigues, abriu o Caminho Novo para as Minas e se apossou das bordas da artéria recém-aberta, sendo feito guarda-mor das Minas; seu genro, Borba Gato, ganhou notoriedade como régulo de Sabará.

No auge do conflito, um emboaba, português de origem, proclamou-se governador das Minas: Manuel Nunes Viana, aventureiro enigmático vindo dos sertões baianos. A secessão não foi adiante e a Coroa conseguiu retomar as rédeas na zona mineradora. Manuel Nunes teve que sumir das Minas por uns tempos, mas não foi punido e, ao morrer, conseguira muitos benefícios da Coroa. Os emissários reais simularam neutralidade, mas não resta dúvida de que se alinharam com os emboabas.

Ante as múltiplas possibilidades oferecidas pelo cotidiano complexo da América, onde arranjos e alianças flutuavam ao sabor de circunstâncias nem sempre claras, a metrópole se atordoava. Vistos pelas autoridades do reino como facínoras desordeiros, os paulistas tinham-se no entanto por vassalos fiéis. Em 1705, Baltazar de Godói Moreira, de ilustre tronco paulista, oferecia ao rei os seus préstimos e os de toda a sua família, prontificando-se a lutar contra os castelhanos e desdobrando assim na colônia a guerra que desde 1702 se travava nos campos da Europa. Esse era o papel de vassalos fiéis como ele: "em tempo que o dito senhor se acha em campanha com eles na Europa, também seus vassalos façam o mesmo na América em lhes destruir seus tesouros com que nos podem fazer guerra".[12]

O episódio emboaba continua enigmático até hoje, talvez por encarnar as contradições daquele começo de século, quando metrópole e colônia formavam um só corpo mas já carregavam em si possibilidades inconciliáveis, impossíveis contudo de serem divisadas pelos contemporâneos. Os paulistas, que se acreditavam vassalos fiéis, zelosos guardiães da tradição, saíram do episódio como vilões, e dessa forma entraram para a mitologia — delinquentes "que sem temor de Deus nem respeito às leis, vivem como feras e morrem como brutos".[13] Inversamente, os emboabas, que ensaiaram o primeiro governo autônomo da América, tiveram a simpatia das autoridades administrativas e do Conselho Ultramarino, onde, no Reino, a nova política do Império ia se desenhando, seja a partir dos esboços fornecidos pelos conflitos coloniais, seja na busca do almejado equilíbrio europeu, transformado em corolário político em 1713-1714, com o Tratado de Utrecht.

A PROIBIÇÃO DE UM LIVRO PERIGOSO

Em 17 de março de 1711, o Conselho Ultramarino dirigia Consulta ao rei propondo a apreensão de uma obra que, duas semanas antes, tivera sua venda sucessivamente autorizada pelo Santo Ofício, pelo Ordinário e pelo Palácio. O ato se justificava porque o livro expunha "muito distintamente todos os caminhos que há para as minas de ouro descobertas", apontando ainda

12. Antonil, *Cultura e opulência...*, p. 577.
13. Ibid., p. 563. A desqualificação dos habitantes de São Paulo será mais bem abordada no capítulo seguinte.

outras por descobrir ou explorar. Não convinha que tais particularidades se tornassem públicas ou chegassem ao conhecimento das nações estrangeiras, opinavam os conselheiros, pois o resultado seriam "graves prejuízos" à conservação do Estado do Brasil, da qual dependiam "em grande parte" a conservação do "Reino e a de toda a Monarquia". Urgia, pois, voltar atrás, já que se achava em jogo a "conservação e utilidade do estado público a bem da Real Coroa": era melhor prevenir do que remediar. O episódio suscitou ainda uma nova reivindicação do Conselho: que nenhum livro contendo "matérias pertencentes às Conquistas" pudesse ser impresso e vendido sem seu consentimento, a exemplo do que acontecia na Espanha, onde, desde os tempos de Filipe II, o Conselho das Índias opinava sobre publicações dessa natureza.

Dividido em quatro partes, o livro tratava, em cada uma delas, do cultivo do açúcar, do tabaco, da exploração aurífera e da pecuária. Chamava-se *Cultura e opulência do Brasil por suas drogas e minas*, e seu autor, sob o falso nome de Antonil, era na realidade o jesuíta italiano João Antonio Andreoni, por duas vezes reitor do Colégio da Bahia, confessor de governadores-gerais e membro do círculo pessoal de Dom Sebastião Monteiro de Vide, arcebispo primaz do Brasil.[14] Apologista das culturas do açúcar e do tabaco, que considerava as verdadeiras minas do Brasil, o jesuíta mostrava-se reticente quanto aos benefícios que poderiam advir da exploração continuada do ouro. O metal que não se passava em pó ou moeda para os "reinos estranhos" acabava em cordões e brincos que enfeitavam, mais do que as senhoras, as negras e mulatas malprocedidas. "Nem há pessoa prudente que não confesse haver Deus permitido que se descubra nas Minas tanto ouro para

14. Uso aqui a extraordinária edição crítica de Andrée Mansuy citada na nota 2 acima, a meu ver ainda pouco explorada nas suas potencialidades. [Existe tradu-

castigar com ele ao Brasil, assim como está castigando no mesmo tempo tão abundante de guerras aos Europeus com o ferro."[15]

A posição de Antonil não era isolada, e partilhavam-na tanto os administradores com que conviveu na Bahia, como Dom João de Lencastre, quanto os que respondiam pelo governo das capitanias do Sul, como Artur de Sá e Menezes. Aliás, tudo indica que essa posição foi inspirada justamente pelas lamentações dos governantes, ainda perplexos e mal aparelhados para entender a extensão das mudanças que o ouro traria à estrutura do império português.[16] A dominação holandesa nas capitanias do Nordeste e os tumultos de paulistas e fluminenses contra os jesuítas e seu aliado maior, Salvador Correia de Sá, talvez tivessem calado fundo no espírito dos agentes metropolitanos, mostrando que a melhor forma de governar é manter alianças firmes com os colonos poderosos. Ora, o súbito apelo do ouro das Gerais afetava diretamente os produtores de açúcar, roubando-lhes escravos e desviando os gêneros necessários à subsistência de seus engenhos. Após dois séculos de dominação inconteste, a açucarocracia via-se abalada por levas de aventureiros frequentemente malnascidos e malcomportados. Seu protesto ecoa na correspondência oficial da época: seus interesses são vivamente defendidos pelos homens do rei na América portuguesa. Em 1706, ao voltar para a metrópole, dom Rodrigo da Costa, governador-geral do Brasil, vaticinava que a colônia caminhava para a ruína total, já que os escravos mal

---

ção portuguesa: CNPCDP, Lisboa, 1998.] Para a transcrição da "Consulta", descoberta por esta pesquisadora no Arquivo Ultramarino, ver pp. 44-5.

15. Antonil, *Cultura e opulência...*, p. 464.

16. Alice P. Canabrava chamou atenção para essa semelhança entre a posição do jesuíta e a das autoridades no ensaio introdutório à obra de Antonil. Cf. "João Antonio Andreoni e sua obra" — introdução a Antonil, *Cultura e opulência do Brasil por suas drogas e Minas*, 2ª ed., São Paulo, Companhia Editora Nacional, s.d., pp. 9-112, sobretudo passagem às pp. 88-9.

chegavam aos portos e logo seguiam para as Minas, onde alcançavam preços fabulosos.[17]

Escrito entre 1693 — data em que se achou o primeiro ouro nas Minas de Cataguás — e 1709 — quando a guerra emboaba recrudescia —, *Cultura e opulência*... se alinhava com os colonos ricos das zonas açucareiras e com as autoridades metropolitanas em serviço na América. Tinha, portanto, o objetivo de alertar contra os perigos da riqueza fácil e defender a necessidade de recolocar a exploração colonial nos trilhos. Nada seria mais óbvio do que contar com o apoio da Coroa, e assim devem ter pensado os conselheiros palacianos e o próprio Dom João v quando, a 6 de março de 1711, autorizaram a publicação.

Houve, contudo, quem pensasse diferente. Como sugeriu com argúcia Andrée Mansuy, o livro caiu por acaso nas mãos de um conselheiro do Ultramarino, e fez com que atentasse para implicações políticas até então desconsideradas pelos demais censores e burocratas. Não cabia ao Conselho censurar obras, atribuição exclusiva da Inquisição, do Ordinário e do Desembargo do Paço. A gravidade do que se vislumbrou no livro fundamentou, porém, a sugestão de se mudar o procedimento, e a consulta de 17 de março de 1711 terminava dizendo que "a riqueza do Brasil com as novas minas do ouro fez precisa toda a cautela e recato, pois que só com a indústria e arte poderemos suprir e compensar a superioridade que nos fazem muitas das nações da Europa nas forças marítimas e terrestres, cuja ambição se dispersa com a fama da abundância do ouro naquelas minas".[18]

As principais potências da Europa encontravam-se divididas pela Guerra de Sucessão Espanhola, que opunha a França e a Espanha à Áustria, à Inglaterra e ao pequenino Portugal, entre

17. Cf. ibid., pp. 88-9.
18. Antonil, *Cultura e opulência*..., pp. 44-5.

outros países menores, como o ducado do Piemonte. Em 1710, o Rio de Janeiro havia sofrido a investida dos franceses de Duclerc. Meses depois do Conselho ter exarado o Parecer contrário à publicação de *Cultura e opulência*..., chegariam Dugay-Trouin e seus homens. O envolvimento português na Guerra tornava suas colônias vulneráveis a outros ataques inimigos, como o dos espanhóis, mais passíveis de êxito por contarem com bases na própria América, nas colônias vizinhas ao Brasil. O perigo externo, decorrência da política portuguesa na Europa, assombrava, pois, as possessões ultramarinas.

Não é gratuito que tal percepção tenha partido do Conselho Ultramarino. Criado em 1642, o órgão inspirara-se no Conselho das Índias do tempo dos Filipes, e o novo nome, mais genérico, refletia a crescente importância do Brasil no contexto do Império: conquistas ou domínios ultramarinos era a designação atribuída na época aos territórios conquistados, colonizados ou ocupados pelos portugueses. O primeiro presidente do Conselho, aliás, foi um ex-vice-rei do Brasil, Dom Jorge de Mascarenhas, marquês de Montalvão. Um dos homens mais importantes nos primeiros tempos do órgão (conselheiro de 1644 a 1647 e, depois, de 1663 até 1688, quando morreu) foi Salvador Correia de Sá e Benevides, brasileiro de nascimento.[19]

Entre 1641 e 1688, o Império português tinha sido cenário de várias *alterações*, voltadas contra a representação do poder real — governadores, vice-reis — mas reverentes quanto à figura do rei, no figurino *ancien régime* de "viva o rei e morra o mau governo". Talvez a revolta da Catalunha contra a Espanha fosse uma de suas inspirações, mas o certo é que a ideologia política subjacente à

19. Marcello Caetano, *O Conselho Ultramarino — esboço da sua história*, Lisboa, Agência Geral do Ultramar, 1967, pp. 41 ss. Para a atuação e importância de Salvador de Sá no império português, remeto à obra obrigatória de Charles R. Boxer, *Salvador de Sá and the struggle for Brazil and Angola*, Bristol, Althlone, 1952.

Restauração em Portugal achava-se por trás de muitas delas, ilustrando como as ideias originadas no Centro podiam adquirir novos sentidos ao chegar nas periferias do Império: no ultramar do Portugal restaurado, os novos governadores, vice-reis ou capitães-generais testemunhariam a metamorfose paradoxal das "poderosas noções políticas, que haviam empurrado o reino para resistir à dominação filipina" e que, em contexto distinto, sofreriam rearranjos para "elaborar a resistência às medidas centralizadoras da metrópole".[20]

Desde sua origem, que coincidiu com essa conjuntura insurgente, o Conselho Ultramarino acompanhou com interesse as *alterações,* cabendo-lhe opinar sobre elas e definir formas de castigo. Num primeiro momento, tanto "as práticas políticas dos vassalos rebeldes" como "os pareceres exarados pelo Tribunal Ultramarino" convergiram, condenando com dureza os governantes enquanto a solução encontrada era a substituição dos maus governantes por outros, virtuosos. No momento imediatamente posterior, contudo, a coisa mudou de figura, surgindo a percepção de que a crítica poderia extravasar para a figura do soberano e, assim, ameaçar o equilíbrio da Monarquia. Guiado pelo pragmatismo, o Conselho valeu-se com proveito das contestações ultramarinas: "O Império proporcionava um verdadeiro aprendizado", e nas primeiras décadas do século XVIII os vassalos começaram a ser temidos.[21]

Sensível, portanto, ao que ia pelas colônias, o Conselho o era particularmente em relação às do Brasil, e com frequência os vice-reis e capitães-generais que na véspera haviam servido na Amé-

20. Luciano Raposo de Almeida Figueiredo, "O Império em apuros — notas para o estudo das alterações ultramarinas e das práticas políticas no Império colonial português, séculos XVII e XVIII", in Júnia Ferreira Furtado (org.), *Diálogos oceânicos — Minas Gerais e as novas abordagens para uma história do Império Ultramarino Português,* Belo Horizonte, UFMG, 2001, pp. 197-254, citação à p. 217.
21. Ibid., citações respectivamente às pp. 219, 220, 228 e 238.

rica portuguesa tornavam-se conselheiros do órgão, a exemplo de Montalvão e Salvador de Sá.[22] A conjuntura crítica do início do século XVIII não poderia passar despercebida ao Conselho: ao contrário, ele a captou com sensibilidade extrema, procurando sem cessar oferecer alternativas à sua superação. Nenhum outro organismo do governo se empenhou tanto, com acerto ou com erro, na redefinição do império português de então, consciente que urgia mudar para conservar o mando.

A atenção dada aos levantes do primeiro quartel do século e o encaminhamento das medidas punitivas são constantes nas Consultas do Conselho. Nelas há um dos membros que frequentemente pede destaque para emitir opinião, nem sempre em harmonia com a dos demais, às vezes exigindo maior rigor nos castigos e sempre frisando a observância estrita dos procedimentos legais. Integrou o órgão de 1709 (ou 1707, conforme certas fontes) a 1732, quando morreu no exercício do cargo como seu presidente, e sobre ele escreveu-se pouco. Falo de Antonio Rodrigues da Costa, letrado, poliglota, diplomata, historiador e, por fim, conselheiro.[23] Não se sabe muito sobre sua vida: nasceu em Setúbal

22. Sobre a importância do Conselho, Russell-Wood diz: "As políticas aplicáveis ao Brasil eram concebidas e formuladas em Lisboa. Enquanto portugueses com experiência no Brasil serviam no Conselho Ultramarino — o principal órgão de formulação das políticas para os assuntos concernentes ao Ultramar — e em outros conselhos de Estado em Lisboa, raramente um indivíduo nascido no Brasil era nomeado para tais conselhos. Alexandre de Gusmão (1695-1753) foi indiscutivelmente o brasileiro (nascido em Santos) mais ilustre a ganhar o reconhecimento régio como um homem de Estado, então secretário privado de D. João V, diplomata e arquiteto do Tratado de Madri. Mesmo assim, foi esquecido por D. José I para ocupar o cargo de Secretário de Estado, e suas ideias sobre o Brasil, que prevaleceram no conjunto dos anos 50, foram ignoradas pelo marquês de Pombal". In "Centros e periferias no mundo Luso-Brasileiro, 1500-1808", *Revista Brasileira de História*, vol. 18, nº 36, 1998, pp. 187-249, citação à p. 190.

23. Dentre os poucos escritos que tratam, em graus diferentes, do conselheiro

no ano de 1656, formou-se com os jesuítas no Colégio de Santo Antão de Lisboa, foi oficial maior na Secretaria de Estado, participou da embaixada que negociou o casamento de Dom Pedro II com Dona Maria Sofia Isabel de Neuburg e, anos mais tarde, sempre como secretário, acompanhou Dom Fernão Teles da Silva, terceiro conde de Vila Maior, junto à corte de Viena a fim de acertar outra boda, a de Dom João V com Dona Maria Ana de Áustria, contando ainda entre os primeiros cinquenta membros da Academia Real de História, onde, em 1720, foi-lhe atribuído o lugar de cronista ultramarino.[24] Alguns dos seus escritos sobre os quais há notícia mostram interesse simultâneo pela política europeia e

---

Antonio Rodrigues da Costa, destacam-se os de Fernando Novais, *Portugal e Brasil na crise do antigo sistema colonial*, São Paulo, Hucitec, 1979; Jaime Cortesão, *Alexandre de Gusmão e o Tratado de Madrid*, Lisboa, Livros Horizonte, 1984, vol. II, pp. 408-15; Charles R. Boxer, *A idade de ouro do Brasil — dores de crescimento de uma sociedade colonial*, 2ª ed., São Paulo, Companhia Editora Nacional, 1969, pp. 374-5; Evaldo Cabral de Mello, *Rubro veio — o imaginário da Restauração Pernambucana*, Rio de Janeiro, Nova Fronteira, 1986, p. 106; *A fronda dos mazombos — nobres contra mascates. Pernambuco, 1666-1715*, São Paulo, Companhia das Letras, 1995, nota 16, pp. 504 e 519; Luciano Raposo de Almeida Figueiredo, *Revoltas, fiscalidade e identidade colonial na América Portuguesa — Rio de Janeiro, Bahia e Minas Gerais, 1640-1761*, Tese de Doutorado em História, FFLCH-USP, 1996, pp. 375-412. Do mesmo autor, "Os muitos perigos dos vassalos aborrecidos: o Império Colonial na América Portuguesa do século XVIII (notas a respeito de um parecer do Conselho Ultramarino, 1732)", comunicação apresentada no Seminário Internacional *25 anos do 25 de abril: um balanço*, Rio de Janeiro, UERJ, 26 de outubro, 1999, exemplar datiloscrito, pp. 2-3.

24. Cf. Isabel Cluny, "Elites aristocráticas: diplomacia e guerra", *Cultura — Revista de História e Teoria das Ideias — Ciência e Política*, vols. XVI-XVII, 2003, pp. 235-56, aqui, 245. Para o acadêmico, ver Isabel Ferreira da Mota, *A Academia Real da História — os intelectuais, o poder cultural e o poder monárquico no século XVIII*. Lisboa, Minerva Coimbra, 2003, referência à p. 377. Iris Kantor nos conta que, durante o reinado de Dom João V, o título de cronista ultramarino voltou a ser valorizado, mas faltam estudos mais sistemáticos que mostrem como tal ati-

pelas conquistas ultramarinas, sugerindo que via o Império como parte constitutiva da Europa.[25] Em 1728, entrou para o Conselho do Rei e tornou-se fidalgo da Casa Real.[26]

O período de atuação de Rodrigues da Costa junto ao Conselho correspondeu justamente a um dos mais conturbados da história do domínio português sobre a América, compreendendo, no marco inicial, a Guerra dos Emboabas, em Minas (1707-1709) e, no final, a Revolta do Terço Novo, em Salvador (1728).[27] Dias antes de morrer, em 1732, redigiu uma Consulta em que fazia um balanço agudíssimo da situação do Império, para ele praticamente sem saída. Jaime Cortesão e, com base nele, Luciano Figueiredo

---

vidade se inseria na administração pública portuguesa da época. Cf. *Esquecidos e renascidos — historiografia acadêmica luso-americana (1724-1759)*, São Paulo e Salvador, Hucitec/Centro de Estudos Baianos/UFBA, 2004, p. 33. A mesma autora cedeu-me gentilmente a referência a dois escritos de Rodrigues da Costa: *Justificación de Portugal en la resolución de ayudar a la ínclita nación española a sacudir el yugo francés y poner en el trono real de su monarquía al Rey Católico Carlos III*, Oficina de Acosta Deslandes, 1704; *Relação dos sucessos e gloriosas ações militares obradas no Estado da Índia, ordenadas e dirigidas pelo capitão e vice-rei general do mesmo Estado Vasco Fernandes Cezar de Meneses em 1713*. Oficina de Antonio Pedro Galram, 1715.

25. Cf. Kantor, *Esquecidos e renascidos...*

26. Luciano Figueiredo, "Os muitos perigos...", p. 4.

27. "O conselheiro tem a oportunidade de acompanhar um grupo de protestos que, tomando-se apenas a América portuguesa, ocorre de maneira especialmente concentrada no período. Além de encontrar ainda frescas as notícias sobre a guerra dos emboabas, que entre 1707 e 1709 desestabilizou o domínio português nas reluzentes e aguardadas minas de ouro, enfrenta grandes contestações: Mascates em Pernambuco (1710-1711), Maneta na Bahia (1711), motim de negros em Camamu e Maragugipe na Bahia (c. 1712), motins de potentados no sertão do rio das Velhas, Minas Gerais (1717), Revolta do Terço Novo na Bahia (1728), revolta na vila de São Salvador do Paraíba do Sul, Rio de Janeiro (1730) e revolta em Cuiabá, Mato Grosso." Cf. Luciano Figueiredo, *Revoltas, fiscalidade e identidade...*, p. 382.

chamaram-na de "consulta-testamento".[28] É importante começar por ela porque sintetiza muitas das opiniões emitidas pelo conselheiro ao longo da vida e das consultas.

Quando examinadas com "profunda ponderação", dizia Rodrigues da Costa, as minas de ouro e diamantes, indubitavelmente riquíssimas, punham em risco a conservação do Estado do Brasil. E explicava:

> A dois gêneros de perigos estão sujeitos todos os Estados, uns externos, outros internos: os externos são os da força e violência que poderão fazer as outras nações; os internos são os que poderão causar os naturais do país, e os mesmos vassalos. Ainda se pode considerar terceira espécie de perigo, qual é mais arriscada, e nasce dos dois primeiros; que é quando a força externa se une com a vontade e força interna dos mesmos vassalos e naturais.[29]

Os perigos externos poderiam ser contidos pelos tratados diplomáticos; a experiência, contudo, ensinava que eles não eram muito dignos de confiança, "que consistem em papéis que o vento leva", e a incapacidade de defesa efetiva da costa americana tornava ainda mais frágil a situação. Os internos eram a "desafeição e ódio" dos vassalos contra os dominantes, e agravavam-se sob o peso dos tributos, a incúria dos governadores e a dificuldade, dada a distância, de se recorrer ao rei. Sem forças para enfrentar as nações marítimas da Europa, "nem no reino, nem no Brasil", e às voltas com vassalos "sumamente descontentes do governo de

28. Cortesão, *Alexandre de Gusmão...*, p. 408. Figueiredo, *Revoltas, fiscalidade e identidade...*, p. 381.
29. "Consulta do Conselho Ultramarino a S.M., no ano de 1732, feita pelo conselheiro Antonio Rodrigues da Costa", *Revista do Instituto Histórico e Geográfico Brasileiro*, vol. 7, pp. 498-506; p. 498.

Portugal", vivia-se já o terceiro perigo, ao qual a nação sucumbiria caso não aplicasse remédios eficazes.[30]

A originalidade de Rodrigues da Costa não reside na formulação das ameaças externas e internas, espécie de tópos recorrente no pensamento ocidental desde a *Política* de Aristóteles, e sim no modo como o reelaborou com vistas à situação do Império em geral, e da colônia em particular.[31] Para tanto, valeu-se, com grande probabilidade, de Nicolau Maquiavel, autor condenado pelo *Index,* mas muito lido nos círculos cultos portugueses. Contra anomalias do corpo político, pontificava o mestre florentino, era melhor prevenir que remediar:

> Da tísica dizem os médicos que, a princípio, é fácil de curar e difícil de conhecer, mas com o correr dos tempos, se não foi reconhecida e medicada, torna-se fácil de conhecer e difícil de curar. Assim se dá com as coisas do Estado: conhecendo-se os males com antecedência, o que não é dado senão aos homens prudentes, rapidamente são curados: mas quando, por se terem ignorado, se têm deixado aumentar, a ponto de serem conhecidos de todos, não haverá mais remédio àqueles males.[32]

Prudente e diplomata, deve ter sido, contudo, de outra passagem que Rodrigues da Costa mais se valeu:

30. Ibid., passim.

31. Foi Luciano Figueiredo quem chamou atenção para a matriz aristotélica de Rodrigues da Costa. Cf. "Os muitos perigos...", p. 9. O trecho, por ele localizado, diz: "todas as repúblicas podem ser derrubadas, seja por causas internas, seja por causas externas, quando existe em sua vizinhança, ou mesmo afastado, algum governo oposto que disponha da força", in *Política*, 15ª ed., Rio de Janeiro, Ediouro, 1988, livro VIII, capítulo VI, parágrafo 9, p. 158.

32. Maquiavel, *O príncipe*, São Paulo, Nova Cultural, 1996, pp. 40-1.

> Um príncipe deve ter duas razões de receio: uma de ordem interna, por parte de seus súditos, outra de ordem externa, por parte dos poderosos de fora. Defender-se-á destes com boas armas e com bons aliados; e se tiver armas terá sempre bons amigos. As coisas internas, por sua vez, estarão sempre estabilizadas se estabilizadas estiverem as de fora, salvo se aquelas já não estiverem perturbadas por uma conspiração.[33]

Era central, portanto, manter os súditos satisfeitos para garantir o Estado em caso de guerra externa, nada devendo temer um príncipe amado por eles. O terceiro perigo aparece em outra passagem d'*O príncipe*, referida ao risco que a crueldade e a rapacidade dos soldados representaram para os imperadores romanos.[34] A inovação de Rodrigues da Costa é ver a terceira via como a junção do perigo externo e do interno, o que, no contexto de uma Europa em busca de equilíbrio — *a balance of powers*, conforme rezava a diplomacia inglesa em Utrecht[35] —, punha a perder não apenas o Reino como sua conquista americana. A referência imediata de Maquiavel era uma Itália esquartejada, à mercê da cupidez de franceses e espanhóis, onde cada situação específica impunha um comportamento: "Quando o inimigo se avizinha, as cidades divididas perdem-se logo, porque a parte mais fraca aderirá às forças externas e a outra não se poderá manter". Cons-

33. Ibid., p. 106.

34. Ibid., p. 108. Luciano Figueiredo encontra argumentação análoga nos *Comentários sobre a primeira década de Tito Lívio*, cf. "Os muitos perigos...", pp. 11 ss. Concordo que Rodrigues da Costa leu também esse escrito — o que reitera sua "filiação maquiavélica" —, mas acredito que *O príncipe* proporcionou-lhe melhores argumentos.

35. Cf. Virgínia Leon Sanz, "La llegada de los Borbones al trono", in Ricardo Garcia Cárcel (org.), *História de España. Siglo XVIII — La España de los Borbones*, Madri, Cátedra, 2002, pp. 41-111.

truir fortalezas servia aos príncipes mais tementes de seu próprio povo que dos estrangeiros, a melhor das fortalezas consistindo em "não ser odiado pelo povo, pois que, se tiveres fortificações e fores odiado por ele, elas não poderão salvar-te, pois não faltam nunca aos povos rebelados príncipes estrangeiros que desejem ajudá-los".[36] Rodrigues da Costa transpôs a reflexão para a colônia fragmentada, presa fácil de inimigos dadas a distância e a inferioridade bélica de Portugal, assim fechando sua "teoria" dos três perigos que punham a perder os Estados.

Mesmo se inspiradas em Maquiavel, as ponderações de Rodrigues da Costa nutriam-se sobretudo da observação dos fatos reais. Cerca de vinte anos antes, quando tinha acabado de assumir o cargo de conselheiro, uma das consultas sobre a guerra emboaba já revelava tom semelhante. Tratava-se, então, de decidir se o governador Fernando Martins Mascarenhas de Lencastre deveria ou não se dirigir para as Minas sublevadas, deixando seu posto no Rio de Janeiro. Se partisse, dizia a Consulta, desguarnecia uma praça que, além de ser cabeça da capitania, já era considerada "a mais importante que Vossa Majestade tem em seus reais domínios", e "tão apetecida das nações da Europa" que estas não hesitariam em cair sobre ela. Se não partisse, os revoltosos ficavam sem castigo, e encorajados a continuarem a sublevação.[37]

Em 1712, ao opinar sobre o abandono do governo de Pernambuco por Sebastião de Castro Caldas, verificado em plena guerra dos mascates, Rodrigues da Costa mostraria o quanto pre-

36. Maquiavel, *O príncipe*, pp. 116 e 118. Para a argumentação de Rodrigues da Costa, foram assim centrais os capítulos XIX, "De como se deve evitar o ser desprezado e odiado" (pp. 105-13), e XX, "Se as fortalezas e muitas outras coisas que dia a dia são feitas pelo príncipe são úteis ou não"(pp. 115-9). Nas *Décadas*..., a argumentação é, como notou Figueiredo, muito semelhante. Cf. "Os muitos perigos...", p. 11.
37. "Sobre a carta que escreveu Domingos Duarte do Rio de Janeiro a esta Corte a Manuel Mendes Pereira e o capítulo de outra carta para outra pessoa, nas quais

zava o segredo quando a matéria era delicada.[38] Criticando a falta de rigor e a pressa com que se realizara a residência que devassava o governo de Castro Caldas, condenava o fato de o ministro encarregado dela tê-la feito transcrever não pelo escrivão destinado a esse fim, "mas por dois escreventes, coisa nunca praticada, e até a carta em que deu conta a Vossa Majestade do que resultava da devassa foi escrita por mão alheia, que com tão pouco recato e cautela se tratam matéria de tanta importância e segredo".[39]

O problema da repressão aos levantes pontua, portanto, os escritos de Rodrigues da Costa ao longo de sua atuação no Conselho Ultramarino. Mas voltemos à *Cultura e opulência...* de Antonil. A consulta que proibiu a circulação da obra possui três assinaturas, de resto presentes em boa parte das consultas da época: "Sylva. Telles. Costa". Não há sombra de dúvida que "Costa" é o nosso conselheiro. Não há sombra de dúvida, igualmente, que havia sido ele o inspirador da proibição, o leitor avisado a perceber as implicações políticas que, num contexto em que a acirrada luta pela hegemonia europeia transitava para a disputa por mercados

---

se trata das diferenças que se acham nos paulistas com os reinóis deste Reino; e vão os papéis que se acusam." Documentos Históricos, Rio de Janeiro, Biblioteca Nacional, 1951, pp. 242-5, citações às pp. 242-3, vol. 93.

38. "O que se assistiu diante da repressão às rebeldias coloniais foram constantes recomendações de dissimulação e segredo, embora não poucos governadores tenham cedido à aplicação imediata da pena capital. O apetite de conquista de nações estrangeiras e a desconfiança da fidelidade desses súditos distantes justificavam o emprego desse traço da política barroca, muito comum no século XVII, que pregava a 'teoria da legitimidade da dissimulação'." Luciano Figueiredo, *Revoltas, fiscalidade e identidade colonial...*, p. 229. Ver também Rosario Villari, *Elogio della dissimulazione. La lotta politica nel Seicento*, 2ª ed., Roma, Laterza, 1993, pp. 18-9. José Antonio Maravall, *A cultura do Barroco — análise de uma estrutura histórica*, São Paulo, Edusp/Imprensa Oficial, 1997.

39. Consulta de 18 de novembro, 1712, in Documentos Históricos, Rio de Janeiro, Biblioteca Nacional, 1952, vol. 98, pp. 174-7, citação às pp. 176-7.

coloniais, certamente adviriam do conhecimento dos caminhos para as Minas — caminhos que deveriam permanecer em segredo, como aliás todas as matérias de importância política.

Em sua admirável edição crítica, Andrée Mansuy forneceu todos os elementos para se desvendar o mistério, mas não o fez porque não se debruçou sobre o sentido da crise que abalava o Império, e que o Conselho Ultramarino, bem como os conselheiros, procuravam estancar.

AS PARTES E O TODO

Nos *Capítulos de história colonial*, Capistrano de Abreu acreditou que *Cultura e opulência* tinha devido sua proibição ao fato de, subversivamente, ensinar o Brasil aos brasileiros, ou seja, torná-los conscientes de suas riquezas e, consequentemente, levá-los ao desejo de autonomia. Mansuy desmontou essa afirmação, retomando, sob uma perspectiva renovada, a velha ideia de que a obra fora proibida por revelar segredos da produção colonial aos concorrentes estrangeiros. Além do mais, não existiam então nem Brasil nem brasileiros, e a perspectiva de Capistrano tem muito de teleológica.

O velho mestre, contudo, atirou no que viu e acertou no que não viu. Os colonos, vassalos del Rei, não se consideravam como formando um todo, e sim como integrantes de segmentos isolados: eram luso-brasileiros a viverem cada qual em sua região, ignorando o mais das vezes o que ia pelas outras. Quando muito, seguindo Stuart Schwartz, formavam blocos: até meados do século XVIII, a América portuguesa poderia ser vista como "composta por 3 colônias distintas: uma zona central de grandes lavouras costeiras e, posteriormente, uma zona mineira situada além dessa área costeira; a periferia localizada a sul, centrada no planalto temperado de São Paulo; a região da bacia do Amazonas, situada a norte, de fato instituída, com a criação do Estado do Maranhão em 1621, como um estado separado". Do ponto de vista mais teórico, a estrutura imperial portuguesa baseava-se "nos princípios fundamentais da fragmentação colonial e da centralização imperial".[40] A ideia de Império adotada por portugueses e espanhóis era, como viu o historiador britânico Anthony Pagden, a de Tácito, um "imenso corpo imperial", "ou seja, [...] uma unidade estabelecida sobre diferentes Estados preexistentes, que podiam inclusive estar espacialmente separados" — a Ásia, o México ou Peru —, ou "sobre um território virgem de estrutura estatal desenvolvida, como ocorrerá no restante das Américas".[41] É certo que teoria e prática se interpenetravam e se fecundavam mutuamente, e a descentralização administrativa nas conquistas tendia a instituir em cada capitania uma dependência direta de Lisboa, impedindo a integração da América portuguesa como um todo "ou o desenvolvimento de movimentos ou ações transversais, que implicassem globalmente a colônia": nenhuma instituição encarnava as terras brasílicas no conjunto, não havia universidades ou delegações nas Cortes — moribundas, aliás, já no final do XVII. Como não se permitia aos habitantes do Brasil o desenvolvimento de instituições representativas além das Câmaras, e como se incentivava a comunicação direta desses homens e dos oficiais régios com os conselhos reais em Portugal, acirrava-se o localismo, e tornava-se difusa "toda a espécie de sentimentos mais amplos

40. Stuart B. Schwartz, "A formação de uma identidade colonial no Brasil", in *Da América portuguesa ao Brasil - estudos históricos*, Lisboa, Difel, 2003, pp. 217-71, citações às pp. 242 e 244.
41. Citado por Evaldo Cabral de Mello, *Um imenso Portugal — história e historiografia*, São Paulo, 34, 2002, p. 27.

suscetíveis de serem expressos como uma oposição colonial ou brasileira à metrópole".[42]

Voltando a Capistrano, é certo que havia, no tempo de Antonil e mesmo antes, quem visse unidade nas partes, pensando no âmbito do arcabouço teórico imperial. Foi o que ocorreu com pelo menos dois dos cronistas do século XVI, assentados na experiência vivida em terras brasílicas: como notou Evaldo Cabral, Gabriel Soares e Brandônio vislumbraram, nelas, potencialidades suficientes para "se edificar um grande império", com pouca despesa e grande benefício, dada a imensa extensão territorial. No primeiro quartel do século seguinte, frei Vicente do Salvador voltaria a bater na mesma tecla, considerando haver no Brasil "uma estrutura de acolhimento na América e uma base para a reconquista da mãe pátria" caso esta corresse perigo. Mais adiante, expressando tendência que devia ser corrente entre colonos, Gaspar Dias Ferreira repetiu a ideia em carta a Dom João IV, que recomendou à rainha, Dona Luísa de Gusmão, adotar a medida caso, uma vez morto, a Espanha invadisse Portugal. A frágil situação do Reino no período imediato à Restauração de 1640 alimentava, assim, a ideia de estabelecer no Brasil um vasto império.[43] Jesuíta como Antonio Vieira, que também postulou para o Brasil um estatuto imperial — mesmo se enquanto parte de outro Império, messiânico e bem maior —, Antonil foi mais um a ver unidade nas partes da América portuguesa, que chamou de Brasil, considerando as drogas e as minas como o cimento a uni-las e expressando, a seu modo, o que, mais de dois séculos depois, seria qualificado de *sentido da colonização*.[44]

42. Schwartz, "A formação...", pp. 245-6.

43. Evaldo Cabral de Mello, *Um imenso...*, pp. 29-30.

44. Refiro-me, obviamente, ao clássico de Caio Prado Jr., *Formação do Brasil contemporâneo*, 13ª ed., São Paulo, Brasiliense, 1973, capítulo "O sentido da colonização", pp. 19-32.

Tais anseios de unidade não passavam, contudo, de elucubrações abstratas e restritas ao âmbito dos discursos. Um dos momentos mais significativos dessa tendência encontra-se no *Compêndio narrativo do Peregrino da América*, livro curioso, em que a personagem central, inspirada na literatura europeia do gênero, empreende extensa peregrinação por terras distantes — no caso, as do Brasil — com o intuito de extrair ensinamentos morais. Numa dada altura, o Peregrino chega ao Palácio da Saúde e Território dos Deleites, onde, levado pelo Belomodo, sobe à Torre Intelectual. Na sua quarta sala, "estava um formoso bofete, e em cima dele um óculo de dez palmos, e pegando nele o Belomodo, me disse: 'Este é o óculo do alcance, e por ele podeis ver tudo quanto quiseres descobrir, e observar neste dilatado Estado do Brasil, por estas quatro janelas, que fazem correspondência do Norte ao Sul e do Leste ao Oeste; e podeis começar a ver a janela do Sul para as mais partes e rumos'".[45] Óculo em punho, o Peregrino vasculhou todas as regiões do Brasil, de Sacramento — na época, sob controle português — até a Amazônia, sugerindo que, na época, a divisão entre o estado do Brasil e o do Grão-Pará talvez fosse mais norma que realidade. A alusão a genéricas Minas do Ouro indica, por sua vez, que a denominação englobava as então recém-descobertas jazidas de Mato Grosso e Goiás, havia pouco dotadas de administração própria. Assustado com o que via, e perplexo ante a capacidade do óculo em fazê-lo enxergar tão longe, o Peregrino pediu explicação ao companheiro, pois não conseguia saber se aquilo era "sonho ou ficção mágica". "[É] pura verdade", respondeu Belomodo: a torre intelectual significava o entendimento humano, e o óculo do alcance "é o discurso, pelo qual se conhece tudo aquilo que se

45. Nuno Marques Pereira, *Compêndio narrativo do Peregrino da América*, Rio de Janeiro, Publicações da Academia Brasileira, 1939, vol. 2, 2 vols., cap. XI: pp. 132-51, citação à p. 134.

pode imaginar com livre entendimento, porque é sem dúvida que estando o homem em qualquer parte do mundo pode ver com o discurso, e olhos do entendimento, tudo o que passa em Roma, na Índia, e mais partes do Universo". Assim vinha sendo com ele, Belomodo, que terminou o arrazoado considerando que "muitas vezes tem acontecido enganarmo-nos com a vista, e acertarmos pelo conceito da razão, que fazemos das cousas, que se nos representam pelo discurso da imaginação...".[46]

Confrontando-se Marques Pereira com seu contemporâneo Rocha Pitta, ideólogo de uma *América portuguesa*, vê-se que a ideia da unidade ganhava os discursos antes de ecoar nas práticas políticas, ainda contidas em motins circunscritos.[47] Em vertente distinta situavam-se, contudo, os homens do Conselho Ultramarino, e mais precisamente o conselheiro Antonio Rodrigues da Costa, para quem o mundo bem concreto das revoltas inspirava considerações sobre a unidade do território. Toda a sua teoria do perigo interno se assentava na possibilidade de os vassalos, com base na prática política, se tornarem conscientes do que havia de comum nas distintas partes do Brasil. Não era disso que cogitavam os emboabas, os mascates, os amotinados de Salvador em 1711 ou de Vila Rica em 1720 — todos às voltas com questões específicas e regionalmente circunscritas, próprias de um território fragmentado. Mas era isso que, com a ajuda dos teóricos, e valendo-se do óculo constituído pelos despachos chegados ao Conselho, lia Rodrigues da Costa nos levantes. Ao fim e ao cabo, da sedição surgiria a unidade.

Por isso, tornava-se imprescindível exercer o castigo sem

46. Ibid., pp. 137 e 138.

47. Sebastião da Rocha Pitta, *História da América portuguesa desde o ano de mil e quinhentos do seu descobrimento até o de mil e setecentos e vinte e quatro*, 2ª ed., Lisboa, Francisco Arthur da Silva, 1880.

romper a barreira da *justa medida* e acabar provocando o efeito contrário.[48] Quando o século rompeu, não se sabia ainda como lidar com as *alterações* — termo que então designava revoltas e motins. Em 1720, surgiria a primeira tentativa de sistematizar a questão: o *Discurso histórico e político sobre a revolta de 1720 em Vila Rica*, escrito pelo conde de Assumar e por dois jesuítas de seu círculo.[49] Em vinte anos, avançara-se no entendimento da revolta.

O Conselho participou dessas formulações. Pulando dos prós aos contras, examinando os benefícios e os malefícios que poderiam advir da aplicação do castigo, os conselheiros revelam o quanto era ainda incerta e mutável a intensidade da punição, e como a Coroa ainda tateava, ensaiando medidas e decisões. Um momento significativo no processo que delimitou o raio do castigo aplicável aos sublevados foi a reflexão levada a cabo no Conselho acerca dos motins do Maneta. Divididos em dois blocos, os primeiros (outubro de 1711) voltaram-se contra açambarcadores e contra tributos, enquanto os segundos (dezembro de 1711) conclamaram o povo da Bahia a ir em socorro do Rio de Janeiro, invadido por Dougay-Trouin. Atarantado, o governador Pedro de Vasconcelos perdoou os primeiros e puniu os segundos.

Rodrigues da Costa reagiu, estranhando a "extraordinária diferença" de procedimento do governador em um e outro episódio e reclamando que quando "abertamente se faltou à obediência das reais ordens, [...] se houve com tanto socego e tranquilidade" como se nada fosse. Já na segunda alteração, "nascida do zelo do

48. Presente também em *O príncipe*, a ideia da *justa medida* perpassa outra obra célebre do Renascimento europeu, que no seu Quarto Livro é basicamente um tratado de política: Baltasar Castiglione, *O cortesão*, pp. 267-339.

49. Conde de Assumar, *Discurso histórico e político sobre a sublevação de 1720 em Minas Gerais* (Estudo crítico, estabelecimento do texto e notas de Laura de Mello e Souza), Belo Horizonte, Fundação João Pinheiro, 1994. Volto a tratar desse assunto no capítulo 5 deste livro.

serviço" ao monarca — o socorro do Rio de Janeiro —, o governador perdeu a cabeça e aplicou o castigo. Já que não sabia reconhecer um "motim que verdadeiramente foi motim", deveria ser substituído.[50]

Naqueles anos, no âmbito do Conselho, foi se gestando uma ideia de Brasil. Pedindo destaque em uma das Consultas sobre os emboabas, Rodrigues da Costa pregaria a aplicação pronta do castigo sobre os revoltosos, pois caso contrário não se conseguiria "apagar este incêndio que poderá abrasar não só aquele largo distrito das minas e perder-se o inestimável tesouro delas, mas perder as capitanias do Rio de Janeiro e pôr em perigo todo o Estado do Brasil".[51] Ao opinar sobre os motins do Maneta, o Conselho se oporia à prática de perdoar amotinados: tal acontecera nas Minas e em Pernambuco, estimulando os revoltosos a delinquir e banalizando os motins: "porquanto os moradores do Brasil *vão introduzindo por moda* o tumultuar e fazer do próprio delito merecimento, constrangendo aos governadores a que lhes dêm perdão".[52] No âmbito do Conselho, a unidade, portanto, era dada pela revolta.

Pois tudo indica que a primeira percepção de uma unidade brasileira surgiu no universo mental de letrados — como o Peregrino e Rocha Pitta — e dos agentes do governo metropolitano —

50. Consulta de 12 de janeiro de 1713, in *Documentos históricos*, Rio de Janeiro, Biblioteca Nacional, 1952, pp. 98-100, vol. 96. Seguindo Luciano Figueiredo, seria possível considerar que tal atitude se pauta pelos comportamentos políticos mais típicos do final do século XVII, quando, ante o descontentamento dos súditos das conquistas, o Conselho optava pela substituição do governador. Cf. "O império em apuros...", pp. 219 e 235.
51. "Satisfaz-se ao que Sua Majestade ordena na consulta inclusa que se havia feito sobre as contendas que houveram entre os paulistas e os homens de negócio." *Documentos históricos*, Rio de Janeiro, Biblioteca Nacional, 1951, pp. 245-51, citação à p. 248, vol. 93.
52. Consulta de 27de julho de 1712, in *Documentos históricos*, Rio de Janeiro, Biblioteca Nacional, 1952, pp. 41-52, citações às pp. 42 e 51, vol. 96. Itálico meu.

como Rodrigues da Costa —, e isto talvez já fosse motivo suficiente para desconfiar dela, uma vez que os revoltosos de tinta propriamente popular, como os baianos de 1711 ou os de 1798, não chegaram a problematizar a questão — mesmo que, no segundo levante do Maneta, se dispusessem a socorrer o Rio de Janeiro. Pertencendo às elites pensantes, aos quadros da administração e da catequese, esses homens nutriam sentimentos ambíguos quanto à unidade que ia, ante seus olhos, cimentando as partes da América. O medo ante a propagação da revolta levou Antonio Rodrigues da Costa, entre arguto e temeroso, a enxergar o Brasil como um todo. No caso, unidade dada pelos agentes do castigo, e não pelos protagonistas das alterações. Foi nesse contexto que o Brasil apareceu como um só corpo também para Andreoni, italiano confessor de vice-reis e de bispos, arauto da açucarocracia e terapeuta voluntário de uma crise. À primeira vista parece ironia que o Conselho Ultramarino tenha confiscado seu livro. Mas o ato faz sentido quando se pensa que a colonização é um sistema contraditório, e o propagandista da monocultura açucareira acabou revelando o caminho das minas às demais potências europeias.

Invasão estrangeira, revolta popular, deslocamento do eixo econômico em decorrência da descoberta do ouro, insatisfação das elites, desvendamento de segredos que garantiam a riqueza imperial lusitana e pagavam alianças internacionais, essas as muitas faces da crise desabada sobre a América portuguesa e responsável pelo reordenamento do Império, nunca mais o mesmo desde então, e mais que nunca fadado a um destino atlântico. Quem faz o duro diagnóstico é, de novo, Antonio Rodrigues da Costa, o homem que então via mais longe, valendo-se do Conselho Ultramarino como o Peregrino da América de sua Torre Intelectual:

> A fama dessas mesmas riquezas convida os vassalos do Reino a se passarem para o Brasil a procurá-las; e ainda que por uma lei se

quis dar providência a esta deserção, por mil modos se vê frustrado o efeito dela, e passam para aquele Estado muitas pessoas, assim do Reino como das ilhas; [...] e por este modo se despovoará o reino, e em poucos anos virá a ter o Brasil tantos vassalos brancos como tem o mesmo Reino; e bem se deixa ver que, posto em uma balança o Brasil, e na outra o Reino, há de pesar com grande excesso mais aquela que esta; e assim, a maior parte e a mais rica não sofrerá ser dominada pela menor, mais pobre; nem a este inconveniente se lhe poderá achar fácil remédio.[53]

Até que ponto esse "testamento político" de Rodrigues da Costa teria influenciado dois contemporâneos mais ilustres — Dom Luís da Cunha e o duque de Silva Tarouca —, ou, inversamente, em que medida seriam todos os três expressões de uma *forma mentis* partilhada pelos círculos cultos no Portugal da época? Como observou Evaldo Cabral de Mello, as *Instruções políticas a Marco Antonio de Azevedo Coutinho*, de Dom Luís da Cunha, e certas cartas escritas por Silva Tarouca ao futuro Pombal enfatizaram, entre a década de 30 e a de 50 do século XVIII, a possibilidade de o Brasil se tornar cabeça do Império português. Seguiram contudo, orientação oposta à dos colonos brasílicos dos séculos anteriores — Gabriel Soares, Brandônio, frei Vicente —, pois partiram "de uma reflexão eminentemente cosmopolita sobre a deterioração do status de Portugal no equilíbrio de poder europeu" e viram nas terras americanas a possibilidade de alterar essa ordem de coisas: "Até então, o problema apresentara-se de maneira inversa, ou seja, como Portugal, enfraquecido na Europa, poderia preservar suas colônias da ambição e do poderio das gran-

53. "Consulta do Conselho Ultramarino a S. M., no ano de 1732, feita pelo conselheiro Antonio Rodrigues da Costa", *Revista do Instituto Histórico e Geográfico Brasileiro*, vol. 7, pp. 498-506; p. 506.

des potências. Agora tratava-se de instrumentalizar as colônias para reforçar a posição europeia de Portugal".[54]

Homem culto, afinado com as correntes do pensamento europeu, mas ao mesmo tempo leitor de consultas e documentos nem sempre bem escritos, que chegavam das terras de além-mar relatando *alterações* e tumultos, Rodrigues da Costa situava-se na confluência dessas duas tradições, a dos colonos quinhentistas e seiscentistas e a tradição metropolitano-cosmopolita, conciliando, de certa forma, os dois lados da moeda. Seu modelo mental pertence à tradição do Ocidente, em que frutificou o temor do perigo interno e do externo, conforme o figurino de Maquiavel mas retemperado pelo pessimismo barroco.[55] A preocupação com o equilíbrio europeu deve ter se originado na mesma fonte que inspirou Dom Luís da Cunha: a política europeia posterior a Utrecht e a teoria do equilíbrio dos poderes. A imagem da balança, por meio da qual se pesam a metrópole e a colônia, deve ser vista, portanto, nesse contexto.

Não consta que nenhum dos amotinados, antes de Tiradentes, desvendasse com tanta crueza os mecanismos do sistema colonial quanto Rodrigues da Costa: mesmo para o alferes e seus companheiros, é pouco provável que a revolta fosse pensada em termos gerais, que ultrapassassem as fronteiras de Minas. Nos

54. Evaldo Cabral de Mello, "Antevisões imperiais", in id., *Um imenso Portugal*, pp. 35, 37. Para uma edição recente e, ao que tudo indica, definitiva do texto de D. Luís da Cunha, ver Abílio Dinis-Silva (org.), *D. Luís da Cunha — instruções políticas*, Lisboa, CNPCDP, 2001.

55. Para Maravall, a repressão e a guerra seiscentistas exacerbaram os sentimentos de crueldade e o convívio com os suplícios: "É sobejamente conhecida [...] a medida da dureza repressiva na França, assim como na Alemanha, e em todos os lugares nos quais as atrocidades do período de guerras, que terminou provisoriamente com a paz de Westfalia, levaram a uma familiarização com a violência, não apenas no enfrentamento com o inimigo externo, mas com os discrepantes, rebeldes ou heterodoxos internos". *A cultura do barroco*, p. 268.

altos círculos da política e da administração, entretanto, o Brasil como um todo foi se delineando desde o século XVI, e ganhou feição precisa no início do século XVIII. Para ilustrar mais uma vez a dificuldade de se entender o sistema colonial fora de seu conjunto, foram as revoltas coloniais que permitiram tal percepção. Se tantos colonos se amotinavam ao mesmo tempo, algo estava errado no funcionamento do sistema, deve ter pensado Rodrigues da Costa em suas noites de insônia.[56]

O século XVIII, portanto, teve início sob o signo da crise, mesmo que, em grande parte, o seu sentido permanecesse encoberto.[57] Antonil foi o seu arauto involuntário, e Rodrigues da Costa o seu analista mais agudo. Entre a crise do início do século e a que lhe pôs o fecho, os colonos, aí sim, aprenderiam a ler nas entranhas do sistema colonial.

Enquanto isso não ocorria, iam se consolidando, nas colônias da América, identidades regionais. O próximo capítulo trata de um desses casos.

56. A primeira referência à importância de Rodrigues da Costa no contexto da crise do sistema colonial foi feita por Fernando A. Novais, tornando-se ponto de partida tanto para as considerações de Luciano Figueiredo, "O Império em apuros...", quanto para as minhas, que aqui apresento. Ver Novais, *Portugal e Brasil na crise do antigo sistema colonial.*
57. Sobre o encobrimento do conceito de crise pelo pensamento do século que o engendrou, ver o livro extraordinário de Reinhart Koselleck, *Crítica e crise — uma contribuição à patogênese do mundo burguês*, Rio de Janeiro, Eduerj/Contraponto, 1999.

Uma primeira versão deste texto foi apresentada em Paris na Conférence Internationale *Le Portugal et l'Atlantique — XVe–XXe siècles*, Paris, Centre Culturel Calouste Gulbenkian, 8 a 9 de maio de 2000, e depois publicada. Cf. "La conjoncture critique dans le monde luso-brésilien au début du XVIIIe siècle", in *Le Portugal et l'Atlantique - Arquivos do Centro Cultural Calouste Gulbenkian*, Lisboa-Paris, 2001, pp. 11-24, vol. XLII.

3. São Paulo dos vícios e das virtudes

[...] *são os paulistas grandes servidores de Sua Majestade; no seu real nome fazem tudo que se lhes manda.*

Morgado de Mateus

[...] *a Vila de São Paulo há muitos anos que é República de per si, sem observância de lei nenhuma assim divina como humana.*

Câmara Coutinho

[...] *mamalucos Ramalhos, de árvore ruim peiores frutos.*

Padre Simão de Vasconcelos

OS PAULISTAS: ENTRE A DETRAÇÃO E A EXALTAÇÃO

Uma certa historiografia paulista dos anos 20, 30 e 40 do século XX empenhou-se na construção de imagens positivas do passado da capitania de São Paulo, invocando a "epopeia bandeirante" e os feitos que levaram ao recuo do Meridiano. Affonso Taunay e sobretudo Alfredo Ellis foram os expoentes mais óbvios dessa tendência, presente contudo também em autores mais afeitos ao matiz, como Paulo Prado.[1] Até mesmo um grande historiador como Jaime Cortesão se deixou fascinar por essas abordagens, e o seu estudo sobre Antonio Raposo Tavares destaca o papel e o empenho dos sertanistas em ganharem terras para o rei de Portugal.[2] Hoje, historiadores como John Monteiro firmaram a ideia que os paulistas regiam-se antes de tudo pelos interesses econômicos, dentro dos quais a força de trabalho indígena tinha papel destacado, não se preocupando primordialmente em ganhar terras para el-rei.[3]

Além de desbravadores, os paulistas foram tidos como potentados poderosos e ricos, e assim apareceram, por exemplo,

1. O ufanismo e o regionalismo paulista os mais exacerbados estão presentes em Paulo Prado, *Paulística etc.*, org. de Carlos Augusto Calil, São Paulo, Companhia das Letras, 2004, em que o autor considera como "decadência" o período correspondente à perda da autonomia, ocorrido no meado do século XVIII, e vê os capitães-generais como déspotas obscurantistas e horríveis: "Depois do papel decisivo que os piratininganos representaram na expansão geográfica, em seguida a esse apogeu de esforço e conquistas, São Paulo entrou no completo apagamento que foi a última metade do século XVIII. Extinguia-se de todo a chama ardente da antiga independência e altivez. Vieram os governadores-fidalgos. Os paulistas conheceram a ignomínia de serem governados — durante dezessete anos — pelo comandante da praça de Santos, e a capitania passou a simples comarca do Rio de Janeiro" (p. 48). O capítulo "A decadência" (pp. 152-73) é particularmente pródigo em exemplos de furor nacional/regionalista contra a administração portuguesa. Um dos pontos centrais no livro de Prado é a exaltação positiva da autonomia paulista, a que a administração portuguesa pôs cobro.
2. Um balanço excelente da questão encontra-se em Ilana Blaj, *A trama das tensões — o processo de mercantilização de São Paulo colonial (1681-1721)*, São Paulo, Humanitas, 2002.
3. John Monteiro, *Negros da terra — índios e bandeirantes nas origens de São Paulo*, São Paulo, Companhia das Letras, 1994.

na obra de Oliveira Viana, para quem homens como Guilherme Pompeu eram Cresos capazes de dar recepções dignas da Europa.[4] Mesmo na época em que dominava a historiografia ufanista, contudo, houve em São Paulo quem dela divergisse, propondo análise instigante e original sobre o cotidiano dos sertanistas, vincado pela escassez e pela pobreza. José de Alcântara Machado é, nesse sentido, um marco, com *Vida e morte do bandeirante.*[5]

Sertanista empenhado em defender os interesses da Coroa; patriarca milionário que encarna com perfeição o modelo do grande proprietário rural, senhor de domínios fechados sobre si mesmos; ou homem rude, afeito à vida dura e simples dos matos e destituído de cabedais? Ou ainda, vassalo rebelde, independente até do rei quando se tratasse de seus interesses particulares, e falto de qualquer escrúpulo moral ou religioso quando o assunto era o assalto a aldeamentos e a escravização de gentios? Paulista virou, indicam registros e historiadores, sinônimo de bandido: quando

4. Oliveira Viana, "Populações meridionais do Brasil", in Silviano Santiago (org.), *Intérpretes do Brasil*, Rio de Janeiro, Nova Aguilar, 2000, pp. 897-1188, vol. I. O autor o qualifica de "espírito cultíssimo", dono de biblioteca numerosa, ricos móveis, prataria e vinhedo primoroso, mantendo sempre arrumadas cem camas "ricamente paramentadas" para os hóspedes, "cada uma com um cortinado próprio, lençóis finos de Bretanha, guarnecidos de rendas, 'e uma bacia de prata debaixo de cada uma delas', segundo o expressivo detalhe de Pedro Taques" (p. 935). Paulo Prado não fica atrás quando considera que o mameluco paulista, fruto do cruzamento do "forte sangue português quinhentista, dos franceses, dos castelhanos e flamengos com as cunhãs" achava-se "perfeitamente aparelhado para o seu destino histórico" e teve ainda a fortalecê-lo "a aspereza fortificante de um clima de bruscas variações, em que às geadas das manhãs claríssimas sucedem sóis abrasadores do meio-dia". Como resultado, criou-se "um admirável exemplar humano, belo como um animal castiço, e que só puderam realizar nessa perfeição física os homens da Renascença italiana, quando César Bórgia seduzia o gênio de Maquiavel". Cf. Paulo Prado, "Bandeiras", in *Paulística etc.*, p. 147 (o texto é de 1923).
5. Ver a respeito meu "Prefácio" a "Vida e Morte do Bandeirante", in Santiago (org.), *Intérpretes do Brasil*, pp. 1191-203, vol. I.

havia negócio tenebroso implicando extermínio de índio ou negro, contratava-se o serviço dos habitantes de Piratininga.[6] O episódio que envolveu os paulistas do capitão Manuel de Lemos no confronto com os índios do Orobó tem, nesse sentido, força de exemplo: falando tupi, os piratininganos alegaram que "não eram brasileiros, mas um povo diferente, seus parentes e que [feitas as pazes] poderiam comer juntos, casar seus filhos com filhas deles, e as filhas deles com seus filhos".[7]

São tantas as imagens construídas sobre os paulistas ao longo dos séculos que o historiador se desconcerta. "Em relação aos paulistas, por vezes, as falas das autoridades metropolitanas na colônia se mostram ambíguas, pois alternam-se cartas onde os habitantes de São Paulo são longamente elogiados por sua bravura, fidelidade à Coroa e pelos serviços prestados, com outras onde são chamados de desobedientes, violentos e criminosos."[8] Coevos célebres refletem essa perplexidade: se há Montoya (1639), Charlevoix (1757) e a Lenda Negra dos jesuítas[9] — assentada, como se sabe, no repúdio às ações de extermínio movidas pelos piratininganos contra os

6. Sobre o imaginário negativo construído em torno dos paulistas, ver John Monteiro, "Os caminhos da memória: paulistas no Códice Costa Matoso", *Revista Varia Historia*, nº 21, Belo Horizonte, julho de 1999, pp. 86-99. Nas guerras contra os índios que ensanguentaram a segunda metade do século XVII luso-brasileiro, os paulistas tiveram papel de destaque, tendo inclusive sido chamados quando os pernambucanos não deram conta do assunto. Ver a respeito o trabalho definitivo de Pedro Puntoni, *A guerra dos bárbaros, povos indígenas e a colonização do sertão nordeste do Brasil — 1650-1720*, São Paulo, Hucitec/Edusp, 2002.

7. Citado por Puntoni, *A guerra dos bárbaros...*, pp. 112 e 200.

8. Blaj, *A trama...*, p. 271.

9. Uma das mais importantes obras da ilustração católica italiana, *Il Cristianesimo Felice nelle missioni dei padri della Compagnia di Gesù nel Paraguai*, de Antonio Ludovico Muratori [1742], inspirou-se nas cartas jesuíticas do padre Gaetano Cattaneo escritas nos anos de 1729-1730, portanto vinte anos após a guerra emboaba e no contexto da detração dos paulistas, que Muratori acompanha. Agradeço a Adone Agnolin por essa observação.

indígenas aldeados —, há o ufanismo linhagista de Pedro Taques de Almeida Paes Leme (1772) ou de frei Gaspar da Madre de Deus (1797): uns e outros, matrizes evidentes das leituras negativas ou positivas realizadas pela historiografia. Há por fim os que percebem que o caráter infrator pode se transformar em baluarte da ordem, captando com argúcia o contraditório das ações humanas em contextos marcados pela indefinição e pelo imprevisto: foi o caso do arcebispo da Bahia, frei Manuel da Ressurreição, ao se dirigir aos vereadores de São Paulo e lembrar que os piratininganos, "tão costumados a penetrar os sertões para cativar índios contra as provisões de Sua Majestade", tinham na guerra contra os gentios do Nordeste ocasião para fazê-lo "em serviço do seu rei como reais vassalos seus": a velha história do ônus metamorfoseado em utilidade.[10]

Ainda hoje, os historiadores se posicionam apaixonadamente acerca do assunto, como se a objetividade fosse, no caso, quimera inatingível. A lucidez de Mário de Andrade, expressa em carta de 1925 a Paulo Prado, parece ter se desmanchado no ar:

> Você perfilha uma opinião de Capistrano sobre as caças ao índio que me parece mais sentimental que de valor histórico ou sociológico ou mesmo apenas humanitário. Acho francamente a opinião de vocês dois além de falsa econômica, uma dessas opiniões que a gente usa quando não tem outras mais ricas e legítimas para usar. Além disso, tem outro defeito horrível: é pegajosa: gruda, dessas opiniões que um diz e que pelo valor sentimental todo

10. Documento citado em Puntoni, *A guerra dos bárbaros*..., p. 148. Sobre as metamorfoses do ônus em utilidade, ver Laura de Mello e Souza, "Da utilidade dos vadios", in *Desclassificados do ouro — a pobreza mineira no século XVIII*, 2ª edição, revista, Rio de Janeiro, Paz e Terra, 2004, pp. 77-130.

mundo fica repetindo, repetindo, é uma dificuldade pra gente depois acertar isso com uma visão realmente crítica embora humanitária.[11]

Por volta de 1690, o autor anônimo da *Informação do Estado do Brasil e de suas necessidades* louvava a capacidade dos paulistas de penetrarem o sertão e se sustentarem anos a fio de "caças do mato, bichos, cobras, lagartos, frutas bravas, raízes e vários paus". Anos antes, o padre Vieira havia considerado imprescindível o apoio paulista a Salvador Correia de Sá para que tomasse o porto do Rio da Prata, pois eram "os mais valentes soldados do Brasil, e para aquela guerra os melhores do mundo".[12] Se esses autores ressaltam os elementos positivos, há outros em que a familiaridade com o mato sugere aspectos negativos, que conferiam animalidade aos habitantes de São Paulo: "os paulistas se arrancharam por fora, buscando sempre a vizinhança do mato para se comunicarem com as feras, de quem herdavam os corações".[13] Útil em certas situações, destacando-se nesse sentido a familiaridade no trato com os matos, os traços de independência e autonomia não cessaram de incomodar as autoridades régias: "a vila de São Paulo há muitos anos que é República de per si, sem observância de lei nenhuma, assim divina, como humana", ponderou em 1692 o governador-geral Antonio Luís Gonçalves da Camara Coutinho em carta enviada ao rei.[14] Ladrões dos sertões,

11. Mário de Andrade, "*Paulística* faz papel de salva-vidas", in Prado, *Paulística etc.*, p. 225.
12. Antonio Vieira, carta XVIII ao Marquês de Niza, in João Lúcio de Azevedo (org.), *Cartas do Padre Vieira*, Coimbra, Imprensa da Universidade, 1925, pp. 135-7.
13. Cf. Kátia Maria Abud, *O sangue intimorato e as nobilíssimas tradições — a construção de um símbolo paulista: o bandeirante*, Tese de Doutorado em História, FFLCH-USP, São Paulo, 1985, pp. 18 e 14.

impossíveis de castigar, eram igualmente refratários à obediência, observava-se na mesma ocasião:

> Assim que me parece inútil persuadi-los a que façam serviço a Vossa Majestade, porque são incapazes, e vassalos que Vossa Majestade tem rebeldes, assim em São Paulo, donde são moradores, como no sertão, donde vivem o mais do tempo; e nenhuma ordem do governo geral guardam, nem as leis de Vossa Majestade.[15]

Acreditava-se que, por amor à independência, pouco ligavam para mercês. Comentando a história curiosa de Alexandre Correia da Silva, nascido em São Paulo e bem-sucedido em carreira junto ao Conselho Ultramarino, Pedro Taques diz:

> Tendo feito grandes serviços, nunca jamais pediu mercê para si ou para outrem — *condição de que se adornam os paulistas, que só fazem glória de consumir as fazendas e as vidas no serviço do seu rei e natural senhor*, sendo eles os que totalmente conquistaram os bravos gentios do sertão da Bahia em 1672 até 1674.[16]

Mas houve, antes de Taques, quem pensasse diferente, aconselhando que o rei cumulasse a gente paulista de honras e mercês, "que as honras e os interesses facilitam os homens a todo o perigo, porque são homens capazes para penetrar todos os sertões, por onde andam continuamente". Repetindo o tópos que já se ia

14. Citado por Blaj, *A trama...*, p. 272. A fonte encontra-se publicada em *Documentos históricos*, Rio de Janeiro, Biblioteca Nacional, p. 47, vol. 34.
15. Citado em ibid., pp. 272-3. O documento consta também de *Documentos históricos*, Rio de Janeiro, Biblioteca Nacional, pp. 84-6, vol. 34.
16. Pedro Taques de Almeida Pais Leme, *Nobiliarchia paulistana histórica e genealógica*. Publicações Comemorativas do IV Centenário, São Paulo, Livraria Martins Editora, 1953, p. 95, vol. II.

fixando, o autor desse relato lembra que o hábito os levava, anos a fio, a subsistir dos produtos silvestres e coisas imundas, tornando-se imprescindíveis ao assenhoreamento do Brasil interior: no tempo de Afonso Furtado de Mendonça, recuperaram as vilas do Recôncavo assoladas pelo gentio bravo, e os Palmares não teriam caído sem o seu concurso. Bons para limpar o território de índios e negros, o autor sugere, numa passagem ambígua, ser a mestiçagem paulista a responsável por seu sucesso:

> Sem os paulistas com o seu gênio nunca se há de conquistar o gentio bravo que se tem levantado no Ceará, no Rio Grande e no sertão da Paraíba e Pernambuco, porque o gentio bravo por serras, por penhas, por matos, por catinga só com o gentio manso se há de conquistar e não com algum outro poder, e dos paulistas se deve valer Sua Majestade para a conquista de suas terras.[17]

Qualidades e defeitos apareceram, portanto, indissociados na qualificação dos paulistas durante todo o século XVII, e assim continuou depois. No início do segundo quartel do século XVIII, Rodrigo César de Meneses, governador de São Paulo e das novas minas do Cuiabá e Goiás, escreveu ao rei uma carta muito interessante, em que pedia se recompensasse Bartolomeu Bueno e os descobridores dos achados de Goiás pelos serviços prestados. Nela jogava com a memória negativa sobre os paulistas, alegando que se no passado não foram leais, no seu governo o vinham sendo, e engatando, na sequência, um pedido de mercês também para si. No início, o governador destaca a persistência do sertanista, que

17. Documento citado por Capistrano de Abreu, que não dá o título e comenta apenas ser anônimo. Desconfio tratar-se do mesmo documento citado por Pedro Puntoni, conforme especificado na nota 44 infra. Cf. *Capítulos de história colonial*, Rio de Janeiro, F. Briguiet, 1934, p. 122.

nunca desistiu de encontrar as minas de ouro vislumbradas na infância:

> Senhor. Havendo dado conta a Vossa Majestade da forma em que tenho estabelecido as novas Minas de Cuiabá, estando a despedir as vias, chega o explorador dos descobrimentos dos Goiazes, Bartolomeu Bueno da Silva, que mandei em o ano de 1722 àquele sertão, em o qual andou três anos e dois meses sem poder acertar com a paragem que buscava por haver 40 anos que tinha visto, *de cujo dilatado tempo se seguiu dificultar-se o que a fantasia lhe facilitava*, e sem embargo de se ver diminuído de forças por lhe haver morrido e desertado a maior parte da gente que o acompanhava, não afrouxou na diligência, porque como valoroso, constante e leal vassalo de V.M., desprezou evidentes perigos que trazia diante dos olhos, assim pela multidão de gentio bárbaro que continuamente se avinhava [avizinhava?] com ele como pela grande esterilidade que experimentava do necessário para alimentar-se, assentando consigo que não havia aparecer perante mim sem satisfazer o de que se havia encarregado, e mais fácil seria perder a vida [...]

Depois relata como, sensibilizado ante a constância e as dificuldades do sertanista, já lhe disponibilizava auxílios quando chegaram as notícias do descobrimento do Cuiabá: prova suplementar do

> *préstimo e lealdade dos paulistas, que se em algum tempo se diz a não mostraram, em o do meu governo tem destruído de sorte aquela opinião, como acredita a obediência e sujeição em que se acham*; e como o explorador Bartolomeu Bueno da Silva e seu genro João Leite da Silva Ortiz, que o acompanhou sem desampará-lo, ainda conhecendo os evidentes perigos a que estava exposto, havendo perdido vinte e dois escravos às mãos do gentio e alguns por causa de grande esterilidade; por todas estas circunstâncias se fazem dignos de que V.M. os honre,

mandando agradecer-lhes o serviço que lhe fizeram por carta, de cuja honra se desvanecem justamente, e fazendo-lhes aquelas mercês que V.M. costuma distribuir com os beneméritos [...]

Sogro e genro faziam-se, pois, merecedores de honras, mercês e do agradecimento real. Insinuando o préstimo próprio, a sabedoria com que conduziu o processo e manteve os paulistas — povo de índole duvidosa, afinal — na boa seara, o governador se diz também habilitado a merecer recompensas:

e eu também poderia animar-me a pedir, se à Real grandeza de V.M. fosse necessário lembrar o serviço que neste governo tenho feito com tanto desvelo, assim nos descobrimentos do ouro e seu estabelecimento como no aumento da fazenda Real e acréscimo dos dízimos, cujo serviço acreditam os mesmos efeitos.[18]

Mais para o fim do século, no "Fundamento histórico" que introduz o poema "Vila Rica", concluído em 1773, Cláudio Manuel da Costa retomaria, de passagem, os argumentos contraditórios

18. *Documentos interessantes para a história e costumes de São Paulo*, vol. XXXII, 1901, doc. "Sobre a volta de Bartolomeu Bueno de Goiás", São Paulo, 22 de outubro de 1725, pp. 136-8. Os itálicos são todos meus. O comentário da Redação, indignado com a possibilidade de se duvidar da lealdade paulista, é um ótimo exemplo dessa mesma construção da memória, agora num outro momento, de alta do paulistismo (1901, quando se construía um passado bandeirante, os presidentes da República começavam a ser paulistas e abria-se a chamada "política do café com leite"). Diz a nota, à p. 137: "A fidelidade dos paulistas *nunca foi posta em dúvida por ninguém*; o exemplo de Amador Bueno da Ribeira convence mais do que os melhores argumentos e a guerra dos emboabas não indica falta de fidelidade ao soberano. Rodrigo César continua a encarecer os seus serviços na esperança de boa recompensa, como se vê logo abaixo". Conforme se verá no capítulo 7 deste livro, Rodrigo César tornou-se pessoa ultra *non grata* na historiografia paulista de inícios do século XX.

então já sedimentados no imaginário da época, e que nem mesmo ele, tão entusiástico quando tratava dos paulistas, conseguia evitar:

> Os naturais da cidade de São Paulo, que tem merecido a um grande número de geógrafos antigos e modernos serem reputados por uns homens sem sujeição ao seu soberano, faltos de conhecimento e respeito que devem às suas leis, são os que nesta América têm dado ao mundo as maiores provas de obediência, fidelidade e zelo pelo seu rei, pela sua pátria e pelo seu reino.[19]

Ao lado das consagradas virtudes desbravadoras, Cláudio indica, num pombalismo oportunista, o precoce ímpeto antijesuítico dos piratininganos:

> A vigilância com que atendiam pela harmonia e utilidade econômica do seu país, os aconselhou muito antes, que a todo o Portugal, a fazer sair das suas terras os padres denominados da Companhia de Jesus por sediciosos e maus, os puseram eles em um total extermínio no mês de julho de 1640.[20]

Não fosse a "caridade indiscreta" de Fernão Dias, que trabalhou para que voltassem à capitania em 1663, os inacianos permaneceriam banidos do Planalto, atestando subliminarmente, para Cláudio, o caráter sensato — senão esclarecido — da população.

Vários autores registram, para os tempos remotos, a temeridade de um paulista insigne e certamente truculento que, ante as ameaças da chegada iminente do Tribunal do Santo Ofício, havia

19. Cláudio Manuel da Costa, "Fundamento histórico ao poema Vila Rica", in *Obras completas*, edição de João Ribeiro, Rio de Janeiro, Garnier, 1903, pp. 145-79, citação à p. 152, vol. II.
20. Ibid., p. 152.

dito a certa autoridade que "receberia a Inquisição a frechas". Em 1640, os homens de São Paulo promoveram levantes populares contra os inacianos, chegando a expulsá-los da capitania e assim lançando água no moinho de narrativas detratórias de matriz jesuítica, como as do já citado Montoya ou ainda as de outros religiosos, como Francisco Jarque e Nicolau del Techo, ambas dos finais do século XVII.[21]

Capistrano de Abreu, tão crítico das bandeiras, respondia aos que condenavam tal posição "com a fina e tolerante bonomia que lhe sorri dentre a barba hirsuta: há bandeira e bandeira", endossando, pois, o caráter ambíguo e contraditório do assunto.[22] Ainda na matriz que procura distinguir e separar o joio do trigo, há os que acreditam ter a descoberta das minas dado às bandeiras paulistas a legitimidade não conseguida com o apresamento.[23] Representando, sem dúvida, um ponto de inflexão, acredito, contudo, que o surgimento das minas tornou ainda mais complicado, no cenário americano, o já complexo papel dos paulistas.[24] Vejamos por partes.

A IMPORTÂNCIA DA GUERRA EMBOABA

Poucos episódios ilustram tão bem os papéis paradoxais representados pelos paulistas quanto a Guerra dos Emboabas (1707-1709), da qual já se falou um pouco no capítulo anterior.[25] As Minas tinham então pouco mais de dez anos de exis-

21. Sobre os motins antijesuíticos em São Paulo, ver Charles R. Boxer, *Salvador de Sá and the struggle for Brazil and Angola*, Londres, Athlone Press, 1952.
22. Prado, *Paulística etc.*, p. 133.
23. Abud, *O sangue intimorato...*, p. 32.
24. Também John Monteiro viu na guerra dos emboabas o ápice das imagens conflitivas construídas sobre os paulistas. Cf. "Os caminhos da memória: paulistas no Códice Costa Matoso", p. 97.
25. Sobre a guerra dos emboabas, ver capítulo anterior, nota 9.

tência, reunindo um aglomerado de arraiais ainda destituído de administração formal. Os primeiros descobridores eram quase todos paulistas, e conforme foram chegando forasteiros originários do litoral ou da metrópole, começaram os conflitos em torno da posse das melhores terras minerais e do exercício do mando, o presumido *direito de conquista* dos piratininganos vendo-se seriamente ameaçado pelos adventícios, desde cedo chamados, pejorativamente, de emboabas.[26] Seguiram-se vários conflitos armados, e, na tentativa de controlar a situação, Dom Fernando Martins Mascarenhas de Lencastre deslocou-se do Rio, que sediava o seu governo. Não obteve sucesso, e, conforme já se viu, os emboabas aclamaram Manuel Nunes Viana, um dos seus, como governador das Minas. O caso é extraordinário: exceto no episódio lendário de Amador Bueno, que os documentos não confirmam, nunca, até então, os habitantes da América haviam ensaiado tomar o freio nos dentes, afrontando o poder metropolitano.[27] Extraordinário também o fato de vários desses emboabas serem reinóis, evidenciando-se o contraste entre uma tradição mais marcadamente lusitana e a nova cultura mameluca, gestada no isolamento do planalto e nas lides silvestres. Os paulistas protestaram fidelidade ao rei, mesmo que o tenham feito à sua moda, sempre eivada de ambiguidades e contradições, reverenciando o rei com uma das mãos enquanto,

26. Como se viu no capítulo 2 deste livro, o significado da palavra *emboaba* é controverso, não me parecendo ser aqui necessário voltar ao assunto. Para a crença então disseminada entre os paulistas de que tinham direito de conquista sobre as terras mineiras, ver Adriana Romeiro, "Revisitando a guerra dos emboabas: práticas políticas e imaginário nas Minas setecentistas", in Maria Fernanda Bicalho e Vera Lúcia Amaral Ferlini (orgs.), *Modos de governar. Ideias e práticas políticas no império português — séculos XVI a XIX*, São Paulo, Alameda, 2005, pp. 387-401.
27. Para a aclamação de Amador Bueno, ver a análise inovadora de Rodrigo Bentes Monteiro, "A Rochela do Brasil", in id., *O rei no espelho — a monarquia portuguesa e a colonização da América. 1640-1720*, São Paulo, Hucitec, 2002, pp. 33-72.

com a outra, fustigavam a autoridade por ele investida: reza a tradição que, quando da viagem "pacificadora" de Antonio de Albuquerque à região, tramaram-lhe nas barbas a morte falando o tupi então corrente em Piratininga, sem saber que o governador o tinha aprendido no Maranhão quando criança, estando, depois, à frente daquela capitania e também da do Grão-Pará.[28]

Por mais altivos que tenham sido — a relutância ante a cooptação por parte da Coroa tornando-os malvistos na época —, o caráter antes contemporizador dos paulistas é evidenciado pelos desdobramentos da escaramuça: os anos subsequentes encontraram-nos retirados no sertão, onde permaneceram até que a abertura das minas no Cuiabá e em Goiás desse "novo ímpeto"

28. Com doze anos, Albuquerque acompanhou o pai quando este veio designado governador para o Maranhão (1667). "Ambos retornaram a Portugal, mas o filho voltou ao Brasil em 1678 para cuidar das propriedades da família em Santa Cruz de Cametá. Albuquerque se tornou governador do Grão-Pará (1685-1690) e do Maranhão (1690-1701)." Cf. A. J. R. Russell-Wood, "Identidade, etnia e autoridade nas Minas Gerais do século XVIII: leituras do *Códice Costa Matoso*", *Revista Varia Historia*, nº 21 [*Número Especial Códice Costa Matoso*], julho, 1999, pp. 100-18, citação à p. 109. Para uma breve biografia de Antonio de Albuquerque, ver Aureliano Leite, *Antonio de Albuquerque Coelho de Carvalho — capitão-general de São Paulo e Minas do Ouro, no Brasil*, Lisboa, Agência Geral das Colônias, 1944. John Monteiro observou que, apesar de recorrentemente considerados rebeldes e infensos à autoridade régia, os paulistas afirmavam sua fidelidade e vassalagem ao rei, mesmo que escarnecessem dos representantes por ele enviados às colônias: "Trata-se, portanto, de um discurso ambíguo, que capta todo o conflito entre diferentes percepções de justiça e autoridade". Cf. "Os caminhos da memória...", p. 96. Ao atacar os representantes do poder real e, simultaneamente, preservar a autoridade do monarca, enquadravam-se no padrão de conflitualidade dominante na tradição política europeia anterior à Revolução Francesa. Ver a respeito Laura de Mello e Souza, "Tensões sociais em Minas na segunda metade do século XVIII", in Adauto Novais (org.), *Tempo e história*, São Paulo, Companhia das Letras, 1992, pp. 347-66; id., "Notas sobre as revoltas e as revoluções da Europa Moderna", *Revista de História*, nº 135, São Paulo, 2º semestre de 1996, pp. 9-17; Carla Junho Anastasia, *Vassalos rebeldes — violência coletiva nas Minas na primeira netade do século XVIII*, Belo Horizonte, C/Arte, 1998.

a seus descendentes e, abrindo-lhes novas possibilidades, os atirasse de novo contra os forasteiros.[29] Estes, por sua vez, continuaram animosos: "lutaram e permaneceram ilesos até 1719, sofrendo a partir de então sucessivas derrotas nos motins que agitaram a Barra do Rio das Velhas e as localidades próximas às passagens de rios".[30] Independentemente dos fatos, os emboabas foram exaltados como fiéis e os paulistas detratados como indômitos, os diversos relatos selecionando elementos — como a presença ou ausência de insígnias honoríficas entre os oponentes — para "contrastar a desordem dos paulistas com a ordem dos emboabas".[31]

Uma das fontes mais antigas sobre essa *guerra*, um dos conflitos mais significativos de inícios do século XVIII luso-brasileiro, é o relato parcialíssimo de Rocha Pitta, primeiro historiador de uma América portuguesa. Basta atentar para os adjetivos e concluir. Conforme o historiador da América portuguesa, as escaramuças no arraial do Rio das Mortes tiveram início

> por uma [dissensão] que fez um Paulista *tirana e injustamente* a um forasteiro humilde, que vivia de uma pobre agência. Desta sem-razão, alterados os outros forasteiros e *desculpavelmente enfurecidos*, solicitaram a vingança da vida de um e da ofensa de todos, e a conseguiriam, se aquele *homicida* não se ausentara com tal aceleração que o não puderam alcançar, posto que por muitas partes o seguiram. Daquele delito e de outras *crueldades dos Paulistas* deram conta ao governador do Rio de Janeiro, que então era D. Fernando

29. Valho-me aqui, com certa liberdade, das considerações de Maria Verônica Campos, *Governo de Mineiros — de como meter as Minas numa moenda e beber-lhe o caldo dourado*, Tese de Doutorado em História, FFLCH-USP, 2002, p. 399.
30. Ibid.
31. Monteiro, "Os caminhos da memória...", p. 99.

Martins Mascarenhas de Lencastro, pedindo-lhe um capitão que os regesse e mantivesse em paz [...][32]

Os "forasteiros" aderiram a Manuel Nunes Viana, aclamando-o governador, e Pitta justifica:

e juntando-se logo os povos dos três lugares, Sabarabuçu, Caeté e Rio das Velhas, caminharam a buscar a Manuel Nunes Viana, e o elegeram por seu governador e de todos os povos das Minas, para *refrear os insultos dos paulistas e os obrigar a viverem sujeitos ao jugo das leis do reino, e não às de seu próprio arbítrio, pelas quais só se governavam, enquanto el-rei por seus governadores e ministros os não punha na obediência de vassalos, com a observância dos seus reais preceitos.*

Ante as instâncias dos povos das Minas de Ouro Preto e Rio das Mortes para que aceitasse o cargo, Nunes Viana aquiesceu. O argumento era que "o partido dos paulistas" estava "mui poderoso" naqueles distritos, "usando da *liberdade e insolência em que costumavam viver*, e conservando o ódio entranhável contra todos os forasteiros".[33]

É digno de nota que Pitta inverta o argumento: quem desrespeita o governo português está, na verdade, garantindo o controle lusitano na América portuguesa, a insubordinação aparente tornando-se, na essência, fidelidade ao rei. Toda a narrativa sobre a chegada de Dom Fernando Martins Mascarenhas de Lencastre às Minas é nitidamente empenhada, influenciando tanto os relatos posteriores quanto a historiografia. Corria, diz-nos Pitta, que o

32. Sebastião da Rocha Pitta, *História da América portuguesa desde o ano de mil e quinhentos do seu descobrimento até o de mil e setecentos e vinte e quatro*, 2ª ed., Lisboa, Francisco Arthur da Silva, 1880, p. 269.
33. Ibid., p. 271. O itálico é meu.

governador era partidário dos paulistas e ia prender os forasteiros, mas estes convenceram Manuel Nunes Viana e foram esperar Dom Fernando em Congonhas. O chefe emboaba aparece quase constrangido no episódio, argumentando estar à frente do exército contra sua vontade: sem que tivesse propriamente se oposto ao avanço do governador, mesmo assim este preferiu recuar, "deixando aqueles povos na sua rebelião, por não poder reduzi-los à obediência del-rei, posto que todos protestavam estar seguros nela"; se houve "alteração" — vocábulo utilizado na época, como já destacado, para designar levantes —, o motivo foi justo: "sacudir o *jugo tirânico em que os punham os paulistas*, a quem Dom Fernando protegia e descobertamente amparava". Não se tratava, pois, de afronta ao poder real, mas de desacordo quanto ao seu emissário: "pretendiam pedir a el-rei lhes enviasse às Minas governador e ministros assistentes, que os governassem e mantivessem em paz".[34] A viagem pacificadora de Antonio de Albuquerque às Minas teria sido, portanto, uma reivindicação emboaba, atendida pelo rei; mas foi em vão, ajuíza Pitta, que o governador tentou dissuadir os paulistas — "*insolente turba*" — de persistirem no "impulso, em que cometiam tão grande ofensa contra Deus e tanto delito contra el-rei".[35]

Rocha Pitta escreveu seu livro quando o recente episódio da guerra emboaba ainda ardia na memória dos habitantes de São Paulo, e parece ter acompanhado os argumentos de Manuel Nunes Viana, homem de prestígio entre a elite letrada da capital baiana.[36] Conforme a interessante análise de Adriana Romeiro,

34. Ibid., p. 274.
35. Ibid., p. 276.
36. Nuno Marques Pereira dedicou o seu *Peregrino da América* a Nunes Viana, que teria custeado a belíssima edição do livro em 1728. A respeito das elites letradas da América portuguesa, ver Iris Kantor, *Esquecidos e renascidos — historiografia acadêmica luso-americana (1724-1759)*, São Paulo/Salvador, Hucitec/Centro de Estudos Baianos, 2004.

Viana "subverteu o sentido da ação emboaba, apresentando-a à Coroa nos termos de uma legítima defesa dos interesses portugueses na América, ameaçados pelos ânimos revoltosos dos paulistas". Desde a época em que se opôs a Borba Gato, o chefe emboaba manipulou e reeditou o imaginário negativo em torno dos paulistas, muito popular entre os inacianos, "e instrumentalizou-o a serviço de uma pretensa causa portuguesa".[37] Foi assim que os emboabas puderam se arvorar em pacificadores das Minas, passando a reivindicar mercês e recompensas que fizessem jus às suas ações.[38]

A tradição emboaba perdurou, bem como as animosidades. Em carta escrita ao rei em 28 de setembro de 1728, Rodrigo César de Meneses mostrou-se "assaz embaraçado" ante a oposição que continuava dilacerando paulistas e emboabas no tocante aos cargos e que, já em contexto diverso, quando dos descobertos de Mato Grosso e Goiás, emperrava as engrenagens da administração:

> pois se elegesse paulista não ficariam satisfeitos os reinóis, e da mesma sorte aqueles, se elegesse algum destes; convoquei a minha presença os oficiais do senado da câmara e, tratando esta matéria com eles, se não persuadiram a insinuar-me o mais capaz e conveniente, dizendo se comprometiam na minha escolha, e procurando meio, de que uns e outros ficassem satisfeitos, tive por mais eficaz que os ditos oficiais do senado da câmara as ficassem regendo, porque como eram paulistas e reinóis, e todos faziam um corpo, ficava cessando a razão de queixa de uns e outros.[39]

37. Romeiro, "Revisitando a guerra dos emboabas...", p. 399.

38. Ibid., p. 400.

39. Rodrigo César de Meneses, Cartas e papéis administrativos concernentes à capitania de SP e as minas de Cuiabá, enviadas por Rodrigo Cesar de Meneses a el rei, datadas de SP e das minas de 1729 [sic], IEB, *JFAP*, códice 25.

Antes do episódio emboaba, as críticas e reticências com relação aos paulistas devem ser entendidas num contexto mais amplo, qualificado por Sérgio Buarque de Holanda como "polêmica dos partidários da lavoura contra a exploração do subsolo", e intensificado na segunda metade do século XVII, conforme se difundiam as notícias de descobertos auríferos.[40] Vieira foi um dos expoentes mais ilustres a se envolverem na disputa, imprecando contra o inchaço burocrático que decorreria da montagem da exploração aurífera:

> Quantos administradores, quantos provedores, quantos tesoureiros, quantos almoxarifes, quantos escrivães, quantos contadores, quantos guardas no mar e na terra, e quantos outros oficiais de nomes e jurisdições novas, se haviam de criar, ou fundar com estas minas para vos confundir e sepultar nelas? [...] Não havia de ser vosso o escravo, nem vossa a vossa canoa, nem vosso o vosso carro e o vosso boi, senão para o manter e servir com ele. A roça haviam vo-la de tomar de aposentadoria para os oficiais das minas: o canavial havia de ficar em mato, porque os que cultivassem haviam de ir para as minas; e vós mesmos não havíeis de ser vosso, porque vos haviam de apenar para o que tivésseis préstimo: e só os vossos engenhos haviam de ter muito que moer, porque vós e vossos filhos havíeis de ser os moídos.[41]

40. Sérgio Buarque de Holanda, "Metais e pedras preciosas", in *História geral da civilização brasileira*, São Paulo, Difel, 1960, p. 308, t. I, vol. 2.
41. Citado por Juarez Donisete Ambires, *Os jesuítas e a administração dos índios por particulares em São Paulo, no último quartel do século XVII*, Dissertação de Mestrado, Departamento de Letras Clássicas e Vernáculas, Literatura Brasileira, FFLCH-USP, São Paulo, 2000, p. 134.

Vieira foi, aliás, um dos primeiros a designar de *paulistas* os habitantes de São Paulo, quando opinou sobre o problema da administração dos índios por particulares.[42] O jesuíta, já velho, presenciou o prestígio crescente que os homens de Piratininga foram alcançando nas capitanias do Nordeste como matadores de índio bravo ou de negro fugido, e que caminhou junto com sua desqualificação. Escrevendo muito tempo depois, mas mostrando-se fiel a memórias coevas, Saint-Hilaire e o brigadeiro Machado de Oliveira registram bem esse momento de inflexão, situado possivelmente nos anos 70 do século XVII, quando, para combater os Gueréns, João Amaro chegou à Bahia comandando "um corpo de mamelucos já adestrados em tais empresas":

> Não eram os paulistas bem conhecidos no norte do Brasil, porque, habitantes da sua região meridional, era para este lado que lhes ficava mais a jeito o praticarem suas excursões no empenho de apreender índios e descobrir minas. [...] Todavia, em todas as capitanias tinha se ouvido com admiração os nomes desses homens de ferro, sua coragem, e as afoutezas e animosidades com que afrontavam aos perigos e faziam guerra aos índios.[43]

42. O termo "paulista" teria inclusive se perpetuado graças a Vieira e a seu voto ("Voto do padre Vieira sobre as dúvidas dos moradores de São Paulo acerca da administração dos índios") — é o que diz Juarez Donisete Ambires com base no *Salvador de Sá* de Charles Boxer. O trecho de Vieira: "até chegarem às terras de São Paulo, onde os moradores dela — que daqui por diante chamaremos Paulistas...", Ambires, *Os jesuítas*..., p. 139. Num artigo no qual analisa com argúcia os documentos do *Códice Costa Matoso* que contribuem à construção de uma memória sobre os paulistas, John Monteiro notou que em muitos deles "a categoria 'paulista' de fato estava em fase de constituição", as indumentárias, por exemplo, constituindo um "contraste das aparências" que, no contexto do conflito emboaba, "redundava [...] num choque de costumes". Cf. "Os caminhos da memória...", pp. 97 e 99.

43. Brigadeiro José Joaquim Machado de Oliveira, *Quadro histórico da Província*

Um escrito anônimo de 1691 documentou que, na última década do século XVII, a fama paulista de bem enfrentar a natureza selvagem já tinha se espalhado pelas capitanias do Nordeste, onde iam destroçando os grupos indígenas com o apoio das autoridades da região. O autor reconhecia que o sucesso dos de São Paulo era devido às qualidades de mateiros e homens de guerra, em tudo contrastando com as práticas adotadas pelos portugueses e por aqueles que, mesmo já luso-brasileiros, os seguiam nos costumes: enquanto iam "nus, e descalços, ligeiros como o vento, só com arco e flechas, entre matos, e arvoredos fechados", os demais soldados seguiam "embaraçados com espadas, carregados com mosquetes, e espingardas e mochilas com seu sustento". Os paulistas acometiam as populações "de noite, por assaltos", destruindo tanto as casas quanto as igrejas, "lançando fogo aos ingovernos, matando gente e roubando os bens móveis que podem carregar, e conduzindo os gados, e criações e quando acudimos o dano está feito". Quando perseguidos, evaporavam dentro dos matos, pois os dominavam como ninguém, e como bárbaros tiravam o sustento "nas mesmas frutas agrestes das árvores, como pássaros, nas raízes que conhecem e nas mesmas imundícies de cactos, cobras, e caças de quaisquer animais e aves".[44]

---

de São Paulo até o ano de 1822, 2ª ed., São Paulo, Typografia Brasil de Carlos Gerke & Cia, 1897 [Obras Escolhidas, Instituto Histórico, Geográfico e Etnográfico do Brasil e outras sociedades científicas, vol. I, edição de Brasílio Machado]. Machado de Oliveira deve ter se baseado nos escritos de viagem de Saint-Hilaire sobre São Paulo, muito próximos da passagem acima transcrita. Cf. A. Saint-Hilaire, *São Paulo nos tempos coloniais*, org. de Leopoldo Pereira, São Paulo, Monteiro Lobato e Cia., 1922, pp. 62 ss.

44. "Sobre os tapuias que os paulistas aprisionaram na guerra e mandaram vender aos moradores do Porto do Mar, e sobre as razões que há para se fazer a guerra aos ditos tapuias" [1691], *Biblioteca da Ajuda* 54, XIII, 16, fl. 162. Citado por Puntoni, *A guerra dos bárbaros...*, pp. 198-9.

À medida que iam se tornando conhecidos, os paulistas ganhavam admiradores e adversários. Alguns, como Bartolomeu Lopes de Carvalho, perceberam que sua força residia na ambivalência de que se revestiam. Funcionário régio incumbido pela coroa de visitar as capitanias do sul e informar sobre a administração dos índios por particulares, Lopes de Carvalho tomou o partido dos apresadores.[45] No Manifesto que escreveu ao rei, defendeu a dureza no trato com os índios, afirmando "que se eles paulistas não foram com as suas entradas no sertão que já hoje estivéramos dos ditos gentios tragados e comidos". E continuava:

> e que eles paulistas eram os verdadeiros exploradores do Brasil, e nisto tinham feito grandes serviços a Vossa Majestade, pois com o seu temor, e armas afugentaram o mais do gentio bravo que avizinhava com os das marinhas, deixando lugares capazes para se povoarem, como também no sertão donde ficou mais franqueada a entrada àqueles que nesses lugares quiseram estender seus gados para sustento de todo o Brasil.[46]

45. Um dos pontos altos da dissertação de Juarez Donisete Ambires, da qual me valho aqui, é o capítulo em que trata da oposição entre os partidários da administração dos índios por particulares, como Alexandre de Gusmão, Benci e Antonil, e aqueles que, como Vieira, a condenavam. À página 130, diz o autor que o ouro, descoberto em 1693, foi determinante na simpatia da Corte para com a posição paulista, contrária à de Vieira: "As minas, contudo, em que a princípio Vieira não cria, tornaram-se uma realidade que estudiosos da questão apontam como a causa de peso para que as autoridades portuguesas, tanto religiosas quanto civis, pendessem para os paulistas e, é claro para os religiosos jesuítas contrários a Vieira. Perdedor na Bahia, torna-se também Vieira, na questão da administração dos índios por particulares, um perdedor na Corte". O extraordinário "Manifesto a Sua Majestade", de Lopes de Carvalho, encontra-se publicado em apêndice documental; é documento da Biblioteca da Ajuda, cód. 51-IX-33, fls. 370-3v. Cf. Ambires, *Os jesuítas...*, pp. 196-200.
46. "Manifesto a Sua Majestade", apud Ambires, *Os jesuítas...*, pp. 199-201.

Os paulistas garantiam, portanto, o avanço da colonização portuguesa na América. Isso não significava que fossem colonos perfeitos ou gente sem vício, dando-se mesmo o contrário: "estes moradores de São Paulo são gente indômita e incapaz de se reduzirem a termos especulativos ou práticos, porquanto entre eles, as suas leis são as da conveniência, e do gosto".[47]

Conforme ultrapassavam as fronteiras regionais, os paulistas iam, assim, adquirindo feição cada vez mais ambígua. Os qualificativos detratores também se espraiaram, galgando, nesse caso específico, as escarpas da Mantiqueira: vícios e defeitos paulistas passaram a ser também mineiros.[48]

Nos anos que medeiam entre os primeiros descobertos — 1694 — e a guerra emboaba, encontram-se frequentes alusões aos habitantes das Minas, sempre pouco elogiosas. Se os descobridores foram sobretudo paulistas, nem todos os mineiros eram originários de São Paulo, havendo-os das outras capitanias e, em número considerável, do Reino. Apesar disso, e durante o primeiro quartel do século XVIII, muitos dos defeitos atribuídos aos mineiros eram análogos aos até então atribuídos aos paulistas.

Em alguns casos, as críticas de cunho mais político ou moral migravam para o terreno religioso, numa época, aliás, em que a compartimentação entre tais instâncias amiúde inexistia. Veja-se, a propósito, uma carta escrita pelo padre Belchior de Pontes a José Correia Penteado em 13 de agosto de 1718, "na qual declara o lastimoso estado em que então estavam as Minas":

> Se V.M. não toma este aviso, ao menos tome o que vê, que ao presente lhe servirá de exemplo, que são os senhores seus irmãos, que

47. Id., p. 202.
48. Também Adriana Romeiro percebeu que, dirigida inicialmente contra os habitantes de São Paulo, a desqualificação passou para os de Minas Gerais. Cf. "Revisitando a guerra dos emboabas...".

também cursaram o *fadario dessas Minas enganosas, que só servem para as almas, que custaram o sangue de Cristo, rodarem pelo barranco do inferno*: deste ao presente procuraram de se livrar os irmãos de V.M., e em todo caso serão livres, porque Cristo Senhor Nosso salva a todos os que buscam a paz e sossego de sua alma: *esta paz ninguém a pode alcançar nas Minas; porque nelas o demônio em adjunto com o interesse reinam e cegam os olhos interiores das almas*: e se há de cumprir a palavra de Deus: MUITOS SÃO OS CHAMADOS AO GRÊMIO DA IGREJA, E DELES POUCOS SE SALVAM. Deseje V.M. ser do número dos poucos, e isto com livrar-se com tempo dos males verdadeiros, que são os que V.M. vê, apalpa e quiçá também gosta: estes males não são trabalhos, tribulações, pobreza, injúrias, doenças e achaques; senão pecados, ambição, usuras, roubos, enganos, ladroices, homicídios, adultérios, soberba e inveja, que V.M. vê tudo isto e não sabe livrar-se deles para ganhar uma alma, que Deus lhe deu, e lhe custou seu precioso sangue etc.[49]

Mas a pouco e pouco, foi sobretudo no plano político que se firmaram as críticas aos paulistas e aos mineiros, sempre revestidas de roupagem ética. Seu caráter insubordinado era fruto das lacunas da administração, e só desapareceria quando o mando se aperfeiçoasse. Ponderando sobre a necessidade de organizar a cobrança de impostos nas Minas, João Pereira do Vale escrevia a Dom Pedro II em 7 de dezembro de 1705:

As minas ficam tão distantes desta cidade que não se pode formar juízo do seu estado, *pois cada um fala nelas com o afeto que lhe ditam seus interesses*, e ainda os que a elas vão, apenas concordam no que dizem, porque sendo tão dilatadas, nem todos penetram as aspe-

49. Manuel da Fonseca, *Vida do venerável padre Belchior de Pontes*, São Paulo, Melhoramentos, s.d., pp. 247-8. Itálico meu.

> rezas daqueles montes, porque como homens que vão a negociar, aonde encontram a sua conveniência põem fim à jornada [...]

Era de supor que a abundância do ouro perdurava, já que as levas humanas continuavam, de São Paulo, a seguir para as Minas; mas a Coroa pouco aproveitava, pois ali ainda não tinha instaurado um sistema de arrecadação. Para tanto, era preciso, primeiro, que houvesse governo:

> [...] de modo que naqueles montes, desertos e caminhos possa resplandecer a justiça, sendo os patíbulos testemunhas de que os delinquentes são severamente castigados por V. Magde., assim como os inocentes favorecidos de sua real clemência, porque com a ligadura das leis e a administração da justiça nos desertos se fazem cidades, *e estas, sem justiça, são seminários de facinorosos, quais se reputam os paulistas que, sem temor de Deus nem respeito às leis, vivem como feras e morrem como brutos, carregados de homicídios voluntários, roubos e insolências, porque nem contra eles há poder que os sujeite nem razão que os convença*, e assim não pagam quintos, oprimem os pequenos, e por autoridade própria se constituem tão livres que se pode duvidar se fora melhor não ser senhor daqueles tesouros em poder de tais vassalos.[50]

Cultura e opulência do Brasil por suas drogas e minas, de Antonil, incorporou essa "mitologia" do vício paulista e mineiro. Verdadeira caixa de ressonância das autoridades administrativas

50. André João Antonil, *Cultura e opulência do Brasil por suas drogas e minas*, edição crítica de Andrée Mansuy, Paris, Institut des Hautes Études de l'Amérique Latine, 1968, pp. 562-3, itálico meu. O documento se encontra no *Arquivo Histórico Ultramarino*, documentos do Rio de Janeiro, 3100. É possível que esta cota encontre-se alterada, pois a pesquisa de Mansuy foi feita na década de 1960.

do litoral, que temiam o colapso da economia açucareira ante a fuga de braços para a mineração, Antonil defendeu, como se viu no capítulo anterior, as plantações do litoral contra o que reputava a ilusão do ouro. Em 1700, Artur de Sá e Menezes, governador e capitão-general do Rio de Janeiro, havia lançado proibições sobre a venda para Minas de escravos subtraídos ao tabaco e ao açúcar: quem desobedecesse teria os escravos confiscados e dois meses de prisão. Restringiu-se ainda a duzentos o número de cativos que, desembarcando no Rio vindos da Costa da Mina, poderiam anualmente ser comprados pelos paulistas e seguir para as Minas. Este problema continuou preocupando o governador-geral subsequente, Dom Rodrigo da Costa, que dele fez o tema dominante na correspondência travada com o rei e outras autoridades, entre 1703 e 1705. Escrevendo a Dom Álvaro da Silveira em 1703, ponderava que as minas verdadeiras, capazes de enriquecer Portugal, eram e sempre foram a agricultura: mantê-las era condição de prosperidade para Portugal. No ano seguinte, em tom amargo, dizia que os "proveitos" advindos da permissão real de se explorarem minas na Bahia e em São Paulo resumiam-se na falta de escravos, tornados excessivamente caros, no abandono das culturas e, ainda por cima, no risco iminente de invasão estrangeira, seguindo-se a ruína total do estado do Brasil.[51] As culturas vegetavam ou desapareciam. Um escravo nas Minas alcançava até três vezes o preço pago pelos plantadores do Nordeste: com eles, nenhum negociante queria comerciar.

Andreoni, vivendo na Bahia e privando da intimidade de governantes, certamente partilhava das mesmas opiniões. Deve ter obtido as informações que veicula em seu livro junto a altas autoridades da administração e do governo — por exemplo,

51. Andrée Mansuy, "Introduction" a *Cultura e opulência do Brasil por suas drogas e minas*, p. 33.

os dados referentes à Casa da Moeda.[52] O conceito final de Antonil era tenebroso: o ouro que não se passava em pó ou moeda para os "reinos estranhos" acabava em cordões e brincos que enfeitavam, mais do que senhoras, as negras e mulatas mal procedidas. Qualquer solução implicava o aperfeiçoamento da máquina governamental, e mais uma vez os qualificativos detratores eram morais:

> na administração da justiça se asseguram aos vassalos as vidas e as fazendas, ficando livres os caminhos *que hoje se acham cheios de caveiras dos miseráveis a quem a ambição dos mais poderosos, por lhe roubarem o ouro, tirou a vida.* O maior mal que se considera tem feito as minas é serem *couto de foragidos, porque o soldado, o marinheiro, o negro e o delinquente, tanto que se colhem no caminho das minas estão seguros*, e havendo lá justiça e poder, o soldado será reconduzido, o marinheiro tornará para o navio, o negro será restituído a seu senhor, e o delinquente castigado, e deste modo não haverá tantos fugitivos, porque o temor do castigo os fará abster da tentação.[53]

Tão diverso de Vieira no tocante à administração dos índios por particulares, Antonil dele se aproximaria na desqualificação da empresa mineradora.

Em 1717, Dom Pedro Miguel de Almeida Portugal, conde de Assumar, tomava posse do governo da capitania de São Paulo e Minas do Ouro, proferindo um notável discurso ante os camaristas que o recepcionavam. Exaltando primeiro a própria virtude e estirpe, o sacrifício a que se tinha sujeitado para servir o rei, deixando para trás a família e se aventurando em terra longínqua e perigosa, Assumar passava em seguida a exaltar as qualidades

52. Ibid., p. 34. Ver ainda o capítulo 2 deste livro, "A conjuntura crítica no mundo luso-brasileiro de inícios do século XVIII".
53. Antonil, *Cultura e opulência...*, p. 565.

necessárias aos vassalos: que os paulistas não se esquecessem delas, pagando com bons préstimos a clemência real. Invocando-a, aproximava mineiros e paulistas: ao abrirem-se as Minas, movido talvez antes pelo interesse que pela magnanimidade, Dom Pedro II havia, conforme o conde, perdoado "todos os crimes até ali cometidos". Sobreveio, então, o episódio emboaba, "ó deplorável tempo! ó tempo de desgraças e de misérias! em que a boca de qualquer das vossas armas vomitava uma violência, uma atrocidade, um assassino, um homicida". O pior, contudo, estava por vir: "uma civil guerra, em *que com inumanos combates,* quais lobos ferozes, ou quais outros tupinambás, tabajaras, tamoios, cataguazes [...], carniceiros do gênero humano, *uns com outros vassalos se devoravam*". Seguiram-se "crueldades inauditas" a atroar pelos ouvidos e a todos ofender, "com o clamor do filho pela morte do pai; com os do amigo pela falta do companheiro; enternecidos os corações com os gemidos das viúvas e com o desamparo das donzelas". O rei, contudo, "*pai mais e mais que piedoso*", convencido que a indulgência levaria sempre a melhor sobre "a aspereza do suplício", deu o perdão geral. Cabia doravante aos vassalos superarem o transe:

> [...] e que a glória antiga dos descobrimentos com mais força se renove, e deva el-rei nosso senhor aos de São Paulo adquirirem-lhe maiores tesouros, para que enriquecidos e opulentos os seus vassalos neste continente, possam com menos avareza e mais generosidade aumentar-se os seus erários com mais quintos tão devidos pelas humanas leis, quanto pelas divinas.[54]

54. Esse documento foi por mim publicado em "Um documento inédito: o discurso de posse de D. Pedro de Almeida, Conde de Assumar, como governador das capitanias de São Paulo e Minas do Ouro em 1717", in *Norma e conflito — aspectos da história de Minas no século XVIII*, Belo Horizonte, UFMG, pp. 30-42. Há duas versões conhecidas do documento, uma na *Biblioteca da Ajuda*, Seção de Manuscritos, 54/XIII/16, outra no *Arquivo Distrital de Évora*, CXVI/2-13, n. 27.

Irmanados na rebeldia, os vassalos de São Paulo e de Minas tinham um crédito junto ao rei pelos serviços prestados no passado. Os tempos, entretanto, começavam a ser outros: não mais de tropelias, caça a índio, descobertos auríferos, e sim de consolidação do mando, pagamento de impostos, defesa do território. A lenda negra, contudo, já havia deitado raízes no imaginário luso-brasileiro.[55]

A RESPOSTA DOS LINHAGISTAS

Na segunda metade do século XVIII, dois paulistas e um mineiro de origem paulista produziram obras em que está registrado o sentimento de orgulho sentido pelos habitantes de São Paulo quanto a suas raízes. Trata-se de Pedro Taques de Almeida Paes Leme, frei Gaspar da Madre de Deus e Cláudio Manuel da Costa, que escreveram a *Nobiliarquia paulistana*, a *Memória histórica da capitania de São Paulo* e o poema *Vila Rica*, antecedido de um fundamento histórico.[56]

55. Para Raquel Gletzer, "a lenda negra que apresenta os habitantes de São Paulo como cruéis assassinos, inimigos dos índios e dos padres [...] foi elaborada nos séculos XVI e XVII" pelos padres jesuítas. Diversamente, no século XVIII foi elaborada uma "lenda dourada" pelos linhagistas e descendentes dos conquistadores que eram Pedro Taques e frei Gaspar. Nessa lenda, os bandeirantes foram considerados "concretizadores da obra da colonização, integradores da população indígena no povo brasileiro". Ver *Chão de terra — um estudo sobre São Paulo colonial*, São Paulo, Tese apresentada ao Concurso de Livre-Docência em Metodologia da História, USP, 1992, p. 47 [ex. mimeografado]. Ver ainda Milena Maranho, *A opulência relativizada — significados econômicos e sociais dos níveis de vida dos habitantes da região do planalto de Piratininga — 1648-1682*, Dissertação de Mestrado sob orientação de Leila Mezan Algranti, Departamento de História, IFCH, Unicamp, setembro 2000.
56. Ver, a respeito, Antonio Candido, "A literatura na evolução de uma comunidade", in *Literatura e sociedade*, 2ª edição, São Paulo, Companhia Editora Nacional, 1967, pp. 161-91.

Para Alfredo Bosi, homens como Pedro Taques e frei Gaspar representariam a "retórica dos intelectuais porta-vozes do sistema agromercantil", louvaminheira e recorrente nas nossas letras desde sempre. Opondo essa produção à dos Padres da Companhia, destaca que enquanto amarrava "firmemente a escrita à eficiência da máquina econômica, articulando cultura e colo", a "retórica humanista-cristã" dos jesuítas aproximaria cultura e culto, utopia e tradição, sendo-lhe, assim, qualitativamente superior.[57]

Apesar de engenhosa, a hipótese carece de embasamento histórico, e peca por homogeneizar posições que se tornavam, naquela época, cada vez mais dependentes de conjunções regionais. A literatura linhagística tinha um sentido mais fundo e assumia tons específicos: "[n]uma sociedade estamentalizada até a medula" como a de Pernambuco, "respondia", como viu Evaldo Cabral de Mello, "basicamente à necessidade de situar com precisão o lugar do indivíduo e da sua família nos estratos privilegiados do país", podendo ainda ter "utilidades mais prosaicas": responder a brigas de família, a questões sucessórias, à necessidade de comendas.[58] Nas capitanias de São Paulo e Minas, onde a estamentalização era mais fluida — as elites paulistas eram mamelucas — ou recente — as elites mineiras careciam de tradição e se assentavam no dinheiro —, o sentido das genealogias variou.

Com a descoberta das Minas, como se viu neste capítulo, os antigos e enraizados interesses agromercantis das zonas açucareiras clamaram contra o perigo ao sul, para tanto lançando mão até de argumentos ideológicos. Eram substancialmente distintos o contexto no qual, em Pernambuco, Loreto Couto e Borges

57. Alfredo Bosi, "Colônia, culto e cultura", in *Dialética da colonização*, São Paulo, Companhia das Letras, 1992, pp. 11-63, citações às pp. 36-7.
58. Evaldo Cabral de Mello, *O nome e o sangue — uma fraude genealógica no Pernambuco colonial*, São Paulo, Companhia das Letras, 1989, p. 141.

da Fonseca construíram imagens edificantes sobre os heróis da Restauração e o contexto em que, nas capitanias centro-meridionais, os paulistas se empenharam em dourar as andanças sertanistas.[59] Se Pernambuco era região desde cedo nevrálgica na economia e na política do império português da América, aberta para as grandes rotas mercantis do Atlântico, dotada de aristocracia consolidada, aportuguesada e, quando não totalmente branca, empenhada no embranquecimento, São Paulo se mantinha, senão excêntrica, mais fechada sobre si mesma e sobre sua mestiçagem, falando, até o século XIX, a língua geral do Sul e abrigando, segundo uma formulação instigante e talvez um pouco discutível, um grupo étnico análogo ao dos ciganos ou cristãos-novos porque, como eles, tinha autoconsciência e se identificava enquanto parte do mesmo grupo, perturbando profundamente a Coroa e até os demais colonos.[60]

Após anos duros, quando, entre 1748 e 1765, a capitania chegou inclusive a perder a autonomia, os habitantes de São Paulo recriavam o passado, idealizando-o e configurando ideologicamente o "paulistanismo". A literatura linhagística dos paulistas era também, mas não apenas, uma resposta à má fama dos sertanistas, e uma tentativa de mostrar virtudes onde quase só se viam vícios. Se os pernambucanos eram vassalos reconhecidos como

59. Loreto Couto, Borges da Fonseca, Pedro Taques e Cláudio Manuel da Costa estavam ligados ao movimento academicista. Cf. José Aderaldo Castello, *A literatura brasileira — origens e unidade*, São Paulo, Edusp, 2004, pp. 96-7, vol. I; Kantor, *Esquecidos e renascidos*... Para Pernambuco, o clássico de Evaldo Cabral de Melo, *Rubro veio — o imaginário da Restauração pernambucana*, Rio de Janeiro, Nova Fronteira, 1986. Este autor considera que Loreto Couto era antes apologeta, enquanto Borges da Fonseca era mais propriamente um linhagista. Cf. id., *O nome e o sangue*, pp. 268-9.
60. A. J. R. Russell-Wood, "Identidade, etnia e autoridade nas Minas Gerais do século XVIII: leituras do *Códice Costa Matoso*", *Revista Varia Historia*, nº 21 [*Número Especial Códice Costa Matoso*], julho de 1999, pp. 100-18.

especiais — já no século XVII tiveram diocese, bispo, cidade, e, ao expulsar os holandeses, deram provas inequívocas de fidelidade ao rei —, os paulistas eram, quase sempre, uma pedra no sapato, e a arte de bem governar consistia muitas vezes em fazer com que o Estado metropolitano conseguisse tirar proveito desses homens difíceis.

Sendo primos, Pedro Taques e frei Gaspar pertenciam às elites bandeirantes — Ilana Blaj lembra que, "em São Paulo de fins do XVII e inícios do XVIII, [...] a maioria dos paulistas proeminentes era parente de Pedro Taques de Almeida", um dos patriarcas da família.[61] A figura do linhagista é quase tão paradoxal como a dos paulistas que procurou enaltecer para, assim, enterrar de vez os vícios e fazer prevalecer as virtudes. Nascido em fins de junho de 1714, em São Paulo, era sobrinho-bisneto de Fernão Dias e quinto neto de Brás Cubas. Seu pai, o capitão Bartolomeu Pais de Abreu, foi homem de destaque na empresa mineradora, e a ele Calógeras atribuiu a iniciativa da bandeira do Anhanguera, que descobriu Goiás. Apesar de ter sido, como disse Taunay, um dos primeiros detentores do "velocino goiano", as indisposições com a administração portuguesa — Rodrigo César de Meneses e seu odiado preboste, Sebastião Fernandes do Rego — levaram-no a não obter as mercês e honrarias prometidas.[62] Nesse sentido, a história de Pedro Taques se confunde com a dos homens turbulentos que marcaram os primeiros tempos da ocupação de Mato Grosso e Goiás, e com

61. Blaj, *A trama...*, pp. 297-8. Diogo Ramada Curto considerou que Pedro Taques elaborou mitologia branqueadora na sua genealogia, opondo-se ao discurso jesuítico que ressaltava o caráter mameluco. Creio que Pedro Taques "branqueou" apenas o lado africano, aceitando — sem grande alarde — a mestiçagem indígena. Cf. "Notes à propos de la *Nobiliarchia Paulistana* de Pedro Taques", in *Arquivo do Centro Cultural Calouste Gulbenkian — Biographies*, Paris, Fundação Calouste Gulbenkian, vol. XXXIX, pp. 110-9, p. 117.
62. Baseio-me nas informações fornecidas por Affonso de E. Taunay, "Escorço biográfico", in Pedro Taques de Almeida Paes Leme, *História da Capitania de São Vicente*, São Paulo, Melhoramentos, s.d., pp. 10-3.

quem o poder constituído dos governadores teve de medir forças: não parece gratuito que Taques tenha ouvido da boca de seu pai as informações depois registradas em livro sobre os terríveis irmãos Lemes, mortos, aliás, com a conivência — senão em decorrência das ordens — de Rodrigo César de Meneses.[63] O regionalismo e o orgulho paulista, tão acentuados em Taques, cresceram conforme se enraizou nele o ressentimento pela fortuna e pelas mercês evaporadas, aumentando, da mesma forma, a animosidade contra a administração metropolitana. Enquanto amargava o despeito de ver São Paulo subordinada ao Rio de Janeiro e juntava papéis para poder, um dia, reivindicar na Corte o que julgava ser seu de direito, Pedro Taques teve que ganhar a vida, e como escrivão da Intendência, Comissaria e Guardamoria do distrito do Pilar, coube-lhe viver em Goiás com a mulher — desde então irremediavelmente atingida pela malária — e um filho pequeno. Em 1755, realizou a viagem sonhada e chegou a Lisboa dias antes do terremoto, perdendo, na catástrofe, todos os documentos com que pretendia comprovar seus direitos e ainda uma soma considerável de dinheiro. A desgraça, como no ditado, serviu para alguma coisa, e foi quando teve a oportunidade de conhecer e conviver um pouco com Diogo Barbosa Machado, Antonio Caetano de Sousa e Monterroyo Mascarenhas, que, sem dúvida, influenciaram seus estudos genealógicos.[64] Foi igualmente na Corte que conseguiu a remuneração de um cargo de tesoureiro-mor da Bula da Cruzada

63. Affonso de E. Taunay, "Pedro Taques e a sua obra", in Pedro Taques de Almeida Paes Leme, *Informação sobre as Minas de São Paulo* e *A expulsão dos jesuítas do Colégio de São Paulo*, São Paulo, Melhoramentos, s.d., p. 39: "Imenso deplora haver-lhe o pai morrido quando mal passara dos vinte anos. Na meninice de quanta cousa preciosa lhe ouvira a relação, em conversa com outros, como a narrativa pormenorizada do caso trágico dos Lemes". A respeito desses primeiros tempos de turbulência no Brasil central, ver o capítulo 7 deste livro, "Morrer em colônias...".
64. Taunay, "Escorço...", pp. 28-31.

nas capitanias de São Paulo, Goiás e Mato Grosso, assim conseguindo boa folga financeira por algum tempo.[65] Mas então sobreveio nova desgraça. Sob forte suspeita de desviar o dinheiro arrecadado — e de fato o fazia, emprestando-o a conhecidos e tomando como sua a coisa pública —, teve as funções suspensas, os bens sequestrados e viu-se de novo na maior pobreza. Foi nesse período difícil, quando a saúde já lhe faltava por completo em virtude de uma paralisia quase geral, que se dedicou com mais afinco às suas obras, boa parte das quais — inclusive uma história da guerra emboaba — não chegou até nós.

Desse tempo desditoso é a *Nobiliarchia*: forma final dada ao trabalho beneditino de uma vida atrás de documentos esparsos por arquivos vários da América e de Portugal, fonte imprescindível ao estudo da sociedade paulista do Setecentos, mas, ao mesmo tempo, fruto do ressentimento de um aristocrata decaído na periferia no império português. Dentro do delírio grandiloquente próprio aos linhagistas, que entroncam todas as famílias em reis godos e merovíngios, Taunay considerou que Pedro Taques chega a guardar certo comedimento.[66] O esforço, porém, em conferir tintas de nobreza à acanhada sociedade piratiningana do século XVIII beira as raias da ficção: soam a retórica as proezas equestres, como as de Bento do Amaral Silva, que com as artes da cavalaria impressionou o governador Dom Antonio Rolim de Moura, "que o proclamava o melhor cavaleiro que jamais vira", e do mesmo modo as façanhas tauromáquicas, como as de Antonio Leitão, "que, de um golpe, decapitava um touro".[67]

Já a afeição ao escravismo e aos estatutos de pureza de sangue revela que o linhagista provinciano seguia o figurino da ideologia

65. Ibid., pp. 30 ss.

66. Id., "Pedro Taques e a sua obra", pp. 60 ss.

67. Ibid., p. 39. As origens do discurso genealógico são próximas ao mito, conforme observou Diogo Ramada Curto invocando, por sua vez, Arnaldo Momigliano. Cf. Curto, "*Notes...*", p. 114. Arnaldo Momigliano, *The development of Greek biography*, Cambridge, Massachusetts, Harvard University Press, 1971.

dominante não só em Portugal como na península Ibérica, e que, nesse sentido, era um homem em perfeita consonância com os sentidos da Monarquia e do Império. Quando viveu em Goiás, onde, diferentemente de sua capitania natal, os cativos africanos viabilizavam a atividade econômica, indignou-se ante a sua fuga e a existência de quilombos, comprazendo-se ao descrever o verdadeiro genocídio promovido pelas tropas de Bartolomeu Bueno do Prado, que em triunfo teria juntado 3900 pares de orelhas de negros.[68] Como viu Taunay, "[d]ominado aliás pelas ideias de casta e sentindo-se um pouco parente de todos os seus biografados, dava Pedro Taques expansão a fortíssimo, visceral sentimento aristocrático de preconceitos de família, senão de classe. Para ele não há pior desgraça do que não poder alguém ter direito a ser considerado como 'de sangue limpo de toda a raça de mácula'. Com que satisfação intensa se refere às justificações de nobreza por este ou aquele levadas a efeito!".[69] Escravista e adepto da pureza de sangue, viu-se engolfado, como todos os de sua época, nas contradições inelutáveis de uma sociedade que ia se construindo sobre a iniquidade, a exploração, a mestiçagem e a exclusão: condenando os consórcios de paulistas insignes com negras, fechou os olhos ante a mestiçagem com índio e seguiu em frente com seu apreço, absurdo em tal contexto, pelo sangue limpo.[70] Foi o antepassado

68. Cf. Taunay, "Escorço...", p. 25. Tratei do episódio da destruição dos quilombos mineiros em "Tensões sociais em Minas na segunda metade do século XVIII", in Adauto Novais (org.), *Tempo e história*, São Paulo, Companhia das Letras, 1992, pp. 347-66.
69. Taunay, "Escorço...", p. 42.
70. Sobre João Pires de Campos, considerou que "levado só do indesculpável apetite e infeliz destino de sua sorte, esquecido das obrigações do nobre sangue, desposara uma mulata, causando um geral luto de sentimento aos seus parentes que, lamentando a injúria, lhe não puderam atalhar o dano". Citado por Taunay, "Pedro Taques...", p. 43. Cf. *Nobiliarchia paulistana histórica e genealógica*, São Paulo, Publicações do IV Centenário de São Paulo, Editora Martins, 1953, p. 206, t. II.

intelectual de toda uma elite paulista habituada a invocar antecedentes indígenas quando os traços fisionômicos da família acusam mestiçagem indisfarçável.

Para além dos vícios estruturais, a obra de Taques ecoa a conjuntura tenebrosa do meado do século XVIII, reagindo, desta vez, a ressentimentos diferentes dos seus e enraizados na perda gradativa de preeminência econômica dos plantadores de cana. Mesmo sendo um bando de mamelucos sanguinários, rebeldes e desordeiros, a ação dos paulistas, bem como as minas que descobriram, dragava a escravaria dos canaviais e atraía para o Sudeste o centro político da América portuguesa. O linhagista foi quem, pela primeira vez, elaborou ideologicamente a resposta aos ataques movidos pelo ressentimento da elite açucareira do Nordeste, que, como se viu no capítulo anterior, Antonil veiculara com maestria. Nas páginas da *Nobiliarchia*, atribuiu aos seus biografados, como observou Taunay, uma profusão de qualificativos: eles e elas são "paulista de estima e veneração", "cavalheiro paulista", "potentado paulista", "nobre matrona paulista".[71] Taques e também o primo frei Gaspar ostentam traços inequívocos de regionalismo, forma que, antes do sentimento nacional, expressava então o amor à terra e os indícios de oposição à Metrópole.[72]

Escorados no maior rigor e na tradição seiscentista da erudição histórica, é este o sentido mais fundo da dura crítica que dirigem a Rocha Pitta, o historiador *baianense* da América portuguesa, dado, segundo Taques, a escrever "sem a lição dos cartórios, e mais por vaidade que por zelo", seguindo informações de

71. Taunay, "Pedro Taques...", p. 48.

72. Discordo, nesse ponto, da ideia de Diogo Curto, segundo a qual "a defesa da colônia e mesmo de sua independência estão no horizonte" da empreitada mítico-genealógica de Taques, mas acho interessante pensar, como ele, que o ideal de uma elite aberta permeia toda a sua genealogia. Curto, "*Notes*...", p. 118.

pessoas apaixonadas, "levado da sua fantasia e credulidade sem exame necessário" e, por isso, incorrendo em erro crasso quando se trata de aspectos da *história paulista*, inclusive no tocante aos episódios dos emboabas e dos irmãos Lemes.[73] Frei Gaspar da Madre de Deus acompanhava o juízo do parente: "se não fiem no autor da *América portuguesa*, o qual muitas vezes claudicava, em saindo fora de sua pátria" — ou seja, da Bahia.[74]

Era, portanto, sob perspectiva empenhada, senão programática, que Taques se jactava de nobreza análoga à de qualquer aristocrata europeu, aferrando-se a "noções da hierarquia social" e ao "prestígio dos privilégios do sangue".[75] Se o substrato histórico e concreto de que podia lançar mão eram as lides sertanejas e preadoras dos homens do Planalto, ora exaltadas, ora detratadas pelos demais habitantes da América portuguesa bem como pelos do Reino, os fumos nobres afiguraram-se-lhe o mito disponível para usos ideológicos. Taunay, que tanto me tem valido neste percurso, não percebeu a complexidade do processo, e observou com ingenuidade que "[v]erdadeiros títulos nobiliárquicos se devem muito mais levar ao ativo dos paulistas pela árdua conquista do Brasil do que pelo fato de poderem contar, entre os avoengos modestos fidalgotes portugueses companheiros da travessia aventurosa de Martim Afonso de Souza".[76]

Para muitos, era chocante a empáfia paulista, como registrou Garção num verso do *Theatro Novo*:

Que podem parecer-me tais loucuras?
Estou tonto de ouvir estes senhores!

73. Taunay, "Pedro Taques e a sua obra", p. 33. Cf. *Nobiliarchia*...

74. Ibid., p. 34.

75. Taunay, "Pedro Taques...", p. 45.

76. Ibid., p. 62.

Parece-me que estou entre Paulistas
Que, arrotando congonha, me aturdiam
Co'a fabulosa ilustre descendência
De seus claros avós, que de cá foram
Em jaleco e camisa.[77]

Por mais português e fiel ao Trono que se sentissem Pedro Taques e outros homens de seu tempo, a apreensão que tinham do cotidiano e da sociedade nas regiões onde viviam soava discrepante, bizarra e mesmo ridícula à perspectiva estritamente metropolitana. Mesmo quando continham elementos comuns, que o afastamento torna mais claros para o historiador — permitindo, como a Capistrano, ver o conjunto dos linhagistas enquanto expressões de uma incipiente consciência brasileira —, cada uma dessas perspectivas, por sua vez, soavam estranhamente umas às outras: a de Pedro Taques para Rocha Pitta, e vice-versa.[78] Como era difícil, então, destrinçar vícios e virtudes!

Com São Paulo e Minas foi um pouco diferente. São Paulo contagiou Minas, para o bem e para o mal. Mas, em Minas, o sentido da exaltação mostrou-se distinto, pois a região mal se aproximava de um século de existência: a Cláudio Manuel da Costa coube *inventar uma tradição*, atrelando a capitania recente e mal sedimentada à história mais antiga de São Paulo. Os feitos bandeirantes e a antiguidade do povoamento paulista serviam assim de antídoto ao rápido e tempestuoso processo de ocupação do solo mineiro. Qualificar positivamente os paulistas significava soter-

77. É mais uma vez a partir de Taunay que cheguei ao poema de Garção, citado à p. 61 de seu ensaio "Pedro Taques...".
78. Numa passagem muito sugestiva, mesmo se discutível, Capistrano vê a obra dos linhagistas como capaz de revelar o Brasil aos brasileiros, façanha que a censura negou a Antonil e a sua *Cultura e opulência...*, como se viu no capítulo anterior deste livro. Ver *Capítulos de história colonial...*, pp. 183-5.

rar os qualificativos detratores que, desde cedo, haviam incidido sobre os mineiros, como se viu, por exemplo, na carta do padre Belchior de Pontes. A invenção da nobreza, porém, fez-se, ali, com liberdade muito maior, conforme se verá no capítulo seguinte.

Lançavam-se as bases do orgulho paulista, fonte inspiradora da historiografia a que se aludiu no início destas reflexões. O regionalismo ufanista foi a resposta ideológica à generalização das detrações ou, quando muito, às ambiguidades. Como boa ideologia, desbastou as contradições inerentes ao papel histórico dos habitantes de São Paulo e sublinhou, isolando-as, as virtudes que, até então, nunca haviam se mostrado em separado dos vícios.

Este capítulo foi concebido como tributo à saudosa Ilana Blaj, e publicado, numa versão bem mais reduzida, na *Revista de História*, número 142-3, 1º e 2º semestres de 2000, que celebrou essa colega e amiga, precocemente desaparecida. Reitero aqui que a inspiração veio do livro *A trama das tensões — o processo de mercantilização de São Paulo colonial (1681-1721)*, São Paulo, Humanitas, 2002, ponto de referência obrigatório nos estudos sobre São Paulo colonial. Cf. Laura de Mello e Souza, "Vícios, virtudes e sentimento regional: São Paulo, da lenda negra à lenda áurea", pp. 261-76.

4. Nobreza de sangue e nobreza de costume: ideias sobre a sociedade de Minas Gerais no século XVIII

[...] *porque muito menos se critica um plebeu por deixar de fazer operações virtuosas do que um nobre, o qual, ao se desviar do caminho de seus antecessores, macula o nome da família e não somente deixa de adquirir, mas perde o já adquirido.*

Baltasar Castiglione, *O cortesão*, século XVI

A verdadeira fidalguia é a ação.
O que fazeis, isso sois, nada mais.
Padre Antonio Vieira, século XVII

Quem dinheiro tiver, fará o que quiser.
Capitão-mor de Pitangui, século XVIII

UMA SOCIEDADE IMPROVISADA E INCÔMODA

No tocante à natureza da sociedade, Minas Gerais diferiu bastante das capitanias mais antigas da América portuguesa. Para fundamentar essa afirmação é preciso olhar um pouco para os antecedentes da ocupação portuguesa, relembrando como ela se verificou no Nordeste. Lá, desde 1549, Estado e sociedade andaram juntos, e juntos se sedimentaram e estruturaram. No final do século, conforme observou o padre Cardim, aquela região ia se tornando "um outro Portugal". Mesmo quando passível de aclimatações, a tônica, no litoral, foi antes portuguesa. Nas plantas urbanas, onde havia sempre a cidade alta e a baixa; nos contatos mais periódicos com o Reino; na implantação de instituições como o Tribunal da Relação; na acolhida aos principais conventos, mosteiros e colégios de várias ordens religiosas, sem falar das autoridades eclesiásticas, como os bispos, esses primeiros núcleos foram, de fato, refazendo a metrópole na América.

Se é discutível a ideia de que no Nordeste tenha se formado a civilização brasileira, sustentada, entre outros historiadores da região, por José Antonio Gonsalves de Mello, vale contudo sua afirmativa que, ao chegarem em Pernambuco, os holandeses "encontraram aí uma sociedade já formada".[1] Sociedade cuja estrutura não foi propriamente criada pela grande lavoura escravista, matizou Stuart Schwartz, "mas ligou-se a ela tão profundamente que as características específicas que introduziu acomodaram-se facilmente naquela estrutura".[2] Daí, na passagem do século XVII para o XVIII, senhor de engenho ser "título a que muitos aspiram", por trazer consigo obediência, respeito e "o ser servido", ou seja, o ócio. Quando acompanhado de riqueza e autoridade — "cabedal e governo" —, o senhor de engenho podia ser comparado ao fidalgo do reino.[3] Até o século

1. José Antonio Gonsalves de Mello, *Tempo dos flamengos*, Recife, Fundação Joaquim Nabuco/Massangana, 1987, p. 227.
2. Stuart B. Schwartz, *Segredos internos*, São Paulo, Companhia das Letras, 1988, p. 215.
3. André João Antonil, *Cultura e opulência do Brasil por suas drogas e minas*, introdução e comentário crítico por Andrée Mansuy, Lisboa, CNPCDP, 2001, p. 70.

XVIII, foi predominantemente branco, e se as elites baianas aos poucos se mestiçaram, as pernambucanas permaneceram, ao que tudo indica, infensas à mistura racial em larga escala.[4]

Gilberto Freyre lembrou como foi portuguesa a feição dominante dessa primeira elite colonial, já bem plantada e sedimentada quando os franceses e depois os holandeses investiram contra o Nordeste e o Maranhão. Mostravam-se vez ou outra afeitas a hábitos mestiços, expressos tanto na vida cotidiana quanto em momentos críticos, quando a especificidade americana podia ser um trunfo. Foi esse o caso da adoção de táticas de combate totalmente distintas das europeias, aliás em grande parte responsáveis pela continuidade da dominação portuguesa no Nordeste durante o século XVII. Evaldo Cabral de Mello, inspirando-se em algumas linhas de Gilberto Freyre, escreveu sobre o assunto páginas antológicas.[5] A fala atribuída ao líder Jerônimo de Albuquerque exemplifica bem essa inclinação contingencial dos homens da elite: "Somos homens que um punhado de farinha e um pedaço de cobra, quando há, nos sustenta".[6]

Talvez tenha sido Stuart Schwartz quem, até hoje, melhor definiu a sociedade colonial como um todo: assentada em "múltiplas hierarquias de honra e apreço", mas tendendo a "reduzir complexidades a dualismos de contraste — senhor/escravo,

4. Digo em larga escala, pois há evidentemente casos individuais de mestiçagem, como o de Jerônimo de Albuquerque. Do ponto de vista cultural, lembre-se do caso de Filipe Pais Barreto, estudado por Evaldo Cabral de Mello, *O nome e o sangue: uma fraude genealógica no Pernambuco colonial*, São Paulo, Companhia das Letras, 1989.

5. Evaldo Cabral de Mello, *Olinda restaurada*, Forense/Edusp, 1975, caps. V, VI e VII, pp. 165-248. Numa linha que completa e acrescenta aos estudos anteriores, cf. Pedro Puntoni, *A guerra dos bárbaros — povos indígenas e a colonização do sertão nordeste do Brasil. 1650-1720*. São Paulo, Hucitec/Edusp, 2002.

6. Sérgio Buarque de Holanda, "Iguarias de bugre", in id., *Caminhos e fronteiras*, 3ª ed., São Paulo, Companhia das Letras, 1994, p. 56.

fidalgo/plebeu, católico/pagão" — e a fazer convergir "a graduação, a classe, a cor e a condição de cada indivíduo".[7]

No conjunto das possessões lusitanas a sociedade mantinha os princípios estamentais, a posição dos indivíduos sendo em grande parte função dos "sinais exteriores indicativos da graduação", das formas de tratamento, das insígnias, privilégios e obrigações.[8] Situações específicas, contudo, relativizavam e reelaboravam esses princípios, fazendo, no limite, com que fossem reordenados e até desfigurados por outros. São Paulo e Minas Gerais foram regiões onde isso aconteceu, e é o assunto de que se trata aqui.

Se, como viu Schwartz, os senhores de engenho constituíram no Nordeste "uma aristocracia de riqueza e poder, que desempenhou e assumiu muitos dos papéis tradicionais da nobreza portuguesa, mas nunca se tornou um estado com bases hereditárias", em São Paulo e depois em Minas a situação foi muito distinta.[9] Minha hipótese aqui, acompanhando os dois capítulos anteriores, é que na conjuntura crítica que marcou a passagem do século XVII para o XVIII, São Paulo e Minas não podem ser analisados separadamente — mesmo porque a formação desse complexo, mais ou menos articulado à cidade do Rio de Janeiro, foi um dos elementos definidores da crise em questão.[10]

Em São Paulo, importava sobretudo a posse de índios — ser senhor de muitos arcos, como então se dizia. Estudos recentes mostram que, desde cedo, o comércio contou muito na economia paulista, e um clássico dos anos 20 do século passado sustentou que os elementos da cultura material valiam mais do que casas ou

7. Schwartz, *Segredos...*, pp. 209-10.

8. Ibid., p. 210.

9. Ibid., p. 230.

10. Refiro-me aos capítulos 2 e 3 deste livro, mas ver também Laura de Mello e Souza e Maria Fernanda B. Bicalho, *1680-1720: o império deste mundo*, São Paulo, Companhia das Letras, 2000.

terra.[11] Mestiça já no século XVII, a elite paulista foi tradicionalmente descrita como predadora, indômita, infratora: bandidos que assassinavam milhares de índios aldeados, escravizavam-nos, vendiam-nos para quem pagasse e ainda aceitavam paga para destruí-los em outras regiões quando convocados para tal. Sem querer justificar o que é injustificável, cabe lembrar, contudo, que foram as virtudes de mateiros, admiravelmente estudadas por Sérgio Buarque de Holanda em parte de sua obra, advindas em grande medida da mestiçagem étnica e cultural dos paulistas, que levaram a Coroa e os colonos de outras regiões a chamarem os habitantes de São Paulo para lutar contra índios e negros aquilombados.[12] Não foram os paulistas que destruíram os Tupinambá do litoral durante o século XVI, e não parece que fosse seu o apanágio das atrocidades cometidas ao longo de três séculos de colonização.

Apesar disso, a desqualificação dos de São Paulo ganhou força ao longo do século XVII e consagrou-se no início do século XVIII, quando a descoberta das minas de ouro — realizada em geral pelos paulistas — e o tumulto que se seguiu trouxeram elementos novos à polêmica. Como procurei mostrar nos capítulos anteriores, Antonil, autor de *Cultura e opulência do Brasil por suas drogas e minas*, foi o arauto dessa crise, afinado com os interesses da açucarocracia nordestina que, por sua vez, pressionou as autoridades governamentais na Bahia, clamando contra o êxodo de homens livres e cativos em direção ao sul.[13] O menor vulto assu-

11. Ver Ilana Blaj, *A trama das tensões*, São Paulo, Hucitec, 2002; John M. Monteiro, *Negros da terra*, São Paulo, Companhia das Letras, 1994; Milena Maranho, *A opulência relativizada*, Dissertação de Mestrado em História, Campinas, Unicamp, 2000, exemplar datiloscrito; Alcântara Machado, *Vida e morte do bandeirante*, 2ª edição, São Paulo, Revista dos Tribunais, 1930.

12. Ver, entre outros, Buarque de Holanda, *Caminhos e fronteiras*; Puntoni, *A guerra dos bárbaros*.

13. "O irem também às Minas os melhores gêneros de tudo o que se pode dese-

mido pela terra nessa região deve ter desempenhado papel importante no processo desqualificador.[14] Em Minas, tal característica se acentuaria ainda mais: se houve desde o início exploração sistemática da terra, com engenhos de aguardente, moinhos de farinha, roças de subsistência, pomares de cítricos, não foi a terra, diferentemente do ocorrido no Nordeste, que conferiu status e preeminência social até os fins do século XVIII. No século XIX a situação mudaria sensivelmente, mas isso é assunto para outra reflexão.

O aspecto que mais contribuiu para o mal-estar generalizado com relação a São Paulo e a Minas foi, contudo, o caráter específico da sociedade que aí se formou. Em São Paulo, a mestiçagem das elites e sua autonomia contraditória ante o aparelho de Estado mostraram-se, nesse aspecto, decisivos. A figura do mameluco semisselvagem que ameaçava expulsar a Inquisição a flechadas — e que de fato atacava os colégios jesuíticos, pondo os padres a correr — escamoteou a do vassalo muitas vezes cioso de seus deveres ante o rei e cônscio do valor que o desbravamento da terra e o aniquilamento dos indígenas adquiria para a obtenção de mercês. Se o paulista tantas vezes executou serviços pouco prestigiados mas necessários à continuidade da dominação portuguesa na América e da perpetuação da elite colonial nas diferentes capitanias, mostrando, nesse sentido, sua face de vassalo mais que fiel,

---

jar, foi causa que crescessem de tal sorte os preços de tudo o que se vende, que os senhores de engenhos e os lavradores se achem grandemente empenhados, e por falta de negros não possam tratar do açúcar nem do tabaco, como faziam folgadamente nos tempos passados, que eram as verdadeiras Minas do Brasil e de Portugal." Antonil, *Cultura e opulência...*, pp. 310-1.

14. Sérgio Buarque de Holanda já dissera que na segunda metade do século XVII se estabelece no Brasil "a polêmica dos partidários da lavoura contra a exploração do subsolo". Cf. HGCB, t. I, vol. 2, p. 308.

a memória consagrou a imagem da "Rochela do Sul" e do berço de insubmissões.[15]

Com a descoberta das Minas, os vícios e virtudes paulistas passaram a ser atribuídos também aos mineiros. Na região aurífera, dizem as fontes, estabeleciam-se "seminários de facinorosos" e os paulistas, "sem temor de Deus nem respeito às leis, vivem como feras e morrem como brutos, carregados de homicídios voluntários, roubos e insolências", sem "poder que os sujeite nem razão que os convença".[16]

A situação das Minas era, de fato, grave. A região se povoara rapidamente: os primeiros descobertos oficiais dataram de 1694, as primeiras vilas de 1710, o primeiro bispado de 1745. Antes que o controle português da região completasse um século de existência, o número dos habitantes, originários de diferentes partes do Império, era estimado em pouco menos de 380 mil. A corrida do ouro mineiro foi a primeira das que se verificaram na época moderna, e apresentou as características próprias a movimentos do tipo: congregou elementos sociais variados, mas sobretudo os que, contando com perspectivas reduzidas nas terras de origem, dispunham-se a ganhar riqueza em pouco tempo. Dificilmente iria para as Minas aquela parte "bem morigerada" da sociedade. Como as Califórnias que se seguiram, a sociedade das Minas foi basicamente composta, nas primeiras décadas, por aventureiros e arrivistas.

15. Ver a respeito as excelentes páginas de Rodrigo Bentes Monteiro, *O rei no espelho — a monarquia portuguesa e a colonização da América — 1640-1720*, São Paulo, Hucitec, 2002, pp. 33-72. Júnia Furtado já observara as contradições existentes no trato com os paulistas e nas concepções que vigoravam sobre eles: "Se, por um lado, a Coroa via neles o perigo da insubordinação, por outro, não podia deixar de usá-los para levar o poder onde suas autoridades portuguesas ainda não se haviam firmado". *Homens de negócio — a interiorização da metrópole e do comércio nas Minas setecentistas*, São Paulo, Hucitec, 1999, p. 151.
16. Antonil, *Cultura e opulência*..., p. 409.

OS MODELOS DE NOBREZA VINDOS DA METRÓPOLE

Após a Guerra dos Emboabas (1707-1709), quando pela primeira vez os habitantes da América ensaiaram tomar o freio nos dentes e aclamaram Manuel Nunes Viana governador da região, as Minas, descobertas havia cerca de quinze anos, foram desmembradas do Rio de Janeiro e passaram a constituir, junto com São Paulo, uma nova capitania. Como se viu nos capítulos anteriores, o episódio é marcado pela ambiguidade então imperante nos juízos sobre os paulistas: estes protestaram fidelidade ao rei quando os "emboabas" escolheram líder próprio, mas, mesmo assim, foram quase unanimemente retratados nas fontes coevas, de Manuel da Fonseca a Rocha Pitta, como traidores vis.[17]

Os governadores designados para a nova capitania não pouparam queixas contra a população das Minas, sempre acentuando seu caráter heterogêneo, indômito, revoltoso, deixando ver, nas entrelinhas, que o imprevisto e o diferente daquela formação social assustavam tanto quanto o seu presumido potencial rebelde. A sociedade das Minas era diversa de boa parte da América portuguesa, e era diversa também da sociedade metropolitana.

Um dos elementos simbólicos mais invocados pelos governantes das Minas veio justamente a ser aquilo que nelas faltava: a nobreza e a estirpe dos agentes do poder. Aliada à lealdade no serviço do rei, essa foi uma das armas de que os capitães-generais se valeram para impor o mando em meio ao que consideravam uma verdadeira turba. Tal mecanismo poderia até surtir efeito numa sociedade estamental de moldes europeus. Mas nas Minas

17. Sebastião da Rocha Pitta, *História da América Portuguesa desde o ano de mil e quinhentos do seu descobrimento até o de mil e setecentos e vinte e quatro*, 2ª ed., Lisboa, Francisco Arthur da Silva, 1880, p. 269. Manuel da Fonseca, *Vida do venerável padre Belchior de Pontes*, São Paulo, Melhoramentos, s.d., pp. 247-8.

da época, os princípios estratificadores, ainda em fase de constituição, mostraram-se compósitos, aliando o status e a honra a valores novos, ditados pelo dinheiro e pelo mérito.

Sob o terceiro governo da capitania, o de Dom Pedro Miguel de Almeida Portugal, conde de Assumar, o confronto do estado metropolitano e das elites locais nascentes assumiu dimensões trágicas e redundou num segundo desmembramento, do qual a capitania de Minas saiu sozinha e independente. O episódio marcante da época foi a sedição de Vila Rica, que teve o saldo sinistro de uma execução sem julgamento, a de Filipe dos Santos, ocorrida em 1720. O assunto será objeto do próximo capítulo: neste, importa mais relembrar alguns aspectos do embate entre o conde e o povo.

Tendo desembarcado no Rio, Dom Pedro de Almeida tomou posse do governo em São Paulo, onde proferiu um discurso ante os camaristas que o recepcionavam. A exaltação da própria virtude e estirpe, bem como do sacrifício a que se sujeitava no serviço do rei tinham, significativamente, espaço destacado na sua fala:

> Permita-se-me que diga que nenhum dos que me ouve pode ignorar, que Deus me fez na minha Pátria tão conspícuo, como os melhores dela, e sendo igualmente evidente que mais com os próprios penachos se adornam as pessoas, que com os que por herança lhe vem de seus antepassados; de uns não menos que de outros foi Deus servido que eu tivesse em abundância. Digam as histórias dos mais acreditados autores; os mares, e as campanhas do Oriente, donde os meus antecessores expuseram e perderam a vida no serviço do seu rei, o que eles obraram. A Europa, onde sou bem conhecido, e nela Valença de Alcântara, Albuquerque, Barcelona, Catalunha, Almenara, Saragoça, Vila Viçosa, todos campos de sanguinolentas batalhas, referiram as minhas ações; pela qual razão posso dizer

com toda a confiança, que poucas pessoas terão em Portugal arriscado mais vezes que eu a sua vida pelo seu rei.[18]

Tais credenciais habilitavam-no a "replicar submissamente à ordem de Sua Majestade", mas o dever da obediência levou-o a aceitar o cargo com presteza, soltando-se das "âncoras bem aferradas" que "domesticamente" o detinham, expondo-se "aos incômodos e instabilidades dos mares", entregando-se "à inconstante variedade dos ventos, desprezando os trabalhos e os perigos de uma viagem não menos larga que penosa", experimentando, por fim, "a rigorosa inclemência destes climas tão diversos dos de Portugal, e por tempo tão dilatado".

Tudo isso, prosseguia Assumar, era exposto como "modelo", "para que todos vissem a verdadeira e legítima obrigação de um leal vassalo; já está visto o retrato, aqui está o original", exemplo da obediência devida ao soberano. Que ficasse para trás o tempo triste da guerra civil emboaba, "deplorável tempo", "tempo de desgraças e de misérias", quando "uns com outros vassalos se devoravam" — mesmo porque o rei, "pai mais e mais que piedoso", concedera o perdão geral.

A realidade difícil das Minas logo dissolveria a retórica do discurso. Escrevendo um ano depois à câmara de Pitangui, que qualifica como a mais rebelde e renitente entre todas, Assumar dizia que alguns camaristas haviam se esquecido da obrigação de leais vassalos, e, agindo como bandidos, envolveram o povo em desatinos. Como tantos governantes coloniais antes e depois dele, lamentava ter agido com brandura e suavidade com uns homens

18. "Um documento inédito: o discurso de posse de D. Pedro de Almeida, conde de Assumar, como governador das capitanias de São Paulo e Minas do ouro, em 1717", in Laura de Mello e Souza, *Norma e conflito*, Belo Horizonte, UFMG, 1999, pp. 30-42, citação à p. 36.

"que pelos crimes atrozes que tinham cometido, até da piedade se faziam indignos". Numa outra carta, o governante exprimiu sua perplexidade ante o mundo social que tinha diante de si: "porque me não posso persuadir que um homem seja branco, e seja honrado, e falte às obrigações de leal vassalo, e à submissão que deve ao seu Príncipe, fazendo-se cabeça de um povo amotinado".[19]

A prática do mando numa região das mais tumultuadas do Império iria solapar as esperanças que Assumar porventura nutrisse de conter os povos com o exemplo e os valores de um outro mundo. Após o levante de 1720, achou que devia escrever uma justificativa dos atos cometidos. No seu *Discurso histórico-político...*, defendeu a ideia de que a geografia acidentada das Minas encontrava correspondência numa geografia de vícios, responsável pela maldade e rebeldia dos mineiros.[20] Havia um defeito de origem: discorrendo sobre a "fundação de Minas", Assumar lembrava ser notório a todos "que a sua primeira criação foi de homens brutos e facinorosos, que para o serem lhes bastava o ser paulistas, ou tratar com eles". Eram homens despossuídos, "sem mais cabedal que o que se prometiam das voltas de uma bateia, ou dos roubos de uma venda, que é faisqueira mais segura". E a sociedade, testemunha o conde, se compôs rápida e defeituosamente: a grande distância fez das Minas "couto de insolentes", o ouro atraiu tanta gente "que no limitado espaço de vinte e três anos chegam hoje algumas de suas vilas a competir, reservando a Bahia, com as mais cidades da marinha".[21]

Dom Pedro de Almeida foi o primeiro governante a deixar um retrato, mesmo se eivado de preconceitos, da sociedade das Minas no seu momento formativo, o que reforça a importância

19. *Arquivo Público Mineiro*, Seção Colonial, códice 11, fls. 47 ss.
20. A respeito, ver o capítulo 6 deste livro.
21. Assumar, "Um documento inédito...", p. 62.

do testemunho. Tudo quanto disse mostra que era sociedade em movimento, transformando-se a cada dia, encurtando o tempo e subvertendo normas. Convenções e códigos estamentais perdiam ali qualquer sentido. Num mundo de linhagens e parentelas, aqueles homens eram seres soltos, desenraizados, sem memória, a quem a riqueza permitia inventarem um passado e um nome:

> Porém, como muitos não tiveram nunca nome, e se o tem ainda hoje se lhes não sabe, e nas profusões do seu trato logram a honra de ricos, diferenciam-se então dos outros mineiros com a perífrase de grandes e poderosos: de brigadeiros, mestres de campo e coronéis.

Quando as hierarquias eram fluidas e os parâmetros duvidosos, o afã de enfatizá-los mais trazia prejuízo do que benefício, ponderava o conde, e essa "diversidade das insígnias" fazia com que se soubesse ainda menos quem eram realmente os seus portadores. Para Assumar, insígnias e honrarias, cargos e atribuições não eram rótulos soltos, havendo que se referir a formações sociais específicas. No terreno movediço de uma sociedade em formação, tudo isso soava falso: se títulos e atribuições não tinham respaldo no corpo social; se não haviam se engendrado no seu movimento próprio, não eram, ao fim e ao cabo, capazes de conferir identidade a ninguém.[22]

22. Apesar de não concordar com muitos aspectos de sua análise, não há como não lembrar, aqui, Raymundo Faoro, *Os donos do poder. Formação do patronato político brasileiro*, 2ª ed., Porto Alegre, Globo, São Paulo, Edusp, 1975, vol. 1, pp. 164-5. Para uma análise recente da sociedade na América portuguesa, ver o excelente trabalho de Sílvia Hunold Lara, *Fragmentos setecentistas — escravidão, cultura e poder na América portuguesa*, Tese de Livre-Docência em História, Campinas, 2004. À p. 109, cita carta de Wenceslau Pereira da Silva ao rei onde observa que era necessário renovar a pragmática de 1677 contra o luxo nos ornatos e trajes porque, no Estado do Brasil, "cada um se regula pelo seu apetite e veste como lhe

Por outro lado, tratava-se de um mundo de possibilidades e de soluções novas, onde nada era exatamente como parecia ser, ou onde tudo tinha mais de um sentido e de uma função: mundo diametralmente distinto da sociedade europeia, onde títulos e profissões passavam de pai para filho, séculos afora. Essa multiplicidade de sentidos imprimia um aspecto meio monstruoso aos agentes sociais. Assim, prosseguia o conde, "se neste [indivíduo] o bastão de Marte mostra que é mestre de campo ou coronel, o malho de Vulcano diz que é ferreiro: notareis que, se naquele [indivíduo] a vara de Mercúrio insinua que é juiz, o tridente de Netuno declara que é barqueiro". Ao ver entrarem na zona de mineração as carregações vindas do Rio de Janeiro, um "homem honrado" gracejava e, apontando os "pobres reinóis" que seguiam com o saco às costas, dizia: "eis aqui dois juízes; ali vão três coronéis; acolá cinco mestres de campo". Pois em Minas, queimavam-se etapas: ocorriam a cada dia mais mudanças que as havidas, ao longo de muitos séculos, nas *Metamorfoses* de Ovídio. "E se os homens assim andam trocados, não é possível que deixe de andar nelas tudo às avessas, e fora de seu lugar".[23] Uma sociedade revolta fugia ao controle e invertia a ordem das coisas, tornando-se o reino da imprevisibilidade. Para sanar a confusão generalizada, o rei precisava restituir "os mineiros a seu lugar" e ordenar a cada um que tratasse de seu ofício. "As mãos calejadas ao remo e ao martelo necessariamente hão de ser ásperas no mando":[24] os valores da sociedade

---

parece sem diferença alguma no modo e no excesso do imoderado luxo, nos trajes e adornos de ouro, prata e sedas; e com tantas desordens que se não conhecem as pessoas de um e outro sexo pelo ornato dos vestidos, porque estes lhes confundem as qualidades e só pelos acidentes das cores se distinguem uns dos outros, excedendo quase todos em muito as suas possibilidades". Trata-se de documento publicado nos *Anais da Biblioteca Nacional* nº 31, 1913, p. 29.

23. Todas as citações em *Discurso*..., p. 64.

estamental encontraram em Dom Pedro de Almeida um defensor empenhado.

Tudo indica que o grande opositor de Assumar no episódio de 1720 foi Pascoal da Silva Guimarães, arrivista típico dos primeiros tempos de Minas. Ao pintar o seu retrato, o conde carregou na pecha do nascimento e da origem:

> Era Pascoal da Silva antigo nas Minas, onde, a peso de ouro, na balança das suas tramoias, soube fazer a fortuna que em Guimarães, sua pátria, lhe negou a humildade de seu nascimento, e a vileza de seus pais. Passando rapaz ao Rio de Janeiro, serviu aí alguns anos de caixeiro, depois começou a vir às Minas com limitadas comissões, até que, enfadado das jornadas e aspereza do caminho, assaz dificultosos naquele tempo, se deixou ficar nelas, procurando logo introduzir-se com uns e outros.[25]

Engrossou o cabedal à custa alheia, impôs-se pelo grande número de escravos e se tornou um dos homens mais poderosos do lugar, dourando com o dinheiro a condição de origem. Homens como ele não respeitavam os feitos d'armas nem a estirpe de Dom Pedro Miguel de Almeida Portugal, que voltou em desgraça para o Reino, amargou muitos anos num semiostracismo para enfim, na década de 1740, acrescer, como se verá no capítulo seguinte, a honra e o valor da família no vice-reino da Índia.

Cerca de quinze anos depois, um outro fidalgo português em serviço na América deixou registradas as suas perplexidades ante a gente de Minas: de Martinho de Mendonça de Pina e Proença, um dos mais destacados representantes da primeira Ilustração em

24. Ibid., p. 17.
25. Ibid., p. 69.

Portugal e autor de um escrito de inspiração lockeana, os *Apontamentos para a educação de um menino nobre*, publicado em 1734, quando seu autor já se encontrava nas Minas a mando da Coroa e procurava implementar a capitação, assim modificando a cobrança de tributos.[26] Martinho de Mendonça governou interinamente a capitania durante 1736 e 1737, substituindo Gomes Freire de Andrade, conde de Bobadela, então às voltas com a guerra contra os espanhóis na colônia do Sacramento. Nesse período, enfrentou um dos mais sérios levantes contra a política fiscal da Coroa na região, ocorrido nas imediações do rio São Francisco, Comarca do Rio das Velhas.

A época era distinta daquela em que Assumar governara, mas os problemas continuavam e, em certo sentido, as contradições se acirravam. Havia várias câmaras em funcionamento, mas segundo Martinho de Mendonça elas constituíam antes óbices de apoio ao governo; eram, como disse em 1722 o então governador Dom Lourenço de Almeida, "oficinas de vassalos inquietos", sendo pequeno o apreço pelas ocupações de camarista. Os homens mais bem situados socialmente preferiam obter "patentes e serventias de ofícios", "mais honrosas e lucrativas".[27] A inquietação constante punha a sociedade em tumulto, o povo movendo-se mais por apreensões que por realidades; inclinando-se sempre a "novidades e mudanças, sem averiguar se lhe são prejudiciais".[28]

26. Ver a respeito Joaquim Ferreira Gomes, "Martinho de Mendonça e a sua obra pedagógica", com a edição crítica dos *Apontamentos para a educação de um menino nobre*, Universidade de Coimbra, Instituto de Estudos Filosóficos, 1964.
27. "Motins do Sertão", *Revista do Arquivo Público Mineiro*, vol. I, 1896, pp. 654-6. Russell-Wood chamou a atenção para o fato de, nos primeiros tempos das Minas, muitos dos membros do Senado serem mulatos, a tolerância diminuindo a partir do segundo quartel do século XVIII, Cf. A. J. R. Russell-Wood, "O governo local na América Portuguesa: um estudo de divergência cultural", *Revista de História*, vol. LV, nº 108, ano XXVIII, 1977, pp. 25-79.
28. "Motins...", pp. 669-70.

Mais uma vez, a sociedade em movimento, característica das Minas, amedrontava os nobres do Reino.

Não se podia confiar em ninguém, dizem as cartas de Martinho de Mendonça ao secretário de estado Antonio Guedes Pereira. Eleito procurador de Vila Rica ainda no tempo do governante anterior, conde das Galvêas, um certo Domingos de Abreu Lisboa começou a espalhar "proposições intoleráveis em um parlamentário sedicioso, quando mais em vassalo português". Revelando o conflito de interesses ocorrido no seio do aparelho governamental entre os representantes locais e os da Coroa, esse indivíduo argumentava "que as Minas foram descobertas, conquistadas e povoadas pelo povo, sem socorro nem despesa da Majestade"; por isso, o rei deveria contentar "com a pequena parte do quinto, que contribuíssem os povos, e ainda mais com a manufatura da moeda". No seu entendimento, seria bom haver pessoas "que se atrevessem opor ao governador, e soubessem defender a liberdade dos povos".[29]

O aspecto mais interessante do conjunto de cartas deixadas por Martinho de Mendonça é, contudo, a importância da nobreza de nascimento como virtude imprescindível do governante, e a ideia de que, em função dela, uns se adequam ao mando melhor que outros. "Eu prezo-me de saber obedecer e confesso que não sei mandar", escrevia Martinho de Mendonça, cansado tanto dos achaques físicos e ameaças contra sua vida — tramaram seu assassinato em mais de uma ocasião — quanto das injúrias e descortesias cometidas pelos habitantes. No seu entender, as Minas pediam "pessoa de grande esfera e autoridade", que lá estivesse presente o tempo todo. Governos interinos, exercidos por oficial imediato ou qualquer outra pessoa residente no país, teriam consequências terríveis, e para evitar tal situação deveria haver ordem

29. Ibid., p. 659.

expressa de que, caso o governante morresse no exercício da função, logo viesse o governador do Rio de Janeiro ou São Paulo para sucedê-lo: pessoas, enfim, de nobreza reconhecida.

Martinho de Mendonça sentiu na pele os riscos da interinidade. Quando assumiu o governo, não julgou que ficaria no posto mais de um mês e meio. A saúde arruinada, o desamparo da mulher e dos filhos na metrópole eram os argumentos invocados para justificar o desejo de sair das Minas. Mas passaram-se quinze meses, sobrevieram os motins, Gomes Freire não voltou e o interino teve de continuar governando, temeroso do que poderia advir da pequena força militar deixada na capitania, após ter-se enviado para o Rio de Janeiro e Goiás os melhores contingentes. Nessas circunstâncias, deixou Gomes Freire de sobreaviso: ou retornava a Minas, mostrando fisicamente sua autoridade, ou introduzia um "número de infantaria igual ao de dragões que tinha saído".[30]

A chegada de Gomes Freire, ou sua residência nas Minas, seria para Martinho de Mendonça "o mais suave e eficaz remédio aos inconvenientes que temia" caso continuasse no governo. O general não era mais amado que ele, e com sua perspicácia, zelo e desinteresse chegava a provocar aversão nos ministros inescrupulosos e senhores da administração da capitania; contudo, o respeito que inspirava entre o povo e a autoridade naturalmente imposta levavam tal aversão a ser dissimulada. "[A]lém de que, as virtudes plausíveis de que é dotado fazem que os mesmos seus inimigos não possam deixar de o estimar." Ante a grandeza do general, Martinho de Mendonça se diminuía:

> Repetidas vezes tenho dito a V. Exa. que as Minas não é governo em que se possa ocupar um escudeiro de aldeia, sem esplendor, ainda que com sangue ilustre, talento e fidelidade. As aparências exte-

30. Ibid., pp. 664-70.

riores da autoridade são o primeiro predicado que se deve buscar para o Governo das Minas, para que os povos lhe tenham grande respeito, os poderosos lhe obedeçam com menos repugnância, e os Ministros se persuadam que Sua Majestade faz dele justa confiança. Tudo concorre na pessoa do general, estando a memória fresca de que foi general seu pai, e mais ascendentes próximos. Todos sabem a justa satisfação que Sua Majestade tem do acerto com que governou o Rio de Janeiro, todos vêm a justa razão com que se lhe encarregou o governo das Minas, e agora sucedeu no de São Paulo, e até concorre nele a feliz circunstância de ser sobrinho do Conde das Galvêas, de cuja bondade e mais virtudes será sempre a memória saudosa para as Minas Gerais.[31]

Para governar Minas e enfrentar as dificuldades decorrentes da sociedade convulsionada, irreverente, refratária aos princípios de honra, hierarquia, tradição, era preciso ser homem do mundo, pertencente a linhagem militar reconhecida pelos feitos heroicos, dotado de experiência administrativa anterior e aparentado com outros administradores que já haviam dado mostras de si no governo colonial. O sangue ilustre e a fidelidade ao rei não bastavam. Comparado a Gomes Freire, capaz de percorrer em poucos dias a distância que separava Vila Rica do continente de São Pedro, Martinho de Mendonça de Pina e Proença era um escudeiro de aldeia, apesar de já ter, àquela época, percorrido — pacificamente — boa parte da Europa. O talento, guardaria para si e para os projetos intelectuais, como a criação, talvez, de um colégio voltado à educação dos meninos nobres.[32] O modesto governador interino das Minas, apesar da

31. Ibid., p. 671.
32. Ver Rómulo de Carvalho, *História da fundação do Colégio Real dos Nobres de Lisboa*, Coimbra, Atlântida, 1959, caps. 1 e 2, pp. 11-47.

fidalguia e da linhagem antiga, não era homem de armas, mas letrado numa família de letrados, discrepando, assim, da função primeira que se esperava de um nobre.[33]

Gomes Freire e Martinho de Mendonça personificariam dois modelos de administrador ultramarino. Como observou Francisco Bethencourt, "os governadores do Brasil passaram a ser recrutados de forma sistemática no seio da nobreza titulada" no decorrer do século XVIII.[34] Martinho de Mendonça se assemelha, talvez, aos governantes do tempo dos Avis, talhados mais conforme o molde do letrado que do general. Gomes Freire, por sua vez, pertenceria a esse novo contexto, iniciado com a Restauração e os Bragança, e no qual os feitos de armas e os títulos se tornaram necessários à obtenção do cargo. Por isso, talvez, Martinho de Mendonça de Pina e Proença, importante ilustrado da primeira geração, se sentisse tão pouco à vontade na pele de capitão-general de uma região ultramarina.

33. Martinho de Mendonça pertencia a família de fidalgos não titulados que entroncava nos Mendonça Furtado. Cf. Filgueiras Gayo, *Nobiliário de famílias de Portugal*, Porto, Oficinas Gráficas "Pax", 1940, p. 58, t. 20. Seu avô, Leonis, teve reputação de matemático, discutida contudo por Rómulo Carvalho em "Leonis de Pina e Mendonça, matemático português do século XVII?", *Separata da Revista Ocidente*, vol. LXVI, Lisboa, 1964, pp. 170-5. O que se sabe, ao certo, é que Leonis desempenhou funções de escrivão geral das décimas da cidade da Guarda e serviu de Tesoureiro dos benefícios das Comendas das ordens militares da dita "Comarca" (p. 173). Dele, o único livro publicado que se conhece, e do qual há exemplar na Biblioteca Nacional de Lisboa, é "Amuleto da alma, composto dos antídotos e epitemas, que os santos doutores e outros fiéis e devotos varões recitaram ao contágio dos vícios", para Rómulo de Carvalho "uma daquelas milhentas dissertações enfadonhas de que foi pródigo o século XVII" (p. 175).

34. Ver o excelente capítulo de Francisco Bethencourt, "Configurações do Império", in F. Bethencourt K. Chauduri (orgs.), *História da expansão portuguesa*, Lisboa, Círculo dos Leitores, 1997, p. 242, vol. 3.

O governo de Gomes Freire de Andrade foi longo; os compromissos de comandante militar nas guerras do Sul contra a Espanha ou ainda de comissário nas negociações do Tratado de Madri tornaram-no, contudo, permeado de interinidades. Mesmo assim, Gomes Freire marcou época na história da capitania, governando-a ininterruptamente de 1737 a 1752. Neste ano, e até 1758, substituiu-o o irmão, José Antonio Freire de Andrade. Um dos marcos do período foi a guerra movida contra quilombos em todo o território, auxiliada pelos habitantes das vilas, apoiada financeiramente pelas câmaras e motivo da concessão de patentes militares, sesmarias e outros benefícios recompensadores dos serviços prestados. Teve então início uma afinidade maior entre os poderosos locais e o governo: a ocupação de territórios distantes, incentivada pelo governo e viabilizada por expedições particulares, reforçou essa união nos aspectos mais gerais, mesmo que os desentendimentos específicos continuassem a se manifestar esporadicamente. Houve governantes, como Luís Diogo Lobo da Silva e ainda como Dom Rodrigo José de Menezes, conde de Cavaleiros, que viajaram pela capitania fiscalizando novos descobertos, retificando a delimitação das fronteiras e levando consigo, sertão afora, um verdadeiro governo itinerante.[35]

As grandes fortunas desse período parecem se dever sobretudo ao comércio. O inventário de Matias de Crasto Porto, de 1742 — cujo montante líquido foi de quarenta contos —, ilustra o tipo do milionário da capitania no apogeu da mineração, quando a sociedade começava a se acomodar. As atividades econômicas eram diversificadas, bem como os investimentos;

35. Ver a respeito meu artigo "Frontière géographique et frontière sociale à Minas Gerais dans la seconde moitié du XVIIIe siècle", in Katia de Queirós Mattoso, Idelette Muzart, Fonseca dos Santos e Denis Rolland (orgs.), *Naissance du Brésil moderne*, Paris, PUF, 1998, pp. 273-88.

o número de penhoras e créditos era considerável; a escravaria, numerosa. A presença das peças suntuosas e o luxo dos tecidos sugerem conexões com o comércio internacional e a adoção de um estilo de vida condizente com o das classes abastadas europeias. Significativamente, Crasto morreu deixando apenas filhos ilegítimos, mulatos, que herdaram toda a fortuna. A historiadora Kathleen Higgins sugeriu que, "no cenário fronteiriço da sociedade colonial em desenvolvimento, seus descendentes não eram desclassificados, mas membros da sociedade livre e totalmente reconhecidos como tais".[36]

Ia-se assim consagrando um padrão societário específico. A sociedade continuava estratificada segundo preceitos estamentais, mas comportava grau considerável de flexibilidade e mobilidade: os mulatos herdavam, os bastardos eram reconhecidos.[37] Entretanto, persistia o estranhamento dos nobres administradores portugueses ante um mundo improvisado, que desprezava tradições consagradas e reinventava procedimentos. Escrevendo ao irmão em 1752, Gomes Freire de Andrade o alertava quanto ao

36. Kathleen Higgins, *The slave society in eighteenth-century Sabara: a community study in colonial Brazil*, Yale, 1987, UMI, citação à p. 125. Ver também pp. 117-22. Júnia Furtado destacou que, constituindo camada heterogênea e quase sempre originária do Norte de Portugal, os comerciantes eram, em sua maioria, solteiros, sem grandes vínculos familiares e deixavam numerosa prole bastarda, geralmente com negras, muitas delas alforriadas em testamento. Cf. *Homens de negócio*..., p. 274. Sobre esse assunto, ver mais especificamente pp. 152 ss. Às pp. 156, 240, 243, referências sobre Matias Crasto. Para o aspecto contraditório da sociedade na Época Moderna, mista de estamentos e classes, ver Fernando A. Novais, "Colonização e sistema colonial: discussão de conceitos e perspectiva histórica", publicado pela primeira vez em Anais do IV Simpósio Nacional dos Professores Universitários de História, São Paulo, *Revista de História*, 1969, pp. 243-68, e, recentemente, em id., *Aproximações. Estudos de história e historiografia*, São Paulo, Cosac Naify, 2005, pp. 23-43.

37. Higgins, *The slave society*..., pp.143 ss. Júnia Furtado chamou a atenção para

comportamento, nas Minas, dos corpos militares, pois na Europa eram espaço da nobreza e cada vez mais especializados:

> Os oficiais militares são poucos e mal criados. Nasce a discórdia de dois princípios: da ignorância do ofício, o que suscita dúvidas em toda a tropa, que é insciente; o segundo de elevação, que o pó das minas mete nos narizes ainda dos habitantes, que a pobreza traz nus e descalços: não há cabo que não se presuma alferes, e todos duplicam em si graduações tais.[38]

As graduações eram exageradas por seus portadores. Em Vila Rica, havia um tenente-general "tão cheio de bondade como de elevação": "a conduta é muito curta, a ciência militar pouca", pois só havia começado a estudar o regulamento quando se tornou ajudante de tenente. Bobadela aconselhava que o tratasse com distinção, "mas favores poucos".

Eram esses os pobres-diabos que, no tempo de Assumar, haviam chegado às Minas com o saco às costas. Num mundo sem títulos, e onde o comércio era a principal via para o enriquecimento, os postos militares passaram a ser procurados por conferirem status e honra. Em 1775, quando Dom Antonio de Noronha chegou às Minas orientado pela "Instrução" de Martinho de Mello e Castro, havia treze regimentos de cavalaria, seis deles "com a denominação de Regimentos da Nobreza". As comarcas de Ouro Preto

---

a persistência de preconceitos estamentais contra o comércio, mesclados com preconceitos antijudaicos, pois muitos desses comerciantes eram cristãos-novos. *Homens de negócio...*, principalmente cap. 4, "Negociantes e caixeiros", pp. 197-272.

38. "Instrução e norma que deu o Ilmo. e Exmo. Sr. Conde de Bobadela a seu irmão o preclaríssimo Snr. José Antonio Freire de Andrade para o governo das Minas, a que veio suceder pela ausência de seu irmão, quando passou ao sul (1752)", RAPM, ano IV, 1899, pp. 727-35, citação à p. 731.

e Rio das Velhas tinham dois regimentos da nobreza cada uma, enquanto as comarcas do Serro e do Rio das Mortes tinham um. Uma Carta Régia de 1766 havia determinado a formação desses corpos, e não haveria problema algum, argumentava Martinho de Mello e Castro, se eles seguissem o espírito original do documento; "mas a precipitação e irregularidade com que se formaram" impunha providências. Antes de tudo, Dom Antonio deveria procurar saber se os coronéis dos regimentos eram dignos da patente: se eram "das pessoas principais, de maior crédito e fidelidade das que há na capitania". Como havia três postos de coronel ainda vagos, deveria nomear, em seguida, pessoas dignas de ocupá-los. Após determinar que o governador verificasse se os sargentos-mores e ajudantes eram "ativos, instruídos e hábeis nos exercícios e disciplina militar", o ministro régio chegava no ponto mais interessante, pondo em dúvida a adequação de tantos regimentos da nobreza em tal país: por que motivos quase a metade dos regimentos existentes eram da nobreza? Achavam-se adequados a seus propósitos? No Reino, dizia o ministro, não se podia entender "que em Minas Gerais haja tantos nobres que possam formar cinco Regimentos". Semelhantes distinções eram em geral nocivas ao serviço, "e parece muito mais conforme a ele que as pessoas mais abonadas (*que pode ser que sejam os denominados nobres*", ponderava Martinho de Mello e Castro, deixando entrever o quanto duvidava que realmente merecessem a distinção), "se empreguem, segundo o seu merecimento, nos postos de auxiliares, sem ser preciso fazerem-se corpos separados com a estranha e incompetente distinção, quanto ao serviço, de nobres e plebeus".[39]

Em 1774, aconteceu em Vila Rica um episódio que, à pri-

39. "Instrução para Dom Antonio de Noronha, Governador e Capitão-General da Capitania de Minas Gerais", *Jornal do Instituto Histórico e Geográfico Brasileiro,* nº 21, abril de 1844, pp. 215-21; citações nas pp. 218-9.

meira vista, envolvia questões bem típicas do mundo estamental do Antigo Regime: a precedência em cerimoniais. O provedor da Fazenda, o ouvidor da Comarca e o intendente, ou seja, três dos principais magistrados, ou "ministros" — como se dizia — de Minas entraram em conflito com o governador Antonio Carlos Furtado de Mendonça. Isso porque, na novena de Nossa Senhora da Conceição, celebrada na Matriz de Antonio Dias, o padre incensou o intendente José João Teixeira Coelho logo após ter incensado o governador. Enfurecido, este se retirou para casa e mandou que um soldado dragão fosse buscar os padres de Antonio Dias, que se justificaram invocando o costume da capitania. Furtado de Mendonça vingou-se na missa seguinte: entrou intempestivamente na Matriz sem fazer aos magistrados presentes "o cortejo costumado"; o ofício mal começara e ele foi à sacristia ordenar que "a missa, que havia de ser cantada, fosse rezada", evitando assim que se incensassem os ministros; por fim, saiu sem fazer caso dos magistrados, ostentando publicamente seu desprezo.

Os atos cerimoniais públicos tinham um significado simbólico importante. Se o costume da capitania determinava que se incensassem os ministros logo após o governador era por ser essa a ordenação da hierarquia social. No entanto, antes e depois do episódio, Furtado de Mendonça se empenhou em subverter tudo. Mandou que se incensasse um seu filho natural, "fazendo-o deste modo mais digno dos obséquios públicos do que os magistrados"; na mesma missa que devia ser cantada e acabou rezada, fez com que um de seus ajudantes de ordens tomasse lugar acima dos magistrados, "contra o estilo". Igualou, portanto, os magistrados a pessoas de "inferior qualidade", deixando público que deles não fazia caso algum e abrindo um grave precedente para que também o povo os desacreditasse. Por outro lado, cerimônias de igreja não eram matéria de jurisdição civil: se nos demais pontos o governador agiu contra o uso, nesse tocante agiu contra a lei.

A Câmara também não foi poupada de seus desacatos. No dia em que chegou à terra para assumir o governo, censurou os camaristas por não terem ido esperá-lo com o pálio na entrada de Vila Rica, o que, mais uma vez, infringia o costume. Tal ato, diz o documento, "nunca se praticou, e seria indecente semelhante obséquio, maiormente por não ter ainda tomado o mesmo governador a posse do governo". Na procissão do Corpo de Deus, "costumando ter a Câmara o primeiro lugar imediato ao pálio nas procissões", o governador se intrometeu mais uma vez e tomou "o lugar diante da Câmara".

Por fim, os atos de Furtado de Mendonça agrediam o conjunto do povo: "Não sendo também costume o repicarem-se os sinos nas Igrejas e Capelas por onde passam os governadores, ordenou que se lhe repicassem". Às pessoas que cruzavam seu caminho quando ia "montado de jornada ou passeio", obrigava que se apeassem, e algumas vezes sob pancadas dadas pelos membros de sua comitiva.[40]

Os ministros escreveram ao rei porque se sentiram "descompostos e ultrajados" e queriam providências. Agiam como homens típicos da sociedade estamental, em que a estima pública e a honra tinham papel de destaque. Identificavam-se com os usos locais, o costume, pois sobre eles repousavam boa parte das regras da vida comum local.[41]

O governador, por sua vez, não parece ter sido mesmo flor que se cheire, pois era arbitrário, mandão e truculento. Por que motivo, contudo, o fato de infringir usos provocou "escândalo" numa sociedade que os mudava incessantemente, criando novos?

40. "Violência de um governador", RAPM, ano VI, 1901, pp. 185-8.
41. "Em Portugal, a opinião comum é a de que o costume local deve ser atendido, mesmo quando contrário ao direito comum, desde que se verifiquem certos requisitos da sua validade (nomeadamente a sua prescrição e racionalidade)." Cf. António Manuel Hespanha, *As vésperas do Leviathan. Instituições e poder político. Portugal, século XVII*, Coimbra, Livraria Almedina, 1994, p. 362.

Se também na Europa o costume tinha que ser aceito quando a lei não especificava, Mendonça Furtado parece sinalizar que, para ele, havia costumes e costumes, a tradição e a antiguidade legitimando no Velho Mundo aquilo que, em terra nova e onde a sociedade estava em formação, não era possível legitimar.[42] Da leitura do documento, fica a sensação estranha de que, ali, ninguém estava exatamente onde deveria estar porque a conformação da sociedade andava depressa e, no caminho, a tudo atropelava.

DISTINÇÃO E RESSENTIMENTO

Em "Metais e pedras preciosas", de Sérgio Buarque de Holanda, estão algumas das melhores páginas já escritas sobre Minas. Na parte final do capítulo, usando as *Cartas chilenas*, Sérgio caracteriza a sociedade mineira de *aluvial*, "feita em sua imensa maioria de hordas de imigrantes, que não conheceram, em sua terra de origem, a oportunidade de assimilar os altos padrões de civilidade e luzimento". Aluvial porque as várias camadas não se sedimentavam, renovando-se sempre, "passando a abrigar elementos diversos que sobem dos socavões ou das tendas de negócio". Em tal meio, foram "desaparecendo as manifestações consagradas de decoro e urbanidade", e assistiu-se a um generalizado "descrédito dos formalismos".[43]

Sua interpretação é decisiva, mas cabe matizar certos pontos. A grande crise que se abre nas Minas, sobretudo ao longo

42. Valho-me aqui das observações de Carlos Zeron. Sobre a força do costume na sociedade europeia, ver, entre outros, E. P. Thompson, *Costumes in common — studies in traditional popular culture*, Nova York, The New Press, 1993.
43. Sérgio Buarque de Holanda, "Metais e pedras preciosas", in id., *História geral da civilização brasileira*, pp. 259-310, citações à p. 299, t. I, vol. 2.

da década de 80 do século XVIII, traz à tona interesses irreconciliáveis justamente porque a sociedade começava a se sedimentar. O aluvionismo fora mais intenso antes, quando os elementos sociais eram quase indistintos. À medida que a administração se tornou mais complexa, incorporando moradores locais — o que se verificou sobretudo entre 1763 e 1784, ou seja, entre o governo de Luís Diogo Lobo da Silva e o de Dom Rodrigo José de Menezes —, à medida que os homens econômica e socialmente proeminentes passaram a se congregar em ordens terceiras — e a brigar entre si, conforme mostrou Caio Boschi —, esse aluvionismo foi ficando para trás e dando lugar ao que Marco Antonio Silveira chamou "desejo de distinção".[44] No contexto da aliança entre letrados e burocracia, tão bem captada por Kenneth Maxwell, intensificou-se o empenho de europeizar a sociedade, o que, contraditoriamente, redundaria em desejos emancipacionistas.[45] Antes disso, contudo, a elite intelectual da capitania espelhou a ambiguidade de então, louvando a sociedade de estados, os atributos da nobreza e, ao mesmo tempo, reconhecendo o valor do mérito individual.[46]

44. Caio Cesar Boschi, *Os leigos e o poder*, São Paulo, Ática, 1986. Ver sobretudo anexo 18, "Litígio entre irmandades coloniais mineiras", pp. 232-3. Marco Antonio Silveira, *O universo do indistinto*, São Paulo, Hucitec, 1997.
45. Kenneth Maxwell, *A devassa da devassa*, São Paulo, Paz e Terra, 1973, passim.
46. A tensão entre o nascimento e o mérito atravessa a sociedade europeia até a Revolução Francesa. Veja-se, por exemplo, o *Breviário dos políticos*, atribuído ao cardeal Mazarino: "Ne va pas imaginer que ce sont tes qualités personnelles et ton talent qui te feront octroyer une charge. Si tu penses qu'elle te reviendra pour la seule raison que tu es le plus compétent, tu n'est qu'un benêt. Dis-toi qu'on préfère toujours confier une fonction importante à un incapable plutôt qu'à un homme qui la mérite. Agis donc comme si ton seul désir était de ne devoir tes charges et tes prérogatives qu'à la bienveillance de ton maître". Cardinal Mazarin, *Bréviaire des politicians*, Paris, Arléa, [1996], p. 80. A tradução portuguesa resume muito o texto: "Não contes com o teu valor e teus talentos para obteres um cargo e não suponhas que ele te será atribuído automaticamente sob o pre-

Cláudio Manuel da Costa, que pertencia, como disse João Ribeiro, à primeira geração das Minas — "primeiro fruto, ácido e mirrado, da árvore humana transplantada"[47] —, cantou em prosa e verso as proezas de Gomes Freire de Andrada, conde de Bobadela e do conde de Valadares (que governaram Minas, respectivamente, de 1735 a 1763, e de 1769 a 1773). Nos governantes, celebrou a tradição e a antiguidade dos feitos de armas: os "ilustres avós" de Bobadela — "qual em Cambaia/ o seu nome deixou! Qual em Quiloa/ debuxa o seu brazão! Lá vive em Goa/ a memória do sangue" —; a parentela de Valadares, que remontava aos tempos de dom Fernando, em Portugal, e de Dom Henrique II em Castela.[48] Da sua própria origem, Cláudio se empenhou em escamotear o avô alfaiate, lavrador e depois comerciante de azeite, invocando contudo o lado materno, que entroncaria em famílias antigas de São Paulo. Imortalizado como um dos grandes sonetistas da língua portuguesa, foi secretário do governador Luís Diogo Lobo da Silva e senador da Câmara de Vila Rica, pertencendo a mais de uma irmandade religiosa de prestígio.

Mas Cláudio, sem dúvida aferrado a tradições, foi sensível

---

texto de que és o mais competente para ocupá-lo. Pois prefere-se conferir um cargo a um incapaz do que àquele que o merece. Age portanto como se pretendesses dever tuas funções exclusivamente às graças do teu chefe". *Breviário dos políticos segundo as notas do cardeal Mazarino*, Brasília, Alhambra, s.d., p. 59.

47. João Ribeiro, "Cláudio Manoel da Costa", in Cláudio Manoel da Costa, *Obras poéticas*, com estudo de João Ribeiro, Rio de Janeiro, Garnier, 1903, pp. 1-45, citação à p. 9, t. I.

48. "Carta dedicatória ao exmº snr. D. José Luís de Menezes Abranches Castelo Branco", pp. 96-8, citação às pp. 96-7; "Epicédio — À morte do Ilustríssimo e Excelentíssimo Senhor Gomes Freire de Andrada, conde de Bobadela, Governador e Capitão General do Rio de Janeiro e Minas etc. etc. etc.", pp. 153-64; citação à p. 155. Ambos os textos em Cláudio Manoel da Costa, *Obras poéticas*, t. I.

também aos valores da nova ordem que se ia impondo. No mesmo soneto em que celebra Bobadela, reconhece que

Não te faz grande o Rei: a ti te deves
A glória de ser grande: tu te atreves
Somente a te exceder: outro ao monarca
Deva o título egrégio, que o demarca
Entre os Grandes por Grande; em ti louvado
Só pode ser o haver-te declarado.[49]

De Valadares, considera que se houve "a fortuna do berço, nós o vemos fundar a maior nobreza nas vantagens do seu espírito. Virtuoso, liberal, sábio, e magnífico, maior pelos merecimentos pessoais do que pelos títulos que tem".[50] Juízos idênticos aos expressados por seu amigo, Inácio José de Alvarenga Peixoto, ouvidor do Rio das Mortes e autor de uma ode inacabada que, oferecida ao visconde de Barbacena, governador de Minas no tempo da Inconfidência, dizia:

A herdada nobreza
aumenta, mas não dá merecimento;
dos heróis a grandeza
deve-se ao braço, deve-se ao talento[51]

O reconhecimento do mérito pessoal não conflitava, na época, com a valorização da tradição e da antiguidade das famílias nobres. O "Canto Genetlíaco", ou "Oitavas feitas em obsé-

49. Cláudio Manoel da Costa, *Obras poéticas*, p. 161, t. I.
50. Ibid., p. 96. A esse respeito, ver o capítulo 11 deste livro.
51. M. Rodrigues Lapa, *Vida e obra de Alvarenga Peixoto*, Rio de Janeiro, Instituto Nacional do Livro, 1960, p. 41.

quio do nascimento do Ilustríssimo e Excelentíssimo Senhor D. José Tomás de Menezes, filho do Ilustríssimo e Excelentíssimo Senhor D. Rodrigo José de Menezes, governando a Capitania de Minas Gerais", celebra esses valores e sugere uma sua aclimatação, muito curiosa, em solo americano. Um membro da alta nobreza, nascido em Minas, podia aliar as qualidades inatas do mando à melhor compreensão de peculiaridades que, aos olhos da maioria dos europeus, eram barbárie e feiúra. "José Americano" trazia "a honra, a virtude e a fortaleza/ de altos e antigos troncos portugueses", enxergando formosura em "serras na aparência feias"; "potências majestosas" dentro de "brutas e escalvadas serras".[52]

A oscilação entre o mérito e a origem pode ser detectada bem antes, no já citado discurso de Assumar, em 1717, ou na pena aguda de Bobadela em 1752, onde se lê: "O coronel do regimento de Vila Rica é um homem branco, leite de Santarém, mas melhor nascimento do que capacidade".[53] Intensificou-se, contudo, quando a sociedade começou a se decantar. Uma conjuntura específica acirrou os conflitos entre os princípios estamentais e os de classe: o governo de Luís da Cunha Menezes, retratado por Tomás Antônio Gonzaga nas *Cartas chilenas* como Fanfarrão Minésio, e que teve início em 1784. Com ele rasgou-se o arranjo tecido desde 1763 entre poderosos e governantes. Após vinte anos razoavelmente confortáveis, durante os quais as elites se consolidaram nos cargos, nos corpos militares, nas irmandades, tudo parecia retroceder ao tempo em que os reinóis pobres chegavam em Vila Rica com o saco às costas. Quem era aquela gente que o governador promovia?

Eram "famosos chefes" tirados "da classe dos tendeiros", que não hesitavam em pesar o toucinho e medir a cachaça quando o negro encarregado de tomar conta da venda não aparecia, e que

52. Ibid., pp. 33 ss.
53. Bobadela, "Instrução e norma", p. 734.

não se davam conta de que, agindo assim, infamavam as bengalas sobre as quais apoiavam a honra recente. Taberneiros capazes de ajuntar "imenso cabedal em poucos anos/ sem terem nas tabernas fedorentas/ outros mais sortimentos, que não fossem/ os queijos, a cachaça, e negro fumo,/ e sobre as prateleiras poucos frascos". Homens com prosápia de fidalgo e amnésia da origem pobre do pai, que "vivia de cobrar dos contratos os dinheiros". A origem vil impregnava os costumes, fazendo com que esses arrivistas nem sequer corassem por trazer as negras quitandeiras, suas amantes, vem vestidas de "vermelhas capas de galões cobertas,/ de galacés, e tissos, ricas saias". Andavam pelas ruas sem florete ou peruca, chibata à mão e chapéu enterrado na cabeça "na forma em que passeiam os caixeiros". As damas não se envergonhavam de cruzar as pernas em público.[54]

Os argumentos estamentais são o testemunho de um grupo acuado ante princípios estratificadores distintos dos seus. O mérito que admiravam era o do valor pessoal expresso em coragem, bravura, arrojo, inteligência — os dons do espírito invocados por Gonzaga. Numa sociedade de sedimentação antiga, como a europeia, o corolário da "carreira aberta ao talento" ia se impondo aos poucos, numa gradação de tons. Napoleão, simpatizante jacobino de origem nobre, apesar de periférica, impôs reformas imprescindíveis à consolidação da burguesia, mas as encobriu com o manto imperial. Em Minas, a rapidez do povoamento e o caráter arrivista da população não permitiam meios-tons. Atitudes como a de um capitão-mor da vila de Pitangui, comerciante pobre e rapidamente enriquecido que gravara em

54. Tomás Antônio Gonzaga, *As cartas chilenas — fontes textuais*, ed. de Tarquínio J. B. de Oliveira, São Paulo, Referência, 1972. As citações se encontram, na ordem, nas seguintes cartas e páginas: Carta 3ª, p. 92; Carta 5ª, p. 119; Carta 4ª, p. 102; Carta 5ª, p. 119; Carta 5ª, p. 123.

sua janela um letreiro em ouro dizendo: "Quem dinheiro tiver, fará o que quiser", só poderiam despertar horror e perplexidade em homens cultos e "bem morigerados" como Cláudio, Alvarenga ou Gonzaga.[55]

A nobreza estamental das armas e do serviço, característica do Portugal de Antigo Regime, proclamada pelos governantes coloniais para melhor consolidar o mando e infundir a estima, era em tudo distinta da "nobreza" reclamada pelos arrivistas das Minas.[56] Se no princípio essa foi uma nobreza de fumaça, etérea e inconsistente, porque não se assentava em princípios sólidos e definidos ao longo de séculos, o uso específico das terras novas

55. RAPM, vol. XXVI, 1975, p. 280, citado por Carlos Versiani, *Cultura e autonomia em Minas (1768-1788): a construção do ideário não-colonial*. Dissertação de Mestrado apresentada ao DH-FFLCH-USP, São Paulo, 1996, p.178. Mais de cem anos antes, o cardeal Mazarino manifestava juízo negativo quanto aos arrivistas: "Quant aux nouveaux-riches, nés dans le ruisseau, c'est à leur obsession pour les beaux atours et les festins raffinés que tu les reconnaîtras. L'expérience de la misère pousse à convoiter les satisfactions matérielles beaucoup plus que les honneurs". *Bréviaire...*, p. 22. E a tradução brasileira, mais uma vez incorreta: "Tu reconhecerás um novo-rico, saído da mendicância, por ele não pensar em outra coisa a não ser em comer e em se vestir". *Breviário dos políticos...*, p. 25.

56. O fato de membros das elites coloniais se autodenominarem "nobreza da terra" não autoriza, creio, os historiadores a tomarem o que é construção ideológica por conceito sociológico. Da mesma forma, o fato de existirem *aristocracias regionais* — a menos equívoca sendo, por certo, a da velha região açucareira do Nordeste, notadamente em Pernambuco — não permite extrapolar para a constatação de que a sociedade luso-americana dos séculos XVI, XVII e XVIII conheceu, na nobreza da terra, uma formação social análoga à do *Ancien Régime* europeu. Cf., entre outros, João Fragoso, "Potentados coloniais e circuitos imperiais: notas sobre uma nobreza da terra, supracapitanias, no Setecentos", in Nuno G. F. Monteiro et al., *Optima Pars — elites ibero-americanas do Antigo Regime*, Lisboa, ISC, Imprensa de Ciências Sociais, 2005, pp. 133-68. Num excelente ensaio bibliográfico, Maria Fernanda B. Bicalho apresenta posição mais matizada, reconhecendo que o escravismo qualifica as elites luso-americanas de modo decisivo. Cf. "Elites coloniais: a *nobreza da terra* e o governo das conquistas. História e historiografia", in Nuno G. F. Monteiro et al., *Optima Pars...*, pp. 73-97. O comentário que fez a um

a foi transformando em nobreza de costume. O desembargador Teixeira Coelho, tão ofendido por Furtado de Mendonça no episódio do incenso, escreveu em 1780 que, em Minas, "a riqueza é que faz a honra e a veneração popular; a vingança é que adquire e estabelece o respeito, e a grandeza do fausto é o único caráter da nobreza e da fidalguia".[57] Tal definição é a do burguês, nunca a do nobre.[58] Os linhagistas da segunda metade do século XVIII — Borges de Macedo, Jaboatão, Pedro Taques — puderam construir genealogias para Pernambuco, para a Bahia e mesmo para São Paulo, nas quais mitificaram as origens mamelucas dos paulistas

---

texto de Nuno Monteiro, por sua vez, coloca pontos importantes para aprofundar o debate e refina a argumentação favorável à existência de uma *nobreza da terra*, sem contudo enfrentar o problema da diferenciação entre aristocracia e nobreza. Cf. "Conquista, mercês e poder local: a *nobreza da terra* na América portuguesa e a cultura política do Antigo Regime", *Almanack Braziliense*, nº 2, novembro 2005, pp. 21-34. Em termos gerais, tem havido uma tendência em ler de forma enviesada a obra de Evaldo Cabral de Mello, na qual *nobreza da terra* é vista, se entendi bem, como construção ideológica, e não como conceito que permita ver a aristocracia pernambucana como expressão da nobreza do Antigo Regime, e a ela comparável. Ver sobretudo Evaldo Cabral de Mello, *Rubro veio. O imaginário da Restauração Pernambucana*, Rio de Janeiro, Nova Fronteira, 1986, em que, à p. 164, está dito: "Para resumir: a 'nobreza da terra' era apenas o novo coletivo que haviam cunhado para si os descendentes das 'pessoas principais' de sessenta, setenta anos antes". Ver também id., *A fronda dos mazombos. Nobres contra mascates. Pernambuco, 1666-1715*. São Paulo, Companhia das Letras, 1993.

57. José João Teixeira Coelho, Instrução para o Governo da Capitania de Minas Gerais, introdução de Francisco Iglésias, Belo Horizonte, Fundação João Pinheiro, 1994, p. 155.

58. Sobre a importância da vingança no ideário burguês, ver Antonio Candido, "Da vingança", in id., *Tese e antítese*, 2ª ed., São Paulo, Companhia Editora Nacional, 1971, pp. 3-28. À p. 13: "O Conde de Monte Cristo é um retrato completo da vingança pessoal; a vingança pessoal é a quintessência do individualismo; o individualismo foi, e de certo modo continua querendo ser, o eixo da conduta burguesa".

com ficções bem-urdidas. Em Minas, os ralos esforços de inventar tradições se fizeram por meio de presumíveis origens paulistas, como no caso de Cláudio Manuel da Costa. Minas não reclamou foros de nobreza ou fidalguia porque sua sociedade, quando assentou, já trazia traços inequívocos de uma outra ordem, em que as divisões eram de classe e se fundavam, portanto, no dinheiro.

O processo, como se procurou mostrar, foi doloroso. É com rancor, mais do que com ironia, que Gonzaga diz, já quase no fim das *Cartas chilenas*:

> *Amigo Doroteu, se acaso vires*
> *Na Corte algum Fidalgo pobre e roto,*
> *Dize-lhe que procure este governo:*
> *Que a não acreditar, que há outra vida,*
> *Com fazer quatro mimos aos rendeiros,*
> *Há de à Pátria voltar, casquilho e gordo.*[59]

59. Gonzaga, *Cartas chilenas*, Carta 8ª, p. 177.

Numa versão ligeiramente diferente, este texto foi apresentado pela primeira vez em 2002, no Encontro "A nobreza na Administração Colonial do Brasil", Lisboa, Fundação das Casas de Fronteira e Alorna, 25-26 de junho de 2002. Em Paris, em fevereiro de 2004, foi discutido no seminário de Serge Gruzinski. A presente versão beneficiou-se dos comentários feitos em ambas as ocasiões. Agradeço a leitura atenta e os comentários de Ronaldo Vainfas e de Carlos Zeron: sem a contribuição de ambos eu não teria chegado a esta forma, afinando argumentos e reflexões; sem a ajuda de Zeron, não teria, inclusive, chegado ao título definitivo do artigo.

PARTE II

Indivíduos

Meu Primo e meu Senhor. Quanta terra e quanta água tenho passado, depois que vos escrevi! Rios tão caudalosos, matos tão espessos, e campos tão distantes, que fazem a admiração, principalmente a quem vem de uma terra tão apertada, como o nosso reino. Desejara lembrar-me e saber ordenar tudo quanto passei e vi; o que não só vos servirá de divertimento pela novidade, mas também a mim de desafogo e alívio.

Carta de Dom Antonio Rolim de Moura, depois conde de Azambuja, ao conde de Val de Reis, 1751

[...] *os mares encrespam-se e os meses passam entre a ordem e a execução.*

Edmund Burke

5. Teoria e prática do governo colonial: Dom Pedro de Almeida, conde de Assumar

E se eles fossem Generais, e ao mesmo tempo Historiadores das Anedotas dos seus governos?

J. J. Teixeira Coelho

Crece el camino y crece mi cuidado.

Fernando de Herrera

Um dos governadores mais controvertidos da capitania de Minas Gerais foi Dom Pedro de Almeida, conde de Assumar, que ali esteve entre 1717 e 1721. Foi também um dos mais proeminentes, pertencendo a uma família antiga e pródiga em administradores. Sua trajetória pessoal e suas ideias ajudam a pensar as transformações em curso no centro e nas conquistas do império português da primeira metade do século XVIII. Servem igualmente para relativizar ou mesmo desconstruir aspectos da memória nacional brasileira.

O *Discurso histórico e político sobre a sublevação que nas Minas houve no ano de 1720* é um texto anônimo, e se divide em duas partes principais. A primeira narra os episódios que envolveram o levante de Vila Rica e a subsequente execução do português Filipe dos Santos; a segunda justifica a necessidade da execução, feita sem julgamento, e a fundamenta quase sempre nas ações e escritos de autores e personagens históricos do mundo antigo. O texto foi publicado três vezes: entre 5 e 19 de fevereiro de 1898, no jornal *Minas Gerais*, órgão oficial do estado; logo a seguir, pela *Imprensa Oficial de Minas Gerais*, contando com introdução e comentários do erudito José Pedro Xavier da Veiga, então diretor do Arquivo Público Mineiro; em 1994, quando, creio, estabeleci sua autoria, creditada a Dom Pedro Miguel de Almeida Portugal, conde de Assumar, e a dois jesuítas que com ele foram para Minas, José Mascarenhas e Antonio Correia.

Antes de 1994, o texto teve circulação restrita — a edição de Xavier da Veiga é muito rara —, sem que deixasse, contudo, de causar certo impacto entre os estudiosos da história colonial no primeiro quartel do século XX. Na sua curta "Advertência introdutória", Xavier da Veiga contava que o códice fora adquirido alguns anos antes (1895), em Lisboa, no leilão da biblioteca do conde de Linhares, "graças à oportuna providência que deu para isso o Exmo. Sr. Secretário do Estado do Interior, Dr. Henrique Augusto de Oliveira Diniz". A sensibilidade de Henrique Diniz devia-se ao fato de ser bom conhecedor de história, matéria que lecionou durante muitos anos no ginásio estadual de Barbacena, percebendo com certeza a importância do códice para o estudo da história antiga de Minas; por recomendação sua, David Campista arrematou "o importante e curioso manuscrito", logo depositado no Arquivo Público Mineiro.[1] No último quartel do século XX, José Honório Rodrigues reconhecia o valor do *Discurso*, vendo-o como a "mais valiosa fonte sobre o movimento chefiado por Pascoal da Silva e Filipe dos Santos", qualificando-o de "narrativa facciosa, parcial", e intuindo que parecia "escrita pelo próprio governador, o conde de Assumar, Dom Pedro de Almeida".[2]

O episódio sobre que versa o texto tem, por sua vez, papel de destaque na construção da memória nacional.[3] O levante de 1720 aparece pela primeira vez na *História da América portuguesa*, em que Sebastião da Rocha Pitta lhe dedicou quatro páginas. A chefia do levante é atribuída a Pascoal da Silva Guimarães, Manuel Mosqueira da Rosa, frei de Monte Alverne "e outros". Filipe dos Santos é mencionado por ter dirigido um grupo de homens que intentavam libertar no meio do caminho Pascoal da Silva e os demais presos que seguiam para o Rio de Janeiro, recebendo, por isso e pela participação que tivera no levante, a pena máxima.[4] Robert Southey seguiu de muito perto a narrativa de Rocha Pitta, referindo-se, em termos idênticos, a "um tal Filipe dos Santos": para ele, como para o historiador baiano, os chefes eram Pascoal da Silva e os seus asseclas.[5]

1. "Advertência" a *A revolta de 1720 em Vila Rica. Discurso histórico-político*, Ouro Preto, Imprensa Oficial de Minas Gerais, 1898, pp. 3-6.
2. José Honório Rodrigues, *História da História do Brasil. 1ª parte: Historiografia colonial*, 2ª edição, São Paulo, Companhia Editora Nacional, 1979, p. 343.
3. Remeto ao capítulo 2 deste livro, "A conjuntura crítica do início do século XVIII", e a meu artigo "Motines, revueltas y revoluciones en la América Portuguesa de los siglos XVII y XVIII", in Enrique Tandeter e Jorge Hidalgo Lehuedé (coords.), *Historia general de América Latina*, s.l., Ediciones Unesco/Editorial Trotta, 2000, pp. 459-73, vol. IV.
4. Sebastião da Rocha Pitta, *História da América portuguesa desde o ano de mil e quinhentos do seu descobrimento até o de mil, setecentos e vinte e quatro*, 2ª ed. revista, Lisboa, Francisco Artur da Silva Editor, 1880, pp. 309-12.
5. Robert Southey, *História do Brasil*, Belo Horizonte/São Paulo, Itatiaia/Edusp, 1981, p. 95, vol. 3.

Voltando ao século XVIII, merece registro o relato colorido de Manuel da Fonseca na *Vida do venerável padre Belchior de Pontes*, no qual fica dito que o biografado profetizou o levantamento e mencionam-se aspectos cotidianos e ritualizados da revolta — as "assuadas" constantes, os bandos de mascarados que desciam o morro —, sem haver, porém, menção aos nomes dos cabeças ou à execução exemplar do principal acusado.[6]

Rastreando-se a memória do levante nas obras gerais, nota-se que não conta senão com duas páginas na *História geral do Brasil* do visconde de Porto Seguro e acha-se ausente da *História geral da civilização brasileira* organizada por Sérgio Buarque de Holanda.[7] A quase omissão em duas obras desse quilate compensa, curiosamente, a exaltação patriótica com que o levante é tratado em um sem-número de autores menores. A partir de certa altura, que não é fácil precisar, o episódio ocorrido em Vila Rica no ano de 1720 foi tido por marco na oposição colonial à metrópole, e momento importante na construção da nacionalidade. Cabia encontrar um herói: era natural que fosse Filipe dos Santos, dado o suplício horrível que o governador Assumar lhe infligiu sem julgamento. Cabia ainda estabelecer uma relação entre 1720 e 1789: dois levantes, dois supliciados, uma linha progressiva de rebeldia e de consciência ante a opressão metropolitana. Se Tiradentes era o mártir da independência, Filipe dos Santos, na mesma época, foi adquirindo os contornos de protomártir.

Creio que Couto de Magalhães desempenhou papel funda-

6. Manoel da Fonseca, *Vida do venerável Padre Belchior de Pontes* [1752], São Paulo, Melhoramentos, s.d., pp. 243-56.

7. Francisco Adolfo de Varnhagen, "Minas de ouro e diamantes", in id., *História geral do Brasil antes de sua separação e independência de Portugal*, 3ª ed., São Paulo, Companhia Melhoramentos, s/d, pp.133-4, t. quarto, seção XLII. Sérgio Buarque de Holanda, *História geral da civilização brasileira. Tomo I: A época colonial, 2º volume: Administração, economia, sociedade*, São Paulo, Difel, 1960.

mental nesse processo. Para entrar como sócio no Instituto Histórico e Geográfico, escreveu em 1860 "Um episódio da história pátria", tratando do levante de 1720. Conseguiu o seu intento, e ainda teve o trabalho publicado na *Revista do Instituto* dois anos depois. Patriota e nacionalista exacerbado, desejava afirmar o valor dos povos americanos num mundo controlado por europeus. Consultou as fontes, lendo inclusive o *Discurso*, mas delas tirou os elementos que afinavam com ideias preconcebidas, torcendo-os quando a harmonização não era total. Conforme seu argumento, já se manifestava em 1720 o desejo de independência dos colonos, que só fez crescer para culminar em 1789: "A extinção das casas de fundição parece nada mais ser do que um pretexto. Havia já nessa luta uma aspiração muito pronunciada para a independência. Coitados! nas longas e frias noites do cativeiro, sonhavam já nesse tempo com o sol da liberdade, e foram incontestavelmente os precursores da aurora que mais tarde apareceu sob Tiradentes, e da qual surgiu este dia em que vivemos".[8]

Identificando no movimento uma lógica que lhe era alheia, atribuiu-lhe um "plano", detectou um momento de "traição" — quando o que houve foi um aviso deliberado e estratégico, feito por um dos envolvidos no intuito de desnortear o conde — e, mesmo reconhecendo que o comando cabia a outros, moldou um "herói", o mais simples e humilde dos sediciosos: estava assim construída, passo a passo, a analogia com 1789. Apesar de os documentos silenciarem sobre seu herói — "nas cartas do governador [...] ou em qualquer documento da secretaria de Minas não se encontra sobre esse homem interessante notícia alguma..." —, Couto de Magalhães decidiu que Filipe dos Santos "era um desses homens

8. J. V. Couto de Magalhães, "Um episódio da História Pátria [1720]", *Revista do Instituto Histórico e Geográfico Brasileiro*, t. 25, 1862, pp. 515-43, citações às pp. 323-4.

excepcionais, que Deus envia sempre ao mundo, e que passam obscuros nas circunstâncias extraordinárias". "Mitógrafo", Couto ainda indicou as possibilidades de utilização do "mito" que criava: "Cumpre não deixar essas lutas no esquecimento. As nações devem guardar com esmero suas glórias para oferecê-las em exemplo à mocidade".[9]

Reivindicando para o levante de 1720 o caráter de "revolução", Antonio Olyntho dos Santos Pires recolocou no âmbito do *Instituto Histórico* o heroísmo de Filipe dos Santos e a oposição "aos processos tirânicos" que a metrópole usava para explorar sua colônia, ressaltando a base popular do levante e refutando os que o viam como "fruto da ambição dos potentados e dos frades". Valeu-se muito do *Discurso*, para ele obra de "um escritor anônimo", e esboçou pequeno balanço historiográfico, discordando do modo com que Diogo Vasconcelos apreciara a figura de Assumar. O movimento no sentido de enaltecer o tropeiro levou-o a afirmações arbitrárias tanto sobre seu herói como sobre o conde, muito difundidas posteriormente. Do primeiro, ressaltou a consciência política: "Não foi ele um instrumento inconsciente, manejado pela sagacidade de Pascoal da Silva Guimarães, nem tampouco um títere, que as mãos ocultas dos ricaços moviam para arrastar o povo contra as leis vexatórias que os ameaçavam". Do segundo, reconhece as qualidades militares mas nega as intelectuais, criando argumentos para a detração posterior e para a impossibilidade de vê-lo, pouco instruído que seria, como o autor do *Discurso*: "Era [...] o Conde de Assumar um bom soldado, sem ter, entretanto, tido tempo para ilustrar seu espírito, nem para adquirir a educação social e admi-

9. Ibid., pp. 529 e 516. Uso livremente o conceito de mito, daí empregá-lo sempre entre parênteses. Uma discussão mais acurada sobre o assunto não cabe nas dimensões deste trabalho.

nistrativa que tanto convinha a fidalgo de tão alta linhagem". Reforçando o "mito", Antônio Olyntho atrelou-o, por fim, ao rito, defendendo a necessidade de sua celebração quando da efeméride de 1920:

> O meu desejo, vindo hoje recordar os tristes acontecimentos daquela tragédia, é não só prestar as homenagens da posteridade aos pioneiros das nossas reivindicações cívicas, na data em que explodiu a revolta, como chamar a atenção dos estudiosos para ela, a fim de que, no próximo ano, em que se completa, na data de hoje, o seu segundo centenário, possamos ter maior projeção de luz nesse passado sombrio, povoado de sombras que nos devem ser caras.[10]

"Por falta de recursos materiais", a celebração não ocorreu, malgrado os esforços de Rodolfo Jacob, presidente do *Instituto Histórico de Minas*. Mas a imprensa local falou do projeto, publicando artigos que qualificavam a sedição de "movimento de caráter acentuadamente nativista", e o conde de Afonso Celso, presidente perpétuo do *Instituto Histórico e Geográfico Brasileiro*, exaltou o "protomártir", "precursor de Tiradentes e dos revolucionários pernambucanos de 1817", herói de um "movimento" que "gerou a supressão do regime colonial em 1808, a elevação do Brasil a reino em 1815, e a separação definitiva em 1822".[11] Filipe dos Santos ia, pois, se firmando como estrela de primeira grandeza na constelação dos heróis nacionais, um dos elos na cadeia evolutiva que culminava com a Independência. Firmava-se igualmente

10. Antonio Olyntho, "Revolta de Vila Rica de 1720", *Revista do Instituto Histórico e Geográfico Brasileiro*, t. 85, vol. 139, 1919, pp. 443-97, pp. 454, 451 e 445.
11. Cf. artigo de João de Mello e Souza, "A noite", citado em Conde de Afonso Celso, *RIHGB*, tomo 87, vol. 141, p. 450. Ver ainda ibid., p. 448.

a imagem de um grande vilão, inimigo capital de um Brasil imaginário (quem pensaria em unidade nacional no início do século XVIII?!):

> o procedimento traiçoeiro do infame governador, a vingança atroz que consumou quando se viu de novo senhor da situação, o incêndio da Vila do Carmo e, finalmente, a morte heroica do valoroso Filipe dos Santos Freire, tudo isso constitui um episódio histórico sem dúvida interessantíssimo, e que faria vibrar a imaginação das crianças, quando se lhes ensinasse a nossa História colonial.[12]

Foi de fato tal papel que, desde então, coube aos livros didáticos, nos quais o mito de Filipe dos Santos continua a vicejar.

Delineada, pois, em âmbito nacional, essa tendência foi, em Minas Gerais, endossada por Xavier da Veiga na edição que, no ano de 1898, preparou para o *Discurso*.[13] Em posição distinta, contudo, Feu de Carvalho ponderou que os documentos não forneciam subsídios para a hipótese, eivada de inexatidões; mostrou que a ideia da destruição total do antigo *Morro do Ouro Podre*, depois *Morro de Pascoal da Silva*, fora invenção de Diogo Pereira Ribeiro de Vasconcelos, bem como sua designação por *Morro da Queimada*; que o arrastamento do corpo de Filipe dos Santos por quatro cavalos bravios não contava com nenhuma evidência empírica. Mas sua contribuição mais significativa foi contestar o aspecto popular e republicano do movimento e mostrar ter sido um levante de poderosos descontentes por motivos outros que o pagamento do tributo, sequer contestado nas propostas entre-

12. Afonso Celso, *RIHGB*, p. 451.
13. "Xavier da Veiga endossa tudo que escreveu Couto de Magalhães." Feu de Carvalho, *Ementário da História Mineira — Filipe dos Santos Freire na sedição de Vila Rica em 1720*, Belo Horizonte, Edições Históricas, s.d., p. 190.

No primeiro plano, a administração real e municipal, emoldurada pelo poder religioso; no segundo, os habitantes da terra, a eles subordinados; no terceiro, o mar e as embarcações que ligavam a América portuguesa à metrópole, vencendo distâncias e veiculando notícias.

Sob o reinado de Dom João V, o ouro do Brasil pagou as despesas luxuosas: Patriarcado de Lisboa, o título de Majestade Fidelíssima, a construção de Mafra. O rei, por sua vez, pôde posar de monarca imperial.

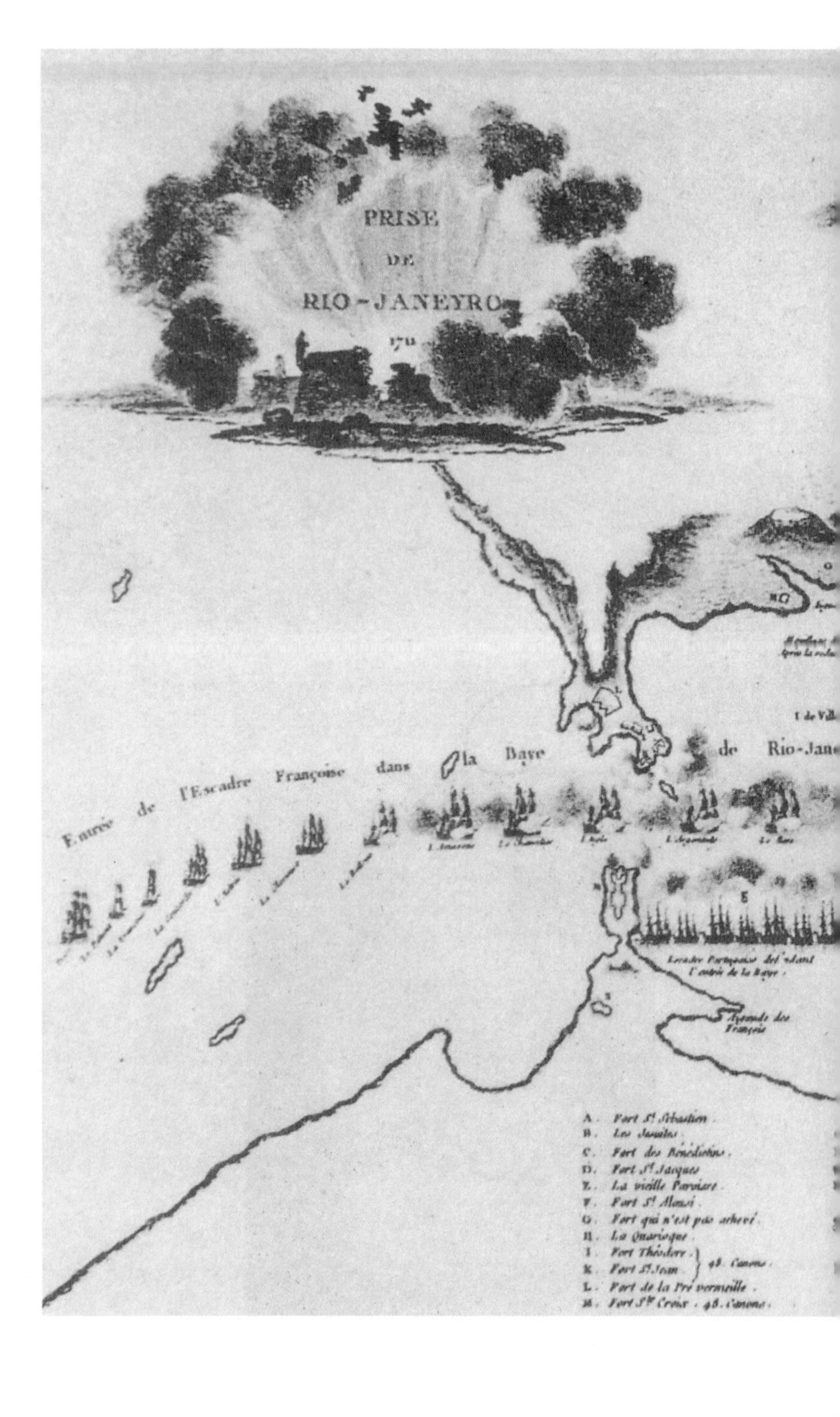
PRISE
DE
RIO-JANEYRO
1711
Entrée de l'Escadre Françoise dans la Baye de Rio-Jane
Escadre Portugaise deffendant l'entrée de la Baye.
Descente des François
I de Vill
A. Fort St Sébastien.
C. Fort des Bénédictins.
D. Fort St Jacques
G. Fort qui n'est pas achevé.
I. Fort Théodore.
K. Fort St Jean.
48. Canons.
L. Fort de la Pré vermeille.
M. Fort Ste Croix. 48. Canons.

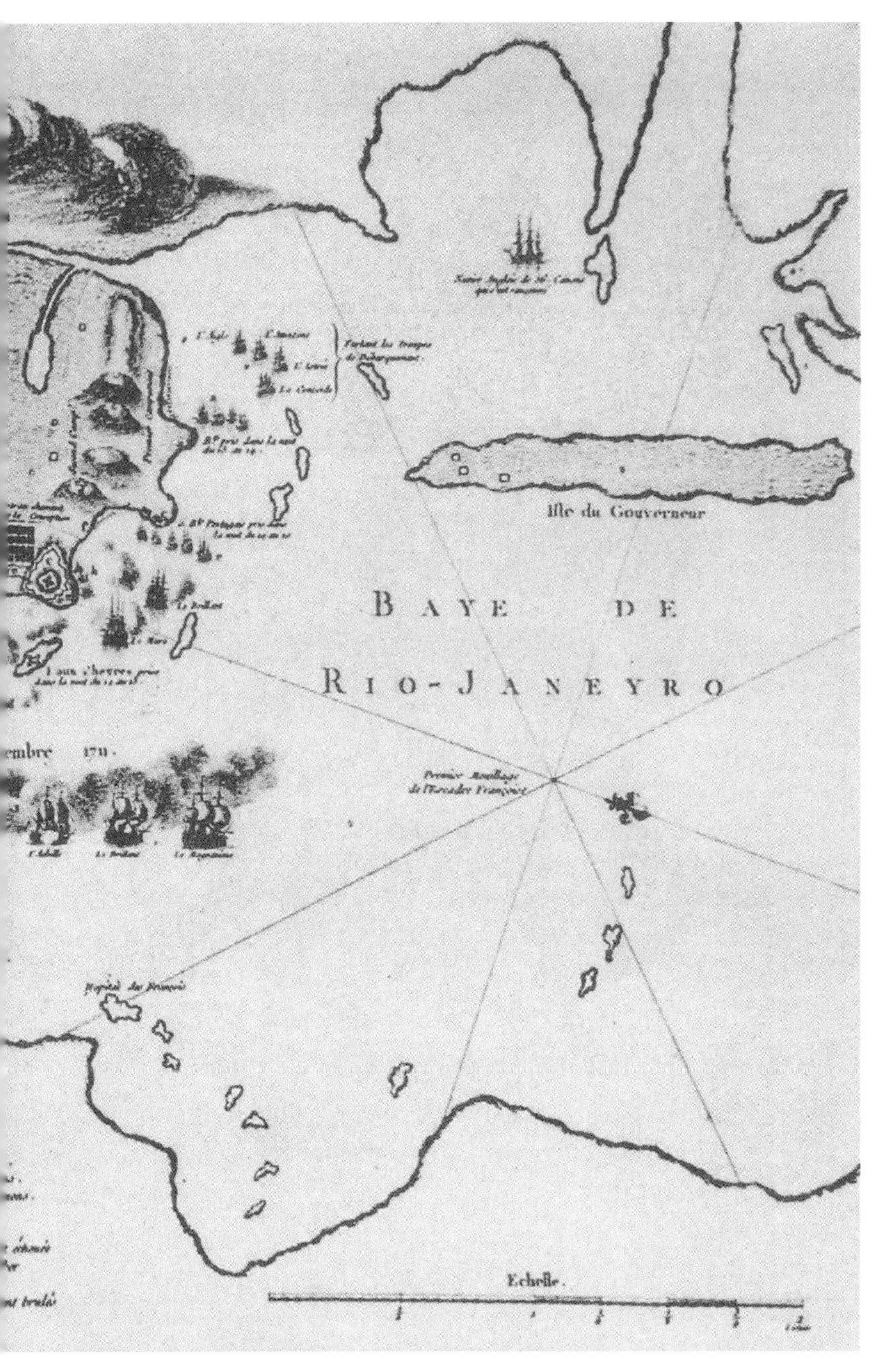

A esquadra francesa comandada por Dougay-Trouin cruza a entrada da baía de Guanabara: concretizava-se o rumor de invasão inimiga que vinha atemorizando os habitantes da América portuguesa desde o início do século XVIII.

O oficial e seu cavalo lembram as esculturas equestres colocadas no centro das praças europeias, nos séculos XVII e XVIII, para celebrar o poder dos reis. Nas conquistas distantes, esses homens encarnavam, no dia a dia, um aspecto do mando metropolitano

Inspirado em outros grandes palácios europeus erguidos para exaltar a realeza, Mafra foi um dos sorvedouros da riqueza aurífera do Brasil.

Entre os dissabores de um reinol que acabou virando padre, constam a mordida de cobra, a tocaia e a passagem por Minas no tempo dos emboabas.

Um dos governadores que "pôs ordem" nos "maus frutos" da árvore paulista, governando a capitania de São Paulo após um período em que ela tinha perdido a autonomia: Luís Antonio de Sousa Botelho Mourão, ou Morgado de Mateus.

Nobreza de sangue: no norte de Portugal, a casa de Mateus, solar da família de Luís Antonio de Sousa Botelho Mourão, governador de São Paulo.

Nobreza de costume: no arraial do Tijuco, Minas Gerais, a casa de Chica da Silva, mulata e mãe dos filhos do contratador dos diamantes João Fernandes de Oliveira, com quem viveu como esposa.

D. Pedro de Almeida, conde de Assumar, pertencia à nobreza que dourou seus brasões entre a guerra da Restauração portuguesa, na qual combateram seus antepassados, e a guerra de sucessão espanhola, da qual ele próprio participou. Depois, enveredou pelo serviço no Império, governando Minas num período crítico e conquistando, como vice-rei da Índia, Alorna para D. João V.

As fortalezas da barra do Rio de Janeiro, que saudaram com tiros de canhão os restos mortais do governador Rodrigo César de Meneses.

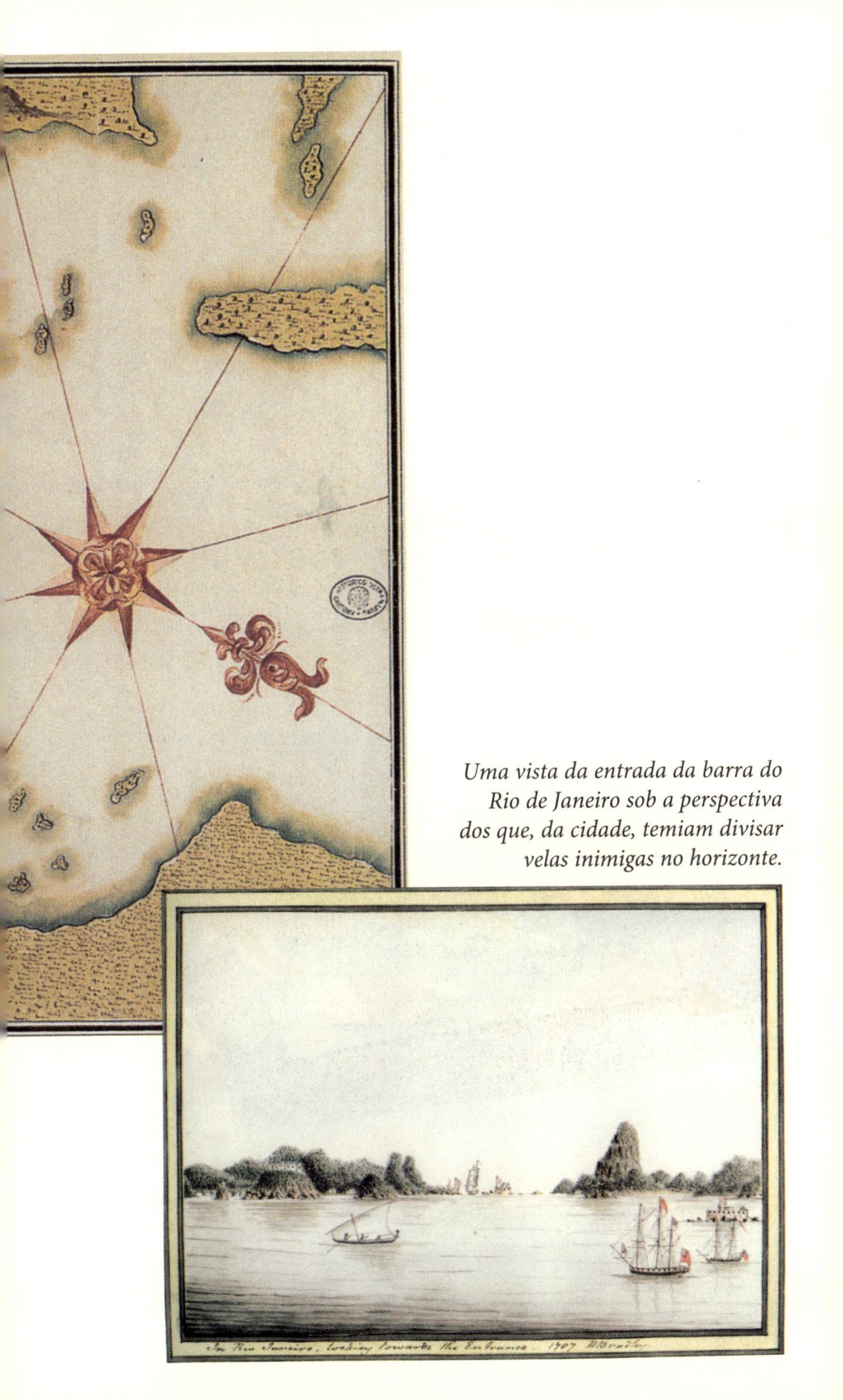

Uma vista da entrada da barra do Rio de Janeiro sob a perspectiva dos que, da cidade, temiam divisar velas inimigas no horizonte.

Num leque, de uso cotidiano, o registro da chegada da família real ao Rio de Janeiro, na forma de alegoria da europeização da América. O sonho do império luso-brasileiro tornava-se realidade.

Ainda os ecos da política no dia a dia: escoltado pelas embarcações inglesas, D. João VI regressa a Lisboa, entrando triunfalmente no Terreiro do Paço, saudado por salvas de canhões e pelas tropas perfiladas. Chegava ao fim o império luso-brasileiro.

As armas da antiga família à qual pertencia o governador Rodrigo César de Meneses invocavam as proezas de um antepassado, Vasco Fernandes, que tinha matado mouros inimigos no estreito entre Portugal e África.

Uma outra versão das armas dos César, sem a embarcação na parte superior, as demais antes parecendo naus do que fustas e as ondas do mar — que acabou recebendo o corpo de Rodrigo César — mostrando-se de modo mais nítido.

gues ao conde pelos sediciosos.[14] A desmistificação encetada por Feu de Carvalho não é gratuita, fundamentando a exaltação de Tiradentes, que, além de herói verdadeiro, nascera no Brasil: "Não será fora de tempo riscar por uma vez dos nossos livros históricos, e principalmente dos escolares, o grande e monstruoso erro de se atribuir a Filipe dos Santos o que por direito e de fato pertence a Tiradentes".[15]

Apesar de ser autor do mais completo estudo já feito sobre a sedição de 1720 em Vila Rica, Feu de Carvalho foi antes erudito que historiador, faltando-lhe organizar as conjeturas em hipóteses bem fundamentadas e ver o fenômeno de modo mais articulado e sistemático. Maior capacidade analítica e sensibilidade histórica encontram-se, sem dúvida, em Diogo de Vasconcelos, um dos mais interessantes historiadores brasileiros de seu tempo. Já em 1904, muito antes de Feu de Carvalho, contesta o caráter anticolonialista e republicano da sublevação bem como a importância de Filipe dos Santos no movimento, ressaltando, ao contrário, o embate entre os poderes locais e a autoridade metropolitana — este sim, para ele, o verdadeiro nervo do conflito. Descontentes pela pouca influência que vinham tendo junto ao aparelho de Estado, os potentados de Vila Rica "tomaram por mote de suas práticas as Casas de Fundição". O grande vulto do episódio foi Pascoal da Silva Guimarães, sedicioso desde a Guerra dos Emboabas, minerador capaz, "o mais inteligente... daquela época". Da mesma forma que outros revoltosos de prol, tinha conexões com o comércio de retalho, "inimigo

14. Teófilo Feu de Carvalho esteve à frente do *Arquivo Público Mineiro* em três ocasiões: de outubro de 1920 a setembro de 1922; de outubro de 1926 a janeiro de 1927; de maio de 1933 a abril de 1936. Ver "Diretores efetivos e interinos do Arquivo Público Mineiro, desde sua criação pela lei nº 126 de 11 de junho de 1895", *Revista do Arquivo Público Mineiro*, ano XXVII, dezembro de 1976, pp. 7-8. Ver *Ementário*..., pp.187 ss.; pp. 179 ss.; p. 70, pp. 105 ss.

15. Feu de Carvalho, *Ementário*..., p. 158.

sempre de desordens que o prejudiquem".[16] Antes de Feu de Carvalho, ainda, Diogo de Vasconcelos relativizou o despotismo de Assumar e o clima aterrorizador em que viveriam as populações, os mascarados que desciam o morro em assuadas, os cavaleiros em tropel pelas ruas das vilas a proclamar que as Gerais estavam levantadas sugerindo, antes, um certo espaço de tolerância: "Por estas e outras peculiaridades ficamos sabendo que não havia naquele tempo, tal como hoje se pensa, um terror tamanho, que impedisse tantos acintes à autoridade, e tanta desenvoltura nos indivíduos".[17]

Vasconcelos percebeu a inflexão representada pelo governo do conde, situado entre a era em que predominaram os potentados e a que viu a construção paulatina dos aparelhos de poder, consubstanciada nos primeiros regimentos de dragões, na criação das juntas de justiça, na cobrança de impostos com base na capitação. Depois dele, sobretudo, eclipsam-se os levantes formais, em que os potentados jogavam as cristas com as autoridades da metrópole:

> Para julgarmos, portanto, a situação do Conde, convém, visto que não podemos fazer aquele mundo reaparecer, voltarmos a ele, como simples viajantes em país longínquo, estudando as coisas e os homens em seu meio, e não os querendo prejulgar segundo as nossas ideias, nossos costumes, nossos sentimentos e moralidade; a menos que, em lugar da história, ponhamos a vida de figuras romanescas.[18]

São da autoria de Feu de Carvalho e Diogo de Vasconcelos os dois melhores relatos da sedição de 1720. Não por acaso,

16. Diogo de Vasconcelos, *História antiga das Minas Gerais*, Belo Horizonte, Imprensa Oficial, 1904, pp. 333-5.
17. Ibid., p. 341.
18. Ibid., pp. 363-4.

mantiveram-se muito próximos do texto do *Discurso*, que em várias passagens chegam a parafrasear. À boa tradição desses dois autores juntaram-se, posteriormente, o cônego Raimundo Trindade e Waldemar de Almeida Barbosa. Para o primeiro, "o heroísmo de Filipe dos Santos é bastante duvidoso e é de data muito recente"; para o segundo, 1720 foi movimento que "não apresentou nenhuma dose, por menor que fosse, de sentimento nativista".[19] Barbosa também procurou ser objetivo com relação ao conde, que a tradição mais apaixonada e fantasiosa pintara como déspota monstruoso e sanguinário; as palavras finais do seu capítulo sobre "O levante de 1720" são de simpatia para com o governante, "considerado pelos contemporâneos um dos quatro homens mais cultos de Portugal".[20]

A construção do "mito" de Filipe dos Santos como herói nacional foi correlata à construção da memória do conde de Assumar como um tirano cruel e boçal. Da cópia de 1825, existente na Biblioteca Nacional, ao texto inflamado e "mitográfico" de Couto de Magalhães, ou ao pragmatismo do conde de Afonso Celso, tudo parece indicar o parentesco entre tais construções e o surgimento da ideia de um *Brasil-nação*, tão cara ao projeto ideológico do *Instituto Histórico e Geográfico*. Quanto mais vil o algoz, mais agigan-

19. Raimundo Trindade, *Arquidiocese de Mariana*, 2ª ed., Belo Horizonte, Imprensa Oficial, 1953, p. 52, 1º vol. Almeida Barbosa, *História de Minas...*, p. 133, vol. III. À p. 135, refere-se ao pioneirismo do cônego Trindade nesse assunto. Nos dias que correm, e depois que a minha edição crítica do *Discurso* colocou o texto ao alcance de um maior número de leitores, surgiram duas excelentes análises do levante: Rodrigo Bentes Monteiro, *O rei no espelho — a monarquia portuguesa e a colonização da América (1640-1720)*, São Paulo, Hucitec, 2002; Maria Verônica Campos, *Governo de mineiros — de como meter as Minas numa moenda e beber-lhe o caldo dourado*, Tese de Doutorado em História, FFLCH-USP, 2002.
20. Barbosa, *História de Minas...*, p. 147.

tado o vulto do herói. O mesmo Xavier da Veiga que trouxe à luz o *Discurso* qualificou-o de "monstruoso libelo".[21]

Cabe, contudo, colocar o *Discurso* no seu tempo. O texto foi escrito com o intuito óbvio de justificar a execução sumária de Filipe dos Santos, que na qualidade de homem branco e livre deveria ter sido julgado por uma Junta de Justiça. Em algumas passagens, que não chegam a uma dezena, o narrador usa a primeira pessoa; o conde, por sua vez, é sempre referido na terceira pessoa do singular.

Nunca se provou a autoria do *Discurso,* apesar de haver quase unanimidade quanto ao dedo que o conde certamente pôs na narrativa. Ao editar o documento, Xavier da Veiga considerou que "os dizeres transcritos", "a matéria da obra, o estilo e o tom com que foi ela elaborada" mostram ser "da própria lavra do conde-general [...] ou de alguém por ele".[22] No início do século, Diogo de Vasconcelos concordava: "obra que, se não é do Conde, foi inegavelmente por ele revista e corrigida", dizendo mais adiante tratar-se de "peça de defesa, e obra evidente de sua inspiração".[23] Feu de Carvalho, contudo, discordou: sem fundamentar, anunciou, no início de seu livro, ter "razoáveis e bons motivos" para atribuir a autoria do *Discurso* ao padre jesuíta Antonio Corrêa, que, junto com o padre José Mascarenhas, vivia com Assumar no palácio.[24]

Pouco se sabe desses dois padres, além do que o próprio *Discurso* diz. José Mascarenhas tinha nascido no Rio de Janeiro por volta de 1679, ingressou na Companhia com quinze anos, nela foi professor de filosofia em São Paulo e de prima em sua cidade natal. "Louvado em Carta Régia pela sua ação benéfica em Minas Gerais

21. Xavier da Veiga, "Ligeiras notas do editor", *A revolta de 1720 em Vila Rica. Discurso histórico-político*, p. 221.
22. Id., "Advertência", op. cit., p. 4.
23. Diogo de Vasconcelos, *História média...*, pp. 360 e 365.
24. Feu de Carvalho, *Ementário...*, pp. 20 e 125.

no período agitado em que lá esteve", o padre Mascarenhas escreveu duas cartas, um atestado e interpretou certa inscrição "achada na entrada de uma furna, na Comarca do Rio das Mortes".[25] Antonio Correia também era original do Rio, e entrara na Companhia em 1675. Ensinou em Olinda, acompanhou Dom João de Lencastre às Minas de Salitre, e talvez por isso tenha sido solicitado pelo conde de Assumar para ir com ele às Gerais. Nada consta sobre seus escritos, mas parece ter sido um leitor entusiasta de outro Antonio, o grande Vieira, introduzindo, nas Minas, uma cópia da *Clavis Prophetarum*.[26] Na capitania do ouro foi missionário, junto com Mascarenhas, conforme este referiu em carta ao padre-geral da Companhia, e ambos não teriam poupado trabalhos "nem deixando de fazer nada para ressuscitar os bons costumes quase sepultados na *auri sacra fames*".[27] Mascarenhas endossava visão comum na época, presente também em Antonil, companheiro de Ordem bem mais ilustre mas com quem ele e Correia devem ter convivido no círculo de Dom João de Lencastre: a de que todo aquele que ultrapassava a serra da Mantiqueira deixava ali pendurada a sua consciência.[28]

Duas cartas escritas por Dom Pedro de Almeida logo após o levante talvez corroborem as suspeitas de Feu de Carvalho. A primeira, datada de 13 de janeiro de 1721, dirige-se a seu primo Dom João Mascarenhas; apreensivo quanto às repercussões do castigo infligido aos revoltosos de Vila Rica — talvez Pascoal da Silva já lhe movesse então o processo de responsabilidade pela queima de

25. Serafim Leite, *História da Companhia de Jesus no Brasil*, Rio de Janeiro, Instituto Nacional do Livro, 1949, pp. 356-7, vol. VIII.

26. É a hipótese, bem fundamentada, de Adriana Romeiro num trabalho muito instigante e original: *Um visionário na Corte de Dom João V — revolta e milenarismo nas Minas Gerais*, Belo Horizonte, UFMG, 2001, pp. 153 ss.

27. Serafim Leite, *História da Companhia de Jesus no Brasil*, pp. 192 ss., vol. VI.

28. Ver a respeito o capítulo 3 deste livro.

seus imóveis —, o conde solicitava-lhe auxílio como advogado, confiando-lhe papéis escritos pelos padres jesuítas em sua defesa; não menciona os nomes, mas certamente se referia a Antonio Correia e José Mascarenhas:

> O inquietíssimo gênio destas gentes me tem ainda agora em bastante cuidado, porque a expectação de como Sua Majestade tomará sua rebeldia e a vizinhança da chegada da frota vai causando várias labaredas, inda agora intestinas, e como chegasse à minha notícia que nessa cidade e no Rio de Janeiro se interpretavam sinistramente algumas resoluções sobre o castigo da sublevação, pondo-se em dúvida se eu estaria incurso em alguma Bula Pontifícia, me foi preciso, para o sossego da consciência, pedir a dois padres da Companhia que estão na minha casa, bons teólogos, que me dissessem o que sentiam no caso, e fizeram o papel incluso, o qual remeto a V. S., como também porque tenho viva fé de que ninguém será maior defensor da minha opinião, mas não se estreita só nisto o meu requerimento, porque desejara que V. S. me remetesse o mesmo papel alegando as mais razões de direito que fizerem a bem deste caso, assentando que a minha intenção para mor do bem público, e os delitos cometidos, vão verdadeiramente narrados. Perdoe V. S. o trabalho que lhe dou, no caso que o queira tomar, mas a quem quer V. S. que recorra senão à sua pessoa, na qual, concorrendo tantas razões de defender-me, o reputo pelo melhor letrado, e para tudo o que eu prestar me terá V. S. sempre com mui rendida obediência.[29]

Igual ânimo é manifestado pelo conde em carta de 31 de janeiro de 1721 ao bispo do Rio de Janeiro, então Dom Frei Francisco de São

29. Instituto Arquivos Nacionais, Torre do Tombo, Casa da Fronteira, Inventário nº 120, fl. 16: "Para Dom João Mascarenhas", Vila do Carmo, 13 de janeiro de 1721.

Jerônimo, confessando ainda o temor ante a possibilidade de excomunhão. Não localizei a carta que o bispo lhe escrevera antes, e da qual esta é a resposta. Mas tudo indica que havia sido por ele aconselhado a fundamentar bem uma defesa, valendo-se de letrados ou de homens doutos como os dois padres jesuítas que tinha junto de si: "Esta foi a verdadeira causa porque a V. Illma. lhe apontei os fundamentos sobre que assentou a queima do morro, ao que V. Illma. me responde que tendo em minha casa dois Padres da Companhia tão doutos, melhor poderão resolver esta questão, ou este escrúpulo".[30]

Além dessas duas cartas, há outra evidência, mais vaga, apontando as relações entre o padre Correia e o *Discurso*. Quase no fim da segunda parte, que justifica o castigo exemplar, está citado "o grande Vieira", autoridade que advoga não serem "tão danosas as hostilidades nos inimigos, como os atrevimentos nos vassalos, e que, melhor ter menos cidades, e mais obedientes [...], porque cidade que se atreve contra os ministros do Rei, não é cidade do Rei, é cidade livre, e liberdades não as hão de sofrer as Coroas". Não há referência à obra da qual se tirou tal passagem, aliás parafraseada pelo autor do texto. Mas sabe-se que, quando de sua estadia mineira, o padre Correia trazia consigo escritos de Vieira, que emprestava a quem quisesse ler.[31]

Por outro lado, há muito mais evidências de que Dom Pedro de Almeida pudesse ser o autor do texto. Antes de indicá-las,

30. IANTT, Casa da Fronteira, Inventário nº 120, fl. 30: "Para o Bispo de Rio de Janeiro", Vila do Carmo, 31 de janeiro de 1721.

31. Foi Adriana Romeiro quem me chamou atenção para esse ponto, depois incorporado em seu importante estudo sobre a cultura política em Minas no primeiro quartel do século XVIII. Transcrevo aqui sua informação: "Segundo o padre baiano Manuel Lopes de Carvalho, o jesuíta Antonio Correia tinha um interesse particular pela *Clavis Prophetarum* do Padre Vieira: [...] 'viu em algumas questões do *Clavis Prophetarum* do Pe. Antonio Vieira, que viu em as Minas em um papel que tinha o padre Antonio Correa da Companhia de Jesus'". IANTT, Inquisição de Lisboa, processo nº 9255, fl. 139v." Ver Romeiro, *Um visionário*...

é bom saber um pouco da vida dessa personagem, que, ao contrário do que acontece com os dois jesuítas, pode ser reconstituída com base em documentação variada.[32]

VIDA E VICISSITUDES DE UM SERVIDOR DO IMPÉRIO

Dom Pedro Miguel de Almeida Portugal, terceiro conde de Assumar e primeiro marquês de Alorna, pertencia à nobreza que se destacou a partir da ascensão dos Bragança ao trono em 1640 e se consolidou, no início do século XVIII, com a Guerra da Sucessão Espanhola. O primeiro conde, também Dom Pedro de Almeida, foi vice-rei da Índia e morreu em Moçambique sem chegar a usar o título. Ainda bem moço, Dom João (1663-1733), o segundo conde, andou pela Índia com o pai, destacando-se mais tarde como embaixador extraordinário junto ao malogrado pretendente austríaco à sucessão de Carlos II de Habsburgo, rei de Espanha. Como se sabe, o arquiduque Carlos e futuro imperador Carlos VI teve o apoio português na Guerra contra as pretensões de Filipe de Bourbon, neto de Luís XIV e candidato francês ao trono

32. Assumar ainda não teve o tratamento biográfico que merece, e sobre ele só existe, até onde sei, a biografia pouco satisfatória de Manuel Artur Norton, *Dom Pedro Miguel de Almeida Portugal*, Lisboa, Agência Geral do Ultramar, 1967, que entretanto apresenta bons apêndices documentais, entre eles a lista da biblioteca de Assumar. Além das enciclopédias, cabe destacar seu contemporâneo Antonio Caetano de Sousa, cuja *História genealógica da Casa Real Portuguesa* trata da família dos Assumar no tomo X, pp. 479 ss. Há bastante informação em Afonso Eduardo Martins Zuquete, *Nobreza de Portugal e do Brasil*, Lisboa, 1960, pp. 250 e segs, vol. II. É Boxer quem escreve um bom verbete sobre ele em Joel Serrão (dir.), *Dicionário da história de Portugal*, Porto, Livraria Figueirinhas, 1985, vol. 5. Mas foi o verbete de Barbosa Machado que serviu de base a todos os demais, sendo ainda muito útil por arrolar, no final, a lista dos trabalhos compostos pelo conde. Diogo Barbosa Machado, *Biblioteca Lusitana Histórica, Crítica e Cronológica*. 2ª ed., Lisboa, 1933, pp. 541-4, t. III.

espanhol. Antes da embaixada na Catalunha, contudo, Dom João tinha integrado, como vedor da Casa Real, a armada que seguiu para a Saboia a fim de tratar o casamento entre Vitório Amadeu II e a infanta portuguesa. Se este consórcio não teve sucesso, um outro, do qual participou e que foi negociado com os Habsburgo a partir de Barcelona, surtiu efeito: o do futuro João V e Dona Maria Ana de Áustria. Homem de armas e diplomata, foi no seu tempo conhecido também como letrado, contando, em 1721, entre os primeiros acadêmicos supranumerários da Real Academia de História; casou-se com sua prima coirmã, Dona Isabel de Castro, filha do primeiro marquês da Fronteira, Dom João Mascarenhas, rebento de família ainda mais ilustre que a sua.[33]

O nosso conde, o terceiro, nasceu a 29 de setembro de 1688. Era um rapazinho quando foi para a Catalunha com o pai, que, por sua vez, havia sido levado mais ou menos na mesma idade para a Índia pelo seu progenitor. Guerreou contra Castela dos dezesseis aos 25 anos, sempre dando mostras das qualidades de comando nos vários postos que galgou, chegando a general de batalha. Participou da batalha de Saragoça e da batalha de Villa-Viçosa; serviu "com o mesmo préstimo" até o fim da guerra, "aumentando a glória do seu nome com os anos, que contava de idade". Por fim, comandou a retirada das tropas portuguesas da Catalunha, e na "dilatada e difícil marcha, se houve de sorte que mereceu louvores dos mesmos inimigos".[34]

No início da guerra, tinha recebido da mãe uma carta muito

33. Para as atividades diplomáticas do segundo conde de Assumar, ver Isabel Cluny, "Elites aristocráticas: diplomacia e guerra", *Cultura — Revista de História e Teoria das Ideias — Ciência e Política*, vol. XVI-XVII, 2003, pp. 235-56. Para o acadêmico, ver Isabel Ferreira da Mota, *A Academia Real da História — os intelectuais, o poder cultural e o poder monárquico no século XVIII*, Lisboa, Minerva Coimbra, 2003, p. 380.
34. Antonio Caetano de Sousa, *História genealógica...*, pp. 479 ss., p. 483, t. X.

interessante, que expressava sua resignação ante o intuito do marido em destiná-lo para a carreira militar:

> Vosso pai vos manda assentar praça e ainda que seja totalmente alheio da minha profissão dar documentos a um soldado, o amor que vos tenho, e o desejo dos vossos acertos, espero que mude e que transforme de tal sorte as paixões feminis em afetos marciais, que a doutrina de uma mulher venha a concorrer para vos constituir um Capitão cabal e um verdadeiro neto de tantos avós, que um e outro apelido, Almeidas e Mascarenhas, enobreçam já com as suas façanhas as nossas histórias, *advertindo que a grandeza adquirida é muito mais gloriosa que a herdada*, porque naquela só teve presente a fortuna e esta consegue-se pelo próprio merecimento.[35]

Para os Assumar, como para Portugal, o resultado da guerra foi desastroso. Os seus bens de morgadio tiveram de ser hipotecados a fim de honrar as dívidas contraídas durante oito anos de permanência no estrangeiro.[36] Talvez para remediar tal situação, o conde se casou, pouco tempo depois de voltar da campanha, com dona Maria José Nazaré de Lencastre, filha do quarto conde

35. Apud Isabel Cluny, "Elites...", pp. 237-8. Cf. Boxer, "Uma carta inédita da primeira [sic: segunda] Condessa de Assumar para seu filho D. Pedro de Almeida e Portugal (20 de junho de 1704)", in *Colectânea de estudos em honra do prof. dr. Damião Peres*, Lisboa, Academia Portuguesa de História, 1974, pp. 273-5. O documento, que não cheguei a consultar em arquivo, encontra-se na *Biblioteca Nacional de Lisboa*, cód. 11365, "Memórias históricas e políticas [...]", t. 1, fl. 36. "Carta de Isabel de Castro ao filho Dom Pedro Almeida Portugal em 2 de junho de 1704."
36. Norton, *Dom Pedro Miguel...*, p. 31: "que nos oito anos em que tivera a honra de ser embaixador nas diferentes Campanhas e Jornadas que lhe fora preciso fazer; e nas muitas despesas extraordinárias que tivera no decurso do dito tempo, para poder com o decoro preciso, sustentar a decência do seu ministério e do meu serviço, foram tanto mais crescidas as despesas que a receita que lhe fora indis-

de Vila Nova de Portimão e aparentada com a casa real, pois uma de suas tias-trisavós era dona Brites de Lencastre, segunda mulher de Dom Teodósio, o quinto conde de Bragança: família antiga e ilustre portanto, na qual os títulos, como para os Almeida, só aparecem no século XVII.[37]

Do casamento, celebrado na freguesia de Santos-o-Velho (29 de fevereiro de 1715), nasceriam onze filhos, dos quais três morreram pequeninos.[38] Quando partiu para Minas em 1717, procurando talvez alívio para as dificuldades financeiras (recebia 10 mil cruzados de ordenado), deixou a mulher e um menino pequeno, o segundo, que não tornaria a ver, pois morreu logo depois.[39]

Nas Minas, queixou-se da distância, do clima, dos povos, da ausência da família, e, com certa frequência, pediu para voltar: não gostava, ao que parece, das possessões coloniais, e anos depois, como se verá, relutou muito em aceitar o governo da Índia. Em carta dirigida a um dos funcionários da administração mineira, que se queixava da necessidade de servir o governo longe da família, Assumar discorreu sobre o assunto, deixando o documento público revelar um pouco da dimensão privada de sua vida:

---

pensável contrair empenhos consideráveis". IANTT, Chancelaria de Dom João V, livro 48, fl. 228v. Não era incomum que as representações diplomáticas trouxessem sérios reveses financeiros às casas, chegando mesmo a arruinar algumas. Cf. François de Callières, *De como negociar com príncipes — os princípios clássicos da diplomacia e da negociação*, Rio de Janeiro, Campus, 2001, p. 42, em que fica evidente que a normatização da diplomacia implica, entre outros pontos, o maior empenho do erário real em manter embaixadores no exterior.

37. Antonio Caetano de Sousa, *História genealógica...*, pp. 197-200, t. XI.

38. Cf. Norton, *Dom Pedro Miguel...*, p. 443. IANTT, Casa da Fronteira, 118.

39. Arquivo Histórico Ultramarino, cód. 126, fls. 183-185v: carta régia de nomeação de Dom Pedro de Almeida governador de Minas e São Paulo, Lisboa, 2 de março de 1717.

Tenho bastantemente ponderado as razões que V. Mercê me aponta do discômodo que padece na ausência da sua casa, e ainda mais com a doença de sua mulher, mas como reconheço a V. Mercê por um dos mais leais e fiéis vassalos de S. Majestade, não duvido que V. Mercê pese nesta ocasião na balança da prudência qual pesar mais: se o sossego que eu procuro dar a esse país por meio de V. Mercê, se o seu descômodo, do qual não deixo de compadecer-me muito, como quem o experimenta em si mesmo, e sei o que isto custa; e para V. Mercê se inteirar bem desta verdade, julgue qual de nós estará mais desacomodado, se V. Mercê em Pitangui, donde todos os três dias pode ter novas de sua casa, se eu longe da minha tantas mil léguas, com a incerteza de saber dela apenas uma vez no ano, e vindo para uma distância tão dilatada, pudera ser que quando saísse de Lisboa deixasse minha mulher em maior perigo em que não esteja a de V. Mercê, e depois de cá estar, e de me haver morto o único sucessor que tinha a minha casa, fiz todos os esforços com S. Majestade para que me aliviasse deste governo; e agora, pelas cartas que recebo de Lisboa, vejo que o dito Senhor não foi servido deferir-me ao meu requerimento; antes entendo que me dilata aqui o tempo que eu não quisera, à vista deste exemplo que El-rei me dá, porque talvez entenderá que assim convém mais ao seu serviço, julgue V. Mercê como por atenção ao mesmo serviço lhe poderei eu deferir, mas se V. Mercê acha que pode ter conveniência em fazer aí conduzir a sua família, razão é que se não prive desta mesma consolação que eu não posso lograr com a minha.[40]

Em 1720, comeu o pão que o diabo amassou por conta de um levante, depois denominado "de Filipe dos Santos", e da repressão intempestiva que ordenou contra os responsáveis. De volta ao Reino, em 1722, o conde desaparece por bom tempo dos docu-

40. Carta para Francisco Duarte Meirelles, escrita a 22 de março de 1720, citada em Feu de Carvalho, *Ementário...*, pp. 67-8.

mentos, surgindo de novo apenas em 1733, quando ingressou na Academia Real de História e deu também um parecer ao Conselho Ultramarino acerca da possibilidade de se aplicar a capitação em Minas.[41] Através da literatura de viagens, é possível saber um pouco do que aconteceu com ele nesses anos silenciosos. Ainda na década de 1720, havia ocorrido um episódio curioso, que culminou com o exílio para fora de Lisboa de vários nobres, e do qual Assumar teria participado. Luís César de Meneses, filho do vice-rei do Brasil, conde de Sabugosa, protestou contra a prisão de um seu criado, feita por certo corregedor na praça do Rossio, e tentou libertá-lo. Enquanto o fidalgo discutia violentamente com a autoridade, trinta condes e outras pessoas de qualidade saíram da Comédia, próximo ao local da cena, acorreram em massa e arrancaram o prisioneiro das mãos do corregedor. Este não deu nenhuma providência de imediato: foi por isto demitido pelo rei, "e, por a justiça de Sua Majestade abranger grandes e pequenos, exilou a maior parte destes senhores, tendo apenas repreendido os que tinham menores culpas na desordem". Entre os que participaram da assuada, está o "Conde de Assumar, filho, exilado para Messejana".[42]

41. IANTT, Manuscritos do Brasil, livro 2. "Pareceres sobre o projeto da capitação, e maneio de que leva cópia Martinho de Mendonça", fl. 15. São ao todo onze os pareceres, entre eles o de Dom Lourenço de Almeida (que acabava de deixar o governo das Minas), o de Diogo de Mendonça Corte Real, o de Gonçalo Manoel, o do conde de Villamayor (Manuel Telles da Silva) e o do próprio Martinho de Mendonça de Pina e Proença, designado para estabelecer a capitação em Minas. Há uma certa confusão no códice; a 8 de outubro de 1733, Assumar dá também um interessante parecer sobre o maneio. Ver fls. 108-13.

42. "Descrição da cidade de Lisboa e onde também se discorre da corte de Portugal, da língua portuguesa, dos costumes, dos habitantes, da governação daquele Reino, das forças de terra e mar, das colônias portuguesas e do comércio da referida cidade — 1730", anônimo, in *O Portugal de D. João V visto por três forasteiros*, tradução, prefácio e notas de Castelo Branco Chaves, Lisboa, Biblioteca Nacional, 1983, pp. 35-128, p. 70.

A narrativa de um outro estrangeiro exalta, na mesma época, as qualidades intelectuais de Assumar:

> Diogo de Mendonça Corte Real teve a bondade de me instruir na maneira que mais convinha à minha conduta em Portugal. Aconselhou-me a que me avistasse com o jovem conde de Assumar, que fora governador de Minas, com os condes de Ericeira, pai e filho, com o moço marquês de Alegrete, todos muito dedicados às Belas-Letras.[43]

A mesma narrativa qualifica de injusto o desterro do conde por causa da desordem com o criado de Luís César de Meneses, creditando-o à inveja que dele sentia o marquês de Abrantes, então todo-poderoso na Corte de Dom João v, e decidido a mantê-lo afastado do beija-mão real enquanto as contas do seu governo nas Minas não fossem julgadas.[44] Essa informação é importante, porque permite inferir que o conde havia de fato caído num certo ostracismo quando de volta à Corte, e que tal não se devia apenas à implicância do marquês de Abrantes. Todo administrador colonial deveria apresentar declaração de bens ao deixar o posto — era a chamada "residência" —, e tê-la julgada; isto não poderia acontecer, entretanto, caso houvesse devassa ou processo contra o governante: a tradição reza, e tal evidência corrobora, ser este

43. Charles Fréderic de Merveilleux, "Memórias instrutivas sobre Portugal — 1723-1726", in *O Portugal de D. João V visto por três forasteiros*, pp. 129-257, p.152.

44. "O marquês conseguira que este senhor fosse afastado da corte e sem autorização para se apresentar a beijar a mão do rei desde o seu regresso das minas. O favorito temia-se dos méritos do conde de Assumar por serem superiores aos de qualquer dos da sua camarilha e receava que o rei, sagaz como é, se apercebesse de tal diferença. E assim o marquês ia adiando a inquisição ao governo do conde a fim de evitar que ele se aproximasse da real pessoa." Merveilleux, "Memórias instrutivas...", p.159.

o caso de Assumar, processado em Lisboa por Pascoal da Silva devido à queima de suas casas no morro do Ouro Podre.[45]

Em 1735, foram interrompidas as relações entre Portugal e Espanha, iniciando-se os preparativos para a guerra. Dom Pedro foi feito mestre de campo general da Cavalaria do Alentejo e, a seguir, diretor-general da Cavalaria do Reino. Na mesma época, tornou-se censor da Real Academia de História e familiar do Santo Ofício. Nos hábitos e na carreira, ia dessa forma cumprindo as etapas próprias à vida de um nobre português de seu tempo, lustrando os brasões nas batalhas, nos postos militares e na burocracia do ultramar, enquanto vez por outra metia-se em badernas de nobres: assim, o afastamento de qualquer posto burocrático entre 1721 e 1735 talvez não se devesse apenas ao papel que desempenhou no episódio de Filipe dos Santos. De qualquer forma, acabou por vencer o meio-ostracismo, e dele saiu com o cargo máximo a que podia aspirar a nobreza de serviço: em 1744, foi nomeado vice-rei da Índia. Apesar da honraria, parece que não queria ir para tão longe, e o rei dourou a pílula fazendo-o marquês de Castelo Novo.[46]

Para sua vida familiar, foi um transtorno. Antes de partir, pas-

45. "Abafado o movimento, foi preso Pascoal e remetido para Lisboa, tendo o Conde mandado queimar o seu arraial, desde esse tremendo dia chamado o Morro da Queimada. Em Lisboa, graças à sua enorme riqueza, não foi um criminoso, senão um príncipe; e promovia bem advogado contra o Conde um processo de responsabilidade, só atalhado pela morte do autor." Diogo de Vasconcelos, *História antiga...*, p. 175. Não consegui localizar o processo de Pascoal da Silva contra o conde em nenhum arquivo.

46. "[...] chegou a posta em que V. S. me honrou com a sua carta de 18: na qual me participa que o Secretário de Estado o avisara de que S. M. o nomeara visorei da Índia, de que lhe não dou os parabéns, porque bem vejo que V. Exa. não desejava este posto, ainda que grande, pelo embaraço em que deixará os interesses da sua casa, e pela pena em que ficará a Sra. Condessa minha senhora." Carta de Dom Luís da Cunha ao Conde de Assumar, 16 de março de 1744. Biblioteca Nacional de Lisboa, Reservados, códice 10.671: "Primeiro tomo das cartas para o Illmo. e Exmo. Sr. Marquês de Alorna, e para a Sra. marquesa de seus filhos que se achavam em Paris, e car-

sou procuração universal à mulher, que assim teve de ficar cuidando dos filhos ainda meninos e dos negócios, sempre atrapalhados.[47] Para a marquesa, iniciou-se um calvário de doenças, de sangrias, de preocupações com os dois filhos maiores: Dom João, o herdeiro, e Dom Luís, o segundo, que estudavam em Paris sob as vistas e o zelo de Dom Luís da Cunha, amigo íntimo da família. Para os dois meninos, saber da viagem do pai a Goa foi um choque tremendo; o mais velho custou bem uns seis meses a se refazer e retomar os estudos; o menorzinho foi se afrancesando, escrevendo cartas num português mais e mais arrevesado, e nunca regressou a Lisboa. Se a administração do Império acrescentava estima social — e o conde tornou-se em 1748 o primeiro marquês de Alorna, praça que conquistara dois anos antes —, o preço era muito alto. Na Índia, o novo marquês adoeceu amiúde, apesar dos cuidados que tomou e dos exercícios permanentes a pé e a cavalo. Impotente ante a obrigação do serviço e a distância de quase um ano de viagem marítima, os acontecimentos marcantes da vida dos seus — os casamentos, os nascimentos, as mortes — chegavam até ele por cartas muitas vezes comoventes, reveladoras de um aspecto pouco conhecido das carreiras administrativas no Império: o dia a dia dos que ficavam, marcado pela ansiedade ante as notícias escassas e pela premência das decisões inadiáveis.

No tempo em que os dois meninos mais velhos ainda estavam em Paris, Dona Maria José começou a se preocupar com o casamento do herdeiro, Dom João.[48] Um desentendimento sério tinha

---

tas de Dom Luís da Cunha, de Gonçalo Manuel, de Alexandre Loureiro, do Abade Durand, e do Prefeito do Sr. Dom Luís desde 17 de março de 1744 até 27 de março de 1745".

47. IANTT, Casa da Fronteira, 110. Documentos respeitantes a Dom Pedro de Almeida: 1717-1750.

48. Baseio-me daqui em diante num artigo mais específico sobre esse período da vida de Dom João de Almeida: Laura de Mello e Souza, "Fragmentos da vida nobre em Portugal setecentista", in Walnice Nogueira Galvão e Nádia Batella

levado os dois rapazes a deixar a casa de Dom Luís da Cunha, envenenados por intrigas de criados e pela companheira do diplomata, madame Salvador.[49] As despesas aumentavam, e apesar da relutância de Dom João, que temia a rotina acanhada e provinciana de sua terra, a mãe e o tio Francisco de Almeida, seu conselheiro durante a ausência do marido, insistiam que regressasse a Lisboa, onde lhe arranjavam um casamento rico.[50]

Em 14 de setembro de 1745, numa carta extraordinária, em que discorre sobre vários dos assuntos caros à nobreza setecentista em Portugal — dívidas, distâncias ultramarinas a separarem famílias, falta de liberdade política e submissão crescente dos nobres ao poder do Estado —, Dona Maria José falara claramente ao filho que deveria voltar e casar-se para salvar o destino da estirpe:

> a falta de novas de teu pai me tem em contínuo susto, Deus por quem é se lembre de nós e no-las traga boas; e para tudo me morti-

---

Gotlib, *Prezado senhor, prezada senhora — estudos sobre cartas*, São Paulo, Companhia das Letras, 2000, pp. 77-88.

49. IANTT, Casa da Fronteira, 122. Cartas dirigidas aos Marqueses de Alorna, por seu filho João e por D. Luís da Cunha, carta de 14/9/1775. De origem judia, madame Salvador parece ter atrapalhado muito a carreira diplomática de Dom Luís da Cunha. Ver Isabel Cluny, *D. Luís da Cunha e a ideia de diplomacia em Portugal*, Lisboa, Livros Horizonte, 1999, sobretudo capítulos XIII, "Um caso da vida particular do embaixador ou a ação diplomática entendida como espelho do rei" (pp. 179-93, em que há referência a um plano para sequestrar madame Salvador) e XIV, "Os últimos dez anos em Paris" (pp. 196-226).

50. IANTT, Casa da Fronteira, 122. Carta de 14/9/1745: "vem, meu filho, e vem alegre, e vem alegrar-me, e compadece-te de uma mãe que vive em um tormento contínuo de saudades, de cuidados e de moléstias; se agora não lograstes dos divertimentos de Paris, o mundo dá muitas voltas, e lá virá tempo em que os vassalos desta Coroa terão mais liberdade, El-Rei não há de viver sempre, e se o que vier for mais fácil poderás tu ir buscar Luís, quando houver de vir, e com esse pretexto ir estar 6 ou 8 meses em Paris".

ficar, nem a consolação de estar com todos vocês posso ter, e assim me vejo com os cuidados tão repartidos que nenhum gosto tenho de nada, e sobre tudo isto carrega sobre mim o peso desta casa com perto de 300 mil cruzados de dívidas, dos quais vencem juros 200, e assim ando sempre em uma roda viva; e todos os anos nos empenhamos mais nos 5 mil cruzados que para lá mandamos, que já são 20 mil cruzados, os que vocês aí têm gasto; e absolutamente eu já não posso com tanta despesa, e sem embargo de que desejara dar-te o gosto de te dilatares aí até março, vejo que não posso assim, pela falta de meios como pelo negócio de mais importância para a nossa casa, que é o do teu casamento.[51]

Mas este não era negócio a se arranjar com facilidade. Escasseavam noivas — "nossa terra está tão falta de casamentos", lamentava [illegible] a marquesa [illegible], e muitas que o seriam em potencial ou já se encontravam comprometidas ou apresentavam outros impedimentos. Além de muito feia, uma das jovens Tarouca era "imediata de uma casa puritana", e os parentes "não haviam de querer arriscar a sua puritanice", o que sugere que os Almeida não pertenciam ao grupo restrito dos "puritanos", ou seja, de algumas poucas famílias extremamente zelosas da pureza de seu sangue e estirpe.[52] Para complicar mais as coisas, o marquês impunha que a escolha se fizesse dentre um grupo restrito: as moças Távora — Leonor, "a mais bonita de todas suas irmãs, e na opinião de muitos a mais bonita de toda a Corte", achava-se prometida para o filho do conde de Sarzedas[53] —, as Óbido, as Mouraria, Maria Manuel "na última desesperação", ou, por fim, Madalena de Lencastre, sobrinha da marquesa.

51. Ibid., carta de 14 de setembro de 1745.

52. Ibid., carta de 17 de agosto de 1745. Sobre o grupo dos "puritanos", ver, entre outros, Francisco José Calazans Falcon, *A época pombalina (política econômica e monarquia ilustrada)*, São Paulo, Ática, 1982, p. 377.

53. IANTT, Casa da Fronteira, 118. Carta de D. Diogo de Almeida ao sobrinho D. João, 16 de novembro de 1745.

Madalena era imensamente rica. Filha do quinto conde de Vila Nova de Portimão, Dom Pedro de Lencastre, e de uma filha dos marqueses de Abrantes, só tinha, naquela altura, uma irmã viva, Isabel, casada com um filho dos condes de Alvor. Vivia com os pais no Palácio de Santos, que pertencia à família desde o início do século XVII, e cujas muralhas do jardim eram banhadas pelo Tejo.[54] Com crueza chocante, Dona Maria José ponderava com o filho que Madalena poderia ser a herdeira dos pais, pois o filho nascido da união de sua irmã com o rapaz da casa de Alvor era "muito pequeno e não tem tido bexigas nem sarampo, e pode faltar".[55] O conde seu pai recusara-a para vários pretendentes ilustres: o conde de Santiago, o de Soure, o de Unhão, o marquês de Minas e o de Louriçal, no que a marquesa via o dedo de Deus destinando-a para Dom João. Era alta, muito branca, com lindos dentes, dotada de muita graça, viveza e entendimento. Desembaraçada, gostava de canto, dança e falava tanto francês como italiano.

Madalena era também imensamente gorda, e tinha 33 anos — quinze a mais do que o jovem Assumar. "Uma baleia", conforme protestaria o tio Dom Diogo de Almeida, indignado com as negociações em curso e pondo em dúvida a capacidade reprodutora da herdeira.[56] A marquesa parecia relutar em ver tais evidências como impedimento. Quando muito, concedia com cautela: "[...] o que pode fazer mais receio é a muita gordura, mas o certo é que tanto têm filhos as gordas, como as magras".[57]

54. Júlio de Castilhos, *A Ribeira de Lisboa — descrição histórica da margem do Tejo desde a Madre de Deus até Santos-o-Velho*, 2ª ed., Lisboa, Publicações Culturais da Câmara Municipal de Lisboa, 1944, pp. 86-9.

55. IANTT, Casa da Fronteira, 118. Carta de 17 de agosto de 1745.

56. Ibid.

57. O pai também tinha porte agigantado: "A Providência Divina, que o fez senhor de uma tão grande casa, deixou que a natureza próvida lhe desse uma gentil e agradável presença, de corpo agigantado; mas com proporção tão harmoniosa, que faz bizarro, a que uniu partes de grande senhor, magnificência

Não bastassem a idade e a aparência disforme — em cartas, o tio Dom Diogo vociferava que ela mal conseguia erguer-se e caminhar —, Madalena era um purgante, geniosa e mimada. Nem assim a marquesa se dava por rogada, tudo atribuindo à criação, esperançosa que o convívio com novos hábitos e a força das rezas tudo consertassem.[58] De início, Dom João concordou com o casamento: a prima e as Távora sempre haviam sido mesmo as primeiras na sua preferência, dizia sem entusiasmo, e não o aborrecia o fato de ser gorda nem de ter mais de trinta anos. Aborrecia-o, vagamente, o casamento em si, mas como se impunha o bem da família, casava-se.[59]

No final do ano, após as cartas indignadas do tio Dom Diogo, dom João começou, porém, a fraquejar. Já de volta a Portugal, acabou desistindo do casamento e ponderou com o pai que não tinha forças para enfrentar tantas diferenças, insinuando ainda que, unindo-se à prima, não poderia ter no casamento o remédio contra a concupiscência, conforme rezava a ética cristã desde são Paulo:

---

no trato da sua casa, e prudência em dirigir as suas ações; gostando dos exercícios, que são precisos, e como necessários, nas pessoas do seu alto nascimento; usando dos manejos dos cavalos, da caça e outros exercícios, a que o leva mais que o divertimento, a satisfação da amizade, do que o gênio mais dado à lição dos livros: principalmente da História, que leu com gosto". Antonio Caetano de Sousa, *História genealógica*..., capítulo XXI, "De D. Pedro de Lencastre, V Conde de Villa-Nova e VI Comendador mór de Avis", pp. 197-8.

58. "E pelo que toca ao seu gênio também este se muda com o tempo, porque os maridos fazem as mulheres, ela está em uma casa mui rica, gastando muito com muitas amigas a quem dá muitos presentes, mas isto suavemente se lhe pode tirar, é muito feita de sua vontade assim como o são todas as filhas validas dos Pais, é um pouco altiva mas em vendo que tu e nós não gostamos de gente soberba logo se há de ir à mão, porque como tem entendimento qualquer coisa bastará para perceber o que nós quisermos; eu cá ando fazendo as minhas novenas e pedindo para acertarmos com a vontade de Deus." IANTT, documento citado.

59. Ibid., carta de 6 de setembro de 1745.

Olhava depois para a salvação que depende de uma vida reta, e calculando achava que esta senhora teria já 43 anos, e segundo a sua estrutura, bastantemente avelhantada quando eu me achasse só com 28, que para homem é ainda bastantemente moço; é muito casual que o demônio me não tentasse, com tanto maior fruto que havia em mim desconsolação da vida que direitamente devia observar; isto de nenhuma forma se acordava com os meus sentimentos, porque se por alguma forma posso desejar o meu estabelecimento, é por essa forma estar menos sujeito às tentações em que, pela nossa fragilidade, podemos cair, e principalmente em Portugal, onde a ociosidade é maior que em parte nenhuma, e nem há esperança de se poder a gente livrar dela nem em divertimento, nem em trabalho.[60]

Dona Maria José se aborreceu, e o marquês, nas lonjuras da Índia, às voltas com jornadas militares, deve ter tido um motivo a mais para preocupar-se. Numa atitude pouco usual entre os de sua condição, respeitaram, entretanto, a vontade do quase-futuro noivo. Talvez porque, num golpe de sorte, morrera Dom Luís da Silveira, filho do conde de Sarzedas e pretendente à mão de Leonor de Távora, para ela se voltando as pretensões matrimoniais de Dom João. Era jovem, linda, riquíssima e pertencia a uma das mais ilustres famílias do Reino, aparentando-se inclusive com importantes casas nobres europeias, como os Lorena. Pouco tempo depois, sem que Dom Pedro de Almeida pudesse assistir à cerimônia, seu herdeiro casou-se com a filha dos marqueses de Távora, selando um destino muito mais trágico do que poderia ter tido ao lado da prima disforme: em 1758, junto com os sogros e os cunhados, foi preso por suspeita de conspiração e regicídio.[61] Não pereceu, como eles,

60. Ibid., carta de 24 de março de 1746.

61. Trata-se da célebre conspiração dos Távora, vastamente abordada pela historiografia e, em geral, considerada como ponto importante no processo de centra-

num espetáculo de triste memória, mas permaneceu encerrado na prisão da Junqueira por dezessete anos, época em que escreveu um conjunto extraordinário de cartas, inéditas ainda hoje.[62]

Dez anos antes, enquanto Dom Pedro de Almeida ainda servia na Índia, duas tragédias anteciparam as dificuldades que estavam por vir: com diferença de poucos meses, morreram em Lisboa Dona Maria José e *Anica*, a filha mais velha.[63] Esta foi antes, na quinzena subsequente ao primeiro parto e, segundo os sintomas — gordura excessiva, fortes dores de cabeça, evacuações, paralisia, apoplexia —, em decorrência de algum acidente vascular. A saúde da matriarca mostrava-se comprometida de longa data, e a morte da filha precipitou a crise final: diagnosticados dois tumores, um no fígado e outro no baço, sobreveio um calvário de sangrias com

---

lização política encetado pelo marquês de Pombal durante o reinado de Dom José I. A título de exemplo, ver J. Lúcio de Azevedo, *O marquês de Pombal e sua época*, 2ª edição, Rio de Janeiro/Lisboa/Porto, Anuário do Brasil/Seara Nova/Renascença Portuguesa, [1922], capítulo VI, "O atentado contra o rei", pp. 167-208; Kenneth Maxwell, *Marquês de Pombal — paradoxo do Iluminismo*, 2ª edição, Rio de Janeiro, Paz e Terra, 1997, cap. 4, "Colaboradores e conspiradores", pp. 69-94.

62. Foram publicadas umas poucas cartas escritas por dom João de Almeida aos pais, entre elas algumas das que citei até o momento. Ver Nuno Gonçalo Monteiro (org.), *Meu pai e meu senhor muito do meu coração — correspondência do conde de Assumar para seu pai, o marquês de Alorna*, Lisboa, Quetzal, 2000. Sobre a prisão, dom João deixou um texto pequeno mas impressionante: *As prisões da Junqueira durante o ministério do marquês de Pombal escritas ali mesmo pelo marquês de Alorna, uma de suas vítimas*. Publicadas conforme o original por José de Sousa Amado, presbítero secular [conforme a 1ª edição (1857)]. Lisboa, Frenesi, 2005.

63. Sobre a carta que relata de modo tocante as desventuras da família naquele momento, ver Laura de Mello e Souza, "O público e o privado no império português de meados do século XVIII: uma carta de Dom João de Almeida, conde de Assumar, a Dom Pedro de Almeida, marquês de Alorna e vice-rei da Índia, 1749", *Tempo*, nº 13, Rio de Janeiro, julho 2002, pp. 59-75. A carta foi publicada na seleção organizada por Nuno Gonçalo Monteiro, pp. 93-120. Todas as citações seguintes referem-se a essa carta.

"bichas", exorcismos, operações para drenar a água que teimava em se acumular na cavidade abdominal. Por fim, a marquesa finou-se, e a memória familiar registrou os últimos momentos da mãe e da filha com os tons da santidade: Anica morreu alegre e flexível, entrando de imediato na bem-aventurança, e não houve ato católico que Dona Maria José deixasse de fazer, comungando mais de trinta vezes. As missas em sufrágio de suas almas ultrapassaram a dezena de milhar, sendo preciso vender joias de família para pagá-las.

Herdeiro a contragosto da terça materna,[64] transformado em chefe da casa durante a ausência do pai, Dom João deu seguimento à estratégia montada ainda em vida da marquesa, e arquitetada pelo tio Diogo, irmão de Alorna e porcionista que gozava de prestígio na Corte por ser deputado da Inquisição e principal da Santa Igreja de Lisboa.[65] Todas as manhãs, por meses seguidos, o primogênito ia ao Paço falar com frei Gaspar ou com o padre Carboni, dois dos homens mais poderosos em fins do período joanino. As respostas davam margem às "melhores esperanças", mas os resultados "mostravam um coração empedernido que se não abranda com cousa alguma", e tudo continuava inalterado: Dom Pedro na Índia, esperando ser removido a cada momento; os filhos saudosos, a esposa desamparada para as decisões mais sérias, a fortuna se esboroando.

As notícias variavam: ora se dizia que o marquês estava prestes a retornar, ora alegava-se que era impossível removê-lo diante da precária situação indiana, o Estado se achando "sem mais fir-

64. "[...] nunca fui da opinião de que o mais velho, além de ser sempre o mais bem livrado, tivesse fora disso tudo quanto possuíam seus pais, e que os outros, que não eram menos filhos de Vossa Excelência, ficassem sempre dependentes, e na obrigação de se matarem com o trabalho, para poderem viver."
65. Antonio Caetano de Sousa, *História genealógica...*

meza" que a "assistência" de Dom Pedro, "em grandes ameaços de ser acometido". Às vezes, circulavam boatos sobre o futuro vice--rei, "e cada ministro era empenhado por seu": frei Gaspar apoiava o marquês de Távora, sogro de Dom João; o padre Carboni sustentava a candidatura de Dom Álvaro de Abranches, e o marquês de Marialva comandava o partido do marquês de Angeja. Os muitos candidatos retardavam a troca, tornando-a, no limite, inviável, e o jovem conde se desesperava com a futrica reinante: "assento que o serviço de Portugal não está para homens de honra e de brio, porque absolutamente nem há palavra nem compaixão nem justiça de casta alguma, e confesso que não sei como vivo por uma parte com o coração partido em pedaços e pela outra em desesperação".

Aos infortúnios pessoais somavam-se os materiais, e a casa dos Almeida via-se ainda ameaçada pelas despesas crescentes e pelas receitas que minguavam. As joias da marquesa "estiveram em grande perigo de se arrematarem na praça", porque, julgava Dom João do alto de sua ética peculiar de nobre, "o Francisco Xavier Monteiro em casa do qual estavam empenhadas é um grande vilão". Tentou-se concentrar as dívidas na Santa Casa de Misericórdia, que cobrava juros mais baixos — 5% —, mas não houve sucesso. Para "pagar as *dívidas impertinentes* com que nos perseguem", prosseguia Dom João, tentava vender a preciosa biblioteca do marquês.[66] Apesar de dar a entender que dívidas de nobres deveriam ser aceitas por todos, sobretudo pelos credores, o jovem não conseguia evitar acentuado sentimento de culpa ante o esboroamento da casa, justificando-se com o pai pelos eventuais

66. Sobre a notável biblioteca de D. Pedro Miguel, ver meu "Estudo crítico", pp. 42 ss., e ainda "Inventário da biblioteca de D. Pedro de Almeida", Arquivo Fronteira, Entre Janelas, E.7, caixas. Publicado em Norton, *Dom Pedro Miguel...*, cit., pp. 324-44, e creio que, atualmente, incorporado ao Fundo Casa da Fronteira do IANTT.

equívocos financeiros cometidos, "já que, por força de minha desgraça, me acho, como Vossa Excelência diz, ao leme desta barca".

Antes que sobreviesse o desastre financeiro completo, impunha a "reforma da casa". Os cortes começaram pela criadagem, substituindo, ao que tudo indica, alguns dos serviçais brancos por escravos negros, dos quais também se procurou reduzir o número. Sem *valets de chambre* havia oito meses, Dom João passou a servir-se, para lacaio, de um preto de "boa figura" que o pai lhe enviara da Índia, entregando ainda a escravos as tarefas de "moço de copa". Se tais "pretos" eram africanos ou indianos — ou os dois — não fica claro na carta. O que parece evidente é que, quando a economia doméstica entrava em crise, descartavam-se os escravos excessivos, economizando os custos com sua manutenção, e substituía-se trabalho que antes fora assalariado por trabalho escravo, ou o trabalho mais dispendioso pelo mais barato: por exemplo, o copeiro, "que ainda que é excelente, é muito caro, *deita-se fora* e anda-se em ajuste com outro que custará a metade".

Com os agregados ou empregados que haviam crescido na casa mostrava-se, porém, maior solidariedade. Moribunda, a marquesa determinara que se amparasse uma dessas moças, pois tinha os pais doidos "e se devia conservar enquanto ela não quisesse tomar algum estado"; como logo manifestou desejo de se recolher a um convento, Dom João iria pagar-lhe os duzentos mil-réis que lhe eram devidos.

Posto que a família contava com duas tribunas em igrejas da capital e capelas em todas as quintas, dispensou-se o capelão da casa lisboeta. Pouco a pouco, foram se cortando as despesas de representação: as oito bestas de carruagem, muito magras devido ao frio, esperavam em vão por comprador, e Dom João arrazoava que talvez fosse melhor aguardar "o tempo do verde" para vendê-las mais gordas. Aconselharam-no a guardar consigo mais do que as necessárias para duas seges, "porque se não deve faltar às funções do Paço", mas o jovem conde mostrava que, além da impossibilidade — por luto ou penúria? — de fazê-lo, achava-se "tão aborrecido de tudo", e "sempre o estivera do Paço, pela demasiada e insuportável soberania dos novos príncipes", que pouco se lhe dava "faltar a todas as funções e escusar arrogâncias, que é cousa que me desespera". Saudava com simpatia a nova Lei Pragmática que estava em vias de se publicar, restringindo "toda a casta de luxo", e ponderava: "não fará mal às nossas economias".[67] Tinha planos de passar a viver nas quintas, o que era mais compatível com o estado das finanças familiares e, após as dolorosas perdas sofridas, com o seu ânimo melancólico. Mas nessas propriedades rurais a situação também não era boa. Em Almeirim, por exemplo, tudo estava arrendado, com exceção da fábrica de seda; nela, Dom João depositava suas esperanças: "faço tenção de ver se a posso florescer". Pensava contratar técnicos fiadores e assim impedir desperdícios, pois a falta deles fizera com que os casulos ficassem acumulados, a maior parte sendo roída por ratos. O lagar rendia menos pipas de azeite do que poderia caso houvesse mais bestas para moer, "e para isto tenho descoberto uma nova forma de lagares, que enquanto a besta dá só uma volta, dá a pedra quatro".

Do outro lado do mundo, o velho marquês mandava pimenta, negros, diamantes e objetos de uso pessoal para a família: *robes-de--chambre*, meias finíssimas, lenços que causavam inveja a muita gente. Fazia-o às claras, provocando comentários que dizem muito sobre as fronteiras do lícito e do ilícito, do público e do pri-

67. De fato, a lei foi promulgada um mês e meio depois. "Lei Pragmática proibindo o luxo, e excesso de trajes, carruagens, móveis e lutos, o uso das espadas às pessoas de baixa condição, e diversos outros abusos que necessitam de reforma." Lisboa, Chancelaria Mor da Corte e Reino, 28 de maio de 1749. Há exemplar, como Documento Avulso, na Biblioteca Nacional do Rio de Janeiro, Divisão de Obras Raras.

vado, levando ainda a pensar no *spoil system* vigente no Império.[68] O filho saía em sua defesa: "respondi que cousas justas e adquiridas com verdade e retidão não necessitam de serem ocultas, nem era justo que o fossem". E insinuava que, para serviços tão arriscados e penosos, era necessário haver recompensa, contando ao pai uma anedota que ouvira sobre um dos grandes marechais franceses de Luís XIV que voltava à França após gloriosa campanha militar, "onde fez maravilhas, mas ao mesmo tempo se tinha aproveitado dos seguros, em que ganhou somas consideráveis". "Picado", o rei lhe dissera "que sabia que ele tinha feito muito bem os seus negócios", ao que, sem se alterar, o marechal respondera: "e os de Vossa Majestade também".

Em 1751, Dom Pedro de Almeida passou, enfim, o governo para Francisco Xavier de Távora, sogro de seu filho Dom João e executado, sete anos depois, por ter supostamente conspirado contra Dom José I. Naquela circunstância, apresentou-lhe uma *Instrução*, como era de praxe, e uma *História da conquista da praça de Alorna*.

Antes de iniciar a *Instrução* propriamente dita, o conde dá os motivos que o levaram a escrevê-la: primeiramente, a obediência às ordens do rei, segundo as quais todo aquele que ocupou o lugar tem o dever de instruir o sucessor; a seguir, o apreço pessoal pelo sucessor: "a íntima amizade que em todos os tempos, sem discrepância, professei a V. Excia, e que a Providência Divina se empenhou em estreitar com laços indissolúveis".[69]

A *Instrução*, que chama de "discurso", é uma narrativa emi-

68. Boxer, *O império marítimo português*, São Paulo, Companhia das Letras, 2002. Voltarei a esse tema no capítulo seguinte.

69. *Instrução dada pelo excelentíssimo Marquês de Alorna, ao seu sucessor no governo deste estado da Índia, o excelentíssimo Marquês de Távora*, Goa, na Typografia do Governo, 1836, 49 p. Seguida da *História da Conquista da Praça de Alorna relatada pelo próprio Conquistador*, pp. 49-75, e da *Provisão do Conselho Ultramarino acerca das mercês concedidas pelo vice-rei por ocasião da tomada da praça*, p. 75. Citação à p. 3.

nentemente pragmática, direta e objetiva, e divide-se em três partes. Na primeira, trata dos régulos e potentados que confinam com domínios portugueses — primeiro os amigos, depois os inimigos —, o modo pelo qual fazem a guerra, e como é possível defender-se deles. Na segunda, fala das nações europeias estabelecidas na Ásia, arrolando-as e atendo-se a cada uma, brevemente (Holanda, Inglaterra, França, Espanha e Dinamarca). Por fim, na parte que mais interessa a este estudo — e que será melhor esmiuçada a seguir —, aborda o governo doméstico do estado da Índia.

Dom Pedro deixou Goa a 9 de fevereiro de 1751, chegando à Bahia em 8 de julho. Nessa segunda estada em terra brasílica, demorou-se, entre outros motivos, por ter, na tarde da chegada, caído no navio e machucado muito as pernas; ficou dias na cama, atribuindo ao clima a lentidão do restabelecimento.[70] Durante a permanência em Salvador, teve notícia da morte de Dom João v (que ocorrera a 31 de julho de 1751) e do ministro Marco Antonio de Azevedo Coutinho, inteirando-se também de uma boa nova: recebera o cargo de mordomo-mor da rainha.[71] A segunda parte da viagem foi longa e difícil, e, quase um ano após ter deixado a Índia, Alorna chegou a Lisboa em 6 de janeiro de 1752.

Começou então para ele um período doloroso, um novo ostracismo, mais pesado dessa vez devido ao número de anos que servira à Coroa, e às glórias colhidas como herói da tomada de Alorna. Assim que aportou em Lisboa, o amigo Corte Real notificou-o que não seria bem-vindo na Corte: "Sua Majestade

70. "[...] que milagre foi não quebrar as canelas, e me tem bastantemente molestado, por me não permitirem até agora as dores sair da cama, e igualmente por me dizerem o muito, que duram queixas de pernas neste clima." Carta a Diogo de Mendonça Corte Real, Arquivo Histórico Ultramarino, códice 449, fl. 215.
71. Ibid., fls. 213-214v.

me ordena avise a V. Excia. que se abstenha de vir a este Paço até nova ordem do mesmo Senhor, o que participo a V. Excia. para que assim o tenha atendido".[72]

Desconsolado, Dom Pedro enviou à rainha Dona Mariana Vitória, a Dom José I e a Corte Real três cartas, sempre ressaltando seus serviços e a fidelidade para com a Coroa, lastimando a "pública excomunhão secular" em que se via, praticamente julgado antes de ter possibilidade de defesa. Numa delas, dizia:

> Infelizes seriam os homens, principalmente os que governam a gentes em partes longínquas, se para se reputarem por culpados, sem serem ouvidos, bastasse serem acusados, porque desta sorte ficam de melhor partido os acusadores, pois antes de se averiguar se são caluniosos conseguem a vingança, e se dificulta o exame da verdade para que eles logrem por mais tempo a satisfação das suas malévolas intenções, conseguindo por este modo com as suas diligências macular a reputação dos acusados, ou quando menos expô-los publicamente ao conceito de diversas, e contrárias opiniões.[73]

Em fins de abril de 1753, mais de um ano após o regresso da Ásia, ainda escrevia pedindo para ser reabilitado. O secretário Corte Real lhe havia dito que nada poderia ser definido enquanto não se tivesse a resposta das apurações em curso na Índia, onde, em 1746, comerciantes goeses haviam dirigido ao rei um requerimento acusando o então marquês de Castelo Novo de vender e

72. Ibid., fls. 215v-216.

73. Representação ao rei, fl.176v. Ver também fl.175v. "Representações do Marquês d'Alorna, em que pede se lhe dê vista das acusações, pelas quais foi privado da honra de beijar a mão a S. Magde. quando se recolheu de vice-rei da Índia", 1753, abril 29. Biblioteca Nacional de Lisboa, Seção de Reservados, códice. 852 (coleção Moreira).

estancar lucros do comércio.[74] Passados trinta anos, estava mais uma vez às voltas com o julgamento de suas ações de administrador. "Se compararmos o silêncio que pesou sobre Dom Pedro após a sua chegada da Índia, com a triunfal recepção que teve o marquês de Távora, as notícias que os jornais lhe dedicaram, podemos concluir que motivos políticos estão na base de tão díspares atitudes, até porque o marquês de Távora, apesar de muito ter feito, não realizou obra que se possa comparar com a do seu antecessor", diz seu biógrafo.[75]

O prestígio de Távora também não teve vida longa. Ia desaparecendo a geração a que pertencia, e homens de um tempo

74. BNL, Seção de Reservados, Mss 218, nº 9: "Para o Marquês de Alorna Vice-Rei da Índia" (Carta de Alexandre de Gusmão, Paço, 6 de março de 1747): "A Sua Majestade se queixaram alguns negociantes gentios, vassalos e moradores nesse Estado, que V.Exa. vendia, e estancava os lucros do comércio com prejuízo evidente dos sobreditos. Isto no mesmo tempo que chegou a S. Mgde. a notícia das heroicas ações, que V. Exa. obrara com honra, e defesa do Estado. E porque convém à conservação deste, e ao crédito da nação para servir de exemplo aos que servem o Reino, e defendem a Coroa, que V.Exa. seja presentemente remunerado, e agradecido, assim o praticou o mesmo Senhor fazendo a V.Exa. as mercês e dando-lhe os agradecimentos que hão de constar das Cartas Régias do secretário de Estado. Porém não esquecendo o conteúdo na sobredita queixa manda lembrar a V.Exa. que não abuse da bondade com que agora procede em todo o referido", fl. 10v. Ver também Norton, *Dom Pedro Miguel...*, p. 190. A respeito desse episódio, Charles Boxer comentou que Dom João v "certamente achou que havia substância nessas alegações, enviando severa reprimenda ao vice-rei, dizendo-lhe que não perdesse na cobiça de lucro a reputação que acabara de ganhar nos feitos de armas". Ver "The manuscript 'Livro do Governo da Índia e África Oriental' of the Viceroy Marquis of Alorna, 1744-1750", *Studia*, nº 49, Lisboa, 1989, pp. 215-34, citação à p. 217. Boxer remete a um documento que não tive a oportunidade de consultar, depositado na Biblioteca da Universidade de Coimbra, códice 509, fls. 303-13: "Escala que fez o Conde de Assumar, Marquês de Alorna e vice-rei da Índia, aos moradores, soldados e paisanos, vendendo-lhes os postos militares, governos trienais, ofícios em vidas, recebendo dinheiro e utilizando a si por mãos de confidentes seus como se vê nesta relação".
75. Norton, *Dom Pedro Miguel...*, p. 192.

novo passavam a ocupar os cargos de destaque, capitaneados por Sebastião José de Carvalho e Melo, futuro marquês de Pombal. Nesse processo de substituição das elites dirigentes, não havia espaço para um homem velho como Dom Pedro, mesmo se, ao que parece, seu nome tenha sido fugazmente cogitado para ministro do Reino. Pobre, Dom Pedro Miguel de Almeida Portugal morreu em Cascais a 9 de novembro de 1756, dizendo, talvez, que por servir o rei perdera a Casa.[76] A infelicidade que sobre ele caiu no fim da vida só não foi maior que a de Távora, e o destino poupou-o de assistir à suma desonra de sua linhagem, que veio em 1758, com a prisão do herdeiro e sucessor, Dom João de Almeida, segundo marquês de Alorna. Já nomeado, ou em vias de o ser, para a embaixada portuguesa em Paris, o jovem sucumbia ante a suspeita de cumplicidade na conspiração atribuída à

76. Tendo de dispor de recursos pessoais para participar da Campanha Peninsular de 1762 e assumir o governo da Bahia em 1768, o marquês do Lavradio se queixou, já no Rio de Janeiro, do ônus permanente que o serviço real representou para sua vida privada, aludindo ainda ao descalabro financeiro dos vices-reis que o antecederam: "Tem este governo para cima de cinco mil cruzados a menos de rendimento que o que eu deixei, custam os gêneros justamente dobrados do que na Bahia, são as ocasiões de despesa muito mais repetidas porque aqui é a passagem geral de todos os governadores e ministros que vêm à América, é finalmente um governo tão útil que o senhor Conde da Cunha mandando vir todos os anos a maior parte do rendimento da sua Casa não tendo dado nunca um jantar público ficou devendo 16 mil cruzados, e o meu antecessor, que se não pode viver mais parcamente do que S. Exa. vivia, foi obrigado agora na sua retirada a vender até o último guardanapo, e garfo de que se servia, e um destes dias assinou uma escritura de dívida de dez mil, para poder ter com que fizesse a sua torna-viagem; ora colija V. Exa. agora daqui em que estado ficarei eu se Sua Majestade me não der providência a que os vice-reis tenham o soldo competente, *pois para o servirmos com independência o não podemos fazer totalmente sem arruinarmos as nossas casas*". Cf. Fabiano Vilaça dos Santos, "Mediações entre a fidalguia portuguesa e o Marquês de Pombal: o exemplo da Casa de Lavradio", *Revista Brasileira de História*, nº 48, 2005, pp. 301-29, citação às pp. 319-20 (itálico meu).

família tornada sua por casamento, e encabeçada justamente pelo velho marquês que havia substituído seu pai na Índia.[77]

DAS AMBIGUIDADES ÀS EVIDÊNCIAS: O GENERAL-HISTORIADOR

A história de vida do conde ajuda a compreender melhor os escritos que deixou: entre os atos e as concepções, existem afinidades claras, e o confronto destas, tal como aparecem em diferentes escritos, mostra, da mesma forma, um nexo comum evidente.

Se cotejada com um aspecto basilar da construção do *Discurso* — o uso conjugado de exemplos de violência e autoritarismo, todos considerados lícitos pelo autor, e de citações muito eruditas, quase sempre ancoradas na tradição clássica —, a personalidade do conde o indica, sem margem de dúvida, como o autor do texto. Tal evidência é fundamental porque, através dos tempos, houve relutância em aceitar Dom Pedro de Almeida, governador e general afeito a soluções drásticas, como autor de um escrito que pressupunha formação sofisticada e cultura vasta. Como poderiam ser a mesma pessoa o homem que recomendou ao rei o corte do tendão de aquiles aos negros fujões, que mandou matar e esquartejar Filipe dos Santos, e o homem que lia Virgílio, Tácito, Camões, mostrando ainda familiaridade com a história moderna da Europa?

A vida de Assumar denota justamente essa aparente ambiguidade, essa harmonização entre pretensos contrários. A época em que viveu, por sua vez, era igualmente prenhe de supostas con-

77. Marquis de Bombelles, *Journal d'un ambassadeur de France au Portugal — 1786-1788*, Edition établie, annotée et precedée d'une introduction par Roger Khann. Paris, PUF, 1979, p. 130.

tradições, tornadas muitas vezes incompreensíveis após o advento das ideias claras e distintas, condicionantes da mentalidade contemporânea, ou pelo menos da que vigiu até bem pouco. A violência não era vista, então, do modo como a vêm hoje, mesmo porque os direitos humanos não se sobrepunham aos do monarca. O suplício e o castigo exemplar integravam a vida cotidiana, os campos do conhecimento ainda não se encontrando totalmente delimitados:[78] se a medicina lusitana recendia a magismo (tratados como a *Polianteia Medicinal*, de Curvo Semedo, ou a *Anacefaleosis Médico-teológica*, de Bernardo Pereira, mostram-no com clareza),[79] a Academia Real de História abrigava sócios de diferentes pendores, pedindo-lhes que escrevessem a história do país. Homens de armas eram também homens de letras.

Os coevos foram unânimes em considerar que Dom Pedro de Almeida tinha cultura acima da média para um homem de seu tempo e posição. Quando começou a carreira militar na Espanha, recebeu carta da mãe, Dona Isabel de Castro, em que exaltava a necessidade das letras:

78. Como exemplo, ver Robert Muchembled, *Le temps des supplices — de l'obéissance sous les rois absolus. XVe-XVIIIe siècle*, Paris, Armand Colin, 1992; Michel Foucault, *Surveiller et punir — naissance de la prison*, Paris, Gallimard, 1975.

79. João Curvo Semedo, *Polyanthea medicinal. Notícias galenicas e chymicas repartidas em três tratados*, Lisboa, Antonio Pedroso Galram, 1716. Bernardo Pereira, *Anacephaleosis medico-theologica, mágica, juridica, moral e política, na qual em recompiladas dissertações e divisões se mostra a infalivel certeza de haver qualidades maleficas, se apontão os sinais por onde se possão conhecer e se descreve a cura assim em geral, como em particular, de que se devem valer nos achaques precedidos das ditas qualidades maleficas e demoniacas, chamadas vulgarmente feitiços*, Coimbra, Francisco de Oliveira, 1734. Para a relativa indistinção entre medicina e magia, ver Mary del Priore, *Ao sul do corpo: condição feminina, maternidades e mentalidades no Brasil colônia*, Rio de Janeiro, José Olympio Editora, 1993; Márcia Moisés Ribeiro, *A ciência nos trópicos*, São Paulo, Hucitec, 1997.

> Se tiveres algum tempo livre, não vos descuideis de abrir os vossos livros, porque a aplicação às letras não embaraça o uso das armas, antes mais airoso maneja estas quem está mais senhor daquelas, e ainda que não faltarão curiosos, ou mal intencionados que vos digam que não são de prova aqueles bacamartes para a campanha, entendei que para todos os lances as ciências são boas armas, e não vos deixeis esquecer do que tendes aprendido com tanto trabalho, porque estes conselheiros costumam ser muito suspeitosos.[80]

Dom Pedro tinha crescido em ambiente afeito à cultura: já se viu que, entre os amigos mais chegados de seu pai, Dom João de Almeida (o Velho), estavam Dom Luís da Cunha e o conde de Ericeira. Dom João contava entre os sócios-fundadores da Academia Real de História, mostrando-se muito ativo.[81] Datadas do início do século XVIII, quando viveu com o pai em Barcelona junto à corte do arquiduque Carlos, algumas das cartas do jovem Dom Pedro revelam precocidade e cultura invulgares e, ao gosto da época, são pródigas em citações clássicas; um de seus interlocutores prediletos era o padre Rafael Bluteau, de quem tinha sido aluno. Durante toda a vida, não perdeu o gosto das letras, conforme diz Caetano de Sousa:

> Não apartaram os empregos de Marte ao Conde Dom Pedro da inclinação dos estudos, seguindo desde os primeiros anos da sua idade, não só para o estudo das línguas Latina, Francesa, Italiana, e Espanhola, em que se adiantou de sorte que pode compor em todas com perfeição; mas também seguindo o seu espírito, animado de

80. Boxer, "Uma carta inédita...", p. 273.

81. Em uma das primeiras sessões, fora encarregado de escrever as memórias dos reis D. Sancho I e d. Afonso II. BNL, Reservados, códice 685F4768, Livros das Conferências da Academia Real de História, 14ª Conferência, 5 de julho de 1721. Ver Isabel Ferreira da Mota, *A Academia Real de História*..., p. 380.

um engenho sublime, não se satisfez com saber profundamente a arte Militar, que professava; seguiu com gosto as belas letras, a Matemática, Filosofia Moderna, a História Eclesiástica, e profana, em que se instruiu cientificamente; de sorte, que soube adornar-se da mais excelente erudição, em que brilha uma singular eloquência, de que serão eternos testemunhos os seus admiráveis papéis, escritos na própria língua, que andam nas coleções da Academia Real da História, a que foi associado no ano de 1733, e é digníssimo Censor.[82]

Pela vida afora manteve, aliás, correspondência com o próprio padre Antonio Caetano de Sousa. Em 23 de dezembro de 1745, ao mesmo tempo que lastimava o fato de permanecer na Índia, mandava-lhe de Goa um aparelho de chá, um tabuleiro e folhas da mesma bebida, pedindo-lhe que os aceitasse "por lembrança da minha amizade".[83]

Dessa forma, Assumar viveu entre "o emprego de Marte" e a "inclinação aos estudos", o que não tornaria incompatíveis a violência de muitos de seus atos e o apreço pelos clássicos, nem improvável o fato de ser ele o autor do *Discurso*. Na vida agitada que levou, representando a monarquia portuguesa em paragens remotas, sempre submeteu os rompantes ao cálculo e à reflexão, advindos, provavelmente, da familiaridade com os livros. Ao primo Mascarenhas, escreveria:

estimo que V. S. entenda que o procedimento que tive [...] não foi com nenhuma paixão, porque sinceramente lhe posso confessar que a não tenho nunca contra a Razão, ao menos desejo que a primeira me não negue nunca a segunda.[84]

82. Antonio Caetano de Sousa, *História genealógica...*, pp. 483-4.
83. BNL, Reservados, Cartas de Assumar, caixa 55, nº 19.
84. IANTT, Casa da Fronteira, inventário nº 120, fl. 15.

Quando se viu acossado pelo processo de Pascoal da Silva e pela ameaça de excomunhão, recorreu ao bispo do Rio pedindo conselho; diante da recomendação de que se valesse de homens doutos, Assumar cogitou se estes seriam os vivos ou os mortos; os letrados que abundavam nas Minas e que, naquela circunstância, haviam abraçado a sedição, ou as autoridades intelectuais do passado, que acabaram por calar mais fundo na decisão que tomou: "consultar alguns zelosos, e recorrer aos mortos para me darem a ajuda que nos vivos não achava". Se na sua história e pendor natural as armas haviam predominado — "em negócio de tanto peso mal o podia julgar quem desde a sua infância mais professou a ruidosa ciência das armas que o descanso e a ociosidade das Letras" —, o ambiente culto em meio ao qual havia crescido o estimulou a buscar o conselho dos livros:

> a natural inclinação, o gênio, ou a educação que sempre propendeu para instruir-me, não só do que pertencia à minha profissão, mas do que compete a todos os humanos para se saberem no mundo reger com bons costumes, nos instantes que, limpo do pó da campanha, pendurava a espada.[85]

Por isso, considerou "que não eram de pequeno refrigério os livros" e arrolou os autores mortos com que se "aconselhou": Hipócrates, Platão, Ulpiano, Cassiodoro, Tertuliano, Salviano, são Jerônimo, são João Crisóstomo, santo Agostinho, são Gregório. Com exceção de Hipócrates e de são Gregório, todos se acham presentes no texto do *Discurso*, em que o uso feito deles é semelhante ao encontrado na missiva ao bispo, embasando a defesa do castigo e justificando o rigor na preservação da auto-

85. Todas as citações são referentes à carta do bispo em IANTT, Casa da Fronteira, Inventário nº 120, fls. 27-35.

ridade política. Os autores eram autoridades, e nelas o conde se escudava, ressaltando-lhes tal caráter, como diria depois no *Discurso*: "não porei nada de minha casa, só ajuntarei o que achar escrito nos autores, que já então parece que falavam dos nossos mineiros".[86]

Seria possível argumentar que estes autores desempenharam papel tão fundamental na cultura do Ocidente que o seu emprego não basta para considerar o *Discurso* como obra de Dom Pedro de Almeida. Mas a alusão a um nome menos conhecido seria distintiva: frei João Marques, catedrático de Salamanca, autor do *Governador Christiano*, presente tanto na carta a Dom Frei Francisco de São Jerônimo quanto no *Discurso*.[87] Por outro lado, há a alusão intrigante ao "papel" escrito pelos jesuítas Antonio Correia e José Mascarenhas com o fito de defender Assumar, e ainda o conselho do bispo para recorrer aos "dous padres da Companhia tão doutos" que moravam no palácio. Reforçando a ideia de que existiu outro autor, por fim, a narrativa é feita numa primeira pessoa indefinida, ao passo que a menção ao conde ocorre quase sempre na terceira pessoa.

Este último argumento é o mais fácil de descartar: mero subterfúgio, despistamento deliberado, não cabendo ao conde advogar em causa própria, daí esconder-se atrás de uma identidade fictícia. Já as outras evidências sugerem com força que os padres poderiam ser os autores. É verdade que existem contra-argumentos. Primeiro, o papel que Assumar enviava ao primo Mascarenhas poderia ser outro que não o *Discurso*. Quanto ao conselho do bispo, o próprio conde mostra que recorrera ele mesmo aos autores antigos, aconselhando-se com os "doutos que fossem mortos". Por fim, é possível alegar que o conde se valeu dos jesuítas como

86. *Discurso histórico e político...*, edição crítica de Laura de Mello e Souza, p. 62.
87. IANTT, Casa da Fronteira, Inventário nº 120, fl. 35.

de secretários.[88] Com exceção da parte final, em que se justifica o castigo e aparece com nitidez a influência de Giovanni Botero, jesuíta e teórico de um Estado cristão, parecem ser do conde as concepções, a argumentação, o clima mental. Ao longo da vida, foi característica sua oscilar entre a força e os argumentos.

Mesmo assim, a prudência impede que se afirme cabalmente ter sido ele o único autor do *Discurso histórico e político*, e sugere que se trate de um escrito produzido a seis mãos: o conde, Antonio Correia e José Mascarenhas. Estes reforçariam a argumentação do primeiro por meio de uma exemplificação abundante e detalhada; o conde, por sua vez, daria o tom geral, emprestando aos padres cartas e escritos anteriores e, mais do que tudo, impondo-lhes sua visão de mundo.

De fato, os textos assinados por Assumar e o *Discurso histórico e político* integram um só universo mental. Nos autores que lia, nos conceitos que abraçava, nas imagens repetidas pelos diversos escritos que deixou, é possível reconhecer a mesma personagem. Tal similitude é particularmente importante devido ao fato de o *Discurso* não ter autor, reforçando a provável presença do conde detrás do texto.

88. No século XVIII mineiro, por detrás de autores firmados como tais — e penso aqui no desembargador Teixeira Coelho — encontram-se por vezes as ideias dos governantes que secretariavam. É o próprio Teixeira quem diz, no "Discurso Preliminar" de sua obra: "Que diversa face não tomariam os negócios da Capitania de Minas, se o zelo de seus Governadores passados lhes inspirasse o amor da utilidade pública? E se eles fossem Generais, e ao mesmo tempo Historiadores das Anedotas dos seus governos?". Ver *Instrução para o governo da capitania de Minas Gerais*, introdução de Francisco Iglésias, Belo Horizonte, Fundação João Pinheiro, 1994, p. 54. No caso desse magistrado, pude constatar que endossa as ideias e os escritos de Dom Antonio de Noronha no tocante à utilização dos vadios. A respeito, ver o capítulo 9 deste livro, e ainda o meu "Tensões sociais em Minas na segunda metade do século XVIII", in Adauto Novais (org.), *Tempo e história*, São Paulo, Companhia das Letras, 1992, pp. 347-66, p. 360.

O inventário de sua biblioteca, que contava com 651 obras e quase 2 mil volumes, revela um homem de grande cultura e de interesse diversificadíssimo. Lá estão muitos títulos referentes a aspectos variados da história europeia, desde os de caráter mais geral — *História da monarquia francesa*, *História da Alemanha*, *História das Cruzadas* — até os mais específicos, como a *História das gentes setentrionais*, de Olavo Magno. Havia legislação romana — os "Institutos" de Justiniano —, e a produção mais recente sobre jusnaturalismo e direito internacional, como Grotius e Pufendorf;[89] literatura clássica — as obras de Heródoto, Plínio, Sêneca, Plutarco, Pausânias; história antiga — *Suma de história romana e grega*, *História antiga*, *História romana*, *História de Alexandre Magno*; tratados pedagógicos e de civilidade — *Máximas para a instrução de um rei*, *Educação de um príncipe*, *Máximas para a educação de um fidalgo*, o livrinho de Martinho de Mendonça sobre a *Educação do menino nobre*; de teologia — são Gregório, são Bernardo —, filosofia — obras de Montaigne —, erudição — Mabillon; figuravam ainda tratados de comércio, vários de diplomacia, entre eles as *Memórias da paz de Utreque*, de Dom Luís da Cunha, e *Como negociar com príncipes*, de François de Callières. Os tratados militares, as obras sobre fortificação — entre elas a de Vauban — e sobre a arte da guerra eram cerca de 80, indicando que o conde não descuidava da especialização profissional.

Muitos dos títulos presentes na biblioteca coincidem com os autores citados tanto no *Discurso* como na carta que Assumar

89. Para a atenção dada por Assumar ao pensamento jurídico, ver Diogo Ramada Curto, "Notes on the History of European Colonial Law and Legal Institutions", exemplar datiloscrito, p. 20. Agradeço a gentileza do autor em me enviar esse interessantíssimo artigo, em que analisa ainda em Assumar a presença de uma linguagem assentada no apreço a vícios e virtudes e peculiar aos espelhos de príncipes. Concordo com o autor e acredito haver também no *Discurso* ecos de *O cortesão* de Baltasar Castiglione.

escreveu ao bispo do Rio de Janeiro. Hipócrates, por exemplo, está na carta e na biblioteca, mas não no *Discurso*. Outros encontram-se nos três: Tertuliano, são Jerônimo, são João Crisóstomo. Por sua vez, Lúcio Floro, Luciano, Tácito, Políbio, Valério Máximo, santo Agostinho e Cícero — este, ao lado de Causino (que só aparece no *Discurso*), sendo o mais citado de todos — acham-se presentes no inventário e no texto em estudo. Não é possível saber com certeza o que o conde havia trazido para o Brasil, nem mesmo quais os títulos que possuía naquela época; quanto aos que adquiriu depois, há pelo menos um exemplo claro: o "Espírito das leis" de Montesquieu, publicado em 1748, quando se encontrava na Índia, e que só deve ter comprado quando retornou a Lisboa.[90] Algumas passagens da correspondência, sobretudo em cartas do filho Dom João de Almeida, sugerem que se aplicou com especial cuidado à formação da biblioteca após deixar o governo das Minas, na década de 1720, quando se aproximou da Academia Real de História e de círculos mais intelectualizados. Não há dúvida que ela devia contar entre as melhores do Reino — a tal ponto que, na ausência do pai, e procurando contornar momentos de extremo aperto financeiro, o primogênito cogitou vendê-la.[91]

Porém, mais do que a alta qualidade da biblioteca ou que a coincidência entre vários de seus livros, os que vão citados na carta a Dom Frei Francisco de São Jerônimo e os presentes no *Discurso*, interessa ressaltar a obsessão por certos temas e imagens. À primeira vista, ressalta a combinação do interesse por doutrinas religiosas e convulsões sociais. As obras de religião beiram as três centenas: além dos catecismos, das vidas de santos, das atas de concílios como o Tridentino e dos livros que se misturam com a

90. "Inventário da biblioteca de D. Pedro de Almeida", Arquivo Fronteira, Entre Janelas, E.7, Caixas. Publicado em Norton, *Dom Pedro Miguel...*, pp. 324-44.
91. IANTT, Casa da Fronteira, Inventário nº 118, Carta de 13/4/1749.

edificação moral, há uma ênfase grande nas heterodoxias. Ao lado da Bíblia, dos Testamentos, dos Salmos de Davi veem-se o Alcorão, a *Dissertação sobre os bispos ingleses*, de Courayer, o *Comentário de Lutero em inglês*, o *Dos antigos hereges*, as *Cartas sobre as heresias*, a *História dos Albigenses*, de Benoist, a *História do nestorianismo*, de Doucain. Há ainda uma ênfase curiosa em questões ligadas ao jansenismo. Além dos tratados específicos sobre a matéria — *História do jansenismo*, *História das cinco proposições de Jansênio*, *Apologia pelas religiosas de Porto Real*, *Advertência sobre as retratações de Porto Real*, *A injusta acusação do jansenismo*, *Dissertações sobre a bula Unigenitus* — constam da lista a vida de personagens — como são Francisco de Salles — e a produção de autores diretamente ligados à tendência, como Louis-Ellies du Pin, com cinco obras, e Bossuet, com dez referências, talvez o campeão, pelo número de trabalhos, na biblioteca de Dom Pedro de Almeida. Dentre os inúmeros títulos sobre revoluções políticas, destacam-se a *História das conjurações*, de du Tertre, as *Revoluções romanas*, de Vertot, a *História das revoluções de Suécia*, a *História da revolta dos catalães*.[92] Num homem aparentemente tão afeito à defesa da ordem e da ortodoxia, essa mescla de livros sobre religião dogmática, heterodoxia, heresia, dissenção social e, no limite, revolução, pode ser reveladora: estaria preocupado em compreender os desvios e subversões da norma a fim de melhor combatê-los, ou tinha por eles um interesse específico, profundo e independente de qualquer ação?

No plano mais estrutural, o texto repousa sobre a reflexão acerca do poder do monarca, apontando suas limitações

92. Conforme sugerido por Katia de Queirós Mattoso ao ler minha edição para o *Discurso*..., Assumar e os jesuítas devem ter utilizado a obra de Davila Enrico Caterino, *Storia delle guerre civili di Francia (1559-1598)*, Veneza, 1630, 1056 p., traduzida para o francês por I. Baudouin e publicada em Paris, em 3 volumes, no ano de 1637.

(que não acata), dentre elas as diferenças fundamentais entre o Reino e a conquista. O *Discurso* desdobra-se ainda em vários temas interrelacionados: o da periculosidade dos habitantes coloniais; o da dificuldade de governá-los, dada a sua especificidade, a distância que os separa do rei e as restrições à ação dos governadores; o da adequação, por fim, do castigo exemplar. Esse assunto tem enorme importância e baseia-se, como nenhum, nos autores doutos. Contudo, mais do que o castigo merecido, a grande personagem do texto é o motim, elemento articulador do todo porque dele parte a ameaça à integridade do governo e, em consequência, à do monarca. O motim pode ser passível das mais duras punições, inclusive o suplício, recurso derradeiro a que se deve lançar mão para coibir a ocorrência de novos levantes. Em última instância, ele glosa, na prática, a justeza do castigo, e sua ameaça concreta sobrepuja a autoridade abstrata dos autores.

O tema do motim abre o *Discurso*. Após conceituá-lo, o autor começa a discorrer sobre ele, caracterizando-o quanto à especificidade e à ocorrência: passa, pois, da anatomia à cronologia do fenômeno, procedendo a uma hierarquização que considera o de 1720 como o pior de todos os havidos nas Minas. O tratamento que o texto dá ao assunto evidencia, de modo privilegiado, a marca de Assumar: é onde mais se verificam as aproximações entre o *Discurso* e os outros escritos do conde.

A preocupação inicial com o vocábulo expressa o universo mental da época, quando o conceito de revolução tinha significado distinto do de hoje, e ainda não havia se tornado irremediavelmente tributário dos eventos e das reflexões sobre a Revolução Francesa. As numerosas convulsões do Antigo Regime conheceram denominações diversas: revolta, levante, levantamento, conjura, conjuração, sedição, cabala, conventículo e, no mundo português, alteração e inconfidência.[93] Entre a guerra civil francesa do final do século XVI e a revolução inglesa de 1640, a ideia de que os valores dominantes poderiam ser subvertidos por ações de revolta política generalizou-se na Europa Ocidental.[94] É este temor preciso, o de subversão, que pulsa sob o motim e assombra o autor do *Discurso*, da mesma forma como assombrou o conde no tempo em que governava Minas.

Logo na página inicial, o texto esclarece que o significado de motim é *sublevação*:

> à qual, posto que neste papel demos muitas vezes o nome de motim, não é por lhe ignorar a natureza, mas sim por nos acomodarmos à frase do país, onde os mineiros, que ou não alcançam, rústicos, a diferença, ou capeiam, maliciosos, com menos horroroso, e detestável vocábulo a sua maldade, chamam igualmente motim ao que é rebelião.[95]

A chave de leitura é, assim, explicitada logo no início: o que para os mineiros, sujeitos ao jugo português, não passa de protesto tumultuado, torna-se, para o poder real, rebelião e, em última instância, subversão. Nas Minas, repete o texto em várias passagens,

93. Cf. Evaldo Cabral de Mello, *A fronda dos mazombos. Nobres contra mascates. Pernambuco, 1666-1715*, São Paulo, Companhia das Letras, 1993, sobretudo a segunda parte, "Alterações pernambucanas", pp. 189-453. Luciano Raposo de Almeida Figueiredo, "O império em apuros — notas para o estudo das alterações ultramarinas e das práticas políticas no Império Colonial Português, séculos XVII e XVIII", in Júnia Ferreira Furtado (org.), *Diálogos oceânicos — Minas Gerais e as novas abordagens para uma história do império ultramarino português*, Belo Horizonte, UFMG, 2001, pp. 197-254.

94. Para um balanço historiográfico da questão, ver Laura de Mello e Souza, "Notas sobre as revoltas e as revoluções da Europa Moderna", *Revista de História*, nº 135, São Paulo, 2º semestre de 1996, pp. 9-17.

95. *Discurso*, p. 59.

os motins são naturais, na acepção mais ampla do vocábulo: ocorrem com frequência — a reiteração fazendo com que deixem de causar espanto —, e se devem às peculiaridades da natureza na região. À geografia acidentada corresponde uma geografia de vícios, que torna os mineiros maus e rebeldes; à instabilidade climática corresponde a dos ânimos, sempre prontos a explodirem em revoltas: "o clima é tumba da paz e berço da rebelião; a natureza anda inquieta consigo, e amotinada lá por dentro, é como no inferno", diz uma das passagens mais citadas do *Discurso*.[96] A ação do clima acaba se tornando de tal forma determinante que pode mudar radicalmente o ânimo das pessoas: "quem viu um, pode seguramente dizer que tem visto todos os mineiros juntos; porque até alguns, que tiveram melhor educação, e fora das Minas eram de louvável procedimento, em chegando a elas ficam como os outros, e, quais árvores mudadas, seguem a natureza da região, a que se transplantam".[97]

Ao acreditar na influência do clima sobre a psicologia humana, o texto retoma ideia corrente já nos antigos, como Ptolomeu e santo Agostinho, e popularizada por Pedro Alíaco no final da Idade Média.[98] Parece ainda beber numa das fontes alimentadoras do absolutismo francês: a teoria médica dos humores, que definia os temperamentos individuais segundo afinidades bem estabelecidas com os quatro elementos, e via os temperamentos nacionais como resultantes das condições climáticas de cada região. Habitando região varrida por ventos mutáveis conforme a estação, os franceses, por exemplo, seriam levianos, superficiais, caprichosos, facilmente inflamáveis. O conhecimento médico-hipocrático da época

96. Ibid.

97. Ibid., pp. 63-4.

98. Claude Kappler, *Monstros, demônios e encantamentos no fim da Idade Média*, São Paulo, Martins Fontes, 1993, p. 48.

via-se assim transferido do plano individual para o coletivo, e uma conclusão se evidenciava: para povo leviano e inconstante (como aliás Tácito e César haviam formulado muitos séculos antes) só podia convir um governo forte, capaz de impor, por meio da força bruta, a autoridade sobre os facciosos.[99] Cabe frisar mais uma vez a presença de alguns desses autores na biblioteca do conde, denotando, como se disse, considerável preocupação com o problema das revoltas e sublevações: lá estão Saint-Evremond — o libertino que influenciou Montesquieu —, Tácito, Santo Agostinho.[100]

Nas Minas, pois, o clima instável mudava os homens, que por sua vez subvertiam os valores da sociedade estamental e criavam confusão e desordem.[101] Tropeiros e taverneiros da véspera adquiriam "merecimentos" e exerciam funções que só cabiam aos "veteranos": "E se os homens assim andam trocados, não é possível que deixe de andar nelas [nas Minas] tudo às avessas, e fora de seu lugar", ponderava o *Discurso*, invocando elemento novo para fundamentar sua tese. "Conhecida a condição dos mineiros, e visto o clima das Minas, parecerá supérfluo indagar mais causa aos motins, onde a natureza inclina a tumultos, e persuade desordens."[102]

A ideia da influência determinante do clima sobre o (mau) ânimo dos homens aparece em outros escritos assinados pelo conde, a autoria sendo, portanto, inquestionável. Quando organizava as companhias de dragões das Minas, queria que viessem completas de Portugal, com seus cinquenta homens, pois as com-

99. Robert Mandrou, *L'Europe "Absolutiste": Raison et raison d'Etat. 1649-1775*, Paris, Fayard, 1977, pp. 39-40.
100. Para Saint Evremont, ver Paul Hazard, *La crise de la conscience européenne. 1680-1715*, Paris, Gallimard, 1961, cap. "Les rationaux", sobretudo pp. 166 ss.
101. A respeito, remeto ao capítulo 4 deste livro, "Nobreza de sangue e nobreza de costume: ideias sobre a sociedade de Minas Gerais no século XVIII".
102. *Discurso*, pp. 64 e 65.

panhias de recrutas organizadas anteriormente apresentaram problemas em decorrência das fugas de soldados:

> não quis neste princípio admitir filho nenhum da América, porque a experiência me tem mostrado que os naturais de climas tão cálidos como estes, são comumente de mui pouco valor, e de nenhuma fidelidade, e sumamente frouxos, circunstâncias todas opostas para a vida, e obrigação de soldado, e suposto que as naturezas quase se mudam com a larga assistência dos países, e que aos reinóis inveterados na América possa pelo tempo adiante suceder o mesmo, *contudo enquanto conservam, e não perdem o vigor da Europa, servem como em outra parte, e se o perdem, ao menos conservam a fidelidade, que é o ponto mais essencial nestes países remotos.*[103]

Escrevendo ao governador do Rio logo após a revolta, Assumar considerava que o rei estaria mal servido, pois "nem todos os que lhe comem o pão na América usam como devem do seu serviço, antes ordinariamente mais se inclinam a seguir aquela infidelidade que parece depende da influência deste clima".[104]

Quase trinta anos depois, quando governava a Índia e já tinha se tornado marquês de Alorna, continuava fiel às teorias climáticas e escrevia, na sua *Instrução*, que os habitantes nascidos naquele país eram "por natureza tímidos, vingativos, e cavilosos", pois "a liberdade lhes aumenta a insolência", e "tudo isto concorre para

103. BNL, Reservados, Coleção Pombalina, códice 479: "Primeiro copiador das respostas dos srs. governadores desta capitania às ordens de Sua Majestade, e contas que lhe deram, que principia no governo do sr. Antonio de Albuquerque Coelho de Carvalho — 1710-1721". Carta de Vila do Carmo, 10 de maio de 1720, fl. 94v. Itálico meu.

104. "Documentos Históricos: correspondência do Conde de Assumar depois da revolta de 1720: para Ayres de Saldanha de Albuquerque, Governador do Rio" (28 de janeiro de 1721), *Revista do Arquivo Público Mineiro*, ano 6, 1901, p. 206.

aumentar o trabalho de quem governa". Entre os conselhos deixados ao marquês de Távora, contavam os referentes à criadagem:

> Devo supor que a família de V. Excia., ainda que numerosa, é a mais escolhida, e regulada; *mas como tantas vezes tem sucedido mudar-se neste clima o gênio, e as naturezas*, não deve V. Excia. ter nesta parte ocioso o seu cuidado, mas antes apurar neste negócio a vigilância, e a indagação; para isso convém muito que dentro da Casa, e fora dela escolha V.Excia. pessoas, que sirvam de sentinela para lhe dar conta dos seus domésticos, e que bem averiguem o seu bom ou mau procedimento.

Alorna via os indianos com olhos e preconceitos idênticos aos encontrados no *Discurso*, e por isso se justifica a longa citação:

> Neste país, centro de toda a cavilação, donde desapareceu a verdade, por não poder habitar onde predomina a mentira, é sumamente perigoso proceder logo pelas primeiras notícias, e apressar na resolução; a experiência me mostrou que as que vinham por Gentios, e Naturais, a metade delas eram falsas, e a outra metade duvidosas; e a qualquer leve exame, quase sempre achava ser tudo falsidade, e um mero engano. Não faltarão pessoas, ainda das Principais, que porão a vida pela Fé de alguns Gentios; quero supor que a sua credulidade os persuade, se não for como comumente sucede, por serem os agentes do seu interesse; o mais seguro é tê-los a todos por suspeitos, não só nos negócios domésticos, mas nos do inimigo com quem todos eles têm trato oculto. A experiência tem mostrado, que todo aquele que com abertura de Coração, e sinceridade tratar com Gentios de qualquer casta que sejam, especialmente Bramanes, se poderá dar por perdido, e se achará enganado se não resistir à brandura, às submissões, e ao aparente bom modo de que usam; não há nenhum que tenha fé nem lealdade com ninguém, *pois são por*

> *natureza mentirosos, e fraudulentos*; e se fosse necessário dar prova de testemunhas não as haveria de mais exceção, que São Francisco Xavier, que assim o autentica nas suas Cartas.[105]

Como os habitantes da América, os da Índia eram seres sem fibra e dados a motins por causa da influência nefasta do clima; eram inimigos internos, que ameaçavam o poder do monarca, ou, em outras palavras não usadas no *Discurso*, punham em risco a continuidade da dominação colonial. Enquanto *inimigos internos*, eram passíveis de castigo duro, independentemente de haver ou não julgamento — e lembre-se que, no caso de Filipe dos Santos, não houve.[106]

Um dos traços distintivos das cartas escritas por Assumar durante o governo de Minas é a ideia de que rei e representantes do poder real viviam acossados em terras que eram suas mas abrigavam habitantes sempre hostis e impossíveis de submeter. Por toda a parte viam-se levantes de escravos, e o intentado para as Endoenças de 1719 é referido como "sublevação universal"; a "multidão" dos africanos, sua "feroz natureza" e a "soltura" com que viviam representavam ameaças permanentes ao poder real, justificando que contra eles se aplicasse o Código Negro vigente na Luisiânia francesa.[107]

A ideia de que os países se viam às voltas com inimigos externos — os outros povos — e com inimigos internos — os elementos

105. *Instrucção dada pelo excellentissimo Marquez de Alorna, ao seu successor no governo deste estado da India, o excellentissimo Marquez de Tavora*, Goa, na Typografia do Governo, 1836, 49p. Seguida da História da Conquista da Praça de Alorna relatada pelo próprio Conquistador, pp. 49-75, e da Provisão do Conselho Ultramarino acerca das mercês concedidas pelo vice-rei por ocasião da tomada da praça, p. 75. Todas as citações às pp. 39-41. Itálico meu.
106. *Discurso*, p. 199: "Suposto que os sediciosos e rebeldes são inimigos internos, que como tais os devem os governadores perseguir, fazer guerra, e castigar".
107. Ver principalmente APM, SC, fl. 587 ss.

indesejáveis da própria população, difíceis de conter e de reduzir à norma — encontra-se também em outros escritos da época, como a consulta do Conselho Ultramarino, escrita pelo conselheiro Antonio Rodrigues da Costa poucos dias antes de morrer, em 1732, e analisada no capítulo 2 deste livro.[108] Nos decênios seguintes, tal formulação se mostraria recorrente na correspondência administrativa, integrando as preocupações de vários governantes coloniais e constituindo caso curioso de transformação semântica, pois a ideia em si é antiga e, como se viu, recorrente no pensamento ocidental desde, pelo menos, a *Política* de Platão. No *Discurso*, quem fundamentava as considerações sobre os inimigos internos era um autor mais recente: Solórzano, com sua *Política indiana*.[109] Curiosamente, foi ele que Assumar invocou quando, em carta ao rei datada da Vila do Carmo, em 1719, defendeu a liberdade dos índios.[110]

108. *Revista do Instituto Histórico e Geográfico Brasileiro*, t. VII, p. 498. Citado em Fernando A. Novais, *Portugal e Brasil na crise do antigo sistema colonial* — 1777--1808, São Paulo, Hucitec, 1979, p. 141.
109. Solórzano Pereira (1575-1655) foi o primeiro grande compilador das leis coloniais do Império Hispânico. Remeto mais uma vez ao artigo de Diogo Ramada Curto, "Notes on the history of european colonial law and legal institutions", pp. 3-4.
110. "Não tenho que ponderar a V. Magde. a importância desta matéria, e o muito que envolve as consciências daqueles que em má fé cativam e vendem como escravos a homens livres,/ ação tão contrária ao direito das gentes/ só direi que os reis de Castela, de quem se podem alegar melhores exemplos pela multidão imensa de índios que dominam, mostraram neste particular um zelo tão notável, que há com os inteiros [? intros.] das justíssimas ordens // que sobre este particular expediram, como se pode ver nos escritos de Solorzano *De Jure Indico*, nos do Padre José da Costa [Acosta?], nos do Bispo de Etiópia, nos do Bispo de Tlaxcolo, e de muitos outros autores; e nas instruções dos Vice-Reis, e Governadores lhes é sumamente recomendada esta matéria, para que nela tenham o maior desvelo, e assim mesmo às Audiências, que correspondem às nossas Relações, lhes é mui advertido que tenham o maior cuidado da defensa dos índios". Carta de Vila do

A consciência de que a superioridade numérica dos escravos criava perigo permanente é outro ponto constante das preocupações de Assumar em suas cartas:

> Já dei conta a V. Magde. [...] da soltura com que nestas Minas vivem os negros, especialmente os fugidos, que juntos nos mocambos se atreviam a fazer todo gênero de insultos, sem receio do castigo, e também ponderei a V. Magde. a importância desta matéria, por me parecer com algum fundamento que poderiam os negros em algum tempo a fazer algumas operações semelhantes às dos Palmares de Pernambuco, fiados na sua multidão e na nécia confiança de seus senhores, que não só lhes fiavam todo o gênero de armas, mas encobriam as suas insolências e os seus delitos.[111]

No *Discurso*, Palmares é, da mesma forma, o modelo de insurreição escrava, pairando constantemente no horizonte. No Nordeste da colônia, esse episódio foi "escândalo mais prejudicial e violento que a opressão dos holandeses", e no entanto o quilombo não distava senão sessenta léguas da costa. Muito mais difícil seria sufocar uma sublevação em Minas, "na medula dos sertões da América", onde urgia cortar o mal pela raiz e, com presteza, impor o castigo violento.[112]

Do cotejo entre o *Discurso* e os escritos de Dom Pedro surge mais uma recorrência: a metáfora da hidra para a revolta.[113]

Carmo, 4 de outubro de 1719, dirigida ao rei. BNL, Reservados, Coleção Pombalina, códice. 479, fl. 83v. Conforme comentado no capítulo 2, a matriz evidente de Rodrigues da Costa é Maquiavel e, possivelmente, Castiglione: autores italianos, que não constam da listagem da biblioteca de Assumar.

111. APM, Seção Colonial, fl. 587. Tendo feito fotocópias desse documento há mais de 25 anos, perdi, infelizmente, a referência do Códice.

112. *Discurso*, p. 151.

113. Para Horácio, o povo era *Belua multorum capitum*, e Giovanni Botero

Quando começa a desconfiar de Sebastião da Veiga Cabral — personagem da qual se tratará a seguir —, o autor se dá conta de que

> já não havia medida nenhuma que guardar, mais que cortar a cabeça a esta hidra, e ver (ainda que com grande risco) se podia despedaçá-la. Não tanto por respirar livre da maior opressão com que esta venenosa cabeça [...] se enroscava tão estreitamente à roda da sua paciência [do conde]; quanto por tirar das garras, e entregar inteiro a seu sucessor este melhor favo da colmeia portuguesa, que à vigilância do seu cuidado cometera o Soberano, e agora tantos leões intentavam tragar.[114]

O governo de Assumar fora "desde o berço o Hércules *destas hidras e destes leões*": se não tivesse trabalhado para esmagá-los, os ânimos insubordinados de outras partes das Minas — hidras e leões eles também — logo se levantariam, e a sublevação seria geral.[115] Ao tomar posse do governo em São Paulo, Dom Pedro de Almeida tinha proferido um discurso em que, a certa altura, discorria sobre os motivos responsáveis por seu consentimento em governar as Minas, apesar da distância e da aspereza do meio natural:

---

invoca a metáfora, considerando que quando o povo se enfurece "é preciso agarrá-lo ora por uma cabeça ora por outra e manobrá-lo habilmente, usando com ele ora a mão, ora o bastão, ora o freio, ora o cabresto. Nisso será útil ter grande qualidade de medidas e variedade de invenções, com as quais, quer divertindo-o, quer assustando-o, quer fazendo surgir nele suspeitas ou esperanças, primeiro se domine e depois se ponha no devido lugar". Botero, *Da razão de Estado*, trad. portuguesa, coordenação e introdução de Luís Reis Torgal, Coimbra, Instituto de Investigação Científica, 1992, p. 116.

114. *Discurso*, p. 129.

115. Ibid., p. 142.

> [...] mas a quem, sendo ambicioso de glória, não sucederia o mesmo? Tendo por subsídios uns homens, cujas ações fazem da memória borrar as da Antiguidade mais intrépidas, e na presente era fazem incrível, e quase parecer fabulosa a fé mais apurada: testemunhas os Palmares de Pernambuco, donde os sempre memoráveis portugueses de São Paulo ajudaram a abater as *cabeças das hidras* rebeldes contra o seu Príncipe levantadas.[116]

Na carta ao bispo do Rio, Dom Pedro voltaria a usar a imagem do monstro; parafraseando Cassiodoro, concordava com este que a "pronta correção do erro" era "uma forma de piedade", devendo, portanto, ser emendado ainda na sua "infância" e evitando que "cresça e envelheça"; mas atalhava:

> é só a piedade que cá se não pode exercer, porque este infante [o erro, ou seja, o motim] logo saiu do ventre da mãe tão furioso que parecia um Hércules nas *hidras e serpentes* que despedaçava no berço.[117]

Em Goa, quando passou o governo ao marquês de Távora, foi da mesma forma que se referiu às populações indianas:

> Aqui terá uso a sua clemência com os ingratos, pelo esquecimento dos benefícios; e igualmente a justiça para domar, e pôr freio a todas as desordens, a que está sujeita a natureza corrupta; e no meio de tudo isto terá continuamente a combater *hidras mais pestilentas* que a de Lerna, que tanto dilatou o nome do seu vencedor, a quem

116. *Biblioteca da Ajuda*, SMs., 54-XIII-16. Publiquei esse documento em *Norma e conflito — aspectos da história de Minas no século XVIII*, Belo Horizonte, UFMG, 1999, pp. 30-42.
117. IANTT, Casa da Fronteira, Inventário nº 120.

coroou a mitologia por este, mais que por outros trabalhos, ou fingidos, ou alegóricos, que venceu.[118]

Na concepção de motim, na obsessão pelo inimigo interno, pelo levante negro que, desde os Palmares de Pernambuco, integrava um imaginário de medo, ou ainda na associação entre a hidra venenosa e o levante, constata-se inegável semelhança entre o *Discurso* e os escritos autógrafos do conde. Já nas considerações sobre o poder absoluto, há especificidades que fazem pensar na pena dos jesuítas.

É bem verdade que há pontos coincidentes entre os diversos documentos produzidos por Assumar ao longo da vida e o texto que aqui se estuda. Tome-se, por exemplo, as considerações sobre os impasses do poder absoluto ante a distância das províncias governadas — no caso, as possessões ultramarinas —, e se tem no *Discurso* a certeza de que estas demandam governantes com poderes plenos para castigar, mesmo quando extravasam o âmbito fixado pelos Regimentos.[119] Antecipando a prática à teoria e recém-chegado à terra brasílica, Dom Pedro se empenhou em obter poderes maiores que os de governador de São Paulo e Minas, alegando ser a sua patente mais alta que a do governador do Rio de Janeiro, e invocando a concentração dos poderes outrora enfeixados por Antonio de Albuquerque Coelho de Carvalho, que havia controlado as três capitanias.[120] Uma vez nas Minas, Assumar reclamou da morosidade da justiça e da falta de agilidade do apare lho judiciário, em tudo tendo que se reportar à Relação da Bahia, os ouvidores demorando muito para se comunicar com o governador, e um e outros não possuindo jurisdição sobre causas unica-

118. *Instrução dada pelo excellentissimo Marquez de Alorna...*, p. 45. Itálico meu.
119. *Discurso*, p. 177.
120. BNL, Seção de Reservados, Coleção Pombalina, códice 479. Carta de Rio de Janeiro, 9 de julho de 1717, fl. 47v.

mente referidas à aludida Relação.[121] Passados dois anos, ainda se mostrava confuso com as atribuições da administração e as da justiça, e insinuava que desejaria poder deliberar também nesse campo. Para melhor convencer o rei, arrolava crimes que ficavam sem castigo, o morto saindo culpado porque as testemunhas temiam o matador. Sugere que, em vez de ficarem dispersos pelas comarcas, os ouvidores se juntassem todos em Vila Rica ou Carmo e, como nas Relações, despachassem junto com o governador.[122]

Apesar dessas convergências, as considerações mais genéricas sobre o poder sugerem a presença de autores menos presentes no universo do conde: os jesuítas Giovanni Botero e Antonio Vieira. Do primeiro, o texto empresta a ideia de que a reputação dos governantes é "o verdadeiro patrimônio do Príncipe", devendo ser um "composto de amor e temor": amor dos vassalos para com quem manda, temor dos vassalos ante as armas do mesmo e suas empresas.[123] Distantes da fonte de onde emana o poder real, e inebriados pela riqueza fácil da mineração, os vassalos descuidam do amor ao monarca: "não há que estranhar que ignorem os mineiros que há rei que domine este país, onde nunca foi visto o seu raio".

Aqui, é automática a associação com Vieira, jesuíta e provável leitor de Botero. Dizia o apóstolo do Maranhão:

> A sombra, quando o sol está no zênite, é muito pequenina, e toda se vos mete debaixo dos pés; mas quando o sol está no oriente ou

121. BNL, carta de Vila do Carmo dirigida ao rei, 12 de maio de 1719, fls. 70-4.
122. Id., carta de Vila do Carmo dirigida ao rei, 10 de outubro de 1719, fls. 84v-89. Este seria um dos indícios do empenho de Assumar em normatizar leis no mundo colonial, conforme Diogo Ramada Curto, "Notes on the history of European colonial law and legal institutions".
123. "Mas o que teve maior força na eleição dos reis: a reputação ou o amor? Sem dúvida a reputação..." Botero, *Da razão de Estado*, livro I, p. 15.

> no ocaso, essa mesma sombra se estende tão imensamente que mal cabe dentro dos horizontes. Assim nem mais nem menos os que pretendem e alcançam os governos ultramarinos. Lá onde o sol está no zênite, não só se metem estas sombras debaixo dos pés do príncipe, senão também dos de seus ministros. Mas quando chegam àquelas Índias, onde nasce o sol, ou a estas, onde se põe, crescem tanto as mesmas sombras, que excedem muito a medida dos mesmos reis de que são imagens.[124]

Vieira encontra-se ainda presente no final do *Discurso*, que ostenta ecos da tradição profética ao aproximar as ações do conde às de Moisés, "uma história antecipada, ou uma profecia histórica do caso dos mineiros"; pontuada por oposições e contrastes, toda essa parte do texto lembra os escritos do jesuíta luso-brasileiro.[125] Mas é em Botero que o *Discurso* encontra a resposta central do Príncipe à falta de amor dos vassalos: o recurso ao temor, esta "outra parte de que se compõe a reputação". Pois aquele que não pune as "maldades não é Príncipe em realidade, é uma representação, e sombra de Príncipe".[126] Se pulularam motins em Minas, foi porque "nunca os atalhou o castigo": "fazer a esmola é dar ocasião para pedir sempre, e conceder o perdão é abrir porta para não acabar o motim nunca, e não deixarem nunca de impugnar as ordens de El-Rei".[127] O castigo, pois, interioriza a ideia de poder nas Minas, mostrando, em imagem de inspiração nitidamente hobbesiana, "que o Príncipe é um Briaréu de cem braços, que ao mesmo tempo acode a diversas partes, e que não há distância segura das iras do

124. Padre Antonio Vieira, *Sermões pregados no Brasil*, Lisboa, Agência Geral das Colónias, 1940, p. 275, vol. 2. O trecho serve de epígrafe a este livro, e inspirou seu título.
125. *Discurso*, pp. 192-3.
126. Ibid., pp. 147 e 148.
127. Ibid., p. 152.

Soberano, porque, como o Sol, tem igual atividade em todos os hemisférios, ferindo igualmente ao monte que se lhe avizinha, e ao vale que dele mais se aparta, e dista".[128]

Quando a circunstância urge, o castigo pode ser aplicado apenas pelo governante, sem o conselho de juntas ou assembleias: "que o remédio das sedições, onde é necessário proceder mais de fato que de direito, é a pressa e celeridade", pontificava o *Discurso*, mais uma vez bem calçado por Giovanni Botero.[129] A tirania, de que talvez o acusassem no Reino, é habilmente deslocada do âmbito do governo local para a ação desordenada do povo, assim transformado no verdadeiro tirano. Nesse sentido, não há contratualismo no *Discurso*, e, do barroco, Assumar parece ter incorporado o espírito do "homem à espreita".[130] As "alterações" das conquistas impunham o reforço do poder absoluto e o banimento das teorias justificadoras do tiranicídio. "Ditosa aquela idade em que não só aos governadores, mas também aos varões excelentes era lícito castigar por sua mão aos perversos!"[131]

PENSANDO O GOVERNO

Vieira e Botero fazem pensar antes no padre Correia e no padre Mascarenhas do que em Dom Pedro de Almeida como auto-

128. Ibid., p. 157.
129. Ibid., p. 172. Cf. Botero, *Da razão de Estado*, livro 1, p. 30: "Muitas são as coisas que se deve observar ao fazer Justiça, mas vamos falar de duas, mais como advertência do que como regra. A primeira é que a justiça seja uniforme, a segunda que seja rápida".
130. "Todos vivemos em tocaia uns aos outros", dizia Alemán no *Guzmán de Alfarache*, e Saavedra Fajardo observava: "armam-se de artes, uns contra os outros, e vivem todos em perpétua desconfiança e receios". José Antonio Maravall, *A cultura do barroco. Análise de uma estrutura histórica*, São Paulo, Edusp/Imprensa Oficial, 1997, p. 265.
131. *Discurso*, p. 176.

res do *Discurso*. Nenhum dos dois figura na biblioteca do conde, nem em outros escritos seus. Ambos eram, como os padres, inacianos, e Vieira, conforme já dito, constava entre as leituras preferidas de Antonio Correia. Além disso, a solidez da argumentação final sobre o castigo exemplar sugere especialistas a conduzi-la, afeitos ao racionalismo neoescolástico e às polêmicas eruditas. Não que Assumar fosse homem inculto e bronco: testemunhas sem conta, aqui invocadas, indicam o contrário; mas teria fôlego para sustentar defesa tão minuciosa da razão dos reis em supliciar vassalos rebeldes?

Com base nas evidências disponíveis, penso que, se o *Discurso* não chegou a ser escrito a seis mãos — pois o estilo muito pessoal do conde perpassa o texto todo —, foram três as cabeças que o conceberam: Dom Pedro de Almeida atuou sobretudo na parte inicial, expressando os conceitos pouco edificantes que tinha sobre os mineiros e que externaria também em outros documentos, quando demandado pelas circunstâncias. O mundo diferente dos trópicos o desnorteava, da mesma forma como, já no fim da vida, o mundo das monções do Índico; se Lafitau, um dos pais da etnologia, constava da sua biblioteca, essa leitura não ecoou nas concepções conservadas vida afora acerca dos outros povos: ante a diferença, Assumar sempre reagiu com a força, empenhado em esmagar as hidras da sedição que via por toda parte.[132] Sua estada nas Minas foi difícil, às voltas com potentados rebeldes prontos a pôr, como diz o *Discurso*, os interesses particulares acima da lei: sua visão da capitania não tinha como ser rósea, mesmo porque

132. O jesuíta Joseph-François Lafitau (1681-1746) se notabilizou pela ação missionária no Canadá, escrevendo em 1724 um tratado célebre, *Moeurs des sauvages américains comparées aux moeurs des premiers temps*. A obra que Assumar tinha era *Histoire des découvertes et des conquêtes des Portugais dans le Nouveau-Monde*, publicada em 1733. Para uma bela análise de Lafitau, ver Anthony Pagden, *The fall of natural man. The American Indian and the origins of comparative ethnology*, Cambridge University Press, 1982, pp. 198-209.

viera à colônia para fazer valer os interesses metropolitanos. Já na parte final, mais assentada na autoridade dos "doutos mortos", o tratado parece obra dos jesuítas com quem convivia em Ribeirão do Carmo. Se alguns dos autores e dos argumentos invocados eram também caros ao conde, o tom revela antes o letrado que o general.

Além de fonte imprescindível ao estudo do levante de Filipe dos Santos, o simpático e generoso tropeiro que deixara a mulher no Reino para tentar enriquecer nas Minas do Ouro, o *Discurso histórico e político* é um texto de riqueza inesgotável, podendo ser abordado de várias formas e por especialistas de diversas áreas. Há nele muito a explorar em termos da circulação das ideias na Europa de inícios do século XVIII, da criação de estereótipos sobre as terras americanas e, acima de tudo, da teoria política. Nesse plano, o *Discurso* ilustra como continuava forte a presença de Botero nas teorizações acerca do Estado em Portugal e, ainda, que o jansenismo podia servir a propósitos centralizadores: na antecâmara das Luzes, Assumar e seus colaboradores deixavam de lado — mesmo se momentaneamente — as teorias contratualistas que, como a do jesuíta João Mariana, tinham embalado a Restauração portuguesa para se aferrar às justificativas de um Estado mais forte e unitário. Assumar acreditava que o Estado português ganharia muito se mais coeso em torno do monarca, e não foi à toa que participou da Academia Real de História, conforme observou Rodrigo Bentes Monteiro.[133] Se valesse invocar a história contrafactual, caberia dizer que, caso vivesse, e malgrado a desgraça do

133. Rodrigo Bentes Monteiro, *O rei no espelho*, p. 103 (para o contratualismo), e cap. 7, "Entre festas e motins" (pp. 279-327), em que há uma instigante análise do *Discurso*, que, em alguns aspectos, incorporo aqui. Ver ainda Luís Reis Torgal, "A 'política cristã' e a concepção de razão de Estado", in id., *Ideologia política e teoria do Estado na Restauração*, 2 vols., Coimbra, Biblioteca Geral da Universidade, 1981, pp. 135-232; Evergton Salles Souza, *Jansénisme et reforme de l'Église dans l'Empire Portugais*, Lisboa, Calouste-Gulbenkian, 2004, sobretudo cap. 2, "Jansénisme et anijansénisme au Portugal...", pp. 93-139.

filho, Dom Pedro de Almeida daria um bom ministro no contexto pombalino.

O valor intrínseco do *Discurso* foi bastante abalado pelo teor dos acontecimentos que relatou, pois todas as execuções humanas são iníquas e repugnantes, qualquer que seja o tempo em que ocorrem. Que se tente, porém, pensar no conde como um servidor régio aplicado, afeito à ótica metropolitana, cultor das coisas do espírito e, como tal, gozando do respeito de seus contemporâneos. A escolher, obviamente alinhava-se com o rei: era a lógica do seu tempo, da sua classe e da sua função. Que se procure igualmente ver no *Discurso*, em vez de "libelo monstruoso", um interessante tratado político da época, manifestação peculiar num universo que, como o luso-brasileiro, foi avaro em textos do gênero, e ímpar no fato de partir da prática governativa e do que ela impunha no dia a dia — sobrepujar distâncias com decisões rápidas; sufocar levantes que ameaçavam o poder do rei — para, com base em tradições do pensamento europeu, ensaiar uma teoria do mando em situação colonial. Dom Pedro de Almeida estranhou a vida no trópico, mas não se furtou ao desafio de pensar sobre suas contradições, invocando os instrumentos que tinha disponíveis, ajustando um ou outro conceito prévio quando a prática governativa impunha mudança de rota. Sua trajetória pessoal ajuda a firmar a autoria do *Discurso*, mas também importa por registrar as experiências variadas de um servidor que circulou entre conquistas do Ocidente e do Oriente, buscando honra e fortuna enquanto impunha ao círculo familiar grande parcela de sacrifício. Não são muitos os percursos de governantes que possibilitam examinar tantas das variáveis em jogo na administração imperial lusitana, nem que revelam, com igual intensidade, aspectos do âmbito público e do privado.

Enquanto Assumar escrevia sobre o que tinha visto e vivido nas Minas e na Índia, Antonio Rodrigues da Costa, que nunca cruzou oceanos, coligia no Conselho Ultramarino escritos vindos das diferentes partes da América portuguesa e conformava um modo próprio e unitário de pensar o mando emanado do Centro. Guiados pela prática administrativa, pelas teorias de governo ou por ambas; situados no centro irradiador do poder ou nas regiões fronteiriças onde ele muitas vezes chegava distorcido, os homens da geração que atingia a maturidade no primeiro quartel do século XVIII iam, em Portugal, fazendo da prática governativa substância para formulações mais abrangentes e gerais. Para eles, antes de Pombal e mais do que na Corte joanina, o Estado devia ser forte e centralizador. No fogo cruzado de teorias consolidadas e práticas cotidianas até então desconhecidas, iam aprendendo a governar as conquistas num Império em transição.

Este capítulo utilizou, reescrevendo-as, partes do estudo crítico que elaborei para a obra de Dom Pedro de Almeida. Cf. Laura de Mello e Souza, "Estudo crítico" a *Discurso histórico e político sobre a sublevação que nas Minas houve no ano de 1720*, Belo Horizonte, Fundação João Pinheiro, Coleção Mineiriana, 1994, pp. 13-56. Agradeço a leitura crítica e as sugestões preciosas de Katia de Queirós Mattoso.

6. Os motivos escusos: Sebastião da Veiga Cabral

[...] Sacramento era o paraíso dos contrabandistas. Os que se beneficiavam daquele próspero comércio de contrabando, em que havia grande variedade de artigos, como prata peruana, ouro brasileiro, mercadorias europeias manufaturadas, e as peles locais, não eram apenas os gaúchos ou os corruptos funcionários aduaneiros. Os que maiores proveitos tinham, eram, quase sempre, os governadores de ambos os lados do Rio de La Plata.

Charles R. Boxer, *A Idade de Ouro do Brasil*

PERIGO A SUDESTE E AO SUL

"Grandes são sempre as dúvidas e os embaraços que ocorrem nas colônias distantes de V. Magde., por não poderem chegar a tempo os avisos daquelas cousas, que carecem de pronto remédio, e se para os governadores das Minas são dobradas as confusões, para mim são muito maiores, porque não quisera exceder, nem faltar à minha obrigação, nem desejara que no meu tempo se fizesse nada que não fosse coerente ao serviço de V. Magde. e à utilidade destes Povos." Temendo as armadilhas da distância e cioso das obrigações perante o rei que o tinha enviado para tão longe, assim escrevia Dom Pedro de Almeida, conde de Assumar, em 25 de abril de 1720. Para os historiadores de hoje, que sabem do ocorrido dois meses depois, a carta choca pelo conteúdo premonitório: em 28 de junho explodiria a revolta de Vila Rica, mais conhecida como a de Filipe dos Santos, o tropeiro que nela teve participação bem mais desbotada que a de outros personagens, entretanto esquecidos pela memória nacional. Conforme dito no capítulo anterior, 1720 não foi um levante protonacionalista, mas um "motim" — como então se designava esse tipo de convulsão — ideado por potentados locais em conluio com burocratas portugueses descontentes ante os rumos do governo de Assumar, inclusive no tocante às reformas pretendidas quanto ao sistema de tributação do ouro, mas não apenas. Entre os alevantados, destacavam-se o comerciante e minerador Pascoal da Silva Guimarães, o antigo ouvidor Mosqueira Rosa, e o ex-governador da praça de Sacramento, Sebastião da Veiga Cabral. Em abril, o conde já se mostrava apreensivo, acuado pela oposição sistemática dos poderosos ao seu governo. Desde outubro de 1719, escaldado pelos motins de Pitangui, vinha pedindo a Dom João v que mandasse um "Regimento por onde me guiasse, e onde clara e distintamente, visse o que podia, e devia fazer nos vários casos que sucedem". A capitania das Minas do Ouro tinha sido criada dez anos antes, em decorrência do conflito emboaba, e Assumar era o seu terceiro governador, sucedendo a Antonio de Albuquerque (1710-1712) e Dom Brás Baltazar da Silveira (1713-1717). Invocando as dificuldades advindas da pouca idade da circunscrição administrativa, o conde destacava, na sequência da carta referida, a peculiaridade da região: um Regimento "em parte nenhuma seria mais conveniente que neste governo, por ser esta uma das Colônias mais modernas da América, e que necessitava de melhor estabelecimento no princípio, em quanto se não radica nela a boa ordem de que se necessita para o bom governo de uma República".[1] Por fim, Assumar deixava claro algo que o historiador contemporâneo também relutou em admitir: eram várias as colônias portuguesas, tanto no Oriente quanto na América. Não havia ainda a ideia de unidade, apesar de um ou outro governador-geral, a partir de seu posto na Bahia, ter maior jurisdição e ascendência sobre os demais governadores, ou capitães-generais, e com eles jogar as cristas em situações de conflito. No concerto das regiões americanas, Minas era moderna, ou seja, jovem: quando Assumar chegou, em 1717, não fazia dez anos da fundação dos primeiros aglomerados urbanos, e havia pouco mais de vinte que a descoberta do ouro tinha sido divulgada.

Mesmo assim, sem se confundirem com ele, as partes faziam sentido no todo que era o império português. Havia instituições e procedimentos que costuravam entre si essas peças mais ou menos avulsas e soltas, como as Misericórdias e as Câmaras Municipais.[2] Mas havia nelas grande autonomia: indo da análise local para a geral, Charles Boxer viu com a argúcia que o

1. Todas as citações em Biblioteca Nacional de Lisboa — *Seção de Reservados — Coleção Pombalina*, códice 479. "Primeiro copiador das respostas dos srs. governadores desta capitania às ordens de S. Mgde., e contas que lhe deram, que principia no governo do sr. Antonio de Albuquerque Coelho de Carvalho, 1710-1721", fl. 92v.

2. Charles R. Boxer, *O império marítimo português*, São Paulo, Companhia das Letras, 2002. Nesse livro, Boxer consagrou a ideia de que as Câmaras e Misericórdias constituíam "pilares gêmeos da sociedade colonial portuguesa do Maranhão até Macau", garantindo "uma continuidade que os governadores, os bispos e os magistrados transitórios não podiam assegurar", conforme examinado no capí-

caracterizava essa grande estrutura flexível. *A Idade de Ouro do Brasil*, por exemplo, traçou um painel admirável da América portuguesa no momento em que sua preeminência no conjunto do Império se tornou irreversível. É obra que continua, nesse sentido, o clássico *Salvador de Sá e a luta pelo Brasil e Angola*, marco nos estudos sobre a emergência do sistema sul-atlântico no Império. *A Idade de Ouro*..., expressão tomada por Boxer do padre Antonio Caetano de Sousa,[3] examina em separado cada uma das peças fundamentais do conjunto sul-americano sob controle luso: a Bahia ainda hegemônica e brilhante dos tempos do conde de Sabugosa; as Minas Gerais, das primeiras convulsões ao processo de sedimentação social; a força crescente do sertão, ou do interior do continente, expressa na pecuária das vacarias, que se espraiava ao norte até o Piauí, ao sul até o Continente de São Pedro; a zona indefinida da margem esquerda do Prata, sempre a escorregar das mãos portuguesas para as caste-

---

tulo 1 deste livro. Cf. cap. "Conselheiros municipais e irmãos de caridade", p. 286. A temática do poder local tem sido muito visitada pela historiografia brasileira contemporânea, destacando-se o trabalho de Maria Fernanda Bicalho, *A cidade e o império — o Rio de Janeiro no século XVIII*, Rio de Janeiro, Civilização Brasileira, 2003. Ver ainda Maria de Fátima Gouveia, "Poder, autoridade e o senado da Câmara do Rio de Janeiro, ca. 1780-1820", *Tempo*, nº 13 [Dossiê Política e Administração no Mundo Luso-Brasileiro], UFF, julho 2002, pp. 111-55. Num outro artigo, a mesma autora parte da explicação de Boxer para sugerir que as redes de poder constituíram, no império português, o terceiro pilar, "o tripé sobre o qual a sociedade colonial portuguesa se estruturava, garantindo-lhe continuidade e conferindo-lhe coesão". Cf. Maria de Fátima Gouveia, Gabriel Almeida Frazão e Marília Almeida dos Santos, "Redes de poder e conhecimento na governação do império português, 1688-1735", *Topoi*, nº 8, UFRJ, junho 2004, pp. 96-137.

3. O padre descreve o reinado de D. João V como "um reinado feliz, que podia com propriedade chamar-se a idade do ouro, visto que as minas do Brasil continuavam a produzir abundância de ouro". Boxer, "Renascimento e expansão do Ocidente", in *O império marítimo*..., p. 177.

lhanas, a bandeira da fortaleza de Sacramento, ou Colônia — como era até mais conhecida — mudando conforme se alternavam no poder os Bragança, os Habsburgo e, depois da Guerra de Sucessão Espanhola, os Bourbon.

Boxer foi sensível também à delicada conjuntura do sistema sul-atlântico no início do século XVIII, e dedicou um capítulo às investidas francesas sobre o Rio de Janeiro. Quando se consultam os documentos coevos, vê-se que as autoridades portuguesas tinham plena consciência do perigo a que estavam cada vez mais sujeitas as colônias da América, notadamente na sua porção sul-sudeste. A descoberta do ouro atiçava o interesse das nações inimigas, e a Guerra de Sucessão Espanhola legitimava eventuais ataques franceses e espanhóis sobre essas regiões. Franceses, em particular, sentiam-se alijados das vantagens comerciais que Portugal vinha, desde a Restauração, concedendo a holandeses e ingleses, e não conseguiam ganhar terreno nas práticas ilegais, então frequentemente acobertadas por acordos diplomáticos. A fome de metais nobres — para usar uma expressão de Marc Bloch — era então intensa, seja porque, na ausência de papel-moeda, eles sustentassem o sistema monetário, seja, numa época de guerra ininterrupta, por constituírem o principal meio de pagamento dos soldados.[4] Prova cabal desse estado de coisas é a *Memória* que o francês Ambroise Jauffret escreveu em

4. "Diplomacy and contraband trade were interrelated. Foreign diplomats negotiated so that their compatriots could engage in illegal practices in Portugal and its colonies." Ernst Pijning, *Controlling contraband: mentality, economy and society in Eightenth-Century Rio de Janeiro*, Tese de Doutorado apresentada à Johns Hopkins University, Baltimore, Maryland, 16 de maio de 1997, capítulo 1, "Passive resistance: diplomacy and contraband trade during King John V's reign (1706-1750)", p. 22; p. 42. Sobre contrabando na época, ver ainda Boxer, "Brazilian gold and British trader in the first half of the eighteenth century", 49:3 (1969), pp. 454-72. Sobre o medo de invasão francesa no início do século XVIII é obrigatório o trabalho de Maria Fernanda Bicalho, *A cidade e o império*..., passim.

1704 e dirigiu ao conde de Pontchartrain, ministro de Luís XIV, no intuito de facilitar um ataque francês ou, caso este não se viabilizasse, espanhol à porção sul da América portuguesa.[5] Os capítulos iniciais da *Memória* tratam da descoberta de ouro pelos paulistas e afirmam que o conhecimento dos depósitos de metal precioso antecedera em muito o comunicado oficial à Coroa, pois prata e índios eram o que mais importava durante o século XVII. Em trabalho inédito, Maria Verônica Campos vai além e sugere que os descobertos ficaram ocultos por muito tempo porque constituíam um elemento poderoso de barganha, cuidadosamente mantido em segredo pelos paulistas até que tivessem segurança no tocante à obtenção de favores, mercês e honrarias.[6] Porém o que mais interessa aqui são os capítulos 10 e 12 da *Memória*. O primeiro se refere à descrição sumária das vilas marítimas e portos do mar situados entre o Rio de Janeiro e o rio da Prata, e pertencentes a Portugal. O segundo sugere que os franceses — ou os espanhóis — conquistem "toda esta província desde o Rio de Janeiro, que é a principal e mais forte cidade, até a fortaleza do S. Sacramento no rio da Prata".[7] O destaque é para os portos capazes de abrigar navios grandes e para os locais dotados de pesca, gado, gêneros para subsistência.

Uma carta de Jauffret a Pontchartrain, datada de Caiena, 8 de julho de 1704, acompanha a *Memória* e reforça a sujeição ao rei da França, avaliando rapidamente o tipo de apoio que a população da cidade do Rio daria ao ataque e destacando o presumível papel dos comerciantes judeus, ricos, numerosos e ávidos por liberdade

5. Andrée Mansuy, "Mémoire inédit d'Ambroise Jauffret sur le Brésil à l'époque de la découverte des mines d'or", *V Colóquio Internacional de estudos luso-brasileiros*, Coimbra, 1965, separata.

6. Maria Verônica Campos, *Governo de mineiros — de como meter as Minas numa moenda e beber-lhe o caldo dourado*, Tese de Doutorado em História, FFLCH-USP, 2002, cap. "As minas do sertão", pp. 21-93.

7. Ibid., pp. 38-40.

de consciência.[8] O fato de a *Memória* de Jauffret ser um documento contemporâneo dos fatos e do contexto que aqui se aborda não a exime, certamente, de erros e enganos, como destacou com propriedade Andrée Mansuy no estudo crítico que introduz a edição do texto.[9] Contudo, há nele, inequivocamente, a indicação dos dois grandes perigos que ameaçavam a primazia portuguesa na América: o interesse das outras nações — aguçado pela descoberta do ouro — e o perigo de forças internas se aliarem às externas.[10] Se Jauffret tinha consciência disso é porque disso se falava e cogitava, de modo aberto ou velado. Aberto, talvez, no que tocava ao perigo externo; mais veladamente quando a ameaça temida vinha de dentro. Exemplar é a carta de Dom João de Lencastre, escrita anos antes, mais precisamente em 1700: urgia criar um regimento de infantaria e um esquadrão de dragões em São Paulo, ponderava o governador-geral do Brasil,

> com o pretexto de que é para segurar a mesma vila e dela se poder socorrer facilmente a de Santos; *sendo fim particular deste negócio segurá-la de seus mesmos moradores*, pois estes tem deixado, em várias ocasiões, suspeitosa a sua fidelidade na pouca obediência com que observam as leis de V. Magde. e ser gente por sua natureza absoluta e vária e a maior parte dela criminosa; e sobretudo amantíssima da liberdade em que se conservam há tantos anos quanto tem de criação da mesma vila; e vendo-se hoje com opulência

8. Ibid., p. 41.
9. Ibid., p. 32.
10. Remeto, aqui, ao clássico de Fernando Novais, *Portugal e Brasil na crise do antigo sistema colonial*, São Paulo, Hucitec, 1979, em que, por meio da consulta de Antonio Rodrigues da Costa no Conselho Ultramarino, datada de 1732, se analisou pela primeira vez a tensão entre o perigo interno e o perigo externo. Remeto igualmente aos capítulos 2 e 5 deste livro, nos quais me detive sobre a genealogia dessa oposição.

> e riqueza que a fortuna lhes ofereceu no descobrimento das ditas minas, me quero persuadir, sem o menor escrúpulo, são capazes de apetecer sujeitar-se a qualquer nação estrangeira, que não só os conserve na liberdade e insolência com que vivem, mas de que suponham podem aquelas conveniências que a ambição costuma facilitar a semelhantes pessoas, sendo a principal e a que eles mais suspiram a da escravidão dos índios.[11]

Não é sem dúvida gratuito, ainda, que Ambroise Jauffret tenha iniciado sua descrição com as minas recém-descobertas pelos paulistas, dedicado muita atenção à geografia física e social da cidade do Rio de Janeiro e terminado nas margens do Prata. Havia um nexo nítido entre esse estuário, pelo qual se subia para as possessões espanholas — entre elas Potosí, onde os "peruleiros" seiscentistas haviam sido tão importantes — e as Minas Gerais. Nexo pouco conhecido e até hoje não estudado, cujo sentido mais profundo se começa, neste texto, a explorar.

Escolhi fazê-lo aqui por meio de uma primeira abordagem das aventuras e vicissitudes americanas de um vassalo português entre 1699 e 1720. A tensão entre o local e o geral expressa-se também em trajetórias individuais, já que os homens não só fazem a história — mesmo que não o saibam — como são a parte mais substantiva dela.[12] A personagem em pauta é paradigmática desse

11. Andrée Mansuy, "Mémoire...", p. 15, documento originalmente publicado em *RIHGB*, v (1899-1900, pp. 86-8). Luís Ferrand de Almeida chamou atenção para o "singular zelo e cuidado" de Dom João de Lencastre, "notável governador", em fortificar os portos ao sul, sobretudo Rio de Janeiro e Santos, que a corrida para as Minas havia deixado bastante desguarnecidos. *A Colônia do Sacramento na época da sucessão de Espanha*, Coimbra, 1973, cap. "A Colônia e a sucessão de Espanha", pp. 270-1.

12. Inspiro-me aqui em historiadores contemporâneos que vêm propondo análises que articulem histórias particulares com contextos vastos e globais. Cf. San-

momento: Sebastião da Veiga Cabral, figura curiosa sobre a qual ainda sei pouco, mas sobre quem se pode inferir o suficiente.

DE SACRAMENTO A LISBOA

Sebastião da Veiga Cabral nasceu em Bragança por volta de 1665, "filho natural de um mestre de campo general e governador das armas de Trás-os-Montes, com o mesmo nome".[13] Apesar de fidalgo da Casa Real e comendador das Comendas de Beilão, Robeal e Santa Maria de Bragança na Ordem de Cristo, o velho Veiga Cabral descendia, pela via paterna, da "nação hebreia", e conseguiu em 1667 o hábito graças a dispensa papal.[14] De início um simples soldado, Sebastião, o filho, foi galgando postos na hierarquia militar, e antes dos trinta anos ganhou notoriedade por organizar a defesa das ilhas açorianas de Corvo, Flores e Terceira. Pelos serviços aí prestados, o rei escolheu-o governador da Colônia do Sacramento em 1696, com o posto de tenente de mestre de

---

jay Subrahmanyam, "Connected histories: notes towards a reconfiguration of Early Modern Eurasia", in V. Lieberman (ed.), *Beyond binary histories. Re-imagining Eurasia to c. 1830*, Ann Arbor, The University of Michigan Press, 1997, pp. 289-315; id., "Du Tage au Gange au XVIe siècle: une conjoncture millénariste à l'échelle eurasiatique", *Annales*, nº 1, jan. fev. 2001, pp. 51-84; Serge Gruzinski, "Les mondes mêlés de la monarchie catholique et autres 'connected histories'", *Annales*, nº 1, jan.-fev. 2001, pp. 85-117.

13. Ferrand de Almeida, *A Colônia do Sacramento...*, pp. 305-8.

14. Para os dados sobre a família, notadamente o pai, ver Manuel José da Costa Felgueiras Gayo, *Nobiliário de famílias de Portugal* [1ª ed., 1938-1942], Braga, Carvalhos de Bastos, 1989-1990, pp. 208-9, vol. III; pp. 142-3 e 284-5, vol. XII. Para os problemas com pureza de sangue, ver Fernanda Olival, *As ordens militares e o Estado Moderno — honra, mercê e venalidade em Portugal (1641-1789)*, Lisboa, Estar, 2001, pp. 166 e 218, nota 11.

campo general. Colônia achava-se sob controle português desde 1680, e era sobretudo, no dizer de Capistrano de Abreu, "um ninho antes de contrabandistas que de soldados".[15] Veiga Cabral só ocupou efetivamente o posto em março de 1699, cinco meses depois de ter desembarcado no Rio, onde teve tempo suficiente para se envolver num motim militar contra o atraso no pagamento de soldos e acabar incriminado numa devassa.[16]

Os olhos da Europa convergiam então para o rio da Prata, onde se trocavam produtos manufaturados pelo metal precioso: um mercado, segundo o ministro Pontchartrain, onde se ancorava "o único comércio que dá ouro e prata à Europa". Quanto ao contrabando, Colônia ocupava lugar privilegiado, e não foi por outra razão que o ministro francês incitou os maloínos a entrarem em contato com o governador local. Entre o final do século XVII e os primeiros anos do XVIII, o intendente da Marinha francesa, Pierre Arnoul, expunha a Pontchartrain um projeto de saque de Buenos Aires e ocupação de Maldonado, o que faria do rei da França "senhor absoluto deste importante rio da Prata, que é a chave do Peru e do Potosí".[17]

Os anos 1680 haviam sido uma época áurea, ou melhor dizendo, argêntea do contrabando luso-espanhol na região. Sacramento e Buenos Aires agiam conjuntamente no comércio ilícito, sob a conivência, e não raro com a participação, dos

15. Capistrano de Abreu, "Formação dos limites", in id., *Capítulos de história colonial*, s.l., F. Briguiet & Cia., 1934, p.199.

16. A devassa foi sugerida pelo Conselho Ultramarino, que considerou o caso "gravíssimo". Veiga Cabral foi considerado culpado em 1706, quando já tinha deixado o governo de Colônia, mas, como observa Ferrand de Almeida, as acusações devem ter ficado sem prova, pois em 1709 "foi nomeado para o governo de Abrantes num documento redigido em termos muito elogiosos". *A colônia do Sacramento...*, apêndice "Governadores da Colônia do Sacramento", p. 304.

17. Ibid., cap. "A Colônia e os problemas internacionais nos princípios do século XVIII", pp. 147, 150 e 152.

próprios governadores. Tudo indica ter sido o que aconteceu no tempo em que Cristóvão Ornelas de Abreu (1683-1690) e José Herrera y Sotomayor governavam respectivamente Sacramento e Buenos Aires. Ornelas sofreu devassa, mas sua melhor defesa foram os lucros do contrabando que remeteu para o Rio de Janeiro: mediante acordo entre a Câmara, o ouvidor-geral e o governador, moedas espanholas de meio real entradas em 1684 no Rio passaram a circular pelo valor de quarenta réis.[18] A prata continuou fluindo Atlântico acima, como atesta a chegada ao Rio de Janeiro, em 1689, de um patacho originário da Colônia e carregado "com mais de cem mil cruzados em patacas, prata lavrada e pinhas", bem como a afirmação dos donos do navio de que a remessa do metal era contínua.[19] Portugueses e espanhóis estavam proibidos, sob pena de morte, de negociarem, mas o contrabando só cessaria temporariamente em 1691, quando o novo governador de Buenos Aires decidiu seguir à risca a determinação das Cédulas Reais e suspendeu os suprimentos feitos aos portugueses, sob os quais, na realidade, eram acobertadas as trocas ilícitas. Os portugueses ficaram em compasso de espera, apostando que chegaria a hora de um governador que atendesse antes a sua conveniência que o serviço real.[20] Sebastião da Veiga Cabral, por exemplo, dizia que o zelo espanhol na repressão ao contrabando devia-se ao fato de os ganhos pessoais dos governadores ficarem comprometidos com a concorrência portuguesa,

18. Paulo César Possamai, *O cotidiano da guerra: a vida na Colônia do Sacramento (1715-1735)*, Tese de Doutorado em História, FFLCH-USP, 2001, p. 263.
19. Ibid.
20. "Parecer de Dom Francisco Naper de Lencastre sobre a Colônia do Sacramento" — Colônia, 10 de janeiro de 1694. Apud Luís Ferrand de Almeida, *A Colônia do Sacramento...*, "Documentos", pp. 339-43, citação à p. 340. Valho-me muito, nestas considerações, da tese de Paulo Cesar Possamai, *O cotidiano da guerra...*, pp. 261 e ss.

"pois obtinham parte dos lucros das mercadorias trazidas nos navios de registro".[21] Fiava-se, contudo, nas dificuldades espanholas de controlar "as dilatadas navegações, a quantidade de tantos rios, a multidão de tantos portos, a vastidão de campinas desertas e a falta de guarnições".[22]

Veiga Cabral permaneceu no governo da Colônia do Sacramento até 1705, quando a praça caiu após seis meses de combates. Nesse período, o posto foi atribuído a três outros governantes, que nunca chegaram a ocupá-lo pelos mais variados motivos. Tudo indica que usou de estratagemas e efetuou diligências para permanecer no cargo, interessado, segundo Ferrand de Almeida, no gado bovino e no negócio de couros, muitíssimo lucrativos na época, e responsáveis, aliás, por outra confusão que protagonizou: a prisão de um emissário enviado pelo governador do Rio, Artur de Sá e Meneses, encarregado de averiguar a potencialidade do extremo sul enquanto mercado abastecedor de gado vacum.[23] Apesar de tudo, o governador deixou boa lembrança, cuidando tanto da vida civil como da militar: dotou e casou órfãs, sustentou e vestiu quase todo o presídio, distribuiu mantimentos, reduziu enorme quantidade de índios à fé católica, "bati-

21. Possamai, *O cotidiano da guerra...*, p. 264.
22. Sebastião da Veiga Cabral, "Descrição geográfica e coleção histórica do Continente da Nova Colônia da Cidade do Sacramento", *Revista del Istituto Histórico y Geográfico del Uruguay*, t. XXIV, p. 64. Citado in Possamai, *O cotidiano da guerra...*, p. 264.
23. Ferrand de Almeida, *A Colônia do Sacramento...*, "Governadores da Colônia...", p. 305. Para o episódio da prisão do enviado de Artur de Sá, ver Maria Verônica Campos, *Governo de mineiros*, p. 51, vol. 1, onde fica dito que Artur de Sá e Veiga Cabral foram, ambos, censurados pelo rei. A questão inseria-se num conflito mais amplo, que opunha Dom João de Lencastre e Artur de Sá e Meneses em torno da jurisdição sobre a área mineradora bem como do controle sobre o seu abastecimento. Dom João achava que o sertão dos Currais poderia abastecer as minas de gado e que as minas poderiam se comunicar com a marinha por meio

zando a muitos deles"; empenhou-se nos descobertos metalíferos, chegando, conforme constou na patente que lhe passou o rei em 1709, a encontrar "duas minas de prata".[24] Ainda em vida, teve a memória exaltada por um dos "historiadores brasílicos", Sebastião da Rocha Pitta, que destacou sua coragem ao enfrentar o comandante inimigo encarregado de ocupar a fortaleza de Colônia: ante os argumentos de que a rendição evitaria mortes vãs, Veiga Cabral

> respondeu, com o desafogo e galanteria própria do seu valor e natureza, tratasse aquele negócio por obras e não por palavras; que o gosto que recebia com a vinda do exército, lho pensionava a falta do general; e enquanto à perda de vidas, os portugueses nunca duvidaram perde-las contra os castelhanos; que as do seu exército e todas corriam por conta da consciência de quem movia aquela injusta guerra.[25]

Em que pese o empenho de Rocha Pitta em enaltecer Veiga Cabral, parece que de fato agiu "com prudência, coragem e des-

---

de caminho aberto até o Espírito Santo, desembocando numa vila fortificada. Artur de Sá pensava que a região de cerrados e campos altos perto da Borda do Campo pudesse desempenhar esse papel, e proibiu o comércio pela Bahia em 1701. Dom João mandou um enviado a São Paulo e ao Rio de Janeiro para verificar o tamanho dos rebanhos bovinos, enquanto Artur de Sá fazia o mesmo com relação ao Sul, pensando o abastecimento a partir da Colônia do Sacramento.

24. "Cópia da patente de Sebastião da Veiga Cabral, de que faz menção na sua representação, que é a precedente e relativa de seus merecimentos", apud Sebastião da Veiga Cabral, "Descrição corográfica e coleção histórica do Continente da Nova Colônia da Cidade do Sacramento...", p. 268.

25. Sebastião da Rocha Pitta, *História da América portuguesa*, Lisboa, Editor Francisco Artur da Silva, 1880, p. 255. A expressão "historiador brasílico" é tomada do importante trabalho de Iris Kantor, *Esquecidos e renascidos — historiografia acadêmica luso-americana (1724-1759)*, São Paulo, Hucitec, 2004.

treza" na defesa da Colônia, sem perder uma só pessoa e deixando para trás a praça arrasada; foi por isso exaltado pelos que serviram sob suas ordens, "louvado nos mais calorosos termos pelo governador geral do Brasil", destacado com os agradecimentos do próprio rei e merecedor de festejos quando chegou ao Rio de Janeiro, onde presenteou o convento de Santo Antonio com o seu bastão de comando.[26]

Voltou, então, ao Reino, sendo em 1706 designado para comandar a praça de Alcântara e trabalhando "com tão zeloso desvelo que perdeu totalmente a saúde". Por ironia do destino ou por força do recurso retórico de que Veiga Cabral costumava lançar mão quando narrava os próprios feitos, esse episódio remete ao ocorrido anos antes, quando ainda era governante militar nos Açores e trabalhara com tanto "excesso" na sua defesa que ocorreu "lançar sangue pela boca".[27] Bem-sucedido no primeiro caso, sucumbiu contudo à doença no segundo, e não conseguiu impedir que a praça de Alcântara caísse nas mãos do inimigo, ele próprio sendo feito prisioneiro. Em 1709, Dom João V o nomeou governador de Abrantes: a guerra continuava, mas nesse lugar afastado pôde se dedicar à escrita de vários textos sobre a Colônia do Sacramento, entre os quais a importante *Representação*, encomendada por Dom Pedro II mas concluída apenas no reinado do

26. Ferrand de Almeida, *A Colônia do Sacramento...*, "Conclusão", pp. 278 e 287. Cf. Carta de Dom Pedro II a Veiga Cabral, Lisboa, 3 de outubro de 1705, apud Ferrand de Almeida, *A Colônia do Sacramento...*, p. 467.

27. Arquivo Histórico Ultramarino, ACL, CU, Consultas Mistas, códice 20 — 1704-1713, fl. 400. Registro aqui meu reconhecimento a Tiago dos Reis Miranda, inestimável auxiliar à distância dos amigos brasileiros, que me enviou de Lisboa as fotocópias da Consulta referente a Veiga Cabral. Cabe ressaltar que a alusão a ferimentos graves faz parte da retórica utilizada pelos vassalos empenhados em obter mercês e hábitos. Cf. Olival, *As ordens militares...*, p. 123, em que fala dos aleijados de guerra.

filho.[28] Além da descrição das terras fertilíssimas e das vantagens da agricultura em Colônia, há toda uma parte que procura fundamentar os direitos portugueses sobre a região e indica caminhos para as negociações diplomáticas com a Espanha.

DE LISBOA A MINAS

Como observou Ferrand de Almeida, mesmo de volta ao Reino, Veiga Cabral não conseguia se desligar do Novo Mundo. Em 1712, quando Dom Brás Baltazar da Silveira foi designado governador de São Paulo e Minas do Ouro, Veiga Cabral foi o seu único concorrente. Não chegou a ameaçar o pleito, pois a maioria dos votos foi para Dom Brás, em quem o Conselho Ultramarino viu mais bem representadas tanto as qualidades de "valor e préstimo militar" como as de nascimento, então imprescindíveis para infundir respeito aos povos.[29] Na ocasião, registrou-se, contudo que "sobre os seus muitos anos de serviços, consta que governou com bom modo e aceitação a Nova Colônia do Sacramento, defendendo-a com grande valor no sítio que lhe puseram os castelhanos". Ia da mesma forma se saindo bem no governo da Vila de Abranches: "artes todas de quem justamente se pode

28. Ferrand de Almeida, *A Colônia do Sacramento...*, p. 307. "Cópia da patente...", pp. 270-1. *Representação* é o título original da "Descrição" que venho citando. Apesar da crítica contundente e irrefutável de Luís Ferrand de Almeida à edição uruguaia, foi esta a única que pude consultar. Conferir sua resenha de "Descrição corográfica e coleção histórica do Continente da Nova Colônia da Cidade do Sacramento", *Revista Portuguesa de História*, Coimbra, t. XI, vol. II, 1968, pp. 350-7. Agradeço vivamente a Paulo Possamai por me ter dado a fotocópia dessa resenha, bem como por me ter cedido o seu exemplar fotocopiado da "Descrição".
29. AHU, Consultas..., fl. 401. Sobre a exaltação das virtudes nobres com o fim de infundir respeito nos povos, ver capítulo 4 deste livro.

confiar obrará muito conforme ao que é necessário no governo das Minas".[30]

Frases que funcionavam como prêmio de consolação, já que Veiga Cabral perdera o pleito. Tudo indica, porém, que estava empenhado de fato em governar as Minas, pois em 1715, aos cinquenta anos, concorreu de novo, já um pouco idoso para a época e o cargo. A eleição foi dessa vez muito disputada, com nove *opositores* (entre os quais, Veiga Cabral e Dom Pedro de Almeida) e grande discordância entre os conselheiros, que, sendo seis, dividiram-se em cinco grupos. Veiga Cabral teve apenas um voto, e assim mesmo em segunda opção.[31] O Conselho Ultramarino, o Conselho do Reino e o rei acabaram escolhendo Dom Pedro de Almeida, conde de Assumar, de maior nobreza e menor idade, contando então com 29 anos.[32] Incansável, Veiga Cabral concorreria ainda aos governos de Minas e de São Paulo respectivamente em maio e junho de 1720, sempre sem sucesso e perdendo, dessa feita, para Dom Lourenço de Almeida e Pedro Álvares Cabral.[33]

30. Ibid., fl. 401v.
31. Arquivo do Palácio da Ega, códice 21, fls. 114v-117v. Devo essa preciosa indicação, bem como a seguinte, a Tiago dos Reis Miranda. Além de Veiga Cabral e de dom Pedro de Almeida, foram então opositores — ou seja, concorrentes que postulavam o mesmo cargo — Duarte Sodré Pereira (candidato também ao governo de Pernambuco), Ayres de Saldanha de Albuquerque, Manuel de Sousa Tavares, António de Brito de Meneses, Paulo Caetano (os quatro também candidatos ao governo do Rio de Janeiro), D. António da Silveira e Albuquerque e António de Couto Castelbranco. Ibid.
32. Ferrand de Almeida, *A Colônia do Sacramento*..., "Governadores da Colônia...", p. 307. A eleição de Dom Brás está documentada em "Votto para Governador das Minas" (Lisboa, 10 de agosto de 1712), Biblioteca Nacional de Lisboa, Coleção Pombalina, Ms. 230, fls. 66v-67. Tiago Reis Miranda, "Dom Brás Baltazar da Silveira na vizinhança dos Grandes", comunicação inédita apresentada no colóquio *A nobreza na administração colonial do Brasil*, organização: Casa da Fronteira e Alorna, Lisboa, 23-26 de junho de 2002, exemplar datiloscrito.
33. Para o governo de Nova Colónia, Arquivo do Palácio da Ega, códice 21, fls.

Sua insistência revela algo importante: não desejava sair do eixo sudeste-sul, entre Minas, São Paulo e Sacramento.

Por que Sebastião da Veiga Cabral não conseguiu os postos que pleiteou? Talvez pesasse o fato de se ter aberto devassa contra ele em virtude do envolvimento no levante de 1699. Talvez o impedimento se devesse à impureza de sangue, referida nos documentos seiscentistas — quando o pai requereu hábito de Cristo — e reiterada nas práticas cotidianas, já que a família cultivava relações dentro da comunidade de origem judaica: a segunda mulher de Sebastião, o Velho, Dona Maria de Figueiroa, mãe de um clérigo seu homônimo — pois se chamava Sebastião da Veiga —, tinha sido madrinha de batismo, em Bragança, de um hebreu natural da Polônia.[34] Rumores de *sangue infecto*, judeus poloneses que se batizavam: tudo remete à mistura religiosa que, por baixo do pano e driblando o olho vigilante da Inquisição, caracterizava as redes cristãs-novas no Portugal moderno. Se o *defeito de sangue* não chegava a impedir uma carreira militar bem-sucedida ou mesmo o governo de uma praça militar como Sacramento, pesava, por certo, quando se tratava da condução de uma capitania que, em fins do primeiro quartel do século XVIII, começava a despontar entre as de primeira grandeza.

Por que Sebastião da Veiga Cabral queria tanto ir para as Minas? Dom Brás Baltazar voltou em 1717 milionário, dono de uma fortuna superior a 200 mil cruzados. Há forte evidência que, durante seu governo, foram descobertos os diamantes na capi-

---

130v e ss. Para Minas, ibid., fls. 373-7; para São Paulo, ibid., fls. 383-386v. Todas essas informações foram conferidas, a meu pedido, por Tiago Reis Miranda, a quem registro mais uma vez minha gratidão.

34. *Gazeta de Lisboa*, nº 21, 22 de dezembro de 1729. Devo essa informação ainda a Tiago Reis Miranda.

tania, sem contudo haver comunicado oficial à Coroa, alastrando-se, entre alguns felizardos, a mineração clandestina.[35] Era ainda considerável, naquele tempo, a complacência monárquica ante o envolvimento de administradores em negócios, lícitos ou ilícitos.[36] Estudavam-se reformas, mas as opiniões se dividiam, e um homem como o duque de Cadaval achava que "se os governadores das colônias e os funcionários superiores não pudessem auferir um lucro honesto em algum tipo de comércio, seria muito difícil encontrar candidatos que conviessem a esses postos, uma vez que não haveria incentivo que os levasse a servir em climas insalubres e em regiões perigosas".[37] Quando o enriquecimento pessoal podia andar junto com o do Estado, a Coroa, complacente, fechava os olhos. E questões pecuniárias não deviam ser alheias ao empenho de Cabral em obter um governo na América, dada a fragilidade de seu estado, como ele próprio declarou em 1706:

35. Maria Verônica Campos, *Governo de mineiros...*, capítulo "Colhendo as uvas...", pp. 260-320.
36. "Como a Coroa não conseguia pagar salários adequados, seus funcionários no ultramar estavam, às vezes expressamente, outras tacitamente, autorizados a comerciar por conta própria. Essa concessão em geral era levada a cabo mediante a compreensão de que os direitos comerciais preferenciais ou monopolistas da Coroa não seriam, nesse processo, seriamente infringidos, e que esse comércio privado não teria a primazia sobre o comércio oficial, que era encaminhado pelos agentes da Coroa e das alfândegas existentes em todos os portos mais importantes do império português." Boxer, "Comerciantes, monopolistas e contrabandistas", in id., *O império marítimo português...*, p. 336. Depois de 1720, a complacência continuou, ao sabor de contextos específicos. Sobre a fortuna funambulesca de Dom Lourenço (19 milhões de cruzados) e a considerável do conde de Assumar, que ficou sem ser recebido por Dom João v porque trazia do Brasil mais de 100 mil moedas de ouro — e que foi reconciliado com o rei por intermédio do cunhado de Dom Lourenço, Diogo de Mendonça Corte Real —, ver Vitorino Magalhães Godinho, *A estrutura da antiga sociedade portuguesa*, Lisboa, Editora Arcádia, 1971, pp. 74-5.
37. Boxer, *O império marítimo português...*, p. 360.

Eu estou sem um pão que comer [...] e com graves achaques; se me derem o Rio de Janeiro posso comer, e acomodar muitos Irmãos, e Irmãs que tenho com pouco remédio; se mo negarem seguro o sustento, e algum socorro para a família enquanto eu viver: porque de lá oferecem-me casamento com dote de seis mil cruzados de renda.[38]

A complacência da Coroa ante ganhos escusos sofreu uma inflexão em 1720, justamente quando Assumar governava as Minas: em setembro, Dom João v mandou publicar um decreto que proibia a participação de todos os funcionários do governo, "desde a categoria de vice-rei e governador até a de capitão militar e de seus equivalentes civis", em qualquer tipo de comércio, direta ou indiretamente.[39] Para compensar a perda dos privilégios comerciais, os salários sofreram um ligeiro aumento.

Seja qual fosse o motivo, "obrigado de dependências em que era interessada a sua pessoa", Veiga Cabral partiu para o Brasil provavelmente em 1717, quando pelo menos um episódio sugere que já andava por lá.[40] A situação registrada não é muito abonadora de sua honestidade. Por meio de um estratagema, "abusando de uma procuração", tentou obter uma fazenda em Antonio Pereira: servindo de fiador numa transação de terras entre Antonio de Andrade Góis e Pedro Frazão de Brito, fez o que pôde a fim de passá-las para seu nome.[41] Outro episódio, do qual muito se falou

38. Arquivo do Palácio da Ajuda, 51-v-37, "Carta para o Padre Magalhães de Sebastião da Veiga sobre os seos serviços e pertenções, e varias noticias militares. Alcantara, 1º de Dezembro de 1706", 3 ss. mss.

39. Boxer, *O império marítimo português...*, p. 360.

40. O trecho entre aspas é de Barbosa Machado, Biblioteca Lusitana, 2ª ed., p. 690, t. III. Ferrand de Almeida acha que teria vindo a Minas entre 1718 e 1719, cf. *A Colônia do Sacramento...*, p. 307.

41. Diogo Vasconcellos, *História antiga de Minas Gerais*, Belo Horizonte,

na época, atesta igualmente a elasticidade de seu comportamento nos negócios: havia tentado receber um crédito, mas viu-se impedido pela oposição do ouvidor Martinho Vieira, armando então um estratagema por meio do qual um religioso seu conhecido ofereceu ao magistrado "dois moleques novos". Como o ouvidor os aceitasse, "começou a publicar que o ouvidor vendia a justiça, e dava por peita despachos violentos e executivos; pois o que ele, com o seu respeito, não pudera acabar, alcançara o clérigo por dois moleques que deu".[42]

As referências mais constantes a sua presença em Minas dizem respeito, contudo, ao motim de 1720 em Vila Rica, que a memória nacional consagrou, erroneamente, como "levante de Felipe dos Santos".[43] O *Discurso histórico e político...*, principal fonte sobre o episódio, faz o retrato de Veiga Cabral com os traços do grotesco: um velho pérfido, dissimulado, maquinador, cúpido, descabidamente ambicioso. Diogo de Vasconcellos, patrono da historiografia mineira, endossa esse retrato, e conta de Veiga Cabral tudo quanto o *Discurso* registrou, no que é acompanhado pelo maior estudioso do levante, o erudito Feu de Carvalho.[44] Alguns dos relatos que integram o *Códice Costa Matoso* também

---

Imprensa Oficial, 1904, p. 336: "Tinha uma liquidação com Antonio Pinto de Almendra, irmão do mestre de Campo Domingos Fernandes Pinto, e pediu ao Ouvidor lhe concedesse mandado executivo sem contudo ter proposto a ação e obtido a sentença; ao que se recusou o Ministro com toda a razão", comenta Diogo de Vasconcellos, que não tinha Cabral em boa conta e sublinha a penúria econômica em que se encontrava.

42. *Discurso histórico e político sobre a sublevação que nas Minas houve no ano de 1720*, Belo Horizonte, Fundação João Pinheiro, p. 76.

43. Ver a respeito o capítulo 5 deste livro.

44. Diogo Vasconcellos, *História antiga...*, pp. 336-51, mas sobretudo pp. 349-51. Feu de Carvalho, *Ementário da história mineira — Felipe dos Santos Freire na sedição de Vila Rica em 1720*, p. 97 e pp. 125 ss., Belo Horizonte, Edições Históricas, s.d.

aludem à personagem numa chave negativa, destacando-lhe o "gênio ardiloso e orgulhoso".[45]

Excetuando-se, como já dito, Sebastião da Rocha Pitta, Veiga Cabral não contou, portanto, com a simpatia dos registros coevos, e todos concordam quanto ao fato de ter se juntado ao ex-ouvidor Mosqueira da Rosa e a Pascoal da Silva Guimarães, magnata das Minas que tinha ganhado muito dinheiro com a exploração aurífera e cedo diversificou as atividades também para o comércio. Conforme o relato posterior, escrito por Dom Lourenço de Almeida, sucessor de Assumar no governo de Minas, o móvel de se juntarem ao levante foi pessoal: Pascoal da Silva era muito rico, mas "gastava em excesso" e acumulava tantas dívidas "que apenas chegavam os seus bens para as pagar"; Mosqueira da Rosa "desejava muito" ser ouvidor de novo, e Veiga Cabral, "por qualquer caminho que fosse, desejava ser governador, assim pela sua ambição de governar, como pelas demandas que trazia nestas minas".[46] Que demandas seriam essas? Como já se viu acima, Veiga Cabral não possuía fortuna, e consta ter sido executado por dívidas em 1720.[47] A justificativa de Dom Lourenço se aproxima bastante da oferecida pelo *Discurso*, onde está dito que aos "principais cabeças" interessava "no motim a conservação do respeito, a imunidade dos cabedais e as esperanças do mando". O texto esclarece, contudo, que não foi esse o único desencadea-

45. "Relação de um morador de Mariana e de algumas coisas mais memoráveis sucedidas", in *Códice Costa Matoso*, coordenação geral de Luciano Raposo de Almeida Figueiredo e Maria Verônica Campos, Belo Horizonte, Fundação João Pinheiro, Centro de Estudos Históricos e Culturais, 1999, pp. 204-9, citação à p. 209.

46. Carta de Dom Lourenço de Almeida ao rei (16 ou 18 de outubro de 1721), apud Feu de Carvalho, *Ementário*..., pp. 15-7, citações à p. 15.

47. Informação esta dada por Waldemar de Almeida Barbosa, que se refere a documentos do Arquivo da Casa dos Contos, Rio, Imprensa Oficial, 1945, pp. 150-3. Cf. *História de Minas*..., p. 136, vol. III.

dor do movimento, sugerindo ter havido duas linhas mestras no episódio: uma, subordinada à "malícia" dos poderosos; outra, ao "furor" da plebe, insatisfeita com a tentativa de instalar as Casas de Fundição.[48]

A atuação de Sebastião da Veiga Cabral foi marcada sobretudo pela ambiguidade e pelo jogo duplo, entre a conspiração com os revoltosos e as tentativas de, ao mesmo tempo, preservar a boa relação com o governador.[49] Corria da vila ao palácio, a choramingar e confessar temores, aumentando as ocorrências e exagerando os perigos. A partir de uma certa altura, o seu bordão foi dizer que, mesmo à sua revelia, o povo o desejava por governador, e que talvez fosse essa a melhor solução na crise que não se resolvia. Não ficou só nas palavras: quando o povo amotinado de Vila Rica se dirigia ao palácio de Assumar, na Vila do Carmo, Veiga Cabral irrompeu ante os sublevados e

> começou destemperadamente a perguntar-lhes que queriam, e sem dar lugar a resposta alguma, lhes disse: "Filhos, não quereis casa de quintos, nem de moeda? Quereis que vá o ouvidor com todos os

48. *Discurso...*, p. 83. A primeira tentativa de instalar Casa de Fundição nas Minas ocorrera durante o governo de Dom Brás Baltazar da Silveira, mas foi em 1719 que a Coroa, com Cartas Régias, determinou a adoção da medida, logo depois acompanhada da proibição do uso corrente do ouro em pó. Cf. Adriana Romeiro e Ângela Vianna Botelho, *Dicionário histórico das Minas Gerais — Período Colonial*, Belo Horizonte, Autêntica, 2003, verbete "Casa de Fundição e Moeda", pp. 71-4.

49. "As descrições que os autores do *Discurso histórico* fazem de Pascoal da Silva, Manuel Mosqueira da Rosa e Sebastião da Veiga Cabral têm um ponto em comum: eram os três falsos e dissimulados. Mas o conde de Assumar também o era. O que era defeito do rebelde convertia-se em virtude no governante. Não há aí nenhuma contradição. Como governador, o uso da simulação era sinal de virtude e ponderação. No súdito, especialmente no amotinado, era falta grave e prova de desrespeito ao rei e a seus representantes". Maria Verônica Campos, *Governo de mineiros...*, p. 214, vol. 1.

diabos? Quereis-me a mim? Aqui estou, tudo se fará, que eu hei de ser vosso procurador".[50]

Simulou que partia, entrouxando a roupa e dormindo em Passagem, a meio caminho entre a Vila do Carmo e Vila Rica. Voltou no dia seguinte, tentando convencer o conde "a desertar as Minas", "instando sempre que se retirasse enquanto o tempo lhe dava lugar", "que o soldado que foge peleja outra vez; que estas Minas podiam ficar na obediência de um regente, que este (quase inculcando-se) sempre havia de dar conta de si e ainda executar o que fosse do gosto do Conde". Sua imaginação voava. Para não ter que aceitar o cargo que lhe impunham, dizia que ia fugir

> em uma rede com uma baeta por cima e uns panos brancos na cabeça que o fingissem de diferente sexo, atrás de um cavalo selado e enfreado, e um negro com uma tararaca (gênero de trombeta entre os paulistas) para que, no caso que por algumas suspeitas concorresse o povo em seu alcance, o negro, antecedentemente advertido, tocasse o tal instrumento para ele saltar da rede, ganhar a sela e se valer da prontidão do cavalo.[51]

Fazendo apologia da fuga como ato de heroísmo, Veiga Cabral talvez pensasse no bom sucesso obtido quando deixou a Praça de Colônia ao inimigo; a rede, por sua vez, foi onde escapou, muitos anos antes, um César de Meneses que governou Angola, e pode ser que o episódio desde então tivesse alimentado o anedotário político do Império, como solução última em momentos de crise.[52]

50. Ibid., p. 105.
51. Ibid., pp. 119 ss.; p. 125.
52. Trata-se de Pedro César de Meneses, 19º governador de Angola, que, tendo

Quando Dom Pedro de Almeida desencadeou a repressão, Veiga Cabral foi o primeiro atingido. Remeteu-o para o Rio de Janeiro "por um caminho desviado" de Vila Rica, "onde estavam os cabeças".[53] Deu ordens para que a força armada que o acompanhava — dois capitães, um ajudante, seis ordenanças brancos, trinta escravos "de diversas pessoas do Inficcionado e Catas Altas com suas armas" — resistisse caso os comparsas tentassem libertá-lo no trajeto. Nos pousos, deveria dormir sempre "com sentinela à vista", e nenhuma carta que se lhe escrevesse poderia ser entregue.[54]

Rocha Pitta, que escreveu pouco menos de dez anos após o episódio, duvidou discretamente que um vassalo como Veiga Cabral estivesse de fato envolvido no motim, concorrendo "para ações contrárias a quantas ele havia obrado no serviço del rei". Só se a calúnia fosse fruto da desgraça, que em outros episódios já o havia acompanhado, "ainda que sempre com crédito do seu talento". Um dia as coisas se aclarariam, pondera: "como a sua causa pende em juízo, a sentença que tiver poderá determinar o duvidoso conceito em que por este motivo está o seu procedimento". O historiador baiano dá uma informação discrepante das demais: os presos de 1720 teriam sido remetidos para a Bahia, e entre eles Veiga Cabral, que ficou recluso na fortaleza de Santo Antonio além do Carmo até embarcar para Lisboa. Verdadeira ou não, a notícia mostra que

---

assumido em 1639, enfrentou os holandeses sem grande heroísmo, descuidando das defesas. Cf. Elias Alexandre da Silva Correia, *História de Angola: 1782* [que na verdade deve ser 1792, cf. Manuel Múrias, no "Prefácio", pp. VIII-IX], Lisboa, Coleção Clássicos da Expansão Portuguesa no Mundo, 1937, 2 vols. O autor se refere a esse governador como "o imprevisto Meneses", falto de cautela (p. 250), e reputa seu governo de "desgraçado" (p. 251). Foi preso pelos holandeses, e fugiu disfarçado em negro e metido dentro de uma rede (p. 250). A respeito, ver o próximo capítulo.

53. Ibid., p. 130.

54. Ordem transcrita por Feu de Carvalho, *Ementário...*, pp. 131-2.

sua fama e desventuras haviam corrido as capitanias da América portuguesa, ou que contava com amigos entre as elites de outras capitanias.[55] Por volta de 1750, um dos relatos anônimos encomendados pelo ouvidor de Minas, Caetano da Costa Matoso, isentou Veiga Cabral da culpa e considerou sua prisão como o principal motivo da primeira desgraça que desabou sobre o conde de Assumar, normalmente atribuída à execução de Filipe dos Santos:

> Também houve motivo para o conde entender que Sebastião da Veiga Cabral e Pascoal da Silva eram motores do levante, e prendendo a ambos os remeteu para Lisboa, e ainda que tanto um como o outro estavam inocentes, a sua facilidade em se comunicarem com os cabeças deu causa para a sua perdição. El-rei logo mandou retirar ao conde, provendo no governo ao senhor Dom Lourenço de Almeida, e este governador pôs a Casa da Moeda com a felicidade que ninguém lhe repugnou.[56]

Trinta anos depois do levante, a memória que se ia tecendo continuava a opor Assumar, então na Índia, e Veiga Cabral, já no reino do outro mundo.

CONECTANDO REGIÕES

A 22 de dezembro de 1729, a *Gazeta de Lisboa* publicou uma notícia sobre a morte dessa personagem: "Faleceu esta semana Sebastião da Veiga Cabral, fidalgo da Casa de Sua Majestade, Sargento Mor de Batalha e Governador que foi no tempo da guerra

55. Pitta, *História da América portuguesa*, p. 344.
56. "Relação de algumas antiguidades das Minas", in *Códice Costa Matoso*, pp. 221-7, citação à p. 226.

da Vila de Abrantes, e antecedentemente o foi da Nova Colônia do Sacramento".[57] Informação seca, que não diz sequer se, nove anos após o levante de Vila Rica, estava preso ou em liberdade. Nas *Gazetas Manuscritas de Évora*, contudo, o registro de sua morte, feito um mês depois — 24 de janeiro de 1730 —, revela bem mais: "Morreu no Castelo Sebastião da Veiga Cabral e perdeu o Conde de Assumar um grande inimigo, e deixou por testamenteiros os desembargadores mais poderosos, um deles era Pedro de Almeida [homônimo do conde!] que está mal restituído aos sentidos e leso".[58] Para um inimigo importante, um protetor importante: ódios e tensões, favores e solidariedades teciam a rede das relações sociais no Portugal setecentista, como em tantas outras sociedades de Antigo Regime, ultrapassando a fronteira das regiões e dos continentes.

Das regiões porque, mesmo que permaneçam ocultos, houve motivos fortes que impeliram Veiga Cabral do Sacramento para Minas — como os houve também para decidir Ambroise Jauffret a trocar São Paulo por Caiena. Dos continentes porque, enquanto se armava o motim de Vila Rica, que acabou explodindo a 28 de junho, o nome de Veiga Cabral aparecia nas reuniões do Conselho Ultramarino, em Lisboa, como *opositor* aos governos de Minas, em maio, e de São Paulo, em junho.

A figura de Veiga Cabral pintada no *Discurso* e os atos que a ele são ali atribuídos têm muito de farsa, e o intuito retórico é evidente. O que mais interessa a este estudo são, porém, as referências constantes a maquinações em curso no Reino, e capazes de repercutir em capitanias americanas; os conflitos regionais que atravessavam o Atlântico e podiam se espraiar sobre os Conselhos que

57. *Gazeta de Lisboa*, nº 4. Devo essa informação a Tiago Reis Miranda.
58. João Luís Lisboa, Tiago Reis Miranda e Fernanda Olival, *Gazetas Manuscritas da Biblioteca Pública de Évora, vol. 1 (1729-1731)*, Lisboa, Colibri, 2002, p. 72.

governavam o Império, evidenciando as conexões entre o centro do Império e as partes, e a das partes entre si.

Para Veiga Cabral, o governo de Minas não era uma quimera: como viu Dom Lourenço de Almeida, desejava obtê-lo "por qualquer caminho que fosse". Com esse intuito, e não com o de cobrar uma dívida, cruzou de novo o Atlântico em 1717. Proclamou, certa vez, haver "no Conde faltas de experiência: que bem mostrava que este era o primeiro governo", o que o colocava em nítida vantagem, governante que fora de Sacramento e de Abrantes. Já em pleno levante, insinuava "a grande valia com os maiores ministros, o muito que na Corte podia, mostrando as cartas fingidas de Portugal e dando a entender que tinha ordens de El-Rei para fazer averiguações secretas, assim do procedimento do Conde como de outros particulares". Nunca referia às claras qual motivo o havia trazido às Minas, alegando ser segredo conhecido só do rei e de Deus, "para ter pretexto de alegar a Sua Majestade o muito que o desejavam por governador".[59] O *Discurso*, por sua vez — ou Assumar —, dá as pistas para tanta maquinação, invocando fatos acontecidos no Reino: em tudo quanto fazia era movido pelo "ódio que, havia pouco, se tinha descoberto contra o conde por uma proposta que este fizera a Sua Majestade, antes de sair de Lisboa, para que revogasse a Sebastião da Veiga a licença de vir às Minas, de que ele tivera notícia".[60]

O ódio, de matriz metropolitana, ganhou seiva nova nas colônias. A se acreditar no *Discurso* e nas suas cartas, Assumar não protegia os poderosos, como haviam feito seus antecessores — ou como, pelo menos, Dom Brás, que tanto lucrou com os segredos sobre descobertos de diamantes. Logo após chegar nas Minas, o conde partiu para o enfrentamento: "nem para ele havia diferença

59. *Discurso*..., citações às pp. 117, 122 e 124.
60. Ibid., p. 128.

do monte ao vale, antes, a exemplos do raio, nunca descarregou o golpe senão nos altos, que na sua iminência e grandeza se desvaneciam respeitados, e presumiam seguros".[61] Em que pese, nessa passagem, o intuito de justificar a execução de Filipe dos Santos, homem comum e de pequeno cabedal, outros documentos coevos atestam que veio disposto a desfazer arranjos antigos e impor ordem nova.[62]

Parece incomum que o pretendente a um governo colonial se deslocasse para a região que desejava governar, tecendo simultaneamente tramas no plano geral e no local. No plano geral, a bastardia e o rumor de sangue infecto fizeram com que, depois de ter governado Sacramento, nunca conseguisse mais de um voto junto aos conselheiros: não podia se medir com Assumar, rebento titulado de uma casa em ascensão, filho e neto de governantes coloniais. No plano local, esse episódio insólito revela que não eram então muito marcadas as diferenças entre interesses de "colonos" e "reinóis", mesmo porque não havia então sombra sequer de sentimento nacional. Como observou Maria Verônica Campos, conflitos da Corte ecoavam nas colônias, e vice-versa, o "faccionalismo entre iguais" (os nobres de Portugal) sendo instrumentalizado pelo "faccionalismo entre potentados locais".[63] Só isso pode explicar a estranha aliança de Pascoal da Silva, Filipe dos Santos e outros,

61. Ibid., p. 80.

62. Campos, *Governo de mineiros...*, cap. "Cavando a vinha...", pp. 214 ss.

63. Ibid., p. 251. Sobre a necessidade de governantes coloniais manterem conexões permanentes que os integrassem à metrópole, ver, por exemplo, Fabiano Vilaça dos Santos, "Mediações entre a fidalguia portuguesa e o Marquês de Pombal: o exemplo da Casa de Lavradio", *Revista Brasileira de História*, nº 48, 2005, pp. 301-29, p. 318: "era fundamental para o administrador colonial manter uma boa rede de interlocutores na Corte, capazes de sondar a repercussão dos seus feitos no ultramar. As informações colhidas funcionavam como termômetros do prestígio pessoal e familiar daquele que estava impossibilitado pela distância de agir em defesa própria".

cujos interesses eram cada vez mais enraizados localmente, com um fidalgo português que já havia governado uma praça colonial e que, em campanha para obter novo cargo administrativo, perambulava por regiões do Império.

Em 1733, já à frente do governo do Rio de Janeiro mas não ainda do de Minas, Gomes Freire de Andrade realizou uma das maiores apreensões de moeda falsa ocorridas até então. Tratava-se de Antonio Pereira de Sousa, falsário ligado a uma casa de moeda falsa em Itaverava e caçado pelas autoridades havia pelo menos um ano. Pegaram-no quando atravessava o rio Paraibuna, e conseguiu escapar da prisão provavelmente porque falou muito, deixando vir à tona uma rede complexa de contrabando. Pereira de Sousa tinha vultosos negócios no rio da Prata, mas havia peixes maiores, como talvez Rodrigo César de Meneses, irmão do conde de Sabugosa, ex-governador de São Paulo — de onde continuavam partindo expedições em busca de ouro — e, na época, à frente de Angola.[64] Rodrigo César já tinha se envolvido antes numa história escusa de cunhos desaparecidos da Casa de Fundição e Moeda de Cuiabá.[65] Cogitou-se que andasse, nessa segunda ocorrência, metido em desvio de ouro para a Costa da Mina. As investigações de Gomes Freire, conforme sugeriu Maria Verônica Campos, "revelaram

64. Luís Fragoso afirma que Rodrigo César estava metido em falcatruas, mas não encontrei evidências documentais convincentes neste sentido. Cf. Fragoso, "Potentados coloniais e circuitos imperiais: notas sobre uma nobreza da terra supracapitanias, no Setecentos", in Nuno G. F. Monteiro, Pedro Cardim e Mafalda Soares da Cunha (orgs.), *Optima Pars — elites ibero-americanas do Antigo Regime*, Lisboa, ISC — Imprensa de Ciências Sociais, 2005, pp. 133-68, referência à p. 135. Para os descaminhos e as casas de moeda falsa, ver Paulo Cavalcante de Oliveira Jr., *Negócios de trapaça: caminhos e descaminhos na América Portuguesa (1700-1750)*, Tese de Doutorado em História, São Paulo, 2002, 2 vols.

65. Nauk Maria de Jesus, *Na trama dos conflitos: a administração na fronteira Oeste da América Portuguesa (1719-1778)*, Tese de Doutorado em História, UFF, 2006, exemplar datiloscrito, principalmente capítulos 2 e 3, pp. 50-85 e 86-129.

que o comércio de ouro em pó não se restringia à rota América/ Costa da Mina, estendendo-se até o rio da Prata, Guiana Francesa, Ilhas, Inglaterra, França e Holanda".[66] Charles Boxer, aliás, já havia detectado tal conexão, lembrando que "[o] ouro era contrabandeado para fora através de rios solitários e pelos caminhos de matagais não frequentados", ganhando a Bahia e o Rio para, em seguida, alcançar ilegalmente a Costa da Mina, os Açores, Buenos Aires "e até [...] a Guiana Francesa".[67] Russell-Wood ecoou a mesma posição: "O contrabando era corrente em terra e em alto mar: para África (ouro, tabaco), Europa (ouro, diamantes, tabaco, pau-brasil), outras partes das Américas (Guianas, Peru, rio da Prata: açúcar brasileiro e escravos em troca de prata e peles)".[68]

Buenos Aires, onde os governadores faziam ouvidos moucos a "todas as leis e advertências emanadas do governo de Madrid" para que se evitasse o "escoamento alarmante da prata peruana", e isso justamente porque jogavam "grandes paradas pessoais naquele comércio ilícito".[69] Do outro lado do rio da Prata, em Sacramento, os portugueses lançavam bases para o interior, trocando peles por ouro, e tudo pela prata que descia de Potosí.

Por fim, é bom lembrar que o desassossego de Veiga Cabral aumentou a partir de 1713: no contexto da Paz de Utrecht, constituía-se no extremo sul a Capitania do Rio Grande de São Pedro e Sacramento era retomada, descortinando-se possibilidades

66. Campos, *Governo de mineiros...*, cap. "Triturando todas as Minas", p. 309. Para Rodrigo César de Meneses, ver o próximo capítulo deste livro.
67. Boxer, *A Idade de Ouro do Brasil — dores de crescimento de uma sociedade colonial*, 2ª ed., São Paulo, Companhia Editora Nacional, 1969, cap. "Vila Rica de Ouro Preto", p. 219.
68. A. J. R. Russell-Wood, "Centros e periferias no mundo luso-brasileiro, 1500-1808", *Revista Brasileira de História*, vol. 18, nº 36, pp. 187-249, 1998; citação à p. 212.
69. Ibid., p. 262.

ampliadas de contrabando no império espanhol, bem como de controle sobre os excelentes rebanhos do Sul, que agora podiam de novo alimentar as Minas; no extremo norte, fixava-se o limite do Oiapoque com a Guiana Francesa.[70]

No início do século XVIII, quando Dom João V se esforçava por restringir a participação estrangeira no comércio do ouro e se via constrangido a tolerar tanto certa parcela de contrabando como, por parte dos comandantes militares e governadores coloniais, certa margem de ganho ilegal durante a vigência de suas atividades, as histórias de Ambroise Jauffret e de Sebastião da Veiga Cabral jogam luz sobre as redes que articulavam entre si as diferentes regiões do Império, articulando-as ainda ao reino e a outras monarquias. Por si só, essas histórias — espécie de *case studies* — já ilustram muito; conectadas, adquirem poder explicativo ainda maior. Histórias e redes ajudam a entender o que Ambroise Jauffret, tão cioso do roteiro para as Minas, andou depois fazendo em Caiena, e porque escreveu a Pontchartrain, então fora do circuito ilegal diplomaticamente tolerado. Ajudam, igualmente, a explicar o empenho de Sebastião da Veiga Cabral, valoroso defensor da Praça de Colônia, em, já velho, tentar o governo de Minas Gerais.

70. Rodrigo Bentes Monteiro, *O rei no espelho — a monarquia portuguesa e a colonização da América: 1640-1720*, São Paulo, Hucitec, 2002, p. 282.

Este texto foi apresentado pela primeira vez num colóquio em homenagem a Charles Boxer organizado na Universidade de Yale por Stuart Schwartz. Agradeço a Tiago Reis Miranda pela leitura e sugestões, sem falar nos aportes documentais mandados de Lisboa. A presente versão está ampliada e modificada.

7. Morrer em colônias: Rodrigo César de Meneses, entre o mar e o sertão

Diante do oceano, como diante do sertão, é o mesmo assombro, é a mesma impressão de infinito e de eternidade, é a mesma vertigem. Só eles, imensos e desertos, podem saciar a fome de liberdade sem limites que devora o homem, o nomadismo ingênito que o atormenta, o orgulho de bater-se, fraco e pequenino, contra os elementos desatrelados, e de vencê-los. Em paga dessas volúpias sobrehumanas, apoderam-se de todo e para a vida inteira de seus apaixonados.

Alcântara Machado, *Vida e morte do bandeirante*

A MORTE

No dia 5 de julho de 1739, pelas quatro horas da tarde, entrava na Barra do Rio de Janeiro o corpo de Rodrigo César de Meneses, ex-governador da capitania de São Paulo e do Reino de Angola, e que daí a uma semana completaria 63 anos.[1] Quando a embarcação que o trazia emparelhou com a Fortaleza de Santa Cruz, esta e as demais que guardavam a cidade içaram bandeiras a meio pau e começaram a disparar uma peça a cada quarto de hora, assim prosseguindo até o amanhecer. Então, a partir das seis horas da manhã, três fragatas de guerra, com as bandeiras também enlutadas, passaram a disparar peças até a hora inicialmente determinada para o sepultamento, às oito da noite, com intervalos de cinco Credos cada uma.[2]

Gomes Freire de Andrade, então governador do Rio de Janeiro, achava-se fora da cidade desde novembro de 1737, pois tivera que assumir o posto deixado vago em São Paulo pela morte do conde de Sarzedas. O mestre de campo Matias Coelho de Sousa ficou interinamente em seu lugar até que chegasse do Sul o brigadeiro José da Silva Pais.[3] Foi ele, na governação desde 5 de março de 1738, quem recebeu o morto e, contrariando a vontade disposta no testamento feito em 1732, antes da partida para a África, honrou-o com todas as pompas fúnebres a que o qualificavam seu posto e condição. O destino convertera "em lástima e pesar toda aquela alegria e gosto" com que, alvoroçados, Silva Pais e o povo haviam esperado a chegada de Rodrigo César.

Os imprevistos alteraram os procedimentos traçados às pressas. A notícia havia chegado antes do cadáver, escrita por seu secretário e enviada enquanto os navios esperavam ao longo da costa. José da Silva Pais providenciou "um cofre de veludo negro

1. Antonio Caetano de Sousa, *História genealógica da casa real portuguesa*, Lisboa, 1742, t. IX [Coimbra, Atlântida, 1951, p. 44]. Nascera a 11 de julho de 1675.
2. Todas as citações referentes ao episódio em Carta do Governador José da Silva Paes para o general Gomes Freire de Andrada, in Arquivo Nacional, Secretaria de Estado do Brasil, códice 84, vol. 9, fls. 49-53v (correspondência dos governadores do Rio de Janeiro com diversas autoridades).
3. Vieira Fazenda, "Funeral notável (1738)", in "Antiqualhas e memórias do Rio de Janeiro", *RIHGB*, t. 86, vol. 140, Rio de Janeiro, 1921, pp. 186-92.

agaloado de ouro e cruz de chamalote de prata e forrado de chamalote branco" e, assim que o navio de Rodrigo César atracou, subiu a bordo com um cirurgião a fim de trasladar o corpo e possibilitar que chegasse ao destino condignamente acondicionado. Mas o pobre morto, acometido de um ataque de apoplexia em alto-mar, vinha "em um caixão de Açúcar, donde depois de lhe tirarem os intestinos o salgaram, e vinha atestado o caixão de sal e calafetado pelo mau cheiro que já trazia". Foi portanto nessa condição que o governador morto voltou às terras onde pensava se recuperar das moléstias contraídas em Angola, e cuja tumultuada capitania de São Paulo conhecera, dez anos antes, o seu pulso firme. O sepultamento ficou adiado.

No dia 6, "principiando-se a descobrir o corpo, se percebeu maior fétido". Após um exame, viu-se que dava para tirá-lo da caixa: lavaram-no duas vezes com aguardente e pulverizaram-no "com vários aromas" para espantar o mau cheiro. Por fim, revestiram-no com os sinais exteriores da honra: o hábito da Ordem Terceira de São Francisco e, por cima, o de cavaleiro da Ordem de Cristo. O testamento, que desceu em terra numa outra caixa, com outros papéis, nada dizia sobre o local do enterro: era fruto de um ato de precaução, o governo de Angola não diferindo muito de uma sentença de morte. Silva Pais decidiu que o Colégio dos Jesuítas era o lugar mais adequado, e o reitor aquiesceu "pela grande amizade" que o falecido tinha com os padres da Companhia. O bispo, sabe-se lá porquê, esquivou-se de oficiar a missa, mas o cabido, "com muita cortesia, aceitou não só para a missa senão ainda para receber o corpo à entrada da Igreja, como efetivamente fez".

Antes de seguir para a igreja jesuíta, o corpo foi encomendado na casa da Junta de Justiça, onde, próximo a uma das paredes, montou-se uma eça de três degraus e doze tocheiros. Defronte ao Palácio, junto ao Carmo e, por fim, na entrada do Colégio armaram-se três tabernáculos com coro de música. Dentro do templo, ergueu-se "um túmulo magnífico e muito bem ornado, e em cima o seu bastão e espada". Como de praxe em tais ocasiões, as paredes foram cobertas de baetas, dísticos, epigramas, e de seda roxa os bancos, paramentos e altares. Além do clero secular, que carregava tochas, lá estavam representadas as diferentes ordens religiosas: carmelitas, capuchos, beneditinos. Somando mais de trezentos homens, os três batalhões, os auxiliares da praça do Rio de Janeiro, o Terço Velho e os soldados da Marinha formaram duas fileiras que iam da Junta até o adro do Colégio, apresentando armas conforme o féretro passava por entre "tal concurso pelas ruas e janelas que dizem todos nunca houve outro igual". Então, às seis da tarde, com música em profusão, seculares e depois regulares procederam aos últimos ritos da encomendação do corpo, que, até chegar à cova, foi sendo carregado, sucessivamente, por um representante da família — Dom João de Lencastre[4] —, pelas autoridades do governo, da burocracia e das armas: o governador interino, Silva Pais, os vereadores, o juiz de fora, o ouvidor, o provedor da fazenda, o da casa da moeda, o procurador da coroa, os capitães de mar e guerra, mestres de campo, sargentos-mores. Às nove da noite, por fim, Rodrigo César de Meneses descansou sob a terra.

Doente havia tempos, o governador César embarcou para o Rio de Janeiro esperando restabelecer-se num clima já seu conhecido e, sem dúvida, menos adverso que o africano.[5] Mas na viagem sobreveio a tal apoplexia.[6] Os que morriam no mar podiam

4. Conforme observou Maria Fátima Toledo ao ler este texto em discussão de nosso projeto temático, não se trataria do antigo governador da Bahia, já morto à altura. Não consegui localizar quem era a personagem em questão, nem o grau de parentesco com o defunto, mas o documento registra que carregou seu caixão.
5. Ralph Delgado, *História de Angola: terceiro período* (*1648-1836*), Lisboa, Edição do Banco de Angola, s.d., pp. 390-1, 4º vol.
6. Houve quem considerasse que Rodrigo César tinha sido envenenado: "Com grande sentimento se soube a morte de Rodrigo Cesar 50 legoas, antes de chegar

ser jogados nas águas, mas se tornariam então pasto de peixes, destino infame para um fidalgo servidor do rei. "Se grande foi o sentimento da marinhagem", considera uma fonte coeva, "maior foi o respeito, que as antecedentes homenagens fizeram guardar ao seu cadáver. A distinção de um sepulcro correspondente ao seu caráter/ o qual não se achava entre as ondas do mar, assaz comum as qualidades mais rasteiras/, fez ocorrer a lembrança de o conservar entre sal, e assim chegou sem corrupção à mencionada Cidade do Brasil."[7]

Quase sessenta anos antes, em 1681, um outro vassalo, mais ilustre que este, morrera de carneiradas nos sertões de São Paulo, por onde tinha vagado anos a fio em busca de esmeraldas. Como lembra um historiador paulista, as carneiradas, ou febres palustres, eram então "a máxima arma de defesa da terra bravia contra o homem esquadrinhador de seus segredos".[8] Fernão Dias Pais desvendou o sertão e abriu definitivamente o território das Minas às expedições paulistas; mas sucumbiu à doença. Garcia

ao Rio de Janeiro para donde tinha partido de Angola, em que deixou entregue o governo a João Jaques, mas não se verefica o que dizião alguãs cartas, que morrerá de veneno, porque tambem morrerão alguñs creados seus. Pois he certo, que sahiraõ doentes, e que Rodrigo Cesar morreo em hum latargo: Deixou por testementeiros, a Joze Cesar, e o Conde de Sabugosa, e a Luis Cesar, e nesta mesma forma dispos a sua herança suçessivamente". Biblioteca Pública de Évora, Manuscritos, Fundo Geral, CIV/1-8d, Diario de Lisboa [do 4º Conde da Ericeira], 21 de outubro de 1738. Transcrição em curso para João Luís Lisboa; Tiago C. P. dos Reis Miranda, e Fernanda Olival, *Gazetas manuscritas da Biblioteca Pública de Évora*, vol. 4 [1738-1740], fl. 74v. Agradeço a Tiago Reis Miranda pelo envio da informação, e a Maria de Fátima Gouveia por ter chamado minha atenção para o boato acerca do envenenamento.

7. Elias Alexandre da Silva Correia, *História de Angola* [*1782*] [que na verdade deve ser 1792, cf. Manuel Múrias, no "Prefácio", pp. VIII-IX], Lisboa, Coleção Clássicos da Expansão Portuguesa no Mundo, 1937, p. 361, 2 vols.

8. Affonso de E. Taunay, *A grande vida de Fernão Dias Pais*, Rio de Janeiro, Livraria José Olympio Editora, 1955, p. 255.

Rodrigues, seu filho mais velho e sertanista também, sabia não ser possível cumprir a contento a última vontade paterna: ser enterrado em jazigo próprio, na capela-mor da igreja do mosteiro de São Bento, da qual tinha sido fundador e padroeiro. Teve, assim, a ideia de embalsamá-lo.[9] Um dos procedimentos então usuais entre bandeirantes era o de enterrar o cadáver a dois palmos da terra e fazer sobre a cova uma grande fogueira, deixada acesa por quinze ou vinte dias sem interrupção e consumindo, para tanto, "montanhas de lenha". O que se desenterrava depois desse período eram os ossos, as carnes achando-se inteiramente destruídas.[10] Mas com Fernão Dias o procedimento empregado foi diferente, apesar de não se saber qual. Morto em terra, quase fica sepultado em águas, ao contrário de Rodrigo César de Meneses. Sendo os restos mortais trazidos através de matos e caudais pelo filho e pelos índios de seu séquito sobreviventes às carneiradas, a canoa em que vinham naufragou quando subiam o rio das Velhas, e dias a fio esteve o filho tentando encontrá-lo nas águas, conseguindo-o por fim. Em 30 de dezembro de 1681, Fernão Dias já estava enterrado em São Bento.[11]

Morrer no mar ou no sertão era destino comum a muitos servidores reais, e os modos de lidar com a morte, que sempre rondava, ou com os cadáveres, que a circunstância podia tornar incômodos ao extremo, foram se consolidando ao longo do tempo, junto com a montagem do Império. Aleixo de Sousa, por exemplo, partira para a Índia já velhíssimo, com setenta anos — idade incomum na época, pois o ocorrido data de 1558. Era a segunda vez que servia naquela conquista como vedor da fazenda, e em fevereiro de 1560 os documentos fazem referência a sua saúde debilitada. Acabou

9. Pedro Taques de Almeida Paes Leme, *Nobiliarchia paulistana historica e genealógica*, Publicações Comemorativas do IV Centenário, São Paulo, Livraria Martins Editora, 1953, 3 vols., p. 77.
10. Affonso de Taunay, *A grande vida*..., pp. 59-60.
11. Ibid., pp. 259-63.

morrendo logo depois, a 12 de março, num galeão que viajava de Cochim a Goa, e o destino do defunto foi narrado em carta do próprio vice-rei, Dom Constantino de Bragança: "Abriram-no logo no mar e salgaram-no, e assim o trouxeram a Goa, onde eu o mandei enterrar na Sé, tão honradamente como era razão que eu o fizesse a um velho fidalgo, tão velho e tão honrado, e que veio na minha armada de Portugal e morreu nesta terra em serviço de Vossa Alteza".[12] Não há menção à forma como se conservou o cadáver de Antonio Luís de Távora, quarto conde de Sarzedas, que governou São Paulo depois do sucessor de Rodrigo César e que tomou posse em agosto de 1732, vindo a morrer no sertão de Goiás, no arraial de Traíras, em agosto de 1737. Provavelmente o que se enviou para Lisboa, onde chegou a 26 de agosto de 1740, e se enterrou no jazigo da Casa foram os ossos, pois não haveria sal que detivesse a corrupção do tempo quando já eram passados três anos.[13]

Além destes, que eram homens ilustres, muitos ficaram pelos mares e pelos matos sem receber lápide e honras. Fernão Dias as teve continuadas até 1910, quando a antiga igreja beneditina foi substituída por outra maior e se descobriram covas e ossadas, entre elas as que, pelo lugar e conforme a tradição, seriam as suas: "Aberto o tosco jazigo foram encontrados um fêmur de homem agigantado, duas ou três vértebras do sacro, pedaços de parietal e de occipital, a que aderiam restos de cabeleira ruiva, encanecida, de cabelos muito finos, de indiví-

12. IANTT, Coleção Moreira, caderno 1º, fl., 23-39v, publicado por Antonio dos Santos Pereira, "A Índia em preto e branco: uma carta oportuna, escrita em Cochim por D. Constantino de Bragança à Rainha D. Catarina", in *Anais de História de Além-Mar*, vol. IV, 2003, p. 470 (data da carta: 20 de janeiro de 1561). Agradeço a Tiago Reis Miranda por essa referência, bem como a Susana Münch Miranda.

13. Francisco Adolfo de Varnhagen, *História geral do Brasil*, 3ª ed. integral, São Paulo, Melhoramentos, s.d., p. 357, vol. 5.

duo indubitavelmente branco".[14] Rodrigo César ainda recebeu homenagens depois de enterrado: desde o amanhecer seguinte, rezou-se o que a carta de Silva Pais qualifica de "ofício de corpo presente", ao qual concorreram tantas pessoas distintas "que foi preciso ter guardas às portas" a fim de garantir-lhes lugar. Dom Antonio de Guadalupe, o bispo que não comparecera na véspera, assistiu a esse ofício do coro, enquanto Silva Pais, a Câmara e o ouvidor faziam-no da capela-mor. Depois da missa, houve uma oração fúnebre que enalteceu as ações do fidalgo. Gastaram-se ao todo cinquenta arrobas de cera, e, além das que recaíram sobre os bens do fidalgo morto, devem ter sobrado para o tesouro público despesas consideráveis: um pouco constrangido, Silva Pais justificou-se da pompa ante Gomes Freire e o vice-rei conde das Galvêas, que, não sem aludir à magnitude do montante, terminaram aprovando-lhe os atos. Dizendo-se arrebatado pelo afeto com que venerava o defunto, o governador em exercício talvez exagerasse um pouco ao ressaltar o quanto era amado por todos, "que parece que não houve moleque que não sentisse a sua morte". E exagerava muito, decerto, quando afirmava que "não foi a penada falta de meu filho mais excessiva".[15]

14. Affonso de E. Taunay, *A grande vida...*, p. 263. Numa sociedade sabida e predominantemente mameluca como a de São Paulo, o "indubitavelmente branco" de Taunay fica, com boa probabilidade, por conta de uma construção heroica e europeia da memória paulista.

15. Para as justificativas de Silva Pais, conferir outra Carta de José da Silva Pais a Gomes Freire (13/8/1738), fl. 124v, e carta ao Vice-Rei Conde das Galvêas (26/9/1738), fls. 271-2, in Arquivo Nacional, Secretaria de Estado do Brasil, códice 84, vol. 9. Em Luanda, um certo frei Inácio de Santa Rosa rezou uma oração fúnebre em memória de Rodrigo César, que não consegui, até o momento, localizar. Esse frade, franciscano, nasceu em Lisboa, mas cresceu no Rio de Janeiro, onde fez profissão solene em 4 de setembro de 1725, durante o período, portanto, em que Rodrigo César governava São Paulo. Cf. Diogo Barbosa Machado, *Bibliotheca Lusitana*, Coimbra, Atlântida Editora, 1966, pp. 548-9, t. III.

Em geral, a historiografia portuguesa acompanha esse juízo coevo quando trata de Rodrigo César de Meneses, destacando o comportamento exemplar de soldado na Guerra de Sucessão da Espanha e o "acerto e prudência" com que governou Angola entre 1733 e 1738.[16] Na galeria dos governantes desse reino, Ralph Delgado ressalta-lhe a figura honrada, sensata e contemporizadora, enquanto Norberto Gonzaga o pinta com as tintas exageradas do colonialismo: "Foi um emérito e lídimo português", cuja memória cabe cultuar porque "[p]ersonificou, nas plagas longínquas de Angola, onde o minaria a doença, sem ostentações, nem emprestado brilho, a essência mais pura e elevada do gênio e senso da nossa grei".[17]

A historiografia brasileira, sobretudo a paulista, não é menos exaltada ao invocá-lo, mas em chave inversa. Pelo que fez em São Paulo e Cuiabá, Rodrigo César é, desde os coevos, sistematicamente detratado. Reputando-o, como de resto "quase todos os governadores do Brasil", de "atrabiliário, déspota, incoerente em suas opiniões, invejoso e engrossador", Vieira Fazenda reconhece que foi, contudo, "honradíssimo". Paulo Prado o inclui nos comentários raivosos que reserva a todos os administradores portugueses nomeados para a capitania de São Paulo, "os governadores-fidalgos", que abriram na história da região um "sinistro período" de "estúpida tirania" e fizeram hibernar na vergonha a glória do paulista antigo.[18] Para Washington Luís, por fim, Rodrigo César apavorou a capitania de São Paulo e enterrou o seu

16. Sousa, *História genealógica...*, p. 44.
17. Delgado, *História de Angola: terceiro período (1648-1836)*, pp. 355-91. Norberto Gonzaga, *História de Angola (1482-1963)*, S/L. C.I.T.A. [1969], p. 258.
18. Paulo Prado, *Paulística etc.*, 4ª edição revista e ampliada por Carlos Augusto Calil, São Paulo, Companhia das Letras, 2004, pp. 48, 49, 91 e passim.

passado glorioso.[19] Tinha "o coração estreito, sem generosidade, fraco à lisonja", e o "espírito acanhado, sem horizontes, despido de dotes políticos". Foi dissimulado, hipócrita, tirânico, arbitrário, o ânimo violento levando-o a oscilar entre a fraqueza e o excesso de rigor, e a deslealdade compelindo-o a proclamar como obra sua aquilo que estava em curso nas lides paulistas desde o meado do século anterior, ou seja, os descobertos de Mato Grosso e Goiás, no coração da América portuguesa.[20]

Em Paulo Prado e, sobretudo, em Washington Luís, a repulsa aos governantes portugueses de São Paulo, em geral, e a Rodrigo César, em particular, se deve ao fato de ter estabelecido o aparelho do Estado, pondo fim ao período de liberdade e autonomia dos habitantes de São Paulo. Escrevendo entre o fim do primeiro quartel do século XX e o início do segundo, época em que São Paulo firmava sua hegemonia econômica e política no cenário nacional — o segundo dos autores citados foi governador da província e depois presidente da República, enquanto o primeiro, membro de uma das mais poderosas oligarquias regionais, os Prado, foi destacado homem de negócios —, esses autores caracterizavam-se, ainda, pela afirmação do espírito nacionalista e pela desqualificação das ações colonizadoras dos portugueses, identificados com a opressão. Assim, para Washington Luís, "as violências" de Rodrigo César cerraram "as cortinas sobre o passado de aventuras portentosas e de altiva independência", a sua administração marcando "a época de transição entre a vida antiga de liberdade rude e a vida nova amolecida pela riqueza". Por cálculo, esse governador sufocou a altivez da alma sertanista e extirpou-lhe o espírito aventuroso, fazendo com que os antigos bandeirantes ficassem de

19. Washington Luís, *Capitania de São Paulo — governo de Rodrigo César de Menezes*, 2ª ed., São Paulo, Companhia Editora Nacional, 1938, p. 179.
20. Ibid., pp. 100-48, p. 206, p. 268.

rastros, "trêmulos e acobardados", nas salas do Palácio. Daí em diante, os casos de heroísmo seriam "esporádicos e anacrônicos", e não mais constitutivos da sociedade como um todo.[21] Como se estivesse desde o início fadada a constituir uma unidade gloriosa, São Paulo perdera, com Rodrigo César, a autonomia, voltando a integrar a capitania do Rio de Janeiro e passando a ser, junto com toda a circunscrição sul, governada pelo ocupadíssimo Gomes Freire de Andrade, mais interessado na demarcação dos limites ao sul, na tributação do ouro das Minas ou na perene ameaça castelhana que pairava sobre a Marinha do que nos colonos mamelucos de São Paulo e sua eterna ânsia por mercês.

Tentando um olhar mais neutro, o historiador encontra nos documentos deixados por Rodrigo César um estilo bastante claro para a época e uma inteligência acima da média da dos militares que, como ele, se viram transformados em burocratas coloniais. O caso dos irmãos Leme, em grande parte responsável pela imagem de vilão com que a historiografia paulista pintou o governador, pode ser tomado como exemplo. Pertencendo a famílias antigas, esses dois sertanistas eram uma mistura de valentes e bandidos, o que não chegava a ser exceção naquela época e lugar. Estabeleceram-se em Mato Grosso e promoveram toda série de desmandos e arruaças, o que, da mesma forma, não era então incomum. Como observei em outro estudo, a circunstância podia transformar indivíduos criminosos ou indesejáveis em vassalos úteis e bem morigerados.[22] Onde não havia justiça nem governo, nas lonjuras de um sertão quase deserto, a Coroa não tinha outra alternativa senão cortejar tais valentões. Quando os atos excediam o supor-

21. Washington Luís, *Capitania de São Paulo...*, pp. 35 e 147.
22. Laura de Mello e Souza, *Desclassificados do ouro — a pobreza mineira no século XVIII*, Rio de Janeiro, Graal, 1982.

tável, havia, contudo, que agir, e foi o que fez Rodrigo César, após valer-se dos dois truculentos.

Mais uma vez, Paulo Prado relatou o episódio sem nenhuma isenção, atenuando o aspecto facinoroso dos dois envolvidos e qualificando-os de "últimos depositários da ambição de mando e independência do velho paulista", talvez "os últimos bandeirantes".[23] Mandatário do poder real, Rodrigo César deve ter igualmente carregado um de seus relatos sobre o ocorrido com impressões comprometidas, mas talvez não tanto como Prado. Conta que "naquele descobrimento" encontravam-se "bastantes homens poderosos", destacando-se os irmãos Leme "assim pelo respeito e séquito como pela riqueza". Teve notícia que governavam as novas minas "despoticamente", e então se empenhou em trazê-los diante de si para conversarem. Não foi fácil, "pois os fazia repugnar a pouca ou nenhuma vontade que todos estes homens têm de obedecer"; mas acabaram cedendo, ardilosos, "protestando os não trazia outro fim mais que o de quererem fazer grande serviço a Sua Majestade". Rodrigo César valeu-se da situação, seu comportamento ilustrando como, naqueles tempos, habitantes da terra e homens do rei se mediam com cuidado, pautando mutuamente as ações: enquanto não partia para o Cuiabá, resolveu fazer dos Leme prebostes seus — um na regência das minas, outro na Provedoria —, ciente que tinham o respeito e o reconhecimento dos "cuiabanos". Estava entretanto preparado para surpresas, e condicionava os cargos ao "seu procedimento", que a qualquer hora podia torná-los indignos "daquelas ocupações". A avaliação que deixou acerca do frágil e precário equilíbrio da governança em possessões coloniais denota percepção fora do comum do quanto era contraditória:

23. Paulo Prado, *Paulística etc.*, p. 151.

e como este Governo todo é de engonços, por ora se não deve obrar cousa alguma [que] eu não seja por jeito, principalmente aonde não há forças, e ainda que as houvesse, na conjuntura presente consegue mais o *modo* que a *indústria*, que assim m'o tem mostrado a experiência, [...] que é necessário cuidar muito em contentar estes homens *principalmente aos dois que vieram, porque de outra sorte se desmancharia o que está feito*, porque voltando para aquelas minas com o séquito que nelas têm e o mais que se lhes havia de agregar, *por se não compor esta capitania mais do que de homens criminosos fugindo sempre de seguir o partido de El Rei*, e sujeitando-se ao pior, sem dúvida resultariam irremediáveis consequências; e atendendo a todas estas razões e a esperar que por este caminho se aumente muito a Fazenda real, me acomodei com o parecer de todos a tomar esta resolução, *por serem estes os casos em que é preciso fazer do ladrão fiel*.[24]

Três meses depois de escrever essa carta ao vice-rei Vasco Fernandes César de Meneses, que era seu irmão mais velho, o governador de São Paulo publicou um Bando em que mandava prender ou matar os dois Leme, dando perdão ao homem branco e liberdade ao bastardo, índio ou preto que o fizessem. Passado mais um tempo, em carta de tom bastante distinto da primeira, qualificava os irmãos de "feras" e relatava ao rei tudo o que havia feito, desde as tentativas de cooptá-los com cargos até a sua morte, numa emboscada, e não foi "dos pequenos serviços que na América se tem feito; porque com esta prisão terão sossego os povos, que todos gemiam das tiranias que experimentavam, e as minas

24. Carta de Rodrigo César de Meneses ao vice-rei Vasco Fernandes César de Meneses — São Paulo, 15 de junho de 1723, in Azevedo Marques, *Apontamentos históricos, geográficos, biográficos, estatísticos e noticiosos da Província de São Paulo*, São Paulo, Biblioteca Histórica Paulista/Comemorações do IV Centenário da Cidade de São Paulo, [1953], pp. 76-7, t. II. Itálico meu.

aumento, porque o seu respeito e temor faziam não só suspender o trabalho mas desertarem todos delas".

O governo das colônias, e o de São Paulo mais que todos, requeria cautela, era um engonço em que um dos elos, uma vez danificado, impedia o funcionamento do todo. Havia que impor a ordem do Estado e contemporizar com as elites sem lhes deixar soltas as asas. Por isso, e não por qualquer incoerência ou disparate, Rodrigo César nomeou com provisões honrosas, dois anos depois, dois outros irmãos dos Leme, Antão e Domingos, "um para mestre de campo regente, e outro para superintendente das minas de Cuiabá".[25]

Investigações bem recentes sugerem que Rodrigo César conhecia bem demais os engonços do poder. Foi nomeado numa conjuntura nova, como ele mesmo reconheceu num requerimento que, muitos anos depois, escreveu ao rei. A capitania anterior de São Paulo e Minas do Ouro, que deu à Coroa tantas dores de cabeça quanto rendimentos, tinha sido dividida em duas. Para Minas foi Dom Lourenço de Almeida, e ele seguiu para São Paulo, desde então "ponta de lança para o controle de Cuiabá, Goiás e Terras Novas". Eternos encrenqueiros, apesar de sempre darem também mostras de lealdade, os paulistas perderam a posição privilegiada de descobridores de minas. Como observou Maria Verônica Campos, a Coroa podia governar Minas sem o auxílio de São Paulo. Dom Lourenço de Almeida sucedeu o conde de Assumar e, "significativamente, tomou posse na matriz de Vila Rica, em 18 de agosto de 1721, não mais repetindo o ato de seus dois antecessores, submetidos a uma posse simbólica em São Paulo, espécie de pedido de 'bênção' e licença aos paulistas antes de assumir seu posto em Minas".[26]

25. Ibid., p. 82.

26. Maria Verônica Campos, *Governo de mineiros — de como meter as Minas numa moenda e beber-lhe o caldo dourado*, Tese de Doutorado em História, FFLCH-USP, 2002, citação à p. 261.

Durante o governo de Dom Lourenço, ocorreu o comunicado oficial do descoberto de diamantes no Serro do Frio. Tudo indica que muitos já vinham lucrando com as pedras desde o início da década de 1710, como Dom Brás Baltazar da Silveira, que após governar Minas entre 1713 e 1717 tornou-se dono de uma fortuna imensa.[27] Dom Lourenço não ficou atrás, e está-se próximo de provar que, junto com ouvidores, andou também envolvido nas casas de moeda falsa que se multiplicaram na fronteira entre as capitanias de Minas e Rio de Janeiro durante a década de 20 e o início da década de 30 do século XVIII.[28] Assim que assumiu o governo do Rio de Janeiro, Gomes Freire de Andrada iniciou uma investida contra os moedeiros falsos, como se mencionou no capítulo anterior. No rio Paraibuna apreendeu-se uma canoa carregada com as provas do crime, de propriedade do renomado falsário Antonio Pereira de Sousa, dono de uma casa de moeda falsa em Itaverava e com grande volume de negócios no Rio da Prata. Em seguida, verificaram-se outras prisões, e as investigações de Gomes Freire parecem ter sugerido que Rodrigo César de Meneses, governador do reino de Angola desde 1733, estava envolvido numa sociedade com Inácio de Almeida Jordão para o contrabando de ouro com a Costa da Mina.[29]

Não era a primeira vez que Rodrigo César via-se às voltas com suspeitas dessa natureza. Nos tempos de seu governo americano, havia se enviado a Lisboa o quinto do primeiro ouro das minas de Cuiabá, no sertão de Mato Grosso: sete arrobas acondicionadas

27. Cf. Tiago Costa Pinto dos Reis Miranda, "D. Brás Baltasar da Silveira (1674--1751): na vizinhança dos Grandes", *CD-ROM Anais do XVII Encontro Regional de História da ANPUH de São Paulo — "O Lugar da História"*, 6 a 10 de setembro de 2004, IFCH, Unicamp.

28. Campos, *Governo de mineiros...*, pp. 308 ss. Paulo Cavalcante de Oliveira Júnior, *Negócios de trapaça: caminhos e descaminhos na América portuguesa (1700-1750)*, Tese de Doutorado em História Social, São Paulo, 2002, 2 vols.

29. Acompanho, até aqui, a análise de Maria Verônica Campos, *Governo de mineiros...*

em "cofres fortes, hermeticamente fechados e chancelados com o selo real".[30] Conta a tradição que, eufórico, Dom João v convocara a Corte para o ato da abertura, um fiasco horrível porque, misteriosamente, o ouro se metamorfoseara em chumbo. As suspeitas recaíram inicialmente sobre o provedor da Fazenda das Minas de Cuiabá, Jacinto Barbosa Lopes, cuja inocência acabou reconhecida "depois de muitos sofrimentos e martírios", conforme o relato de Vieira Fazenda. O verdadeiro culpado seria Sebastião Fernandes do Rego, que, de São Paulo, aliou-se a Caldeira Pimentel, o homem que o rei enviara para assumir o governo de Mato Grosso em substituição a Rodrigo César e que acabou chamando de volta a Lisboa em 1732, sob severas admoestações.[31] Rodrigo César, por sua vez, teve a reputação arranhada, e esse o verdadeiro motivo de ter deixado Mato Grosso e voltado para São Paulo em 1728.

Maria Verônica Campos vê relação estreita entre esse episódio, o desaparecimento dos cunhos da Casa de Fundição e Moeda de Cuiabá e as prisões realizadas por Gomes Freire em 1733, reveladoras da existência de uma rede de contrabando de ouro entre o Brasil, a Costa da Mina, o rio da Prata, a Guiana Francesa, a Inglaterra, a França e a Holanda.[32] Talvez, de fato, Rodrigo César a conhecesse de perto desde os tempos do governo de São Paulo. De volta à Corte, demorou-se três meses no Rio de Janeiro e qua-

30. Brigadeiro José Joaquim Machado de Oliveira, *Quadro histórico da Província de São Paulo até o ano de 1822*, São Paulo, Typographia Brasil de Carlos Gerke & Cia., 1897, p. 135.
31. Vieira Fazenda, op. cit., p. 191. A melhor narrativa sobre o acontecimento encontra-se em Nauk Maria de Jesus, *Na trama dos conflitos: a administração na fronteira oeste da América Portuguesa (1719-1778)*, Tese de Doutorado em História, UFF, Niterói, 2006, cap. 3, pp. 50-85.
32. Campos, *Governo de mineiros...*, pp. 309 e 335. A autora remete a *Documentos interessantes...*, vol. XLI, pp. 134-7, 1901. Mais recentemente, João Fragoso endossou essa posição em "Potentados coloniais e circuitos imperiais: notas sobre uma nobreza da terra, supracapitanias, no Setecentos"...

tro na Bahia; apesar de ter depois pedido o reembolso das despesas que então teve por ser preciso "tratar-se como quem era", possivelmente cuidou apenas de interesses pessoais, entre eles negócios: filho, sobrinho e irmão de administradores coloniais que transitavam entre Angola, Rio de Janeiro e Bahia, Rodrigo César era o primeiro dos seus a fincar os pés no sertão profundo, conferindo in loco o que dali podia advir.[33] Chegou a Lisboa pela nau de Macau e só em 1732 partiu para um novo cargo na administração do Império.[34] Em Angola, enquanto do outro lado do Atlântico Gomes Freire apertava o cerco em torno dos falsários de moeda, Rodrigo César importava da Bahia alimentos para enfrentar uma súbita crise de fome, carretas para a artilharia das fortalezas e pedia para os trabalhos gente sul-americana, que julgava mais adaptável à África que a da Metrópole.[35] Vieram também muitos cavalos, companheiros obrigatórios dos navios negreiros que, saídos do Rio ou de Salvador, demandavam a costa angolana.[36] Rodrigo César fez o que pôde

33. Destacando as relações familiares entre os César e os Lencastre, Maria de Fátima Gouveia observa que a virada do século XVII para o XVIII revela a montagem de redes clientelares no Atlântico Sul pautadas pelos interesses em torno do tráfico negreiro e pelo controle de postos administrativos, que, além dos vencimentos, traziam "privilégios mercantis, viagens marítimas em regime de exclusividade, isenção de taxas e de direitos alfandegários". Cf. Maria de Fátima Gouveia, Gabriel Almeida Frazão e Marília Almeida dos Santos, "Redes de poder e conhecimento na governação do Império Português, 1688-1735", *Topoi*, nº 8, junho de 2004, UFRJ, pp. 96-137.
34. IANTT, Conselho de Guerra, Decretos, 1730, mç. 89, nº 10
35. Delgado, *História de Angola. Terceiro período...*, p. 58.
36. Corcino Medeiros dos Santos, "Relações de Angola com o Rio de Janeiro", separata da *Revista Estudos Históricos*, nº 12, Marília, 1973, pp. 12-5. Uma ordem régia de 31 de março de 1702 determinou que todos os navios que navegassem do Brasil para Angola transportassem obrigatoriamente cavalos. Outra Ordem Régia, em 1706, estabeleceu que as embarcações de arqueação variável entre trezentas e quinhentas cabeças transportassem no mínimo dois cavalos, e que as de arqueação superior a quinhentas transportassem quatro cavalos, por conta

para aumentar o número de escravos, costurando alianças com os chefes locais, garantindo a boa navegação fluvial a que se opunham os sobas da Quissama e valendo-se do incremento de entradas pelo sertão, como as promovidas no interior de Benguela e as idealizadas pelas terras do Nando.[37] Parece que não teve êxito, e em 1733 foram só 4 mil os escravos embarcados para o Brasil, incluindo-se as crianças pequenas.[38] Para além do intercâmbio de armamentos, técnicas, cavalos ou negros, constitutivo aliás da lógica colonizadora e imperial dos portugueses, talvez Rodrigo César aproveitasse também em causa própria a experiência sul-atlântica e as amizades estabelecidas anos antes.[39] Entre estas, podiam contar comerciantes estrangeiros. Houve quem ficasse indignado porque um navio inglês que deixara Bristol rumo a Cabinda para trocar panos por escravos destinados à Jamaica fundeasse em Luanda e fosse recebido pelo governador de braços abertos. Havia doentes a bordo e escasseavam os víveres, o que sensibilizou a população; mas não há como negar que os portu-

---

e risco do mestre da embarcação e para serem vendidos em Angola conforme o preço de custo no Brasil. Com o tempo, a legislação foi se aperfeiçoando, a ponto de as embarcações não poderem nunca sair sem os "cavalos da obrigação".

37. Ralph Delgado, *História de Angola*, pp. 365 e 368. Rodrigo César manteve boas relações com os dembos de Caculo Cahenda. David J. G. Magno, *Os dembos nos anais de Angola e Congo (1484-1912)*, Lisboa, Typografia Universal, 1917, p. 34. J. C. Feo Cardoso de Castellobranco e Torres, *Memórias contendo a biografia do vice-almirante Luís da Motta Feo e Torres, a história dos governadores e capitães generais de Angola, desde 1575 até 1825 e a descrição geográfica e política dos reinos de Angola e de Benguela*, Paris, Fantin, 1825, pp. 247-8.

38. Delgado, *História de Angola. Terceiro período...*, p. 381.

39. Para tais experiências no âmbito do império português, ver, por exemplo, Russell-Wood, *Um mundo em movimento. Os portugueses na África, Ásia e América — 1415-1808*, Lisboa, Difel, 1998.

gueses tinham em Cabinda interesses a defender, e fechar os olhos à concorrência inglesa era, no mínimo, temerário.[40]

Nas palavras do próprio Rodrigo César, quando o rei o proveu no governo da capitania de São Paulo, ordenou-lhe que "o fosse criar de novo".[41] Foi o que se empenhou em fazer, desmontando com a paciência e a habilidade possíveis os arranjos locais entre poderosos havia muito habituados à soltura. O seu papel de executor obediente das ordens reais enfureceu a memória paulista, de Pedro Taques, no meado do século XVIII, aos que escreveram na primeira metade do século XX. Na África deixou boa lembrança, contemporizando com os líderes locais e reforçando o esquema defensivo de Angola, posto a nu com a investida holandesa cem anos antes.[42] Um e outro governo indicam que o militar de carreira se tornara, no Império, um bom administrador. Se o que incomodou os historiadores paulistas foram ações que consideraram prepotentes e arbitrárias quando, na verdade, eram constitutivas do mando na época, aquilo que poderia, de fato, desabonar Rodrigo César de Meneses foi deixado de lado: sua aptidão para bem roubar enquanto bem servia.

Até que ponto a Coroa sabia disso? Não deixa de ser intrigante que, ao partir para Angola, o novo governador daquele Reino tivesse, em setembro de 1732, de postergar a viagem para esperar que se aprontasse um imenso carregamento de tabaco, 2 mil rolos cedidos ao rei por Jerónimo Lobo Guimarães e acondicionados por cem homens que trabalharam sem cessar, dia e

40. Delgado, *História de Angola. Terceiro período...*, p. 387.
41. IANTT, Conselho de Guerra, Decretos, 1730, mç. 89, nº 10.
42. Rodrigo César empenhou-se no término da fortaleza de São Miguel, que curiosamente também recebera nos anos finais do século XVII a atenção de seu pai, Luís César de Meneses, como ele governador de Angola. Ver Nuno Beja Valdez Thomaz dos Santos, *A fortaleza de São Miguel*, Luanda, Instituto de Investigação Científica de Angola, 1967.

noite, faltando às missas e nem assim conseguindo terminar no tempo azado, retardando a partida da nau *Madre de Deus*. Em Angola, o tabaco deveria ser trocado por escravos, que do Rio de Janeiro seguiriam depois para o sertão de Minas Gerais, destinados a extrair diamantes no Serro do Frio.[43] As pedras, como o ouro, eram monopólio régio, e o sistema dos contratos e das intendências ainda não se organizara para explorá-las. O rei estava no seu direito, e Rodrigo César, ao que tudo indica, no seu hábito, velho conhecedor desse tipo de comércio que, lícito ou ilícito, costurava três continentes.

O envolvimento de Rodrigo César em atividades ilícitas não impediu, em 1738, que Gomes Freire de Andrade aprovasse tudo quanto o seu substituto na governança do Rio de Janeiro fizera por ocasião dos pomposos funerais do ex-governador de São Paulo e Angola, nem o levou a estranhar o vulto dos bens deixados pelo defunto ou sequer o comentário de José da Silva Pais a respeito: "mais de 150 mil cruzados, donde o discurso de alguns malévolos [que] se persuadiam de que por caminhos proibidos os teria adquirido".[44] As práticas do fidalgo administrador não chegavam, portanto, a causar espécie, fosse para a Coroa, fosse para os seus representantes mais ilustres.

O FIDALGO

Rodrigo César de Meneses era o segundo filho de Luís César de Meneses, que teve por herdeiro o primogênito Vasco Fernan-

43. Biblioteca Nacional de Lisboa, códice 10.745, *Novidades de Lisboa*, I, fls. 46v, 50, 59v-60, 60v. Devo essas referências a Tiago Reis Miranda.

44. Arquivo Nacional do Rio de Janeiro, Fundo: Secretaria de Estado do Brasil, códice 84, vol. 9. *Correspondência dos governadores do Rio de Janeiro com diversas autoridades*, Carta de José da Silva Paes ao vice-rei conde das Galveias, fls. 271-2.

des César de Meneses, conde de Sabugosa desde 1729. O pai fora governador da Bahia (1690-1693), de Angola (1697-1701) e do Rio de Janeiro (1705-1710), e assim os dois filhos mais velhos seguiram-lhe os passos em parte: Vasco Fernandes na Bahia, mas também na Índia, onde serviu antes; Rodrigo César em Angola, mas também em São Paulo, por onde passou entre 1721 e 1728.[45] Os nomes do pai e do filho segundo estão associados em pelo menos um empreendimento comum, a construção do forte de São Miguel em Luanda, e a iniciativa perpetuada em lápides nas paredes da construção: o nome de Luís César encima a porta da casa da pólvora, que fez construir em 1700; o de Rodrigo César, que continuou, em pedra e cal, as obras do segundo baluarte, logo na porta principal da fortaleza, imediatamente abaixo das armas reais.[46]

Os César, como eram conhecidos, remontavam ao início de Portugal. Os que comprovadamente antecediam Luís César e seus filhos, contudo, são encontrados bem depois, nas cortes de Dom Manuel e de Dom João III, às voltas com as lides marítimas. Por mais de uma dezena de gerações os primogênitos alternaram os nomes de Vasco Fernandes e de Luís, sempre acompanhados do patronímico César. O primeiro que ganhou fama e recompensas foi um desses Vasco Fernandes, natural de Barbas de Porco, Adail em Cafim e Azamor, que esteve entre os edificadores do castelo de Mazagão, capitaneou navios "para aprovimento dos lugares de África", desbaratou com bravura seis galeotas de mouros no estreito de Gibraltar e, assim, ganhou "o assunto de suas armas", onde, no

45. Notar que a trajetória administrativa de Luís César alterna, possivelmente sem os hierarquizar, postos na América e na África, sugerindo que, na época, se equivaliam. Desse administrador, consta em Varnhagen que: "Da devassa de residência a que procedeu o desembargador João de Sepúlveda e Mattos, consta que 'o sindicado fora um dos melhores governadores que passaram àquela praça, e se fez merecedor de todas as honras e mercês'". Varnhagen, *História geral do Brasil*, p. 320.
46. Santos, *A fortaleza de São Miguel*, p. 27.

ondado de prata e azul da parte superior, passaram a constar seis galeotas, ou fustas, "cada uma com 9 remos de ouro e 2 pendões de vermelho", enfeitadas, na popa e na proa, com um crescente de prata.[47] Com uma caravela fez ainda "amainar quatro naus inglesas", conquistando definitivamente a consideração real: "D. João o 3º, havendo respeito a esses serviços, e pela boa conta que dava de tudo o que lhe encarregavam, o fez feitor e guarda-mor da carga e descarga das naus da Índia, Mina, São Tomé, Ilhas e conquistas". Até a Crônica del-rei Dom Manuel faz menção a esse valente.[48]

Outros vieram, depois, que nem sempre honraram as antigas glórias da família. Pedro César de Menezes, décimo nono governador de Angola, assumiu o posto em 1639 e enfrentou os holandeses sem grande heroísmo, descuidando das defesas. Incauto, imprevisível, desastrado, foi preso pelos invasores e fugiu disfarçado em negro, metido dentro de uma rede. O que não impediu que, em algum momento de sua vida, tivesse sido membro do Conselho de Guerra do Reino.[49] Luís César de Meneses, o pai de Sabugosa e Rodrigo César, ocupou três postos na administração colonial, e parece que fez bons governos. Enfrentou piratas e,

47. Para a descrição do brasão de armas dos César, ver Afonso Eduardo Martins Zuquete, *Armorial lusitano. Genealogia e heráldica*, Lisboa, Representações Zairol, 1961, p. 159; Cristóvão Alão de Morais, *Pedatura lusitana. Nobiliário de famílias de Portugal* [1699], Porto, Livraria Fernando Machado, s.d., p. 172, t. II, vol. I; Armando de Mattos, *Brasonário de Portugal*, Porto, Livraria Fernando Machado, 1940, pp. 118 e 459 (para a reprodução colorida do brasão), vol. 1. O único que discrepa na descrição, dando o brasão como enquartelado e não dividido horizontalmente em dois, é Antonio Caetano de Sousa, *Memórias históricas e genealógicas dos grandes de Portugal*, 4ª ed., Lisboa, Publicações do Arquivo Histórico de Portugal, 1933, p. 354.
48. Morais, *Pedatura*..., pp. 172-3. Anselmo Braamcamp Freire, *Brasões da Sala de Sintra*, 2ª ed., Coimbra, Imprensa da Universidade, 1921, p. 447, livro primeiro. Zuquete, *Armorial lusitano*..., p. 159.
49. Elias Alexandre da Silva Correia, *História de Angola* [*1782*]..., pp. 249-51.

incansável na piedade e no zelo religioso, promoveu a Santa Casa de Misericórdia, inclusive às próprias custas.[50]

Luís César casou-se com Dona Mariana de Lencastre, filha de Dom Rodrigo de Alencastre e de sua prima Dona Inês de Noronha.[51] Há registro de sete filhos crescidos do casal. Os dois mais velhos, Vasco Fernandes e Rodrigo César — que homenageou, com o nome, o avô materno — foram militares e seguiram a carreira de administradores coloniais, na qual, além do pai, destacava-se também o tio, João de Lencastre, governador de Angola entre 1688 e 1692 e da Bahia entre 1694 e 1702.[52] A primeira das mulheres dessa irmandade, Dona Inês de Lencastre, associou pelo casamento com Diogo Correia de Sá, terceiro visconde de Asseca e alcaide-mor do Rio de Janeiro, a família dos César a uma das oligarquias mais poderosas da América portuguesa, da qual o membro mais ilustre, Salvador Correia de Sá, expulsara os holandeses de Angola no mesmo tempo em que Pedro César fugia escondido na rede. O quarto filho, José César, estudou em Coimbra, graduou-se em cânones, foi porcionista do colégio de São Pedro, prior da colegiada de Cedofeita e morou em Roma alguns anos. Terminou a carreira eclesiástica como principal da Santa Igreja de Lisboa e membro do Conselho do Rei. Rodrigo César devia ter por ele um afeto especial, pois o instituiu seu herdeiro.[53] A segunda mulher da irmandade, Dona Maria de Lencastre, casou-se com

50. Ibid., pp. 327-30.

51. Manuel José da Costa Felgueiras Gayo, *Nobiliário de famílias de Portugal*, 3ª edição, ed. de Carvalhos de Basto, Braga, 1992, p. 288, IV volume, t. X, XI e XII.

52. Sobre a rede clientelar à qual pertenciam os César e os Lencastre, ver Gouveia, Frazão e Santos, "Redes de poder...".

53. José César de Meneses parece ter sido figura destacada na Corte. Cf. Manoel Marques Resende, *Espelho da Corte ou um breve mapa de Lisboa, no qual epilogadamente se mostram e retratam as suas grandezas, e um abreviado elogio, e verdadeira cópia dos bons costumes de seus habitadores, em um diálogo curioso e*

João Pedro Soares da Veiga Avelar Taveira e Noronha para morrer de bexigas um mês depois. Vinha a seguir Dona Joana Bernarda de Noronha, que se casou aos dezessete anos com João de Saldanha da Gama, vice-rei da Índia. O caçula era outro eclesiástico, João César, mestre em teologia que, ao contrário do irmão principal da Sé, escolheu a reclusão e foi monge de Cister.[54] Há uma referência a outra moça, que consta apenas do testamento de Rodrigo César, sem alusão ao ano de nascimento ou à posição que ocupava no conjunto dos filhos de seu pai: madre soror Maria Margarida de S. José, religiosa capucha no convento das flamengas de Alcântara.[55] Podia ser a mesma que, antes, se casara com o vice-rei da Índia e que, uma vez viúva, entrou para o convento, tomando novo estado como religiosa. Uma família, por-

---

aprazível. Dedicado ao Ilustríssimo senhor D. José César de Meneses e Alencastro, cônego da Santa Igreja Patriarcal, do Conselho de Sua Magestade, e seu Sumilher da Cortina, Lisboa Ocidental, Na Oficina da Música, 1730. O diálogo discorre sobre a opulência de Lisboa, para onde confluem mercadorias de todo o mundo, e virtude de sua Corte, onde não se notam os vícios monstruosos — a Corte é associada à Hidra — correntes em outras. Isso por causa da justeza do rei, leis, governo e ministros — entre eles, talvez, José César, na qualidade de autoridade eclesiástica: "das nações cristãs a mais católica é a portuguesa, e desta a gente mais devota é a cortesã. [...] Aqui se faz o culto divino com tanta devoção e majestade, que não há em todo o cristianismo parte que lhe possa competir; [...] e se o quereis ver, frequentai os templos desta Corte, e se for possível, os oratórios particulares, e admirareis ser cada um, um Potosi na riqueza de seus adornos. Não falo na Santa Igreja Patriarcal, porque em tanta cópia de ouro, e prata, e no rico, abundante, e laborioso de seus Paramentos, e mais ministérios para o serviço Sagrado, e na preciosidade de muitas, e finíssimas pedras, pode competir com o famoso Templo de Salomão; pois parece, que para o seu culto se tem exaurido todas as minas da terra", p. 21. A religião como sorvedouro da riqueza não causava então espécie, conforme se viu no capítulo 5 deste livro, no tocante às despesas com as missas da família Almeida.

54. Sousa, *História genealógica...*, pp. 44-5.

55. IANTT, *Registro geral de testamentos*, 1739, livro 217, fls. 162-3.

tanto, como tantas outras da boa nobreza de Portugal, que destinava os filhos para as armas e a carreira eclesiástica, casando as mulheres com outras famílias semelhantes ou enviando-as para o convento.

É possível que Rodrigo César também se reservasse, de início, à vida religiosa. Nascido em 11 de julho de 1675, chegou a estudar em Coimbra, mas no final de 1701, numa idade um pouco avançada se comparada à de outros rapazes do seu meio, ingressou na carreira das armas com quase 27 anos, influenciado talvez pelas possibilidades que se abriam à nobreza com o engajamento português na Guerra de Sucessão Espanhola. De fato, Rodrigo César participou ativamente da campanha, sempre na infantaria. Começou como alferes de mestre de campo, passando depois a capitão de cavalos, coronel de regimento, brigadeiro. Por um curto tempo, foi governador militar de Olivença. Enjoado da vida de militar sempre longe de casa, pediu que o transferissem para a Corte em 1715, lá ficando até a vida dar uma guinada e o rei nomeá-lo para uma praça bem mais distante e mais difícil: o governo da capitania de São Paulo, famosa pela má reputação de seus habitantes mamelucos. De volta ao Reino em novembro de 1729,[56] envolveu-se nas questiúnculas que entretinham os nobres de Corte e davam assunto às gazetas: sorteios, onde tirou uma serpentina de prata e um seu lacaio uma roupa bordada; reveses, como o roubo que contra ele praticou um seu escravo, "escondendo-se debaixo da cama, e apagando a luz"; disputas, como a que, para um lugar vago na Mesa de Santa Engrácia, opôs o seu antigo ocupante e o cônego tesoureiro da Mesa a uma cabala de Grandes, capitaneada pelo conde de Assumar e composta pelo do Pombeiro, o de Vila Maior, dom Vasco

56. Washington Luís diz que "antes de 20 de novembro de 1729 tinha chegado a Lisboa, em a nau de Macau". *Capitania de São Paulo...*, p. 267.

da Câmara e Rodrigo César.[57] Em 1732, em meio a certa polêmica por não ter a prestação de contas do seu governo paulista — a "residência", como se dizia então — ainda sido aprovada, tornou-se pública a nomeação para o reino de Angola, acertada desde o tempo em que ainda se achava no Cuiabá.[58]

Inseguro, por certo, quanto ao que poderia acontecer lá, em meio a negros bárbaros e doenças terríveis, Rodrigo César tomou uma decisão. Na rua de Martim Vaz, freguesia de Nossa Senhora da Pena,[59] onde morava de aluguel, o fidalgo fez testamento a 23 de agosto de 1732, diante do mestre carpinteiro Antonio dos Santos, morador na calçada de Santa Ana, de seu secretário Luís de Almeida Barbosa e de seus escudeiros José de Afonseca Couto, Diogo Brás da Silva Pereira e Manuel de Carvalho, que residiam todos em sua casa. Solteiro e sem herdeiros, deixava os bens para o irmão da Patriarcal e, caso isso não fosse possível quando ocorresse sua morte, para o conde de Sabugosa, ou, na ausência deste, ao seu filho mais velho, o sobrinho e herdeiro da Casa, Luís César de Meneses. Destinando-lhes respectivamente 96 mil e 80 mil-réis, lembrou

57. Os finais do século XVII e os primeiros anos do XVIII foram "a época culminante de algumas confrarias nobiliárquicas, como era o caso da dos Escravos do Santíssimo Sacramento de Santa Engrácia". Cf. Fernanda Olival, *As ordens militares e o Estado Moderno. Honra, mercê e venalidade em Portugal (1641-1789)*, Lisboa, Estar, 2001.

58. *Gazetas Manuscritas da Biblioteca Pública de Évora*, Lisboa, Colibri, 2005, no prelo, fls. 8, 34, 71, 79, 86, 89, 96, 100, 171, 191, vol. II. Devo essas indicações a Tiago Reis Miranda. Cf. Arquivo Histórico Ultramarino (AHU), cx. 19-20-21, fevereiro de 1732, pairava a dúvida se Rodrigo César poderia ser governador em Angola apesar de não ter sua residência aprovada. Pouco tempo depois, mais precisamente a 31 de maio de 1732, o ouvidor da vila de Cuiabá, José de Burgos Vila Lobos, escreveria ao rei dizendo que nada havia que desabonasse a administração de Rodrigo César. Ver AHU, Conselho Ultramarino, Avulsos, capitania de Mato Grosso, caixa 1, documento 60.

59. A rua, antes beco de Martim Vaz, pertenceria, segundo Júlio de Castilhos, à freguesia de Santa Justa, mas no testamento consta como citado. Cf. *Lisboa antiga. Bairros orientais*, 2ª ed., Lisboa, Câmara Municipal, 1936, pp. 248-9, vol. IV.

das duas irmãs que lhe restavam: Inês, casada com o Asseca, e a madre superiora das capuchas de Alcântara; lembrou igualmente do irmão beneditino, de dois ou três afilhados, da viúva de um alferes que possivelmente servira sob suas ordens nas campanhas passadas, do Menino Deus de Loios e de uma donzela pobre que queria dotar. Ao todo, deixou a eles reservados cerca de 560 mil-réis: não era muito, como também não era significativa a sua rede clientelar. Os gastos presumidos com missas por sua alma, pelas do Purgatório e para honrar uma promessa feita a Nossa Senhora do Livramento, que talvez o tenha tirado de algum aperto ao longo da vida atribulada, constituíam cerca de 215 mil-réis: nada para irmandades, nada enfim que se comparasse com as disposições pias de outras grandes famílias portuguesas da época.[60] Um homem voltado para a família, agradecido aos que o serviram bem, consciente de suas obrigações mas comedido na fé e nos gastos.

Apesar disso, Rodrigo César gostava de se vestir com apuro, "verdadeiro árbitro das elegâncias", e de pavonear o status: "em indumentária", diz um historiador, "afinava pelo diapasão mais luxuoso e, portanto, mais caro".[61] Na busca por vantagens que adviessem do Estado — no caso, soldos vencidos, remunerações

60. Rodrigo César deixou determinado que se rezassem duzentas missas de corpo presente, mil missas pela sua alma e cem para as almas do Purgatório e Nossa Senhora do Livramento, totalizando 1300 missas. No meado do século, foram 4 mil as missas rezadas pela alma da marquesa de Alorna e 7 mil as oficiadas para sua filha Anica. Cf. meu artigo "O público e o privado no império português de meados do século XVIII: uma carta de Dom João de Almeida, Conde de Assumar, a Dom Pedro de Almeida, Marquês de Alorna e Vice-Rei da Índia, 1749", *Tempo*, vol. 7, nº 13, julho de 2002, pp. 59-75. A média em Lisboa no ano de 1730 — quase à mesma época, portanto, em que Rodrigo César dispunha em seu testamento — era de 750 missas para a alma, no valor de 90 mil-réis. Cf. Ana Cristina Araújo, *A morte em Lisboa. Atitudes e representações. 1700-1830*. Lisboa, Notícias Editorial, 1997, p. 412.
61. Ralph Delgado, *História de Angola. Terceiro período...*, pp. 390-1.

não feitas, ajudas de custo devidas mas não pagas —, invocava sempre a sua condição de nascimento e a impossibilidade de honrá-la. Quando em 1718 pediu transferência para o Regimento da Corte, alegou ter contraído no serviço real empenhos com que não podia arcar por "ser um filho segundo sem ter de que valer-se". Na representação que escreveu ao rei quando deixou o governo de São Paulo e onde pedia para voltar a receber os soldos de coronel e brigadeiro, suspensos desde a viagem de ida, tornou a invocar com eloquência a necessidade de se tratar com a honra devida aos de sua condição: após ter se empenhado por 26 anos seguidos no serviço real, dizia achar-se "sem meios de que possa valer-se para tratar-se com aquela decência que pede a sua pessoa", pois era "um filho segundo dos mais mal livrados". Alegava que o pouco dinheiro remanescente dos tempos de governo se esvaíra nas despesas do regresso: o aluguel de um camarote no navio que vinha de Macau, as estadias no Rio de Janeiro e na Bahia, "donde era preciso tratar-se como quem era", a compra de uma "pobre carruagem", o feitio de duas roupas "para poder aparecer na presença de Vossa Majestade".[62] O fidalgo tinha plena consciência de que, no seu mundo, *ser* ainda era *parecer,* sobretudo para os que, como ele, nasceram sem direito à herança da Casa.

Por seu lado, o rei sabia o quanto o seu poder repousava no serviço e na boa disposição de vassalos como Rodrigo César, permitindo-se, evidentemente, certa margem de manobra. O fidalgo havia pedido que os soldos fossem contados desde o dia em que pisara de novo em Portugal; o rei despachou favoravelmente, como já fizera, aliás, com outros governadores antes dele: mas que contassem os vencimentos a partir da data do despacho — e não da do desembarque... Quinze anos antes, terminada a Guerra e estabelecida a Paz de Utreque, impusera-se em Portugal a diminuição

62. IANTT, Conselho de Guerra, Decretos, 1730, mç. 89, nº 10.

dos efetivos, e o Conselho de Guerra enviou ao rei uma consulta sobre o assunto. O decreto-real sobre a reforma do Exército veio quase dois meses depois, em 21 de agosto de 1715, e simulando, no início, empenhar-se no corte dos gastos militares, reiterava, no fim, os privilégios da nobreza. Dom João v começava expressando o seu desejo de diminuir a carga tributária que incidia sobre o povo por causa da guerra, para tanto reformando todos os regimentos de cavalaria e infantaria que não fossem essenciais à manutenção das praças. Mas ponderava que não podia desconsiderar "o valor e zelo" com que os oficiais o haviam servido durante a guerra, e que não era justo que ficassem sem demonstrações do quanto lhe havia sido "agradável o seu serviço". Por isso, determinava que os que ficassem reformados na infantaria e na cavalaria vencessem todos os meses o mesmo soldo dos tempos da ativa, e numa só penada, nomeava dezenas de novos coronéis, a fina flor da nobreza de Portugal, entre eles Rodrigo César de Meneses, todos merecedores de manterem a antiguidade anterior à reforma, bem como os soldos com ela condizentes.[63]

Apesar de ser filho segundo e sempre invocar tal condição com amargura, Rodrigo César continuou até o fim da vida a pertencer ao grupo mais seleto da nobreza lusitana. Em 1735, na conjuntura eufórica do ouro copioso e dos diamantes recém-descobertos, o mesmo dom João v acharia por bem aumentar o número dos generais de seu Exército, e uma incrível lista de nomes ilustres cintila no decreto em que os nomeia, a 29 de março daquele ano. Então governador de Angola, Rodrigo César estava entre eles, ao lado dos condes de Tarouca, Atalaia, Ericeira, Assumar, Aveiras, Sarzedas, do visconde da Vila Nova da

63. Ibid., 1715, mç. 74, nº 18. "Decreto sobre a reformação geral", 21 de agosto de 1715.

Cerveira, do marquês de Marialva e de Dom Luís Antonio de Souza, Morgado de Mateus.[64]

O PERIGO

Diferentemente da geração posterior à sua, que lamentou a monotonia cotidiana e a falta de guerras para lustrar o nome, Rodrigo César teve uma vida agitada, dividida entre três continentes.[65] Desde 1703, estivera envolvido nas operações da Guerra de Sucessão Espanhola: primeiro em Olivença, depois incorporando-se, com seu terço, ao exército em Estremós, que tomou ao inimigo as vilas de Barca Rota e São Vicente. Em 1705, embarcou com sua companhia e terço na fragata Nossa Senhora do Cabo,[66] uma das que compuseram a armada que foi socorrer Gibraltar. Como o avô do tempo dos Avis, e talvez também por causa dele, comportou-se com extrema bravura na defesa da praça, num episódio em que cinco navios estavam para lhe dar assalto e acabaram aniquilados, sendo ainda "muito cuidadoso nas guardas e fainas marítimas". Atuou no sítio de Badajós, quando cumpriu com zelo as ordens que lhe deram, animou seus

64. Ibid., mç. 94, nº 6.
65. Para o desencanto da geração seguinte, ver Laura de Mello e Souza, "Fragmentos da vida nobre em Portugal setecentista", in Walnice Nogueira Galvão e Nádia Batella Gotlib, *Prezado senhor, prezada senhora — estudos sobre cartas*, São Paulo, Companhia das Letras, 2000, pp. 77-88.
66. Na transcrição do documento feita pelos *Documentos interessantes...*, lê-se "Nossa Senhora do Lobo". Consultando, contudo, o original, inclino-me a transcrever "Cabo". Conferir "Registro da patente do Exmo. Snr. Rodrigo César de Meneses Governador e Capitão General desta capitania de São Paulo", Lisboa, 1º de abril de 1721, in *Documentos interessantes para a história e costumes de São Paulo*, São Paulo, 1902, pp. 3-8, vol. XXXVIII; IANTT, Mercês de D. João V, livro 12, fl. 387v.

soldados com exemplos de coragem e os levou a desprezar as balas da artilharia inimiga, matando 29 soldados, 27 cavalos e ferindo muita gente. A seguir, naquela mesma noite, esteve de guarda por 24 horas "a peito descoberto", "ficando nesta ocasião seis soldados de cavalo mortos". Em 1706, participou com seus homens do sítio de Castel Rodrigo, e esteve em ações importantes até o final da guerra, quando já era brigadeiro. Em 1717, "embarcou voluntariamente na nau Nossa Senhora da Assunção" que foi a Corfu ajudar os venezianos no combate contra os turcos: em águas mediterrânicas repetia mais uma vez os feitos do velho Vasco Fernandes, travando com os inimigos um combate "furiosíssimo", que durou "incessantemente" das oito da manhã às seis da tarde e os pôs em fuga desordenada, ficando os portugueses "senhores do mar".

Brigadeiro e coronel de um dos regimentos da Corte, foi em 1º de abril de 1721 nomeado governador e capitão-general da capitania de São Paulo, com o ordenado de 8 mil cruzados anuais, "pagos em moeda e não em oitavas de ouro". Gozaria das honras, poderes, mando e jurisdição dos governadores do Rio, subordinando-se unicamente ao vice-rei, que, desde o ano anterior, era seu irmão Vasco Fernandes. Quem deveria lhe dar posse na cidade de São Paulo era um outro soldado da guerra de Sucessão, Dom Pedro de Almeida, conde de Assumar, que até então enfeixara os governos de São Paulo e Minas do Ouro e que continuaria, vida afora, a fazer parte de seu círculo de convivência.[67]

Anos depois, Rodrigo César relatou que, tendo recebido o aviso de sua nomeação por volta da meia-noite do dia 28 de março, "saiu pela barra fora dentro no termo de três dias, sem ter tempo de apresentar-se, nem de fazer requerimento algum, porque só cui-

67. Todas as referências desse trecho encontram-se no documento citado na nota anterior.

dou em executar prontamente as reais ordens".[68] Tinha 45 anos e embarcava para a mais longa das viagens marítimas que fizera até então, apesar de já bastante acostumado com o mar.

Chegando ao porto do Rio de Janeiro, havia que galgar a serra do Mar para atingir as terras altas de Piratininga: escalada terrível, que no século XVII fazia tremer as carnes ao padre Simão de Vasconcelos e, em 1781, ainda punha a vida "em um evidente perigo", feita muitas vezes em lombo de índios e passando por uns apertados tão fundos e estreitos que só cabia uma pessoa de cada vez.[69] Não há registro do tempo levado pelo novo governador para galgar a montanha coberta de mata virgem, mas sabe-se que atingiu São Paulo a 3 de setembro, cinco meses depois de deixar Lisboa. Assumar não o esperava, talvez por viver um momento dificílimo nos meses subsequentes ao levante de Vila Rica e à execução sumária de Filipe dos Santos, ocorridos no ano anterior. Foi perante o Senado da Câmara que Rodrigo César tomou posse.[70]

O grande assunto e o principal problema do seu governo foi o ouro em Mato Grosso e Goiás. Descoberto o primeiro por Pascoal Moreira Cabral em 1719, essas minas foram dirigidas por ele até 1723 "com admirável acerto" e, a partir de então, por dois agentes fiscais para lá mandados pelo governador.[71] Já o ouro de Goiás seria buscado a partir de 1722 por Bartolomeu Bueno da Silva e João Leite da Silva Ortiz, e a notícia do achado se difundiu em 1725.[72] Pareciam compensações à perda de Minas Gerais, sepa-

68. IANTT, Conselho de Guerra, Decretos, 1730, mç. 89, nº 10.
69. Paulo Prado, *Paulística etc.*, p. 71; o registro de 1781 diz respeito ao depoimento do governador Martim Lopes Lobo de Saldanha.
70. Washington Luís, *Capitania de São Paulo...*, p. 37.
71. Brigadeiro José Joaquim Machado de Oliveira, *Quadro histórico da Província de São Paulo até o ano de 1822*, São Paulo, Typographia Brasil de Carlos Gerke & Cia., 1897, p. 130.
72. Ibid., pp. 151-2. Pedro Taques de Almeida Pais Leme, "Carta régia de oito de

rada por uma nova circunscrição administrativa desde 1720; mas foi sobretudo para o Cuiabá que os paulistas passaram a se atirar, agindo inclusive com imprevidência e desatino.

Conforme a bela passagem do brigadeiro Machado de Oliveira, a notícia do descoberto cuiabano chegara havia poucos dias e já moços e velhos dispuseram-se a partir, "em procura de riquezas que sua cobiça elevava a um ponto desmesurado". Iam tão alucinados pelo ouro "que foi-lhes coisa estranha ou secundária o curarem da própria manutenção e segurança para viagem tão prolongada e perigosa, em que por certo deparariam com mil dificuldades e riscos. Assim desprecavidos não tardou muito que não caíssem vítimas, uns, da fome, outros, das intermitentes dos paues do Tietê, e muitos, dos Paiaguás, que em numerosas canoas afrontavam as expedições naquelas paragens em que não podiam ser evitados. A Cuiabá não chegou senão um pequeno número destes infelizes, raquíticos, transidos de miséria e moléstias, e sem que pudessem por muito tempo dar-se a outro mister que não fosse a sua convalescença".[73]

Os desastres iniciais não serviram de exemplo, e por muitos anos a viagem ao Cuiabá foi longa e penosa, e a chegada mais que incerta. O perigo rondava por toda parte. Os que seguiam por terra, evitando o encontro com os Paiaguás, que haviam se apossado da navegação do Tietê, acabavam dando com os Guaicurus, "índios cavaleiros, sempre em contínuas correrias nos campos entre os rios Paraná e Paraguai". "De uma expedição de trezentos

---

outubro de mil setecentos e dezoito, Secretaria Ultramarina, maço de cartas de mil, setecentos e dezenove das conquistas", in *Notícias das Minas de São Paulo e dos sertões da mesma capitania*, São Paulo, Publicações Comemorativas da Comissão do IV Centenário da Cidade de São Paulo, Livraria Martins Editora, 1954, pp. 149-60.

73. Ibid., pp. 130-1.

homens na monção de 1725 somente escaparam dois brancos e três negros", continua Machado de Oliveira. "Estas trucidações eram como proverbiais em São Paulo; mas, dizia-se com a mesma popularidade, que o ouro era em tanta profusão em Cuiabá, que os caçadores serviam-se dele em vez de chumbo."[74]

Endurecido pelas guerras europeias e correrias navais atrás de turcos, Rodrigo César hesitou muito em entrar para o sertão, em "partes tão remotas e infestadas de gentio bárbaro e de tudo o mais que costuma opor-se à vida dos homens".[75] Ensaiou partir em 1723 e em 1725, mas acabou alegando motivos variados para não fazê-lo.[76] Em fevereiro de 1724, parece que já ardia por voltar ao Reino, pedindo que o rei lhe fizesse "a mercê de me mandar sucessor, pois me vejo de cada vez mais impossibilitado por causa dos meus empenhos".[77] As viagens tinham que ocorrer em tempo certo, dizia, entre maio e agosto, por causa das águas e das febres. Se a ordem do rei ou de seu representante na Bahia, o irmão Vasco Fernandes, chegasse em outra época, justificava a espera até o próximo ano, pois se estava "fora de monção".[78] Contava aos homens da Europa que a maior parte do trajeto era fluvial, e que as canoas não tinham quilhas, devendo ser carregadas nas costas quando a correnteza era impetuosa. Por isso, faziam-nas pequenas para não pesar muito, e não podiam conter mais do que cinquenta ou

74. Ibid. Cf. Sérgio Buarque de Holanda, *Monções*, 3ª ed., ampliada, São Paulo, Brasiliense, 1990, p. 46.
75. Correspondência e papéis avulsos de Rodrigo César de Meneses. 1721-1728, *DI*, XXXII, São Paulo, 1901, pp. 109-10.
76. Washington Luís, *Capitania de São Paulo...*, pp. 209-33.
77. Instituto de Estudos Brasileiros (IEB), Fundo J. F. Almeida Prado, cód. 25, Rodrigo César de Meneses, *Cartas e papéis administrativos concernentes a capitania de SP e as minas de Cuiabá, enviadas por Rodrigo Cesar de Meneses a el rei, datadas de SP e das minas de 1729* [sic], fls. 13-4.
78. Correspondência e papéis avulsos de Rodrigo César de Meneses. 1721-1728, *DI*, XXXII, São Paulo, 1901, pp. 62-3.

sessenta arrobas, motivo por que os mantimentos faltavam apenas começada a viagem. O alimento oferecido pelos matos eram as antas, cobras, jacarés, papagaios, araras, algum macaco, e isso meses a fio: "na viagem se costuma gastar seis ou sete meses", escrevia, "e às vezes mais conforme a correnteza das águas".[79]

Por fim, a 6 de julho de 1726, Rodrigo César partiu, conforme disse, apesar "dos muitos protestos que me fizeram as Câmaras e povos da capitania deste governo", insistindo para que abrisse mão da viagem e dos perigos a que com ela se expunha.[80] Sua monção levava 3 mil pessoas em 308 canoas, das quais 23 eram suas e carregavam os seus pertences, inclusive 28 escravos negros e índios.[81] A maior despesa que teve foi com milho, alimento básico do sertão. Mas levou também muita farinha, feijão, capados, açúcar, aguardente, cera, linhagem para o toldo das barcas, encerado para cobrir as canoas, chumbo para garantir o controle da Coroa. Na sua provisão particular seguia um pouco da Europa para o coração da América do Sul, e lá estavam o vinho, a manteiga, o azeite, passas, queijo, chocolate, aletria, peixe seco, biscoitos, doces, paio.[82] Foi preciso ainda recorrer às roças do caminho em Camapuã, Taquari, Registro e rio Cuiabá: alimentos mais frescos, talvez, que evitassem, como em alto-mar, o escorbuto.

Da viagem de Rodrigo César de Meneses, a primeira entrada oficial de um administrador ao Cuiabá, ficaram alguns registros, entre eles uma interessante memória daquele que era então seu secretário, Gervásio Leite Rebelo.[83] Apesar de não se comparar à

79. Ibid., pp. 84-5.
80. Ibid., 183.
81. Washington Luís, *Capitania de São Paulo...*, p. 233.
82. *DI*, XIII, SP, 1895, pp. 144-5.
83. Há também o relato de um seu inimigo, o ouvidor de Paranaguá, de que a cópia existente no *Projeto Resgate* não permite ler por causa do mau estado do original, muito apagado nas extremidades inferiores dos fólios. Ver AHU, Conselho Ultra-

de uma outra viagem oficial, feita mais de vinte anos depois pelo conde de Azambuja, traz o impacto de um mundo ainda desconhecido e pouco devassado, e a marca de um universo mental assombrado por relatos apavorantes, a presença da morte se mostrando em cada linha.[84]

Entre os perigos maiores contavam as cachoeiras e corredeiras dos rios, quando as canoas tinham de ser descarregadas e o seu conteúdo passado para as costas dos negros. Até os pilotos ou práticos perdiam então a cor e o ânimo, "por correrem ali as águas com tanta força e violência, que se não salva nada do que cai nelas, sem que se aproveite o saber nadar, pelas pedras despedaçarem tudo em um instante".

O medo ocupava os viajantes o tempo todo, e o secretário diz que dificultou até o registro dos acontecimentos em seu diário. Mesmo se não atacava, a indiada espreitava ao longe: Caiapós, Paiaguás, Guaicurus. No dia 11 de agosto, depois de vencidos "com grande susto e trabalho" os redemoinhos e caldeirões do rio

---

marino, Avulsos, caixa 1, documento 4, "Carta do ouvidor de Paranaguá Antonio Alves Lanhas Peixoto ao rei em que relata a sua viagem de São Paulo à vila de Cuiabá na companhia do governador Rodrigo César de Meneses e a fundação da Vila Real do Bom Jesus de Cuiabá", 3 de fevereiro de 1727. Há na coleção Ian de Almeida Prado um relato inédito muito interessante, provavelmente datado de 1726: cf. IEB, *JFAP*, cód. 31, Francisco Palácio, "Roteiro da viagem de São Paulo para as minas de Cuiabá que fez Francisco Palacio no ano de 1726-1734", fl. 22.

84. "Prática e relação verdadeira da derrota e viagem, que fez da cidade de São Paulo para as minas do Cuiabá o exmo. Sr. Rodrigo César de Meneses governador e capitão general da capitania de São Paulo e suas minas descobertas no tempo do seu governo, e nele mesmo estabelecidas", in *Relatos monçoeiros*, Publicações Comemorativas da Comissão do IV Centenário da Cidade de São Paulo, São Paulo, Editora Martins, 1953, pp. 101-13. O relato de Azambuja é "Relação da viagem que fez o conde de Azambuja, D. Antonio Rolim, da cidade de São Paulo para a vila de Cuiabá em 1751", in *Relatos monçoeiros*, pp. 181-202.

Grande, "passando por várias ilhas, coroas e areias se foi dormir à barra do rio Apeú em uma dilatada praia da parte esquerda, porque da direita anda o gentio, que é de certo o pior que tem estes sertões". No dia seguinte, antes de o dia raiar e se seguir viagem, Rodrigo César mandou dar a todas as pessoas de sua comitiva triaga de vênia, diligência já realizada um dia antes "para livrar a todos das malignas doenças que nesta altura costumam dar nos que navegam por este rio".

Quando atingiram as roças mais antigas do Pardo, encontraram as tropas que voltavam do Cuiabá, trazendo o superintendente João Antunes Maciel. Ele vinha doente, e morreu dias depois no Rio Grande: era esta a vida dos funcionários reais naquelas lonjuras. Vários foram os mortos encontrados pelo caminho, presságios do que poderia ocorrer a qualquer um dos que entravam: Pardo acima, "no primeiro capão grande que cerca o rio, junto ao último pau que o atravessa, se achou embaraçado em uns cipós um homem morto, e se lhe não deu sepultura por se achar já com grande fétido e se recear desse peste em quem o enterrasse". A constância acabava banalizando a ocorrência, e numa corredeira preferia-se antes perder um escravo que uma carga de mantimento.

Camapuã-mirim abaixo, a morte marcou mais um tento: "No dia da 5ª feira se achou no mato junto de um rio, que está da parte esquerda, um cadáver ainda com cabelos e com couro, que pareceu branco, em algumas partes, sentado em cima dos ossos, e pela informação dos negros que foram ao mel e o acharam, se entendeu ser pessoa das que foram o ano passado em alguma tropa". No mesmo dia, o cozinheiro de Rodrigo César saltou por terra para buscar uma faca esquecida e desapareceu: "ou se perdeu no mato, ou foi pasto de alguma onça". Um pouco depois, Taquari-açu abaixo, uma canoa da expedição não conseguiu vencer a violência das águas, e "sacudiu fora a gente, e se afogaram dois negros e uma negra". Quando já se atingiam os pantanais, conta o autor, "tivemos a mágoa de nos cair no rio um moço branco que logo se afogou". E os homens venciam rio após rio, "bem acompanhados de mosquitos e faltos de mantimentos", "brancos e negros muito debilitados e fracos". Cruzes pontuavam as margens, indicando sepulturas dos que não tinham conseguido vencer a violência das águas, o imponderável das febres ou a resistência dos índios. Um forasteiro chamado Manuel Roiz, natural de Braga, faleceu quando se subia o rio Xianês, "e se lhe deu sepultura na margem deste rio três léguas antes de chegar ao rio dos Porrudos da parte esquerda".

A descida do rio Coxim era a própria imagem da morte.[85] Todo ele corria entre rochedos, "e tão altos, que em muitas partes não dá sol nunca nelas, sem embargo de ser largo e tão arrebentado no seu correr, que se faz triste e medonho a quem o navegava". O fato do caudal ficar espremido entre os paredões cortados a prumo tornava a violência das águas extraordinária. Segundo Azambuja, "os primeiros sertanistas se não atreviam a subir este rio", e o fizeram da primeira vez "quando se retirou do Cuiabá Rodrigo César".[86]

Em 16 de novembro, quatro meses e 530 léguas depois, o governador chegava ao destino sem parte de sua carga, engolida pela força das águas, emagrecido, desfigurado, mas muito antes de outra monção que, partida alguns dias antes da dele, gastou oito

85. Quase um século depois, o governador Oeynhausen se referiria ao Coxim como "cabo tormentoso desta navegação", identificando a expansão marítima e o controle do sertão americano. O perigo se devia, segundo Sérgio Buarque de Holanda, às "escaramuças de caldeirões, redemoinhos, correntezas, funis, itaipavas e águas em geral tão atrapalhadas, que lhe valeram, para alguns, o cognome de Cachoeirim". Cf. *Monções*, 3ª edição ampliada, São Paulo, Brasiliense, 1990, respectivamente pp. 275 e 283.
86. "Relação da viagem que fez o Conde de Azambuja...", p. 194.
87. Correspondência e papéis avulsos de Rodrigo César de Meneses. 1721-1728, p. 183, *DI*, XXXII, São Paulo, 1901. Washington Luís, *Capitania de São Paulo...*, p. 233.

meses até o arraial.[87] Na geografia aleatória de então, o Cuiabá podia estar tão distante de São Paulo quanto Lisboa da Índia. O governador não se fez de rogado e, em carta ao ministro Diogo de Mendonça Corte Real, disse que, se eram vinte os rios, eram 20 mil os perigos da viagem: "posso assegurar a Vossa Senhoria que entre o serviço que em toda a minha vida tenho feito a Sua Majestade, este é o maior na empresa que intentei de passar ao sertão, e de tal sorte que ainda os homens que nele assistem, vendo-me, o duvidavam".[88]

Um dia antes, haviam-no recebido no Porto Principal os paulistas, forasteiros e uma companhia de ordenanças. Uma vez em terra, fizeram-se orações na capelinha do lugar e, depois de meses, com certeza fraco e zonzo, o governador montou a cavalo, acompanhado por alguns dos homens enquanto muitos seguiam em redes até o Arraial do Bom Jesus. Não faltaram os rituais de praxe: recepção em frente à Matriz, séquito luzido e nobre a carregar o pálio e acompanhá-lo ao Palácio — designação excessiva para o que deviam ser então as acomodações do governante, num arraial de 148 fogos, "alguns cobertos de telhas, os mais de palha e capim", casario modestíssimo que corria de sul a norte, em meio a uma planície em declive por sobre um riacho seco no verão, confinado a leste por um morro e a oeste por uma chapada. O clima foi qualificado de "ardentíssimo": nunca se vira nada igual na América, diz o autor do relato: nem no Rio de Janeiro, nem na cidade da Bahia, nem no Grão-Pará e Maranhão; muito menos nos sertões de Pernambuco Gervásio Leite Ribeiro experimentara "os excessivos calores" que encontrara ali. Não havia como ficar em casa com outra roupa senão ceroulas e camisas, e como se não bastasse eram contínuas as "cesões e malinas", das quais os negros sofriam

88. AHU, Conselho Ultramarino, Avulsos, Mato Grosso, caixa 1, documento 8, "Carta de Rodrigo César de Meneses a Diogo de Mendonça Corte Real...", 10 de março de 1727.

menos que os brancos. A alimentação se assentava no milho, "único remédio e regalo destas minas". Dele "se faz a farinha que supre o pão, a cangica fina para os brancos, a grossa para os negros, os cuscus, arroz, bolos, biscoitos, pastéis de carne e peixe, pipocas cantimpoeira, aloja [aluá], angu, farinha de cachorro, água ardente, vinagre e outras muito mais equipações que tem inventado a necessidade e necessitam de momento".

Logo depois que chegou, eleitos os oficiais da Câmara, postos os signos exteriores do poder em praça pública — escolhidas as armas da nova vila, desfraldado o estandarte, erguido o pelourinho —, o governador enviou pombeiros ao sertão para negociarem com os índios. Estes recusaram qualquer comércio, dizendo-se "homens, e que só à força de armas seriam mortos ou conquistados". Sem pestanejar, Rodrigo César, herói da Guerra de Sucessão, ordenou que "os atacassem em qualquer parte que os achassem". Os que sobraram foram trazidos presos à nova Vila Real do Bom Jesus do Cuiabá: o poder real se implantava a qualquer custo.[89]

Numa das primeiras cartas enviadas da nova vila, Rodrigo César já pedia sucessor, mas decorreriam quase dois anos antes de começar a viagem de volta, a 5 de julho de 1728: outro calvário, agravado pela má vontade do novo governador, Antonio da Silva Caldeira Pimentel, que fez de tudo para atrapalhar o colega a quem sucedia. Na pressa de chegar em tempo para tomar a frota que seguia para Lisboa — e que partiu a 28 de agosto, antes que Rodrigo César chegasse ao Rio —, sobrecarregou os negros remadores, alguns dos quais morreram de cansaço, e ele mesmo quase passou desta para a melhor:

89. Para a criação de Vila Real, ver Nauk Maria de Jesus, *Na trama...*, bem como o trabalho de Carlos Alberto Rosa, *A Vila Real do Senhor Bom Jesus do Cuiabá: vida urbana em Mato Grosso no século XVIII (1722-1808)*, Tese de Doutorado em História Social, FFLCH-USP, 1996.

> estive em termos de perecer, e toda a tropa, que se compunha de algumas trezentas pessoas, e cheguei a tal extremo que muitos dias não gostei sal, e totalmente se extinguiu o mantimento, e se por acaso na roça de um pobre, no limite de Pitenduba, sete ou oito dias antes de chegar a povoado, não achasse um pouco de rostolho de milho, abóboras e batatas, com que a tropa se refez, seria infalível a ruína.[90]

Por tudo isto, só chegou em Lisboa mais de um ano depois. Se o período passado na Corte foi um hiato para os medos desconhecidos, outros começaram a assombrá-lo quando foi para Angola, e por isso deixou pronto o testamento. A 31 de dezembro de 1732 aportou em Luanda, tomando posse no dia seguinte como o quadragésimo oitavo governador daquela conquista. Sobressaltava-o a memória de antecessores ilustres mortos em serviço: o célebre Paulo Dias Novais, no final do século XVI, e, logo depois, no início do século XVII, Manuel Cerveira Pereira, o conquistador de Benguela.[91] Mais recentemente, havia a notícia de dois governadores sucessivos ali sepultados, Antonio de Albuquerque Coelho de Carvalho, em 25 de abril de 1725, e Paulo Caetano de Albuquerque, poucos dias antes de Rodrigo César chegar, em 10 de dezembro de 1732.[92] "Tenho padecido 2 anos que não é fácil referir e nenhuma mercê me será tão apreciável como vierem suceder-me", escreveu este último ao rei.[93] Quando Rodrigo César chegou, ele já se encontrava sob a terra.

O novo governador logo adoeceu, mas mesmo assim foi capaz

90. IEB, *JFAP*, códice 25, fls. 9-10.
91. Norberto Gonzaga, *História de Angola (1482-1963)*, pp. 128-9 e 160.
92. Antonio de Albuquerque Coelho de Carvalho, o 44º governador, empossado em 22 de março de 1722 e morto em 25 de abril de 1725 depois de uma gloriosa carreira nas armas e no Império (pp. 353-7), e Paulo Caetano de Albuquerque, 46º governador, empossado em 7 de maio de 1726 e morto a 10 de dezembro de 1732 (pp. 358-9). Cf. Correia, *História de Angola [1782]*, p. 360.
93. Norberto Gonzaga, *História de Angola (1482-1963)*, p. 256.

de realizar um governo cheio de iniciativas. Ao contrário do que fez em São Paulo, não entrou em pessoa pelo continente, enviando representantes para guerrear ou negociar com os chefes locais. Talvez os medos do Cuiabá o tivessem marcado para sempre, e temesse os perigos do sertão mais que os do mar, com os quais se acostumara desde menino, embalado sem dúvida pelos feitos dos antepassados ilustres. Na época em que lhe mandaram sucessor, correu em Lisboa que ele assumiria o vice-reinado da Índia, mas o discurso era ainda "incerto", e a morte o colheu no meio do caminho.[94]

Alcântara Machado, historiador hoje quase esquecido, percebeu, cem anos atrás, que o homem do mar e o da floresta assemelham-se no temperamento e na simplicidade, "brutais, ingênuos e intrépidos". Sérgio Buarque de Holanda, em muito seu continuador, mas em tudo bem maior que ele, também explorou, em mais de uma obra, a analogia evidente do marinheiro e do sertanista das monções, o primeiro sendo a referência imaginária e permanente do segundo.[95] Mas voltemos a Alcântara Machado. "O oceano e o sertão perseguem-nos por toda a parte", diz o historiador paulista. "Ciumentos, interrompem-lhes os amores. Absorventes, ditam-lhes o destino. E matam-nos quase sempre."[96]

94. Conforme o vol. 3 do "Diário" do conde de Ericeira, em anotação feita a 24 de dezembro de 1736: "Mandou-se prevenir um navio para Angola declarando-se que nele havia de ir governador, e há quem infira que é para Rodrigo César ir por vice-rei para a Índia, mandando-se este ano abrir as vias do Conde de Sandomil, porém o discurso é incerto". Devo essa informação a Tiago Reis Miranda, que trabalha na equipe que transcreve o manuscrito.
95. Sérgio Buarque de Holanda, "Sertanistas e mareantes", in *Monções*, pp. 67-73; id., *Caminhos e fronteiras*, 3ª edição, São Paulo, Companhia das Letras, 1994, p. 149: "Em verdade, a migração para o Cuiabá, durante a era das monções, foi, em quase todos os seus aspectos, muito especialmente nos seus efeitos imediatos, uma forma de migração ultramarina".
96. Alcântara Machado, *Vida e morte do bandeirante*, 2ª edição, São Paulo, Revista dos Tribunais, 1930, pp. 247-8.

Dos amores de Rodrigo César nada se sabe, e finou-se solteiro, sem herdeiros legais. A morte não aconteceu nas monções do Cuiabá, que tanto temeu e o levou a adiar mais de uma vez a entrada para as novas minas, nem no clima terrível de Angola, que enterrou tantos vassalos a serviço da Coroa. Contudo, no dito popular que ainda hoje corre na América de fala portuguesa, "o mar vai virar sertão e o sertão vai virar mar". Foi no mar, nele mesmo, no amigo imemorial dos antepassados ilustres que Rodrigo César de Meneses morreu, e nele que seu cadáver recebeu as primeiras homenagens, celebradas pelos fortes que guardavam a entrada da barra do Rio de Janeiro.

Não é possível deixar de lembrar das seis fustas com pendões vermelhos e ramos de ouro postas no seu brasão familiar em decorrência da bravura do velho Vasco Fernandes, matador dos mouros que corriam o estreito entre Portugal e África. Os tempos eram outros, mais mesquinha, talvez, a personagem: o grupo social, contudo — a velha nobreza lusitana —, reinventava atribuições para conservar a importância histórica, imitando destinos avoengos nas práticas e nos símbolos.

Registro aqui o meu agradecimento a Fabiano Vilaça dos Santos, que, na qualidade de auxiliar de pesquisa, localizou no *Arquivo Nacional* a carta em que se narra a morte de Rodrigo César e, indiretamente, levou-me a estudar um governante que, de início, não entrava em minhas cogitações. Uma primeira versão deste texto foi apresentada no ciclo *O Atlântico Ibero-Americano — séculos XVI-XVIII — Perspectivas historiográficas recentes*, organizado por: Centro de História de Além Mar da Universidade Nova de Lisboa, Centro Interdisciplinar de História, Culturas e Sociedades da Universidade de Évora, Instituto de Ciências Sociais da Universidade de Lisboa e pelo Departamento de História, Filosofia e Ciências Sociais da Universidade dos Açores, fev. 2005.

8. A remuneração dos serviços: Luís Diogo Lobo da Silva

[...] os príncipes devem encarregar a outrem da imposição de penas; os atos de graça, pelo contrário, só a eles mesmos, em pessoa, devem estar afetos.

Nicolau Maquiavel, *O príncipe*, século XVI

Cuida de um bom nome: porque ele te será mais permanente do que mil tesouros preciosos, e grandes.

Elogio fúnebre do marquês do Lavradio, século XVIII

UM PRECIOSO CONJUNTO DE FONTES

Nos Arquivos Nacionais da Torre do Tombo há um fundo denominado Ministério do Reino — Decretamentos do Reino, onde repousa a documentação encaminhada pelos servidores reais a fim de comprovar serviços prestados ao Império e reivindicar, em nome deles, benefícios e mercês. Tal dispositivo — a requisição de benesses por parte dos vassalos e a concessão das mesmas por parte do rei — foi comum aos Estados europeus modernos, possibilitando, nas sociedades de Antigo Regime, a oxigenação da nobreza de sangue por meio da promoção de elementos que não eram originários dos setores mais tradicionais. Contudo, se em países como a França esse mecanismo se fez muitas vezes acompanhar do pagamento dos benefícios e carreou soma importante de recursos à Coroa,[1] em Portugal o Estado arcou com a maior parte do peso, mostrando seu caráter em tantos pontos paternalista e tratando os vassalos antes como pai que como senhor.[2]

Os vassalos, é evidente, faziam sua parte. Como bem disse em 1732 Antonio Rodrigues da Costa numa famosa consulta do Conselho Ultramarino, que ele então presidia, a fidelidade ao rei era a contrapartida desse tratamento paternal, e se traduzia nos "trabalhos e perigos insuportáveis" que os vassalos enfrentavam em nome do real serviço. Assim estenderam o Império, ganharam para a Coroa "reinos e comércios riquíssimos" espalhados por todo

1. Refiro-me aos cargos da magistratura que, desde a lei da *paulette*, serviram para constituir a nobreza togada. Ver, entre outros, Roland Mousnier, *Les institutions de la France sous la Monarchie Absolue, 1578-1789*, 2ª ed., Paris, PUF, 1990. Emmanuel Le Roy Ladurie, *L'état royal. 1460-1610*, Paris, Hachette, 1987. Id., *L'Ancien Régime. 1610-1715*, Paris, Hachette, 1991. Perry Anderson, *El Estado Absolutista*, México, Siglo XXI, 1979.

2. "[...] a primeira e principal máxima dos senhores reis de Portugal, a qual foi sempre tratarem os seus vassalos como pais, e não como senhores", in "Consulta do Conselho Ultramarino a S. M., no ano de 1732, feita pelo conselheiro Antonio Rodrigues da Costa", *Revista do Instituto Histórico e Geográfico Brasileiro*, vol. 7, pp. 498-506; p. 504. Sobre o caráter do Estado em Portugal, ver, entre outros, António Manuel Hespanha (coord. [sob a direção de José Mattoso]), *História de Portugal. O Antigo Regime*, Lisboa, Estampa, 1998, vol. IV. Não voltarei a tratar aqui da questão da venalidade dos ofícios em Portugal, referida no capítulo 1 deste livro.

o globo, descobrindo e conquistando "um novo mundo com tesouros imensos, para exaltar mais a sua grandeza". Em momento algum os reis participaram da lida que lhes ampliou os domínios, o que os tornou, na concepção do conselheiro, devedores da "nobreza de serviços".[3] As mercês, portanto, eram moeda que compensava a ausência real e pagava os sofrimentos dos vassalos.

Está claro, pois, que a expansão ultramarina, a consolidação do Império e o serviço burocrático no ultramar possibilitaram a promoção social e a viabilização econômica de boa parte da nobreza de Portugal. Os Decretamentos do Reino são um acervo documental inestimável para o estudo desse fenômeno, e é difícil de entender que os historiadores brasileiros o tenham usado tão pouco.[4] Além disso os Decretamentos podem conter grande quantidade de papéis referentes às atividades administrativas nos diferentes pontos do Império, possibilitando o estudo da história da administração portuguesa em conjunto e em chave comparativa. No caso dos governadores e capitães-generais, meu objeto presente, os interessados nas mercês se empenhavam em reunir, anos a fio, os elementos capazes de comprovar sua boa atuação.

O conjunto documental que passo a analisar é impressionante, e nas poucas ocasiões em que trabalhei com esse tipo de fonte nunca encontrei nada parecido. São centenas de documentos referentes a duas administrações consecutivas, cobrindo um período de doze anos. Lá estão desde as fontes oficiais ligadas à nomeação e ao estabelecimento de diretrizes — cartas régias, cartas-patentes,

3. A expressão vem sendo utilizada pela historiografia para distinguir a nobreza de sangue e a que servia o rei em cargos administrativos e militares. Cf. Nuno Gonçalo Monteiro, "Poder senhorial, estatuto nobiliárquico e aristocracia", in Hespanha, op. cit., pp. 297-338. A distinção, contudo, é antiga, conforme registrado em Bluteau.

4. Remeto às considerações feitas no capítulo 1, nota 92, em que destaco as honrosas exceções.

bandos — até as atinentes ao governo cotidiano da capitania: os registros de jornadas, a descrição do estado das fortalezas, a contabilidade referente à arrecadação de tributos. As capitanias são Pernambuco e Minas Gerais; o período, os anos que vão de 1756 a 1768; a personagem, Luís Diogo Lobo da Silva, observador privilegiado que transitou da velha zona açucareira e aristocrática, já decadente naquela época, para a nova região das Minas, onde a sociedade nova e de cunho marcadamente arrivista começava a sedimentar-se. Foi um governante afinado com a política pombalina, que, com empenho, ele procurou implementar nas duas gestões que lhe couberam.

UM GOVERNADOR E DUAS CAPITANIAS

Em 9 de outubro de 1755, Dom José I nomeava Luís Diogo Lobo da Silva para o governo da capitania de Pernambuco. Até aquela altura, sua carreira havia sido modesta, muito diferente da de seus antepassados, heróis das Guerras da Restauração e da Sucessão Espanhola: por nove anos, servira como soldado de cavalos na província do Alentejo, e em 1754 chegou a capitão do Regimento de Cavalaria do Cais.[5]

Seriam transcorridos dois meses antes que o novo capitão-general de Pernambuco jurasse preito e homenagem nas mãos de Dom José. Quando o fez, a 18 de dezembro, foi ter com o rei no Palácio de Belém, onde morava provisoriamente: a terra tremera, as chamas terminaram o que o terremoto havia começado e boa parte da nobreza se achava abarracada, com os palácios reduzidos a um amontoado de pedras.[6] Teve como padrinhos

5. Todas as informações, daqui por diante — e salvo indicação em contrário —, encontram-se em Instituto dos Arquivos Nacionais Torre do Tombo (IANTT), Ministério do Reino (MR), Decretamentos do Reino (DR), mç. 210, doc. 26.

alguns dos homens mais poderosos da época: testemunharam o seu juramento o marquês de Angeja e o de Marialva, enquanto Diogo de Mendonça Corte Real tomava o assento da solenidade.[7] Os homens podiam ainda ser os mesmos, mas os tempos já eram outros.

Em fevereiro de 1756, Luís Diogo já se encontrava no Recife, dando início a sete anos de administração eficiente e dedicada que lhe valeram os vencimentos anuais de 6 mil cruzados. Tomou medidas importantes e viabilizou a implementação de reformas significativas, apesar de nem sempre populares. Em todas, indicam os documentos, desempenhou a função com extremo equilíbrio e competência.

Havia pouco tempo que ocupava o governo de Pernambuco quando o rei lhe recomendou "a delicada diligência de conduzir suavemente os ânimos dos povos da dita capitania de Pernambuco" a pagarem o subsídio voluntário cobrado para a reconstrução de Lisboa, e Luís Diogo cumpriu a ordem de forma ao mesmo tempo "expedita e suave". Três anos depois, chegou a vez de aplicar a nova lei do Diretório dos Índios, em decorrência da qual criou 25

6. Sobre o terremoto, ver Mary del Priore, *O mal sobre a terra — uma história do terremoto de Lisboa*, Rio de Janeiro, Topbooks, 2003.

7. Conforme carta de Dom João de Almeida, citada no capítulo 5 deste livro, o marquês de Marialva comandava, então, o partido do marquês de Angeja. Tudo indica que, por sua intervenção direta ou, depois de morto, por respeito à sua memória, fizeram-se pelo menos três governadores de Minas na segunda metade do século XVIII: Luís Diogo Lobo da Silva, cunhado de seu filho Rodrigo Antonio de Menezes, como se verá no capítulo 9 deste livro; Dom Antonio de Noronha, seu neto, filho de Rodrigo Antonio e sobrinho de Luís Diogo; Rodrigo José de Menezes, outro neto, filho caçula do herdeiro da casa, para cujo governo remeto a meu artigo "Os nobres governadores de Minas. Mitologias e histórias familiares", in id., *Norma e conflito. Aspectos da história de Minas no século XVIII*, Belo Horizonte, UFMG, 1999, pp. 175-99. O papel dos nobres de Corte na nomeação dos governantes coloniais ainda está por estudar.

novas vilas e arrebanhou 25 370 almas. Aderiu à maré antijesuítica, executando com presteza as ordens reais e desfazendo do ensino da Companhia de Jesus — por quem os vassalos, diria, "haviam sido induzidos e precipitados às densas trevas da mais crassa ignorância" — para melhor justificar a instituição dos professores régios.

Se é certo que provocou a insatisfação dos colonos, como os que se opunham à liberdade dos índios, deve ter, da mesma forma, granjeado simpatias, pois, ao partir, deixou ótima lembrança. Durante os sete anos de serviço — período mais longo que os costumeiros três ou quatro anos então usuais na maior parte dos governos na América — Luís Diogo trabalhou sem cessar. Viajou para vistoriar as fortalezas de Pernambuco e das capitanias que lhe eram subalternas, reparando pelo menos oito delas "da grande ruína em que se achavam".[8] Aperfeiçoou o sistema de remessa de madeiras para o Reino, deixando registros minuciosos dessas transações. Interferiu na arqueação dos navios que faziam o tráfico entre Angola e Pernambuco para, assim, melhorar as condições de transporte dos cativos e diminuir o número de mortes. Pagou soldos atrasados das milícias e, em época de falta e carestia de farinha devido à ação dos monopolistas, comprou o gênero a bom preço de outros portos e o estocou para enfrentar possíveis momentos de apuro. Por fim, participou ativamente dos primeiros momentos de vida da Companhia do Alto Douro, Pernambuco e Paraíba, conservando abundante documentação sobre ela e, ao deixar a capitania, obtendo de seus membros locais um entusiástico depoimento sobre sua competência.[9]

Uma vez em Minas, Luís Diogo continuaria a ser executor apli-

8. As fortalezas vistoriadas foram as seguintes: Santiago das Cinco Pontas, São João Batista do Brum, Forte de Santa Cruz do Mar, Santo Antonio dos Coqueiros, Santa Cruz de Itamaracá, Pau Amarelo, Nossa Senhora de Nazaré, Santo Inácio de Tamandaré. Sobre cada uma delas há documentação detalhada nos Decretamentos.

9. O intendente e deputados da Direção da Companhia Geral de Pernambuco e

cado da política pombalina, sabendo enfrentar com igual serenidade um contexto completamente diverso. Se em carta régia de finais de 1755 o então conde de Oeiras defendia o lançamento do subsídio voluntário com base nos interesses que uniam os habitantes dos dois lados do Atlântico, aludindo a uma "pátria comum" para "vassalos reinícolas e americanos", a prática, em solo da América, era bem outra. As regiões ainda permaneciam muito voltadas para suas peculiaridades, e as diferenças que as separavam faziam com que o governo de cada uma delas apresentasse especificidades marcantes. Passar de Pernambuco a Minas Gerais era mudar da água para o vinho.

O grande assunto da documentação reunida por Luís Diogo e referente ao seu governo em Minas é a cobrança dos impostos e o modo de torná-la mais eficaz. Mal assumiu o posto e teve que lan-

---

Paraíba certificam, em 17 de outubro de 1763 a qualidade da sua atuação à frente do governo: "Certificamos que em todo o tempo que governou estas capitanias o ilustríssimo e excelentíssimo senhor Luís Diogo Lobo da Silva se portou com reconhecido zelo, incansável e inimitável desvelo, de sorte que sendo notoriamente manifesta a sua isenção; exemplar e religiosa vida, em todas as matérias relativas às determinações régias, que fez observar inviolavelmente com geral satisfação e agrado de seus subordinados, tanto as que dizem respeito ao governo como as que se dirigiam ao aumento e utilidade desta companhia; nos é igualmente constante a considerável despesa que fez com os índios nacionais deste país, a fim de os promover, e conciliar-lhe os ânimos, para abrasarem gostosos a regularidade, porque Sua Majestade Fidelíssima foi servido mandar atraí-los aos limites da razão, no estabelecimento das novas vilas; as quais fez erigir e executar com a afabilidade, brandura e alta inteligência de que Deus o dotou; chegando a tanto o seu desinteresse, que vendo-se preciso a não faltar à sua própria subsistência, não obstante a sua regular economia, se valeu desta Direção na quantia de 6 mil cruzados que se lhe emprestaram a juro, e não pôde satisfazer até o presente, sendo certo que no serviço de Sua Majestade Fidelíssima, foi nestas capitanias, em utilidade de sua Real Fazenda e execução das Ordens Régias, o mais distinto governador". A alusão à dívida pendente reforça a ideia de que o governador se encontrava em dificuldades financeiras e ajuda a entender seu empenho em ter os serviços da família remunerados.

çar a derrama, para a qual, simbolicamente, deu a primeira contribuição, de 480 mil-réis. Daí em diante, não cessaria de quebrar a cabeça para melhor controlar os contratos arrematados a particulares e tributar de forma a atender tanto os interesses reais quanto os dos colonos, pois pautava o governo pela busca de uma justa medida.[10] Mesmo assim, suscitou descontentamentos. Curiosíssimos são os registros sobre atos de insubordinação ante a cobrança das passagens dos rios, narrando que os habitantes das imediações do rio São Gonçalo tentaram burlar a vigilância oficial travestindo-se e enfrentando à bala os emissários do governador.[11]

Outra preocupação recorrente do governo de Luís Diogo foi o recrutamento de tropas na eventualidade de invasão espanhola. Os vice-reis ordenavam o cumprimento das medidas metropolitanas, que determinavam, conforme a cartilha pombalina, que a colônia deveria ser defendida pelas populações naturais. Os mineiros, de seu lado, alegavam a total impossibilidade de partirem para a fronteira ou para a defesa dos portos litorâneos, temerosos de

10. Veja-se, por exemplo, este seu arrazoado: "É verdade que em 17 de julho de 1768 ainda se não haviam cobrado pelo contrato das entradas 207:113$179, e quatro terços, e que pelo contrato dos dízimos faltavam ainda 184:993$516; porém esta mora procede, por uma parte, da natureza dos mesmos contratos, cujos proventos se não podem bem apurar antes do quinto ano; e por outra parte, da indulgência que o suplicante entendeu devia praticar com os agricultores, criadores, condutores e negociantes a bem do Real Serviço, com as prudentes cautelas que sempre teve pela segurança da Real Fazenda, propondo-se não destruir os devedores com as violências das execuções, de que talvez não pudesse resultar a cobrança, nem onerá-los com as exorbitantes custas, como acontecia no tempo dos contratos". IANTT, MR, DR, mç. 210, doc. 26.

11. Trata-se do documento de número 85, em que se diz que os moradores das imediações da ponte de São Gonçalo se recusavam a pagar a passagem: "queriam fazer franca passagem do rio, arrombando as cadeias de um alçapão, que lhes tinha prevenido, passando disfarçados em trajes alheios de seu sexo; disparando de noite tiros, e picando as madeiras que se estavam aprontando, necessárias aos quartéis dos soldados, que assistiam aquela guarda". IANTT, MR, DR, mç. 210, doc. 26.

que, aproveitando de sua ausência, os negros se sublevassem. A oposição aos tributos e ao recrutamento são, contudo apenas dois aspectos da conflitualidade mineira, muito mais complexa, presente a cada fólio desse *corpus* documental e traço distintivo da vida na capitania.[12] Traço que, não fossem as vagas alusões à pouca receptividade ante a aplicação da lei do Diretório dos Índios, estaria ausente da documentação referente a Pernambuco, capitania que, no início do século, quando do episódio mascate, dera tanto trabalho à administração portuguesa.

As fronteiras, dizem os documentos, foram outra fonte de preocupação constante para Luís Diogo. Ainda no início do governo, percorreu quase quatrocentas léguas da região que hoje se conhece por Sul de Minas, tentando acertar os limites com a capitania de São Paulo e, dessa forma, evitar extravios.[13] E não foram poucas as viagens que empreendeu, sempre às custas de seu bolso, fiscalizando tanto os limites entre capitanias quanto entre comarcas e vilas.

Realidades distintas em capitanias diferentes treinavam o governante, qualificando-o para futuros serviços de destaque, e Luís Diogo Lobo da Silva parece ter tido plena consciência disso. Durante quase catorze anos, juntou documentos variados, o que já atesta sua competência, capacidade organizadora e espírito de

12. Ver, a respeito, Carla Maria Junho Anastásia, *Vassalos rebeldes. Violência coletiva nas Minas na primeira metade do século XVIII*, Belo Horizonte, C/Arte, 1998; id., *A geografia do crime. Violência nas Minas setecentistas*, Belo Horizonte, UFMG, 2005.

13. O documento que registra a viagem de 356 léguas e três meses de marchas, por caminhos "desabridos e solitários", foi redigido pelo então secretário do Governo de Minas, Cláudio Manuel da Costa: "Termo de junta feito no regresso da diligência a que foi Sua Excelência o Ilmo. e Exmo. Sr. Luís Diogo Lobo da Silva, com o Desembargador Provedor da Real Fazenda José Gomes de Araújo, à Comarca do Rio das Mortes e Jacuí, e os acompanhou o Dr. Intendente do ouro da mesma Comarca Manuel Caetano Monteiro Guedes", doc. 75. Muito técnico, fala bastante dos caminhos e descaminhos, e suas contradições. IANTT, MR, DR, mç. 210, doc. 26.

sistema. A leitura atenta da massa documental convence sobre sua seriedade, "limpeza de mãos" — como então se dizia — e zelo no cumprimento das ordens reais. Um funcionário exemplar, que construiu com régua e compasso cada etapa da carreira de administrador ultramarino. O bom desempenho das funções para as quais o rei o designara era o seu maior patrimônio, e quando voltou à Corte, invocou-o com inteligência e método.

UMA FAMÍLIA NOBRE E SUAS CIRCUNSTÂNCIAS

Luís Diogo Lobo da Silva pertencia a família não titulada, mas de boa nobreza, e nela, de geração em geração, alternavam-se os Luíses e os Manuéis, servindo fielmente à Monarquia e combinando feitos de armas e atividades administrativas. Nos Decretamentos, quase nada fica dito do trisavô Luís Lobo da Veiga e do bisavô, Manuel Lobo da Silva, a não ser que já tinham mercês e morgadio. O avô, Luís Lobo da Silva, e o pai, Manuel Lobo da Silva, foram heróis das Guerras da Restauração — o primeiro — e da Guerra de Sucessão Espanhola — o segundo. A bravura e os ferimentos em batalhas valeram-lhes mercês recompensatórias. Luís Lobo da Silva chegou a tenente-general de cavalos e participou de importantes episódios daquela guerra; recebeu "quatro balas" na Batalha do Canal, e um tiro no peito durante a Batalha de Montes Claros, quando, além disso, mataram-lhe três das montarias.[14] Como capitão-de-mar e guerra, esteve na armada que foi à Saboia sob comando de Pedro Jaques de Magalhães, visconde da Fonte Arcada.[15] O pai, Manuel, ocupou sucessivamente os postos

14. Doc. 123, carta patente de D. Pedro, em que nomeia Luís Lobo governador de Angola, 1684, in IANTT, MR, DR, mç. 210, doc. 26

15. Elias Alexandre da Silva Correia, *História de Angola* [1782] [que na verdade

de capitão de cavalos, comissário-geral de um terço, coronel-brigadeiro e sargento-mor de batalha. Com seu esquadrão, participou heroicamente da campanha da Beira no ano de 1704, o que foi relatado ao rei até pelos "generais estrangeiros"; em 1705 esteve no rendimento de Valença e Albuquerque, e nos anos seguintes, até 1712, continuou atuando com destaque e sacrifício, como em 1709, no choque de Almadraquim, quando contundiu seriamente a cabeça após uma queda de cavalo.[16]

Manuel serviu ao rei por quarenta anos seguidos, sempre na carreira das armas. Luís, o velho, alternou, como aliás o faria o neto, os feitos de armas e as atividades administrativas. Em 1684, Dom Pedro II o nomeou para o governo de Angola, grande distinção que reconhecia os serviços prestados por um vassalo fiel mas que, ironicamente, selar-lhe-ia a má sorte.[17] Se de fato agiu com correção e defendeu o interesse real, conforme alegou o neto quase cem anos depois, foi vítima de uma trama sórdida, urdida por negociantes locais às voltas com o contrabando e acobertada por magistrados régios. Caso tenha sucumbido à tentação e se emaranhado nas teias do que Charles Boxer chamou *spoil system*,[18] serviu, pela negativa, de exemplo ao neto, que sentiu na carne as consequências do desprestígio e do ostracismo na Corte,

---

deve ser 1792, cf. Manuel Múrias, no "Prefácio", pp. VIII-IX], Lisboa, coleção "Clássicos da Expansão Portuguesa no Mundo", 1937, 2 vols.

16. As feridas em pelejas e os cavalos perdidos ou mortos em batalha constituem elemento importante na habilitação ao recebimento de mercês, daí serem referidos com frequência. O Conselho Ultramarino considerava que feridas certificadas por papéis acresciam 10 mil-réis às tenças referentes ao posto do combatente. Ver Fernanda Olival, *As ordens militares e o Estado moderno. Honra, mercê e venalidade em Portugal (1641-1789)*, Lisboa, Estar, 2001, p. 144.

17. Doc. 123, carta patente de D. Pedro..., IANTT, MR, DR, mç. 210, doc. 26.

18. Charles R. Boxer, *O império marítimo português*, São Paulo, Companhia das Letras, 2002.

e norteou sua trajetória pela estrita observância das normas e das ordens régias.

Filho de Manuel e de Catarina de Távora, Luís Diogo Lobo da Silva nasceu em 1717, em Montemór, e cresceu em tempos de paz. Um outro nobre de sua geração, Dom João de Almeida Portugal — personagem coadjuvante no capítulo 5 deste livro —, escreveria cartas recheadas de lamúrias ao pai, vice-rei na Índia, lastimando ter vindo ao mundo numa época em que a nobreza vegetava na corte sonolenta e medíocre, sem campos de batalha para dar mostras de valor.[19] Não há registro de cartas análogas escritas por Luís Diogo, mas os indícios disponíveis não sugerem que as lamentações combinassem com seu temperamento, voltado antes para a reconstrução paciente dos fumos passados e esvaídos sob o impacto da desgraça. Iniciou a carreira militar aos catorze anos, como soldado de cavalaria, e era capitão quando em 1755, aos 38 anos, o rei o nomeou para Pernambuco. Um outro documento, datado do mesmo ano e depositado em outro fundo, expõe a situação de penúria absoluta em que se achava, e à qual o rei respondeu com a ordem de sequestro dos bens do suplicante e a entrega da administração deles a pessoa determinada pela maioria dos credores. Os bens ficavam assim arrendados, e o produto resultante permitiria o pagamento paulatino das dívidas e juros, suspendendo-se, pelo menos no curto prazo, as execuções:

> Faço saber que Luís Diogo Lobo da Silva, fidalgo de minha Casa, me representou por sua petição que a sua Casa se achava com a maior consternação pelas rigorosas execuções que ao suplicante faziam vários credores, de sorte que o suplicante não tinha com que se

19. Ver, a respeito, o meu artigo "Fragmentos da vida nobre em Portugal setecentista", in Nádia B. Gotlib e Walnice Nogueira Galvão (orgs.), *Prezado senhor, prezada senhora. Estudos sobre cartas*, São Paulo, Companhia das Letras, 2000, pp. 77-88.

> sustentar, e para evitar estes e outros prejuízos, me pedia lhe fizesse mercê mandar por meu real decreto não fosse o suplicante penhorado por bens móveis, carruagens e bestas de que precisava para o decente trato da sua pessoa e de sua mulher, que tivera a honra de ser dama da Rainha minha muito amada e prezada mulher.[20]

Luís Diogo havia se casado em 1750 com Dona Antonia de Noronha, dama da rainha, camarista da princesa do Brasil e filha de Dona Ana Joaquina de Portugal, antiga dama ela também, e de quem se falará bastante no capítulo seguinte. Como de costume para as damas camaristas, foi-lhe na ocasião — 18 de março de 1750 — despachada uma tença de 500 mil-réis por uma vida no primeiro filho ou filha que nascesse do casamento.[21] Há indícios de que, até 1778, tal tença nunca havia sido paga, o terremoto sumindo com a papelada comprobatória.[22] De qualquer forma, a situação do casal era difícil, e o governo ultramarino parece ter sido o paliativo encontrado pelo monarca ante pressões de padrinhos ilustres, como Angeja e Marialva. Talvez pesassem ainda remorsos do rigor adotado no tratamento de Luís Lobo, falecido poucos anos depois de voltar de Angola e deixando desprotegidas quatro filhas mulheres e um só varão, Manuel, pai de Luís Diogo. Talvez, ainda, já corresse na Corte que o homem era correto e aplicado ao serviço real. O fato é que, três meses após a súplica dirigida ao rei, Luís Diogo Lobo da Silva saía da obscuridade para governar uma capitania que ainda era — apesar das quedas no rendimento do açúcar — uma das mais importantes do Império.

Quando voltou de Minas, em 1769, registrou em cartório

20. IANTT, MR, Chancelarias Régias, D. José I, livro 84, fl. 47v.

21. Id., Registro Geral de Mercês, D. João V, livro 41, fl. 344, carta de padrão de tença.

22. Em 7 de abril de 1778, Luís Diogo continuava pedindo a tença da mulher. Cf. IANTT, MR, DR, maço 28, doc. 71: Luís Diogo.

certidões comprobatórias de que apresentara os livros referentes às suas administrações, repletos de mapas populacionais, listas de engenhos, rois de capitação e um sem-número de informações detalhadas. A Residência de seu governo em Pernambuco se encontrava aprovada desde 1764, e nesse ano de 1769 aprovou-se a da administração de Minas. A primeira destacou-lhe o desinteresse e a "vigilância para que não houvesse distúrbios, administrando sempre justiça com igualdade e muito pronto em tudo que era serviço"...[23] A segunda ressaltava seu desinteresse e "pureza", aludindo ainda ao fato de ser "muito despachador e inteligente", "afável para as partes, e muito exato e pronto na execução das ordens" que lhe eram dadas, "e tão ativo na arrecadação da Fazenda Real e no Real Serviço do dito Senhor que pelas referidas circunstâncias fora sempre reputado por um dos melhores governadores que tem servido o referido emprego de governador e capitão-general nas ditas Minas, por cujas razões o consideram muito hábil e digno de continuar no Real Serviço".[24]

Já era, desde moço, familiar do Santo Ofício (1739) e Cavaleiro da Ordem de Cristo na comenda de Santa Maria de Moncorvo (1742).[25] Tratou, então, de se acercar da Santa Casa de Misericórdia de Lisboa. Nela, primeiro serviu como visitador de Nossa Senhora, e depois foi, sucessivamente, tesoureiro e provedor. Ao lado da preeminência social, consolidava também a política, e em 1773 tomou posse de um lugar de membro do Conselho Ultramarino.[26] Em 1777, o conde da Cunha, vice-rei do Brasil, atestava

23. IANTT, MR, DR, mç. 210, doc. 26.

24. Id., doc. 121.

25. Id., Santo Ofício, Habilitações, maço 19, doc. 403. Luís Diogo Lobo da Silva; Chancelaria da Ordem de Cristo, livro 76.

26. Para essas informações, consultar, além do referido conjunto documental dos Decretamentos, as seguintes fontes, todas pertencentes ao IANTT, MR, DR: Chancelaria da Ordem de Cristo, livro 76, fl. 118v; Mordomia da Casa Real, livro 1,

sobre seu bom governo e honestidade quando esteve à frente da capitania de Minas Gerais.

Durante todo esse tempo, Luís Diogo não desanimou de reabilitar o avô, mas a solicitação encaminhada tropeçava nos desvãos da burocracia. Em data incerta, escreveu ao rei uma Relação de seus serviços, lembrando-o de que, "repetidas vezes", tinha recebido dele o sinal de "que se dava por bem servido, assim do zelo e atividade com que [...] executou as reais ordens que se lhe dirigiram nos importantes e delicados negócios que ocorreram, como das úteis providências que propôs e fez praticar nos referidos governos". Reconhecimento implicava prêmio: alegando que "fiéis vassalos" sempre experimentam da "inata e benéfica piedade" real, Luís Diogo reclamava o mesmo para poder tirar sua "pobre casa" da "decadência em que a deixaram seus pais no real serviço, por haver sempre prevalecido ao seu merecimento a calúnia dos seus inimigos". O prêmio repunha a honra e esta legava-se como exemplo: o documento termina justificando o pedido com a necessidade de "deixar na dita sua casa, para estímulo da sua posteridade, um honroso testemunho de que, cumprindo sempre as obrigações de bom vassalo, procurou sempre fazer-se digno do Real Agrado".

A honra acrescida repunha, assim, a honra perdida cem anos antes.

---

fl. 207v; Ministério do Reino, Decretos, maço 28, documento 71; Santo Ofício, Habilitações, maço 19, doc. nº 403; Chancelarias Régias, D. José I, livro 84, fl. 47v e 200v; livro 76, fl. 52v. Ver ainda Manuel José da Costa Felgueiras Gayo, *Nobiliário das famílias de Portugal, Braga*, ed. de Carvalho de Bastos, 1992, XII v, costado III, árvore 136 vo., p. 219.

Como ressaltou Antonio Manuel Hespanha, até fins do Antigo Regime, e mesmo entre os juristas que defendiam o direito puro e absoluto da Monarquia, "o direito dos súditos à remuneração dos seus serviços constitui um dos poucos que se reconhecem frente ao rei".[27] Batista Fragoso, jurista e teólogo do Setecentos, lembrava ser mais próprio de um rei dar do que receber:[28] antes de tudo, a magnificência era obrigação moral, e um moralista português da mesma época dizia que "as mercês são cadeias que não se rompem jamais".[29]

Conforme se vem destacando ao longo deste livro, o Império foi um dos espaços privilegiados para se obter a recompensa do serviço real, e após a Restauração muitos nobres de segunda grandeza buscaram-na por meio de cargos administrativos e feitos de armas realizados em conquistas. Tais serviços atraíam mesmo os que não contavam entre as principais famílias do Reino, e no século XVIII um historiador de Angola deixou testemunho a respeito, mostrando não serem raros os destinos penosamente traçados através dos mares e dos continentes:

> Nascendo Americano Português por um *efeito aventureiro*, que conduziu meus pais da Europa àquele distante clima, aonde o Comércio desta Costa tem espalhado a triste notícia da assolação que aqui padece a humanidade, me nutri, desde o berço, do horror que comunica este fronteiro continente. Contudo, a existência

27. Hespanha, "La economía de la gracia", in id., *La gracia del derecho. Economía de la cultura en la Edad Moderna*, Madri, Centro de Estudios Constitucionales, 1993, pp. 151-76, citação à p. 174.
28. *Regimen republicae christianae* (1737), citado por Hespanha, "La economía de la gracia...", p. 165; p. 166.
29. Ibid., p. 168.

de quatro anos em Lisboa, ecoada docemente à vista dos amados Soberanos, a quem a fiel e sã educação paternal me haviam feito consagrar-lhes a pureza do meu amor, respeito e lealdade; as delícias da Corte; costumes mais polidos e sadios, que ao mesmo tempo me encantavam os olhos e alimentavam o pensamento; me fizeram conceber os desígnios de servir aos Soberanos e a Pátria entre povos desconhecidos, cujos costumes pretendia analisar com os que já havia visto. *O ofício militar me abria a estrada para ir ao cumprimento do meu doble desígnio / isto é /; instruir-me do mundo, e adquirir no Serviço Real o acesso dos postos, e estimação dos homens condecorados, e bem nascidos; e assim me dava a esperança de subir a um bem somente imaginado; apesar do cruel sofrimento de um mal assaz sabido.*[30]

Ao pedir remuneração de serviços prestados, Luís Diogo não diferia, portanto, dos seus contemporâneos; o modo como o fez é, este sim, peculiar, instrumentalizando a memória dos avós e matando dois coelhos de uma só cajadada. Certamente importava muito — sobretudo naquela sociedade — o apreço estamental pela honra e pela estima, sugerido na obsessão em reabilitar os antepassados; mas pesava de igual maneira o empenho em somar anos de serviço através das gerações e, assim, compor uma estratégia voltada para a obtenção de recursos que possibilitassem a recuperação econômica da casa e seu morgadio.[31] Podia, inclusive, contar com a lei: se o "surto legislativo sobre mercês" desencadeado em 1706, quando se desenrolava a Guerra de Sucessão Espanhola, estabelecia trinta anos como prazo de

30. Correia, *História de Angola* [*1782*]..., p. 14, grifo meu. Notar o juízo negativo que já pesava sobre o continente africano, lugar de assolação e padecimento.
31. Para os objetivos políticos e simbólicos que, junto com os econômicos, compõem o esforço na preservação dos morgadios, ver Maria de Lurdes Rosa, *O morgadio em Portugal*. Séculos *XIV-XV*, Lisboa, Estampa, 1995.

validade para os serviços prestados — após o que ficariam prescritos —, as situações discrepantes acabaram por ganhar feição de norma.[32] Nesse ponto, recuperavam-se usos antigos, quando a moral levava a palma sobre o direito: em 1602, por exemplo, o jurista Jorge de Cabedo aventara a hipótese de os serviços prestados pelos vassalos criarem "um direito de ação" transmissível aos herdeiros.[33] Na década de 50 do século XVIII, Pedro Norberto de Aucourte e Padilha, fidalgo da Casa Real e escrivão da Câmara de Sua Majestade no Desembargo do Paço, havia pedido remuneração sobre quase dezenove anos de serviços militares prestados pelo avô de sua mulher, sobre mais de 36 anos pelos do tio da mesma e, sempre na família à qual se unira por matrimônio, um Hábito de Cristo com tença de 100 mil-réis outrora atribuído a um tio-avô da consorte.[34]

Dentro dessa tradição, o caminho escolhido por Luís Diogo sugere certo método e certa lógica. Tentemos reconstruí-los.[35]

Já velho, com cerca de 64 anos, escreveu uma longa petição à rainha. Começou por destacar a honra recebida quando foi nomeado para o governo de duas capitanias importantes, e à qual correspondeu com o adequado desempenho de suas obrigações. Retribuiu, portanto, ao que teve dos monarcas, e estes, em várias circunstâncias, consideraram-se muito bem servidos. Após relatar sua atuação em Pernambuco e em Minas, da qual o seu informe, que

32. Cf. Olival, *As ordens militares...*, p. 133. "Muitas vezes, os serviços efetuados durante um determinado período não eram logo remunerados; às vezes, tardavam largos decênios e às vezes mais de um século", p. 179.
33. Hespanha, "La economía de la gracia", pp. 171-2.
34. Olival, *As ordens militares...*, p. 148. Se era comum adiar-se requerimentos e réplicas, igualmente usuais eram "as cunhas para desbloquear processos quase perdidos no tempo", p. 149.
35. Todas as referências nesta parte dizem respeito ao Requerimento, em duas vias, que Luís Diogo Lobo da Silva envia à rainha D. Maria I, e que compõem o volumoso corpo documental em estudo, infelizmente sem numeração. IANTT, MR, DR.

integra a segunda parte do documento, constitui um depoimento riquíssimo sobre o que se tinha então por modelo de bom governo em terras do ultramar, Luís Diogo revela, na terceira, a etapa subsequente de sua estratégia. O fato de ter sido administrador correto e aplicado o qualificava para pedir algo além do que lhe era devido com base apenas nos seus próprios serviços. Mais: os seus atos de vassalo fiel somavam-se aos de seus antepassados — "acrescem os de seus maiores", diz o documento —, constituindo um patrimônio que se transmitia com a linhagem e se misturava aos bens de raiz.

Se esses bons préstimos foram sujeitos às Residências que julgavam as administrações coloniais, e adequadamente sentenciados na Casa de Suplicação pelo desembargador corregedor da Corte e Casa, argumenta o ex-governador, o mesmo não tinha acontecido com seus antepassados, independentemente do zelo com que serviram. Os bons préstimos eram, portanto, um patrimônio que nem sempre rendia dividendos. Achavam-se sujeitos às ingerências complexas da sociedade, como revela admiravelmente essa terceira parte do documento.

Nela, cessa a coincidência entre bons serviços e recompensa justa; desequilibra-se a balança que pesava honra e estima social. No mundo do Antigo Regime, esta abarcava tanto o valor ou o merecimento intrínseco quanto o seu reconhecimento pelo conjunto da sociedade. A atitude do rei seria o primeiro passo nesse processo, e a sua boa ou má disposição poderia definir todo o resto.

Que se veja o rol dos benefícios concedidos à família dos Lobo da Silva e, por circunstâncias várias, esvaídos ao longo das gerações. Pelos serviços prestados à Monarquia, o bisavô Manuel Lobo da Silva fora inicialmente "respondido" com uma comenda de 200 mil-réis, à qual depois, em 1681, se acrescentaram 100 mil em atenção aos préstimos de Luís Lobo da Silva, avô de nosso governador e, como se viu, filho de Manuel. Esse último acréscimo, contudo, nunca foi incorporado, e já que a mercê anterior entraria no conjunto dos bens confiscados a Luís Lobo quando, anos depois, sofreu processo devido a acusações contra sua honestidade, nada sobraria da comenda concedida.

Independentemente do reconhecimento — os tais 100 mil-réis que acabaram não se acrescentando à mercê herdada, mas parcamente usufruída —, Luís Lobo, o avô, continuou a servir ao rei com valor, narra o neto a seguir. Para cada ato, uma mercê: ferido na batalha do Canal, viu-se remunerado "com a promessa de 400 mil-réis de renda, enquanto não entrasse em comenda deste lote por despacho de 16 de março de 1664". No ano seguinte, a comenda de Santa Maria de Moncorvo da Ordem de Cristo foi efetivamente concedida. Nunca rendeu, contudo, os prometidos 400 mil-réis: já começou com cinquenta mil a menos, e encargos com pensões e almoxarifados acabaram corroendo-a.

Seguiram-se outros dezoito anos de dedicação ao rei e à pátria. Na sequência das guerras da Restauração, Luís Lobo continuou a dar mostras de bravura: esteve "na expugnação de Valença de Alcântara", no "rendimento do Castelo de Maiorca", na "memorável batalha de Montes Claros", onde, pela segunda vez, saiu ferido. Novos feitos, nova mercê: desta vez, 200 mil-réis de tença repartidos entre três das filhas e desaparecidos com a morte delas. De igual forma desapareceria a remuneração feita a sua mulher, Dona Margarida, em reconhecimento aos dez anos em que foi dama de honra da rainha: 200 mil-réis destinados a outra filha, dona Rosália Francisca, enquanto vivesse.

Acabada a era das batalhas, inaugurou-se para Luís Lobo a das atividades administrativas. Após quase trinta anos de guerra, Portugal e Espanha haviam acordado a paz. Mercês e promoção social tinham que ser buscadas do outro lado do mar, em alguma possessão imperial longínqua. Angola foi o que coube a Luís Lobo da Silva, e, como se viu acima, para lá embarcou em 1684 com patente de governador e capitão-general. O zelo com que sempre se houve foi, no ultramar, a sua perdição: refere-nos o neto Luís Diogo que, por exercitar "naquele governo as qualidades com que se distinguiu sempre no Real Serviço, veio a ser vítima daqueles a quem não podiam deixar de ser odiosas e pesadas as mesmas qualidades". Sua ruína foi tramada pelos que deviam muito ao Real Erário e pelos que se achavam envolvidos no comércio clandestino com navios estrangeiros, uns e outros atingidos pela severidade das medidas do novo governador contra os devedores e os contrabandistas. A pá de cal sobre a sorte do avô foi lançada por Jerônimo da Cunha Pimentel, ministro designado para levar a cabo a inquirição sobre os fatos ocorridos em Angola. Passados cerca de cem anos, Luís Diogo obteria permissão para examinar os autos que haviam incriminado o avô, constatando que, além de achar-se o tal ministro "fora do serviço por ter dado muito má conta dos lugares em que servira, era interessado nas negociações que o avô do suplicante coibiu e puniu em exação de ordens positivas". Mais um caso, entre tantos outros no Império, de aliança dos interesses locais com burocratas corruptos, desmantelada por um administrador mais zeloso dos interesses da Coroa.

O zelo custou caro ao governador de Angola e a sua família. "(D)estes antecedentes", relata o neto afetado, "foram numerosas consequências as que ainda hoje padece a casa do suplicante na Fazenda, e que sentiu por tantos anos na reputação, enquanto se não desvaneceu a figura em que um sindicante de má fé, e tão suspeito, deixou este negócio." O ministro Cunha Pimentel logo ordenou o sequestro dos bens de Luís; destes, passaram para a Fazenda Real 10 mil cruzados em pagamento de despesas mal especificadas, e dezessete, a título de salário, para o bolso do odiado ministro. Por fim, as peças de ouro e prata, avaliadas em sete contos de réis, foram remetidas para o Conselho do Ultramar, onde "se consumiram".

Sobre o procedimento de Cunha Pimentel pairaram dúvidas ainda naquela época, e a Casa de Suplicação condenou seu dolo e má-fé. Mesmo assim, obteve um lugar na Relação da Bahia: "Voltou para esta Corte com uma opulência tal que, ainda que pelas referidas sentenças em que foi condenado nas custas, perdas e danos se lhe fez um bom desfalque, instituiu uma casa pingue, que hoje possuem os seus herdeiros". Contrastando com essa opulência, a casa e a descendência de Luís Lobo da Silva viam-se reduzidas "aos termos de não poder subsistir com decência", a menos que lhe fossem restituídos os milhares de cruzados indevidamente surripiados para a Fazenda Real e para o bolso de Jerônimo da Cunha Pimentel. A toga levava a melhor sobre a espada.

Além de solicitar o ressarcimento do que acreditava lhe ser devido — mercês nunca pagas, patrimônio familiar confiscado —, Luís Diogo Lobo da Silva pedia algo mais. Se o avô tinha servido em Angola, ele servira no Brasil, e do Brasil queria compensação para sua penúria financeira: "Pede a Vossa Majestade pela sua real grandeza e incomparável clemência se digne fazer-lhe graça do ofício de escrivão da ouvidoria da Vila do Sabará por tempo de trinta anos, com a faculdade de eleger serventuários idôneos, para com o produto dos primeiros quatro anos satisfazer algumas dívidas contraídas no Real Serviço, e testar do remanescente; e com mais rendimento dos 26 anos seguintes poder constituir um suficiente fundo para anexar ao Morgado instituído por Luís Lobo da Veiga, de que o suplicante é o atual administrador". O Império tirava honra e patrimônio, o Império os repunha. Na família dos Lobo da Silva, buscava-se no Brasil o que se perdera em Angola.

Novas comendas fechariam o pacote de pedidos, e Luís Diogo se contentaria com uma das três que se achavam vagas então: no bispado de Braga, a de Santa Maria de Moreiras e a de São João do Rio Frio; na Comarca de Évora, a de São Tiago de Beja.[36] A aquiescência real teria assim valor simbólico, social e econômico. Primeiro, signi-

36. Os reis tenderam a deixar algumas comendas vagas por muitos anos: "Ficavam a render para a Coroa", realidade que vigorou sobretudo no Setecentos e tornou mais difícil ser comendador, aumentando "o significado social deste estatuto". Olival, *As ordens militares...*, p. 66.

ficaria o reconhecimento de "todas as substanciadas ações, evidentes provas de zelo e fidelidade com que o suplicante, seu pai, seu avô e seu bisavô se empregaram no Real serviço". Além disso, tiraria da injusta decadência a casa dos Lobo da Silva. Reporia, por fim, o equilíbrio entre serviço e recompensa, harmonizando as relações entre reis e vassalos, mostrando que era possível conciliar bem comum e interesse particular, a esfera pública e a privada.

Porque, ao rememorar a longa folha corrida de serviços prestados a Portugal pelos de sua estirpe, Luís Diogo diria que, mesmo tendo ocupado "lugares que lhes seriam utilíssimos se se esquecessem da Real Confiança a que eram responsáveis", seus antepassados deixaram uma casa exaurida de recursos. Haviam feito sua parte, servindo ao rei com limpeza de mãos onde tantos outros se locupletaram. Não se tinham eximido de percorrer, a mando do monarca, diferentes partes do Império, nelas representando o governo de Lisboa sem, entretanto — pelo menos era o que alegavam —, se prevalecerem das vantagens que a distância poderia oferecer. Cabia agora ao rei, pai magnânimo, repor a ordem das coisas para que o serviço no Império continuasse a atrair fidalgos necessitados de honra ou dinheiro, e para que, graças aos vassalos fiéis, o mesmo Império continuasse a existir, o poder real emanando do centro solar de irradiação.

Este capítulo baseia-se na comunicação apresentada no Colóquio Internacional De Cabral a Pedro I, Lisboa, março de 2000, e depois publicada como "Administração colonial e promoção social: a atividade de Luís Diogo Lobo da Silva como capitão-general de Pernambuco e Minas Gerais (1756-1768)", in Maria Beatriz Nizza da Silva (org.), *De Cabral a Pedro I — aspectos da colonização portuguesa no Brasil*, Porto, Universidade Portucalense Infante D. Henrique, 2001, pp. 277-87.

9. Os limites da dádiva: Dom Antonio de Noronha

Dignidade sem poder é o mais pesado de todos os bordões.

William Beckford, *Diário*

[...] *os pequenos estão sempre no mar morto das circunstâncias, onde nunca as ondas se levantam por nenhuma rajada desmedida, e assim navegam sempre ao porto seguros, e sem receio; a viagem dos grandes é quase sempre feita por um oceano vasto e incompreensível, em o qual há sempre tufões furiosos, ondas encarpeladas; onde há sempre riscos medonhos, e que trazem naufrágios inevitáveis* [...]

Gonçalo José de Araujo e Sousa

UM HOMEM PÚBLICO

Nomeado governador de Minas Gerais por decreto de 13 de dezembro de 1774 e carta-patente de 13 de janeiro seguinte, Dom

Antonio de Noronha chegou ao Rio junto com o governador de São Paulo, Martim Lopes Lobo de Saldanha, numa data não precisada pelos documentos. A carta-patente quase sempre era lavrada nos dias imediatamente anteriores ao embarque, e a viagem costumava durar, naquela época do ano, menos de três meses, o que autoriza pensar que partiu por volta de 15 de janeiro e aportou na capital fluminense no meado de abril, nela demorando algum tempo, junto com o outro novo governador, para conversarem e receberem ordens do marquês do Lavradio, então vice-rei.[1] Em 29 de maio de 1775, após nova viagem, Dom Antonio assumiu o governo da sua capitania.[2] Sucedeu a uma administração curta e desastrosa, a de Antonio Carlos Furtado de Mendonça, inábil na gestão da coisa pública e das relações privadas, capaz de descontentar gregos e troianos. Um dos episódios mais conhecidos desse governo, em que, aparentemente, estavam em jogo questões de precedência, atesta a impermeabilidade do governador ante a realidade da terra, que opunha, muitas vezes, o costume ao direito estabelecido.[3] Dom Antonio, portanto, teve de restabelecer a autoridade do governante e retomar o sentido das administrações anteriores, voltadas para a consolidação territorial da capitania, assentada tanto na fixação geográfica de suas fronteiras quanto na expansão das atividades econômicas rumo a regiões distantes e ainda destituídas de assentamentos coloniais. Como Luís Diogo Lobo da Silva (1763-1768) e José Luís de Menezes Abranches Castelo Branco e Noronha, conde de Valadares (1768-1773), Dom

1. Carta de governador de D. Antônio de Noronha, IANTT, Chancelaria de D. José I, Ofícios e Mercês, livro 78, fl. 274v.
2. Diogo Vasconcelos, *História média de Minas Gerais*, Belo Horizonte, Imprensa Oficial de Minas, 1918, p. 211. Dauril Alden, *Royal government in colonial Brazil — with special reference to the administration of the Marquis of Lavradio, vice-roy, 1769-1779*, Berkeley/Los Angeles, University of California Press, 1968, p. 455.
3. Ver a respeito "Nobreza de sangue e nobreza de costume...", capítulo 4 deste livro.

Antonio de Noronha tinha, também, que recompor a aliança havia tempos tecida com paciência entre o governo local e as oligarquias, ambos empenhados num projeto comum que recuperasse o esplendor esvaído de Minas Gerais e lhes trouxesse, de quebra, vantagens pecuniárias.[4] Por isso, possivelmente obedecendo aos conselhos passados por Lavradio assim que pisou na América — "tu na tua capitania, podes, e deves andar sempre girando" —, Dom Antonio alternou as longas estadas em Vila Rica, onde se deixava ficar em

4. Cabe lembrar ter sido durante o governo de Dom Antonio de Noronha que o contratador João Rodrigues de Macedo iniciou sua carreira de magnata favorecido pelo Estado, arrematando o contrato das Entradas para Minas Gerais (766:726$612 réis), Goiás, Mato Grosso e São Paulo, incluindo Paraná (189:$044$918 réis), num total de 994 contos de réis, e por dois triênios consecutivos: 1776-1778 e 1779-1781. Para o período de 1777 a 1783, arrematou ainda os dízimos por 395:378$957 réis. Sua rede de relações incluía outros membros da oligarquia mineira: José Aires Gomes, na região entre a Mantiqueira e a Borda do Campo; José Álvares Maciel, capitão-mor de Vila Rica; Cláudio Manuel da Costa, Tomás Antonio Gonzaga e Alvarenga Peixoto, poetas e futuros inconfidentes que residiam em Vila Rica e São João del Rei (Gonzaga sendo, como se sabe, ouvidor em Vila Rica); o padre Rolim, filho do principal tesoureiro do Distrito Diamantino, onde Macedo ainda se relacionava com o intendente dos diamantes Luís Beltrão de Gouveia e Almeida, e com o médico e naturalista José Vieira Couto, suspeito de contrabandear diamantes na região. Ver Tarquínio J. B. de Oliveira, *Um banqueiro da Inconfidência. Ensaio biográfico de João Roiz de Macedo, arrematante de rendas tributárias no último quartel do século XVIII*, Ouro Preto, Minas Gerais, ESAF, Centro de Estudos do Ciclo do Ouro; Casa dos Contos, 1981, p. 10; *Correspondência ativa de João Roiz de Macedo*, Ouro Preto, Minas Gerais, ESAF; Centro de Estudos do Ciclo do Ouro; Casa dos Contos, 1981, 2 v., vol. 1; Kenneth Maxwell, *A devassa da devassa*, Rio de Janeiro, Paz e Terra, 1977; João Pinto Furtado, *O manto de Penélope*, São Paulo, Companhia das Letras, 2002. Júnia Ferreira Furtado, "Honrados e úteis vassalos: os contratadores dos diamantes e a burguesia pombalina", in Lená Medeiros Menezes, et al. (orgs.) *Olhares sobre o político: novos ângulos, novas perspectivas*, Rio de Janeiro, Eduerj, 2002, pp.147-73; id., *O livro da capa verde: a vida no Distrito Diamantino no período Real Extração*, São Paulo, Annablume, 1996.

casa, na companhia talvez de letrados, e as viagens sertão adentro, quando tudo observava para nutrir com a experiência as ideias sobre o mando.[5]

Segundo Diogo de Vasconcelos, Dom Antonio foi o último governador nomeado no tempo de Dom José.[6] A escrita impecável de sua correspondência administrativa atesta educação acima da média, e o bom convívio que teve em Minas com outros altos funcionários — como o intendente da fazenda e depois desembargador da Relação do Porto, José João Teixeira Coelho —, ou com os letrados — como Cláudio Manuel da Costa —, sugere que conseguiu refazer a sintonia do governo local com a oligarquia ilustrada da região. Dois dos poemas encomiásticos escritos por Cláudio foram dedicados a ele. Na "*Fala ao Ilustríssimo e Excelentíssimo Senhor D. Antonio de Noronha*", o poeta exaltou o empenho do governante em sujeitar o sertão do Cuieté e os índios que o habitavam:

Ele é quem desprezando os ameaços
De um bárbaro País, áspero e fero,
Por entre os tigres e o gentio armado
Levou o nome e as Quinas Lusitanas
Até o termo, onde Netuno assina

5. "Soube, que tu em Vila Rica ficas a maior parte do tempo metido em casa, sem fazeres nenhum daqueles exercícios a que estavas costumado, e aqueles que na América, são de uma indispensável necessidade para termos forças, com que possamos servir a nosso Amo." E mais adiante: "O teu governo, meu Antonio, não é como o desta capitania [Rio de Janeiro]; nós aqui somos obrigados, a não ficar fora do alcance das fortalezas, e prouvera a Deus que não tivéssemos este preceito que se poderiam remediar melhor os danos, e prejuízos que experimentam as povoações mais distantes as que só providenciamos por informações". Marquês do Lavradio, *Cartas do Rio de Janeiro, 1769-1776*, Rio de Janeiro, Imprensa Oficial, p. 162 (carta 537).
6. Diogo Vasconcelos, *História média...*, p. 211.

Co'os ossos de um Encélado as barreiras
Da limitrofa capital das Minas.[7]

No "Canto Heroico", poema de despedida escrito quando se acreditava que Dom Antonio partiria à frente de uma força militar arregimentada nas Minas para defender o Rio de Janeiro ante a iminência da invasão castelhana, o povo chora a ausência do bom governante:[8]

Da prudente mão que dirigia
As rédeas do Governo a ti fiado,
Choraremos a falta: ela fazia
E do Rei, e do Povo o doce estado.
Quem por teu benefício, quem gemia
Ao peso da opressão, quem melhorado
Não via o seu destino, socorrido
Da tua proteção, de ti ouvido?[9]

Dom Antonio acabou não partindo, apesar de ter tudo preparado para a viagem: mandou para o socorro do Rio de Janeiro as tropas solicitadas por Lavradio e ficou de prontidão, "com o seu trem já encaixotado para descer em pessoa àquela cidade,

7. Cláudio Manuel da Costa, "Fala ao Illmo. e Exmo. Sr. D. Antonio de Noronha, governador e capitão general das Minas Gerais, recolhendo-se da conquista do Caeté, que com ardente zelo promoveu, adiantou e completou finalmente no seu felicíssimo Governo", in Domício Proença Filho (org.), *A poesia dos inconfidentes. Poesia completa de Cláudio Manuel da Costa, Tomás Antonio Gonzaga e Alvarenga Peixoto*, Rio de Janeiro, Nova Aguilar, 1996, p. 517.
8. Ver José João Teixeira, *Atestado* in IANTT, MR, DR, mç. 675, cx. 782, 31 de dezembro de 1784.
9. "Canto heroico ao Ilmo. e Exmo. Sr. D. Antonio de Noronha, na ocasião em que os movimentos da Guerra do Sul obrigaram a marchar para o Rio de Janeiro com as tropas de Minas Gerais", in Proença Filho, *A poesia dos inconfidentes*..., p. 482.

logo que lhe chegasse a última resolução do mesmo vice-rei, e a nomeação de oficial que governasse a capitania na sua ausência". De qualquer modo, a homenagem não deve ser tomada por mera bajulação ou pretexto para exercícios literários. O exame dos documentos deixados por Dom Antonio causa profunda impressão, igualada apenas pela leitura das cartas de seu sucessor, Dom Rodrigo José de Menezes, com quem, apesar de, ao que tudo indica, ter divergido, ele forma um par único na história setecentista da administração de Minas.[10]

A singularidade de Dom Antonio reside sobretudo na coragem de ser original, de pensar com a própria cabeça e segundo os dados empíricos que o dia a dia da governança lhe propiciava, revendo, quando preciso, posições tomadas anteriormente. Se, antes dele, um ou outro governante discutia as ordens metropolitanas, poucos, como ele, o fizeram de modo tão enfático e seguro, mesmo se apenas cumprisse determinações superiores. Altivo e ciente de seus deveres, é incapaz de deslizes de subserviência, tão comuns em outros administradores.

Não se sabe muito da vida pessoal de Dom Antonio, que teve, no seu tempo, alguns homônimos, tornando ainda mais difícil a pesquisa sobre sua identidade.[11] Após mais de quinze anos de investigações, e driblando enganos de até alguns dos principais genealogistas portugueses, as evidências permitem hoje afirmar

10. Dom Rodrigo José de Meneses era seu parente próximo, bem como Luís Diogo Lobo da Silva, personagem do capítulo anterior.

11. Entre eles, *D. Antonio de Noronha Menezes Mesquita e Melo*, habilitado na ordem de Cristo em 7 de março de 1732 [cf. IANTT, Habilitações da Ordem de Cristo, Let. A, mç. 51, nº 62] e familiar do Santo Ofício em 1741 [cf. IANTT, Santo Ofício, Habilitações, mç. 36, doc. 900]; *D. Antonio de Noronha, irmão de D. José Xavier de Noronha Camões de Albuquerque Souza Moniz, 4º marquês de Angeja* e que consta das mercês de Dom José I; *D. Antonio de Noronha e Beja*, aparentado com os Almeida do conde de Assumar e sobrinho de Martinho de Melo e Castro

sem sombra de dúvida que ele foi filho de Dom Rodrigo Antonio de Noronha e Menezes e de uma rica herdeira, Maria Antonia Soares Noronha.[12] Pelo lado paterno, era neto do célebre marquês de Marialva, Dom Diogo de Meneses, e pela mãe descendia de um dos homens mais ricos de seu tempo, Diogo Soares da Veiga Avelar Taveira, provedor da Alfândega de Lisboa, entroncando ainda, pela via da avó Dona Ana Joaquina de Portugal, na casa dos condes de Castelo Melhor.[13] Os pais de Dom Antonio não

---

por sua mãe, Dona Violante Joaquina de Melo e Castro. No meu percurso até o "verdadeiro" Dom Antonio, devo muitíssimo a Tiago Reis Miranda, amigo sempre disposto a ajudar em pesquisas d'além-mar e que partilhou com interesse fraterno os meus momentos de perplexidade ante emaranhados genealógicos aparentemente dissonantes e irredutíveis. O pouco que entendo hoje da dificílima "arte" da genealogia devo, sem dúvida, a Tiago. Agradeço ainda a Nuno Gonçalo de Freitas Monteiro, um dos maiores especialistas portugueses no assunto e conhecido por seu trabalho basilar sobre os "grandes" de Portugal, com quem muito discuti a identidade de Dom Antonio, terminando, creio, por convencê-lo de minha hipótese. A esses dois amigos deixo aqui o meu agradecimento.

12. Quando já tinha certeza da ascendência de Dom Antonio, dei com um dado comprobatório de facílimo acesso: uma carta de Lavradio ao governador de Minas, em que está escrito: "Agora entrou uma corveta de Lisboa com uma carta da senhora Dona Maria Antonia para ti, que me remete a Marquesa do Lavradio por quem S. Exa. me ordena dê eu sempre novas tuas em toda a ocasião que partirem navios em cuja conformidade bem vês o quanto é preciso que não tenhas preguiça de me falares sempre a este respeito os competentes avisos". *Cartas do Rio de Janeiro*..., Rio de Janeiro, Imprensa Oficial, 197, carta nº 529, p. 158 (7 de junho de 1775). Pouco menos de um mês depois, Lavradio escrevia: "O teu saco para a senhora Dona Maria Antonia minha Senhora, e os outros para a corte já partiram": carta 532, p. 159 (1º de julho de 1775).

13. Antonio Caetano de Sousa erra redondamente ao indicar a descendência de Dom Rodrigo Antonio de Noronha e Meneses, e os que vieram depois, como Felgueiras Gayo, fiam-se na grande autoridade do genealogista coevo e repetem o erro. Pude chegar aos dados que sustento porque encontrei o testamento de dom Rodrigo Antonio, em que ele nomeia os filhos havidos — entre eles Dom Antonio — e confrontei esses dados com os fornecidos por outra testemunha da

tinham mais de quinze anos quando se casaram em 1735, e em 1744 batizaram uma das três filhas, Dona Teresa.[14] "Generoso, civil, humano, exercitado em muitas prendas", Dom Rodrigo Antonio, o pai, seguiu a carreira das armas.[15] O avô, João Pedro Soares de Noronha Coutinho do Avelar Taveira, morreu de um ataque de estupor em 1732, depois de ter ainda sofrido, o pobre, "a difícil sangria jugular". Havia se casado três vezes, e da última mulher andou separado um bom tempo: era dono de um mau gênio lendário, herdado, pelo que fica sugerido nos documentos que se analisará mais adiante, por Dom Antonio, o neto. Este deve ter nascido e crescido no solar avoengo da Cotovia, para os lados da atual rua da Escola Politécnica, e que em tempos idos abrigara como hóspede o Prior do Crato: até pelo menos 1750, seus pais ali moravam com a viúva de João Pedro, antiga dama da rainha Mariana Vitória, "com grande estadão e criadagem", sendo 83 as pessoas que, em 1744, serviam os fidalgos de portas adentro.[16] Depois, pode ser que o casarão tenha sido alugado:

época, Teodósio de Santa Marta, no seu "Elogio Histórico da Ilustrissima e Excelentissima casa de Cantanhede Marialva, chefe dos esclarecidos Menezes, e Telles, dedicado ao ilustrissimo e excelentissimo senhor D. Diogo de Noronha III Marques de Marialva, V Conde de Cantanhede", escrito em 1761. Além do que, consultei toda a documentação disponível no fundo *Ministério do Reino* (IANTT) a respeito das promoções e mercês de dom Rodrigo — pai de Dom Antonio —, Dom Diogo José, Dom Fernando Antonio, Dona Maria da Arrábida e Dona Teresa, seus irmãos. Ver as notas seguintes para as citações bibliográficas e documentais completas.

14. IANTT, MR, DR, maço 44, caixa 46, p. 11. Quando lhe morreu o pai, João Pedro Soares, Maria Antonia contava, ao que parece, doze anos. Cf. João Luís Lisboa, Fernanda Olival e Tiago Reis Miranda (orgs.), *Gazetas Manuscritas da Biblioteca Pública de Évora*, vol. 2 (1732-1734), Lisboa, Edições Colibri, 2005, 7 de outubro de 1732.

15. Teodósio de Santa Marta, *Elogio Histórico da Ilustrissima e Excelentissima casa de Cantanhede Marialva...*, Lisboa, na Oficina de Manuel Soares Vivas, 1761, pp. 629-30.

16. "Entre o Rato e os Moinhos de Vento, descendo da nossa Rua da Escola Politécnica (que, ao menos parcialmente, também se chamou rua da Cotovia), por um

em 1754, Dom Rodrigo Antonio se tornava governador e capitão-general dos Algarves, para onde talvez se tenha feito acompanhar da família, já que o menino Fernando Antonio nasceu em Tavira, e o aluguel não era provavelmente de desprezar.[17] Por outro lado, em alguns registros, ele continua constando como chefe da casa, que abrigava 56 almas.[18]

Sendo possivelmente o terceiro filho do casal, que antes dele teria tido Dom Diogo e Dona Joaquina Maria — uma das mais velhas, senão a primogênita —, Dom Antonio deve ter nascido por volta de 1740, vindo depois dele mais duas moças, Teresa e Maria da Arrábida, e um rapazinho, o mencionado Fernando Antonio.[19] Quando chegou a Minas, contava, portanto, com cerca de 35 anos

lado para a Praça da Alegria (que já teve o nome de Cotovia de Baixo), por outro para as bandas de S. Bento. [...] Sítio rústico, foi perdendo esse caráter graças à implantação de casas nobres (Ex. a dos Soares da Cotovia, onde veio a instalar-se a Impressão Régia) e da casa do noviciado da Companhia de Jesus", in Francisco Santana e Eduardo Sucena (dirs.), *Dicionário da história de Lisboa*, Lisboa, Carlos Quintas & Associados - Consultores, 1994, pp. 319-20.

17. Gustavo Matos de Sequeira, *Depois do terramoto: subsídios para a história dos bairros ocidentais de Lisboa*, Lisboa, Academia das Ciências de Lisboa, 1916, cap. XVII, pp. 395 ss., vol. I. A referência ao nascimento de Fernando Antonio de Noronha em Tavira encontra-se em IANTT, *Mordomia-Mór da Casa Real*, livro 2, fl. 67, em que fica dito que, em 1º de abril de 1775, faziam-no moço fidalgo "com 1000 reis de moradia por mês, e alqueire e meio de cevada por dia pago segundo ordenança".

18. Róis de Confessados, Santos-o-Velho.

19. Conforme informação assinada por Dom Antonio pouco antes de morrer, em 1814, tinha ele então setenta anos, o que coloca a data de seu nascimento em 1744. Os demais documentos e datas sugerem, contudo, que nasceu antes, como por exemplo o registro de sua morte feito pela *Gazeta de Lisboa*, que lhe dá então 76 anos: teria portanto nascido em 1738. Ver Arquivo Histórico Militar, Proc. Ind., cx. 1964; IANTT, *Gazeta de Lisboa*, nº 59, quinta-feira, 10 de março de 1814, pp. 3-4. (Série Preta, nº 2734). Agradeço a Tiago Reis Miranda, que, a meu pedido, localizou a pastilha — bem como outros documentos no Arquivo militar, e que ainda teve a generosidade de localizar o registro sobre a morte de Dom Antonio

e uma já longa carreira militar. O primeiro registro que consta nos arquivos dá notícia que serviu como soldado do regimento de infantaria de Lagos até 1761, quando foi promovido a capitão junto com o irmão mais velho, Dom Diogo Soares, e seguiu para um dos regimentos da Corte, provavelmente o do conde do Prado.[20] A promoção dos rapazes, que tinham então menos de 25 anos, fez-se ao mesmo tempo que o pai, Dom Rodrigo Antonio, era nomeado mestre de campo general e designado para o governo da infantaria do Alentejo. Obedecendo à lógica das estratégias então adotadas pela nobreza do Reino, Dom Rodrigo Antonio conseguiu que o primogênito fosse designado seu ajudante de ordens: afinal, há indícios de que ele mesmo servira com o pai, marquês de Marialva, quando este fora governador militar da Estremadura. Dom Antonio, por sua vez, separou-se do irmão e começou a sentir o travo amargo de ter nascido filho segundo. Se o que lhe restava eram as armas, foi galgando a carreira com aplicação e o favorecimento inerente ao fato de ser neto de um dos homens mais poderosos da corte josefina: de sargento-mor do regimento de infantaria de Estremós, passou, em junho de 1767, a tenente-coronel da mesma arma em Campo Maior, e em setembro de 1774 era promovido a coronel. No Natal daquele ano, o seu presente foi o governo de Minas Gerais, e na qualidade de governante e capitão-general entrou para o Conselho do Rei.[21]

Até então, as partes remotas que Dom Antonio havia conhe-

---

na *Gazeta de Lisboa*. Da mesma forma, encontrou, num processo de juros reais do *Cartório da Casa de Bragança*, no Paço Ducal de Vila Viçosa, o único conjunto documental no qual estão nomeados os pais de Dom Antonio. Cf.: N.N.G. 1038 (antigos N.G. 224 e Ms. 1546), Padrão A, fl. 230v.

20. Deve ter começado a servir em 1759, pois em 1789 declara que estava na carreira militar havia trinta anos. Na "Informação" por ele assinada, contudo, a data do ingresso é 1753, o que me parece lapso: em vez de escrever o número 9, escreveu-se 3.

21. IANTT, Conselho de Guerra, Decretos, ano 1761, maço 120, doc. nº 125; *idem*,

cido eram o Algarve, governado pelo pai, e as guarnições alentejanas que tivera sob seu comando militar: Estremós, um pouco ao norte de Évora, em cujas proximidades seu antepassado Marialva desbaratara em 17 de julho de 1665 as forças espanholas na célebre batalha de Montes Claros; Campo Maior, para onde voltaria depois de governar Minas, praça já quase em terras de Castela e dotada de dois regimentos permanentes, um de cavalaria e outro de infantaria, que esteve sob suas ordens durante muitos anos.[22] Das cidadelas elevadas se avistavam terras de Espanha e a serra da Estrela, distâncias que o jovem militar e, depois, o velho governador percorria com os olhos. Para chegar a Minas, entretanto, atravessou o oceano, galgou duas serras e cruzou a cavalo campos e cerrados que excediam em muito a dimensão do seu país natal. Foi nesse fim de mundo que desempenhou a única atividade de governador colonial que lhe coube durante a vida. Pertencendo à grande elite do Reino, ao núcleo duro que Nuno Monteiro chamou de "os grandes",[23] teve destino mais modesto que outros filhos segundos de seu meio, como o primo-irmão Rodrigo José de Meneses, a quem entregou o governo das Minas em 1780 e que

---

ano 1762, mç. 121, doc. 143; *idem,* 1762, mç. 121, doc. 142; *idem,* ano 1762, mç. 121, doc. 194; *idem*, ano 1762, mç. 121B, doc. 395; *idem*, ano 1767, mç. 126, doc. 97; *idem,* ano 1767, mç. 126, doc. 93; *idem*, ano 1774, mç. 133, doc. 48 (cx. 384); *idem*, ano 1774, mç. 133, doc. 57; *Registro Geral de Mercês*, D. José I, livro 28, fl. 16v; Ministério do Reino, Decretos, mç. 22, nº 13. Ministério do Reino, Decretos, mç. 44, cx. 46, p. 11. AHM, Proc. Ind., cx. 34, D. Antonio Soares de Noronha.

22. Antonio Soares d'Azevedo Barbosa de Pinho Leal, *Portugal antigo e moderno. Dicionário geográfico, estatístico, chorográfico, heráldico, archeológico, histórico, biográfico e etimológico de todas as cidades, vilas e freguesias de Portugal e de grande número de aldeias...*, Lisboa, editora de Mattos Moreira & Companhia, 1874, pp. 67-73 e 80-6.

23. Nuno Gonçalo de Freitas Monteiro, *O crepúsculo dos grandes (1750-1832)*, Lisboa, Imprensa Nacional Casa da Moeda, 1998.

teve nas passagens pela América — em Minas e, depois, na Bahia — trampolim para uma vida posterior de cortesão e de morgado.[24] Dom Antonio morreu solteiro, talvez por falta de fortuna — não a amealhou na colônia, de onde retornou pobre, discrepando, ainda nisso, de boa parte dos governadores que serviram em Minas —, talvez pelo temperamento, que as cartas sugerem ter sido áspero e irritadiço como o do avô João Pedro Soares. Sua vida privada só existe engastada na da família: no mais, o que dele ficou foi apenas o lado público, a obsessão com o serviço e o dever, sugerindo que nunca deixou de ser um militar zeloso da função que lhe confiaram.

Em "carta de amizade", escrita em 7 de janeiro de 1777 a Martinho de Melo e Castro, pede-lhe que não ignore o fato de ter sido "criado no serviço das tropas", e que por isso muitas vezes chega a duvidar da justeza das resoluções a tomar "em algumas dependências do governo político desta capitania". Por maior que seja sua boa vontade, a inexperiência pode traí-lo: "Eu procuro dirigir com acerto as minhas ações mas ainda assim poderei errar por falta do conhecimento preciso nas matérias que são alheias à minha profissão", confessa. E acrescenta que envia a Melo e Castro "uma fiel

24. Dom Antonio encontrou-se em 9 de fevereiro de 1780 com Dom Rodrigo José de Meneses na serra da Mantiqueira. Seguiram juntos para a Borda do Campo, onde pousaram e tiveram "uma larga e primeira conferência a respeito dos negócios desta capitania". No dia seguinte, ganharam o sítio da Costa da Mina, onde se demoraram até o dia 14, em conversas seguidas. Antes que o novo governador seguisse viagem para Vila Rica, onde chegou no dia 19, Dom Antonio passou-lhe "vários papéis interessantes" e desceu para o Rio de Janeiro, onde deve ter tomado o navio que o levou de volta ao Reino. APM, SC, códice 224, fl. 1. Dom Rodrigo, por sua vez, foi empossado pela Câmara, e no ato de posse não consta a assinatura de Dom Antonio. APM, SC, códice 25 — Livro das posses dos senhores governadores: 1721-1827, fls. 16-17v. Primos-irmãos, parece ter então pairado entre eles um certo mal-estar: Dom Antonio não deu posse a Dom Rodrigo, e este, mal se viu na governança, criticou veladamente o governo que findara. Cf. APM, SC, códice 224, fls. 16, 20-1.

cópia" de toda a sua correspondência, ativa e passiva, com Lavradio, pedindo opinião sobre o acerto das reflexões. Quando quase se abandona, rememorando as relações que tivera com o irmão do ministro, invoca antes o serviço e o dever cumprido do que as redes clientelares próprias ao mundo onde nasceu e cresceu:

> O motivo que me anima a implorar de V. Exa. este benefício é o da conhecida bondade de V. Exa., e o de ter eu tido a honra de servir debaixo das ordens do Ilmo. e Exmo. Sr. Manuel Bernardo de Melo e Castro, a quem mereci algum conceito.[25]

Num tempo e numa sociedade que tinham a linhagem em alta conta, várias passagens da sua correspondência indicam que Dom Antonio valorizava o espírito público e sempre o colocava muito acima do privado. Quando parecia iminente o perigo das investidas castelhanas a partir da ilha de Santa Catarina, então ocupada, escreveu aos senhores de escravos para que os tirassem dos serviços minerais e agrícolas e os disponibilizassem para tropas, "porque sendo chegado o último aperto, se não devem atender os prejuízos particulares, mas somente o interesse público, e a defesa do estado".[26] Em carta ao ouvidor da Vila do Príncipe, reitera, para a mesma matéria, igual ponto de vista:

> Enfim, eu sou o primeiro que em tal circunstância sentirei mais o incômodo dos próprios moradores, do que eles que o padecem, e espero que Vossa Mercê, refletindo no que acabo de dizer, *conheça que os interesses particulares não devem prevalecer à defesa do*

25. Biblioteca Nacional do Rio de Janeiro (BNRJ), SMs, 2,2,24, "Carta de amizade para o Sr. Martinho de Melo com as cópias das cartas do vice-rei", 7 de janeiro de 1777, fl. 80.
26. BNRJ, SMs, 2,2,24, carta de 20 de março de 1777, fls. 98v-99.

> *Estado, principalmente sendo os interesses régios os que experimentam o maior prejuízo*, e que só da minha parte procuro incansavelmente providenciar o que sejam os menos sensíveis que for possível na presente conjuntura.[27]

Em Minas, Dom Antonio fez um bom amigo, possivelmente um dos melhores ao longo de uma vida de poucos afetos: o desembargador Teixeira Coelho, que ao deixar a capitania onde serviu como intendente do ouro tornou-se desembargador da Relação do Porto. Na ocasião, quando corria o ano de 1779, o governador passou ao magistrado uma certidão em que atestava os seus bons serviços e o reconhecia enquanto "ministro de distinta honra, de conhecida literatura, muito prudente e desinteressado", o que lhe tinha valido o reconhecimento de toda a capitania.[28] No ano seguinte, Teixeira Coelho deu o troco, opinando sobre a atuação do amigo à frente da capitania. Contudo, apesar dos laços que os uniam e da obrigação da reciprocidade, moeda corrente no mundo de então, as avaliações do desembargador parecem bastante objetivas e condizentes com o homem sugerido pela correspondência do governante, cioso da fidelidade e da obediência ao rei sem por isso mostrar-se subserviente ou falto de opinião. Na primeira dessas avaliações, um atestado escrito a pedido de Dom Antonio quando este, já em Lisboa, lutava pela remuneração dos serviços prestados na colônia, o desembargador ajuiza em tom pragmático:

> Cuidou muito na conservação dos povos e na boa administração das rendas reais, e foi um exato observador das ordens régias.

27. BNRJ, SMs, Carta de 9 de abril de 1777 para o ouvidor da Vila do Príncipe, fls. 104-6. Itálico meu.
28. BNRJ, SMs, 2,2,24, fl. 199-v.

> Finalmente, *governou debaixo de sistema*, e se fosse conservado no governo mais alguns anos, se veria mudada a face atual e pouco vantajosa dos interesses da capitania de Minas. Ele tem uns grandes talentos; um gênio ativo, laborioso e constante; um desinteresse inimitável, e um zelo judicioso no real serviço; e além disto, sempre teve a docilidade de ouvir as pessoas inteligentes, e a prudência de se não determinar sem que primeiro fosse bem instruído do estudo das cousas e do que tinha havido, a respeito delas, no tempo dos governos dos seus anteriores.[29]

Na segunda avaliação, que integra a *Instrução para o governo da capitania de Minas Gerais* e, por isso, não tinha um objetivo mais imediato, Teixeira Coelho não omite aspectos por vezes espinhosos do temperamento do governador, mas registra a admiração que sentia por ele:

> Este governador tem *grandes talentos e um gênio forte*, mas a humanidade de que é dotado e a facilidade com que cede ao conselho e à razão fazem que o *seu ardor natural* se contenha nos limites justos: ele é inclinado às ações grandes, constante e ativo na execução delas; é muito desinteressado e liberal, com excesso; é muito esmoler; ouve com afabilidade os pequenos *e é o terror dos maus*.[30]

29. IANTT, MR, Requerimentos, mç. 675, cx. 782, Atestado passado por José João Teixeira, professo na Ordem de Cristo e Desembargador da Relação do Porto, 31 de dezembro de 1784. Itálico meu, bem como a pontuação, que modernizei para facilitar a leitura.
30. Teixeira Coelho, *Instrução para o governo da capitania de Minas Gerais*, Belo Horizonte, Fundação João Pinheiro, pp. 162-3. É interessante que, apesar da grande amizade expressa nas cartas de Lavradio e do bom conceito em que o tinha — "as notícias que tenho ouvido do teu governo, a satisfação com que os povos estão contigo, me enchem o coração da maior consolação" —, Dom Antonio não pediu a Lavradio que opinasse em seu favor. Cf. *Cartas do Brasil*, p. 160, carta 534.

Do gênio forte e do espírito público teve amostras eloquentes um Francisco Manuel da Costa Amorim, familiar do Santo Ofício que morava em Santo Antonio do Rio Acima, comarca do Sabará. No final de dezembro de 1775, dois dias antes do Natal, foi notificado pelo governador, de passagem na região, que devia ceder seu cavalo para um dos soldados de seu séquito ir a Sabará. Costa Amorim retorquiu que, na qualidade de familiar, não lhe cabia ceder cavalos ao governo, pois disso achavam-se isentos pelo Regimento daquele tribunal. Enfurecido, Dom Antonio mandou-o prender e conduzir à sua presença com as mãos atadas às costas; a vítima o denunciou à Inquisição:

> e, logo que cheguei a sua presença, não só me ultrajou de palavras, chamando-me de maroto, como também repentinamente se botou a mim castigando-me com uma bengala pelos ombros e costas, como se um familiar fosse pessoa vil: *dizendo que já não haviam Judeus, que também se escusavam familiares,* e que estes procuravam medalhas por serem os da dúvida [?] ordenando logo aos soldados que me fizessem conduzir a pé para a cadeia do Sabará, distante cinco léguas *e que se eu não pudesse andar me atropelassem com os cavalos, e que bastava que me pusessem os quartos na Cadeia;* com efeito fui a pé até Santa Rita, que [é] distante daqui uma légua e daí até o Sabará fui de cavalo por comiseração do cabo e soldados, *entrando porém na dita Vila de pé e com desprezo com que recomendou,* onde estive preso quatro dias na Cadeia.[31]

Sem questionar a truculência da ação do governante, que prezava a hierarquia e os sinais exteriores do status (no caso, a perda deles), há no episódio o confronto nítido entre o poder do

31. IANTT, Inquisição de Lisboa, Caderno do Promotor, nº 129 (1765-1775), livro 318, fl. 276. Devo essa indicação, bem como a transcrição do documento, à gentileza de Luís Carlos Villalta, a quem registro aqui minha gratidão. O itálico é meu.

Santo Ofício, que Dom Antonio não podia tolerar, e o do Estado, que ele representava. Requisitar cavalos de habitantes era ato corriqueiro para militares como ele, a recusa configurando insubmissão inconcebível e merecedora de punição exemplar. Há ainda um tom ilustrado e leigo por trás da violência: mesmo se o número de habilitações para familiares continuou grande na segunda metade do século XVIII, Pombal acabara com a distinção entre cristãos velhos e cristãos novos, e já que estes foram sempre a presa preferencial da Inquisição portuguesa, desferira um grande golpe no papel dos familiares, de cujas atribuições contava a delação dos hereges.[32] Por que, então, respeitar os privilégios sem sentido que insistiam em invocar?

Um outro episódio ajuda a entender o que era o espírito público de um governante colonial, zeloso de seus deveres para com o Estado, mas imerso na violência e no autoritarismo que caracterizavam o éthos político da época e da circunstância. Como se verá com maior detalhe a seguir, Dom Antonio empenhou-se na busca de soluções que aliviassem a queda dos rendimentos do ouro e sonhou, como seus antecessores, com a descoberta de novas regiões auríferas. O Cuieté, para os lados do rio Doce, foi o local para onde convergiram suas expectativas nesse sentido; lá, desde

32. Ver, entre outros, Kenneth Maxwell, *Marquês de Pombal, paradoxo do Iluminismo*, 2ª edição, Rio de Janeiro, Paz e Terra, 1998; Francisco Bethencourt, *História das inquisições. Portugal, Espanha e Itália — séculos XV-XIX*, São Paulo, Companhia das Letras, 2000; Antonio José Saraiva, *Inquisição e cristãos novos*, 5ª edição, Lisboa, Editorial Estampa, 1985; James Wadsworth, "Os familiares do número e o problema dos privilégios", in Ronaldo Vainfas, Lana Lage e Bruno Feitler (orgs.), *A Inquisição em xeque: temas, controvérsias, estudos de caso*, Rio de Janeiro, Nova Fronteira/Eduerj, 2006.

33. Luís Diogo Lobo da Silva, como se viu no capítulo anterior, casara-se com a irmã da mãe de Dom Antonio, Dona Antonia de Noronha, dama do Paço e quase homônima da irmã, Maria Antonia de Noronha. Cf. Felgueiras Gayo, *Nobiliário...*, vol. XII (3º dos Costados), p. 219, fl. 136v, costados de Lobos Silvas.

34. APM, SC, códice 143, Registro das cartas do governador ao vice-rei e também aos

os tempos do governador Luís Diogo Lobo da Silva (1763-1768), seu tio por afinidade,[33] Paulo Mendes Ferreira Campelo tinha atuação de destaque, mesmo se nem sempre ilibada, havendo suspeitas de que minerava clandestinamente e não obedecia às determinações oficiais quanto à redução dos índios.[34] No tempo de Dom Antonio, era capitão-regente da conquista do Cuieté, e em 8 de outubro de 1776, o governador lhe escreveu uma carta que dá bem conta do seu estilo e maneira de pensar:

> Não posso deixar de estranhar a Vossa Mercê o pouco zelo com que se emprega na execução das ordens do Real Serviço, porque tendo Vossa Mercê saído desta capital há tanto tempo, em primeiro lugar se demorou mais de um mês em sua casa, antes de formar a companhia de pedestres que lhe determinei; em segundo, levando desta capital dinheiro para comprar os mantimentos precisos o fez tanto pelo contrário, que me consta os tomara fiados em Antonio Dias abaixo; e em terceiro, devendo me dar uma exata conta do exame que lhe encarreguei, ficou nos corgos desse Distrito assim como na Cruz de Pau, onde é o descoberto das esmeraldas; sendo passado tantos meses, me não tem Vossa Mercê dado uma individual conta da execução destas determinações; e espero que Vossa Mercê logo que receber esta me capacite sem perda de tempo de tudo o que achou, *na certeza de que pela sua frouxidão o hei de mandar vir preso para a cadeia desta vila, onde o conservarei carregado de ferros durante o tempo do meu governo*".[35]

Não sei se chegou a tanto, mas Paulo Campelo, sem dúvida, deixou de ter importância na "conquista" do Cuieté; em 1779,

---

outros governadores e autoridades da capitania, circulares, ordens, representações e respostas, instruções e cartas dirigidas ao governo. 1764-1769, fls. 93v-96.

35. "Para Paulo Mendes Ferreira Campelo comandante do Cuiaté", in Arquivo Público Mineiro, Seção Colonial, códice 207, fl. 151. Itálico meu.

quando deu a investida final para aproveitá-la economicamente, Dom Antonio nomeou José da Silva Tavares, até aquele momento encarregado de coordenar a abertura de um caminho para a região, como "regente, guarda-mor e escrivão das terras e águas minerais da conquista do Cuieté".[36]

DIVERGÊNCIAS E CONCORDÂNCIAS

O ministro Martinho de Melo e Castro havia passado uma instrução detalhada para Dom Antonio, em que a reorganização das tropas e a defesa da colônia tinham papel de destaque, articulando as capitanias do Rio de Janeiro, Minas Gerais e São Paulo por meio de um verdadeiro plano militar.[37] Como represália à ocupação portuguesa do Rio Grande do Sul, corria ser iminente o risco de invasão espanhola no Rio de Janeiro — "caso... em que a guerra, que hoje ameaça tão somente o Rio Grande, Viamão e Rio Pardo, venha a fazer-se geral" —, e uma das principais instruções dadas a Dom Antonio foi levantar e preparar forças que defendessem a cidade.[38] Para isso, o governador criou novo regimento de dragões, enviando 250 de seus componentes ao Rio de Janeiro e distribuindo os demais pelo interior da capitania a fim de "assegurar as receitas e fazer dinheiro para a guerra".[39] Anos depois, em

36. BNRJ, Seção de Manuscritos, 2,2,24, *Livro Segundo das Cartas que o Ilmo. e Exmo. Sr. D. Antonio de Noronha Capitão General da Capitania de Minas Gerais escreveu durante o seu governo que teve princípio em 28 de maio de 1776* (correspondência de D. Antonio de Noronha), fl. 225v, Portaria de 6 de agosto de 1799.
37. Waldemar de Almeida Barbosa, *História de Minas*, Belo Horizonte, Comunicação, 1979, p. 612, vol. III. Arquivo Nacional do Rio de Janeiro, códice 67, vol. 5, fl. 160v [carta de Martinho de Mello e Castro ao marquês do Lavradio].
38. ANRJ, códice 67, vol. 5, fl. 160v.
39. Vasconcelos, *História média...*, p. 211.

1777, Dom Antonio ainda arregimentaria tropas para reforçar as que João Henrique de Bohm tinha sediadas no Sul.[40]

Numa primeira leitura, o envio das tropas mineiras para a região meridional beira as raias do absurdo. Dom Antonio não podia deixar desguarnecidas na sua capitania as atividades da mineração e da defesa. Sem minerar, não gerava rendimentos para a Fazenda Real; sem homens válidos, não tinha como fazer frente a um ataque de surpresa, que, após a tomada de Santa Catarina pelos espanhóis, poderia ter início no porto de Santos e se desenvolver "de arrastão" até o centro de Minas.[41] Procurou contornar a situação por meio do recrutamento de elementos desocupados ou inaproveitáveis nas atividades produtivas e militares. A chegada da tropa, malcomposta e despreparada, aterrou Martim Lopes Lobo de Saldanha, o governador de São Paulo, mas pareceu ter alguma serventia para o comandante do exército do Sul, João Henrique de Bohm: pelo menos, fariam número sobre o inimigo.

O caso das manufaturas existentes em Minas também traz à tona a diversidade dos interesses no seio da América portuguesa, mostrando que as políticas para o Império e os interesses internos estavam longe de ser unívocos. Os comerciantes da praça do Rio de Janeiro bombardeavam o marquês do Lavradio com queixas contra as manufaturas têxteis de Minas Gerais, que concorriam com os produtos por eles vendidos. Como tantos de seu tempo, entre os quais Pombal, Lavradio achava que as colônias deviam se limitar a produzir matéria-prima, comprando os manufaturados da metrópole. Têxteis acessíveis e baratos, produzidos dentro da capitania, desviavam os mineiros da faina aurífera, pois

40. Examino o episódio em *Desclassificados do ouro — a pobreza mineira no século XVIII*, Rio de Janeiro, Graal, 1982, pp. 85 e segs. Ver ainda Vasconcelos, *História média...*, pp. 213 ss.; Alden, *Royal government...*, pp. 208-10.

41. Vasconcelos, *História média...*, p. 214. Documentos em BNRJ, Seção de Manuscritos, 2,2,24, Correspondência de D. Antonio de Noronha, Livro Segundo, Carta a Lavradio, 13 de maio de 1777.

diminuíam sua necessidade de metal precioso. Com isto, perdia a capitania, que não prosperava, e a metrópole, que deixava de arrecadar.

Já Dom Antonio pensava diferente, defendendo os teares de Minas e se opondo ao vice-rei, a quem, mesmo se de modo um tanto informal, era subordinado. Sua posição se alterara no decorrer dos primeiros anos de governo: quando chegou, também viu as manufaturas como lesivas, expedindo ordens para a sua destruição; mas a especificidade da capitania fez com que mudasse de conceito, e em novembro de 1776 ponderava a Lavradio:

> *se eu tivesse então o mesmo conhecimento que hoje tenho destas Minas não expedia semelhantes ordens*, que sendo justas na mera especulação, nunca podem ter efeito, por não existir o objeto delas. Aqui não há fábricas de algodão *que tenham as circunstâncias que ao longe se entende*: nelas se tecem somente panos grosseiros, e riscados toscos, e estas fazendas não são feitas para negócio, mas para o serviço dos miseráveis mineiros, e para o vestuário dos negros.[42]

A distância — no caso dos comerciantes, que viviam no Rio — ou o desconhecimento — do governador antes de se enfronhar na realidade da sua capitania — favoreciam especulações infundadas. De perto, a realidade era outra. Os rendimentos caíam porque o ouro decrescia, argumentava Dom Antonio, e porque faltavam braços. Que não se pensasse, contudo, que para isto contribuíam os escravos tecelões, quase todos incapazes para trabalhos mais duros. A produção têxtil das Minas, por fim, não podia fazer sombra à que vinha do Rio por ser rústica e atender basicamente às necessidades dos escravos, havendo sempre o mercado da gente mais bem situada economicamente. Os comerciantes fluminenses reclamavam à toa, procu-

42. BNRJ, SMs, 2,2,24, carta a Lavradio de 19 de novembro de 1776, fls. 57 ss. Itálico meu.

rando assim disfarçar a própria incapacidade em pagar os credores europeus e confundindo, de propósito, o marquês do Lavradio.[43]

Referindo-se ao episódio, Diogo Vasconcelos lamentou a falta de coordenação dos governadores do terceiro quartel do século XVIII e invocou com saudade o tempo em que Gomes Freire centralizava todas as operações do Sul, verdadeira idade de ouro da organização administrativa.[44] Como já se disse, "[o] século XVIII assistiu à emergência dos governadores das capitanias-gerais como forças dominantes na frente administrativa e política brasileira", do que resultou uma erosão gradativa da autoridade dos vice-reis.[45] Lavradio, que governava o Rio de Janeiro naquela época, tinha certa preeminência hierárquica sobre os demais sem que isto, contudo, os subordinasse de fato às suas ordens. A correspondência entre ele e Dom Antonio oscila entre o tom muito afetuoso e o impessoal: Lavradio é terno, Dom Antonio mais impertinente, refletindo as diferenças da idade e da experiência. O vice-rei era amigo da família e alude com frequência aos antigos laços que os uniam: "para o Marquês do Lavradio ninguém está primeiro que tu".[46] Das cartas que ficaram do governador de Minas, ressaltam dissonâncias, sobretudo quando trata do recrutamento de tropas para as guerras do Sul; comentando o seu tom quase sempre duro, Dauril Alden considerou que a resposta do governador

43. Alden, *Royal government...*, pp. 383-5. Ver sobretudo "Carta para o senhor Marquês do Pombal, e Sr. Martinho de Mello, dando-lhe parte da gente que marchou para o Rio de Janeiro", in BNRJ, SMs, 2,2,24, fls. 75-76.
44. Vasconcelos, *História média...*, p. 214.
45. A. J. R. Russell-Wood, "Governantes e agentes", in Francisco Bethencourt e Kirti Chaudhuri (orgs.), *História da expansão portuguesa. O Brasil na balança do Império (1697-1808)*, Lisboa, Círculo de Leitores, 1999, pp. 169-92, especialmente p. 178, vol. III.
46. *Cartas do Brasil*, p. 161.

mostrou-se marcada pela truculência e pelo sentimento de ofensa e que Dom Antonio era teimoso: uma pedra no sapato.[47]

Tanto na questão do recrutamento quanto na das manufaturas, o absurdo aparente remete a questões de outra natureza, nada tendo a ver com desorganização ou decadência administrativa, como pensou Diogo de Vasconcelos. A lógica do governo metropolitano conflitava, muitas vezes, com as necessidades regionais, e a estrutura administrativa ainda guardava traços do esquema polissinodal que caracterizou o século XVII português: cada parte tinha função própria, impossível, muitas vezes, de enfeixar a partir do centro, o que, num mundo vasto como o do Império, gerava conflitos muitas vezes irredutíveis.[48] O Reino, desde Pombal, precisava que a colônia se defendesse com seus corpos próprios, mas

47. Alden, *Royal government*..., pp. 209-10 (carta de 19 de setembro de 1776): "Noronha replied with truculence and injured feelings that he was only trying to keep Minas tranquil and promote the mining of gold. [...] With some heat he took exception to Lavradio's reference to 'useless vagabonds'. [...] Lavradio never named his replacement, probabily because he decided it was best to keep the opinionated Dom Antonio as far away as possible". Sobre a grande amizade entre Lavradio e Dom Antonio: "eu em ti não considero só um amigo, considero-te como um filho, que deves ao meu coração a mais fiel, e verdadeira amizade, devendo-me as tuas felicidades pelo menos igual interesse que as minhas", *Cartas do Brasil*, p. 159, carta nº 532 (1º de julho de 1775). Outras passagens nas quais se expressa a amizade: a carta de 16 de agosto de 1775: "as notícias que tenho ouvido do teu governo, a satisfação com que os povos estão contigo, me enchem o coração da maior consolação; devo segurar-te que o meu Antonio de Lisboa me não deve mais amor, e interesse que o meu Antonio de Vila Rica" (carta 534, p. 160); carta de 20 de junho de 1775: "tu és aquele mesmo Antonio de Noronha que eu conheci, a quem chamei sempre o meu valido, e de quem me esperancei e espero haja de reproduzir em si um vivo retrato daquele amável e saudoso general de quem conservo no coração a mais viva saudade, e respeito" (p. 160).

48. Cf. Antonio Manuel Hespanha, *As vésperas do Leviathan. Instituições e poder político. Portugal, século XVII*, Coimbra, Livraria Almedina, 1994, pp. 287 ss. À p. 289 diz: "neste regime polissinodal, a veemência com que cada um defendia a sua esfera de competência provocava, por um lado, dúvidas e conflitos cotidia-

o número crescente de escravos fragilizava os homens brancos, dependentes dessa força de trabalho e ao mesmo tempo reféns de suas explosões de violência e insubordinação. Desclassificados sociais, homens sem ocupação constante, muitas vezes doentes e fracos eram os únicos com que se podia contar sem prejuízo maior da lavoura, da mineração ou da defesa. Recrutá-los preenchia, por outro lado, as obrigações que a região tinha para com o governo da metrópole, respondendo às imposições da reciprocidade mesmo que o vice-rei discordasse do teor dos corpos recrutados.

No tocante às manufaturas, cruzam-se, mais uma vez, interesses diversos, que nem sempre podem ser reduzidos a um esquema que oponha, de forma mecânica, metrópole e colônia. Apesar de ambos serem agentes do mando colonial e terem fortes laços pessoais a os unirem, Dom Antonio e Lavradio tinham perspectivas distintas no tocante ao problema. A de Lavradio continuaria dominante até os tempos de Dom Rodrigo de Sousa Coutinho, que em muitos pontos — como o do incremento do cultivo de amoreiras — seguia a cartilha que defendia a adoção de uma política eminentemente agrária para as colônias. Não era, curiosamente, exclusiva à ótica metropolitana e oficial, sendo abraçada, como se viu, pelos comerciantes do Rio de Janeiro. Já a perspectiva de Dom Antonio não teve êxito, apesar de também contar com o apoio de setores locais, e o alvará de 1785, que proibiu definitivamente as manufaturas na colônia, tornou inequívoca a posição do Reino diante da questão.[49]

---

nos que impediam a supremacia de um sobre os restantes, contribuíam em grau não despiciendo para a paralisia e ineficácia da administração central da Coroa".

49. Para uma análise decisiva do Alvará de Dona Maria I, ver Fernando A. Novais, "A proibição das manufaturas no Brasil e a política econômica portuguesa do fim do século XVIII", in id., *Aproximações. Estudos de história e historiografia*, São Paulo, Cosac Naify, 2005, pp. 61-82.

Por isso, a mera oposição entre metrópole e colônia não consegue dar conta da complexidade das relações em jogo. Ao tratar do episódio das manufaturas, Dauril Alden invocou um comentário arguto de Stanley Stein, para quem os administradores coloniais "tendiam a se tornar os 'vetores' de grupos econômicos rivais, identificando-se com e representando aqueles que dominavam a região específica que administravam".[50] De fato, muitas situações locais sugerem que isto ocorria com mais frequência do que se imaginou um dia, estreitando solidariedades horizontais, aproximando os agentes do mando metropolitano e os poderosos da região. A briga e as tensões entre as partes — as capitanias, ou regiões —, que procuravam ganhar os favores do todo — a metrópole, o Reino —, ajudam a explicar o problema.

Na mesma época em que se debateu com o problema das manufaturas, Dom Antonio teve que lidar com o dos engenhos de cana. Chegou a destruir alguns, preocupado em se alinhar com a orientação vinda do Reino, mas precisou voltar atrás sob pressão da Junta da Real Fazenda de Vila Rica, que reputou a medida lesiva aos interesses reais por diminuir o subsídio voluntário, o literário e, ainda, o imposto sobre a aguardente. Acabou encontrando uma solução de compromisso, proibindo a edificação de novos engenhos e deixando funcionar os velhos.[51]

Conforme os governadores se tornaram presidentes das juntas locais da fazenda, cada um desejava fazer melhor figura que o outro, apresentando contas equilibradas e um perfil econômico da capitania o mais favorável possível. Lavradio se alinhou com os comerciantes não apenas por ser particularmente influenciá-

50. Alden, *Royal government...*, p. 386.
51. BNRJ, SMs, 2,2,24, carta a Lavradio de 19 de novembro de 1776, fl. 57; "Carta para o Sr. Marquês do Pombal, e sr. Martinho de Mello, dando-lhe parte da gente que marchou para o Rio de Janeiro", fl. 76.

vel, mas porque o aumento dos rendimentos do comércio local repercutia favoravelmente nos balancetes da alfândega do Rio de Janeiro e o levava a fazer bonito ante o governo de Lisboa.[52]

Dom Antonio de Noronha governou Minas até 1780. Teixeira Coelho, colaborador próximo que, como se viu, o admirava, sintetizou de forma precisa os principais momentos de sua administração. No plano militar, destacou a criação de um regimento de cavalaria, a ordenação dos corpos auxiliares e das milícias e, por fim, o estado de prontidão em que ficou para descer ao Rio de Janeiro, caso a cidade fosse invadida pelas tropas castelhanas. Na organização da economia, relatou a preocupação permanente de Dom Antonio em enfrentar o decréscimo da extração aurífera, seja tentando mudar o curso do Ribeirão do Carmo — o que não foi possível porque o leito era todo de pedra —, seja retomando as prospecções iniciadas por seus antecessores no sertão do Cuieté. Quando deixou o governo, estava organizando uma sociedade de mineiros, formada com os meios dos particulares e tendo por objetivo agilizar os serviços minerais no rio das Velhas, para que pudessem ser feitos durante a seca e não acabassem "arrombados pelas primeiras trovoadas", ou seja, a chegada das águas. O cuidado com a questão dos teares, a preocupação de que só fabricassem panos grosseiros, a proibição dos novos engenhos de cana, a atenção para com as estradas e o extravio, tudo se encontra no texto que Teixeira Coelho firmou no Porto, no final de 1784, quando Dom Antonio já deixara a capitania e ele mesmo era desembargador da Relação naquela cidade.[53]

O Atestado de Teixeira Coelho expressa a colaboração estreita desenvolvida com o governador e permite que se saiba como, na mesma época, escreveu a *Instrução para o governo da capitania de Minas Gerais*, documento central para a compreensão do século XVIII mineiro. Antes de assinar, registra:

52. Alden, *Royal government...*, p. 387.
53. Teixeira, *Atestado*, passim.

O que deixo atestado me consta, porque presenciei todos os fatos que ficam referidos, e porque tenho em meu poder memórias circunstanciadas de todos os governadores das Minas, as quais memórias tirei dos arquivos públicos no tempo em que servi de intendente do ouro, e de procurador da Fazenda Real em Vila Rica, que foi de julho de 1768 até fevereiro de 1779.[54]

De fato, o cotejo da *Instrução* e dos documentos que constituem o fundo hoje denominado *Secretaria de Governo*, do *Arquivo Público Mineiro*, permite constatar a influência direta da correspondência administrativa, bandos e ordens de Dom Antonio sobre o texto de Teixeira Coelho.[55] Não seria este o único caso em que as memórias coevas utilizavam-se do material produzido pelos governadores, e tal procedimento, afinal, é próprio do trabalho histórico, mesmo o do século XVIII: a *Geografia histórica de Minas Gerais*, do engenheiro José Joaquim da Rocha, também se valeu abundantemente do atual códice 224 para escrever a narrativa das viagens de Dom Rodrigo José de Menezes.[56]

A influência das cartas de Dom Antonio sobre a escrita — e

54. Ibid.

55. Sem explicar por que isto acontecera, Ana Paula Meyer Cordeiro se deu conta da semelhança entre o escrito de Teixeira Coelho e o material do *Arquivo Público Mineiro*. Cf. *Minas ocultas: civilização e fronteira no ocaso da América portuguesa*, Dissertação de Mestrado em História, UFF, 2001, cap. 2. Em sua introdução à obra, Francisco Iglésias já destacara esse uso que o futuro desembargador fizera do material da Secretaria de Governo. Ver José João Teixeira Coelho, *Instrução para o governo da capitania de Minas Gerais...*, pp. 27-8 e 38-9.

56. José Joaquim da Rocha, *Geografia histórica da capitania de Minas Gerais* [Estudo crítico de Maria Efigênia Lage de Resende], Belo Horizonte, Fundação João Pinheiro, 1995. Laura de Mello e Souza, "Frontière géographique et frontière sociale à Minas Gerais dans la seconde moitié du XVIIIe siècle", in Katia de Queiros Mattoso, Idelette Muzart Fonseca dos Santos e Denis Rolland (orgs.), *Naissance du Brésil moderne. 1500-1808*, Paris, PUF, 1998, pp. 273-88.

as concepções — de Teixeira Coelho pode ser ilustrada de modo exemplar com o caso da utilidade dos vadios. Esse tema aparece em mais de uma passagem das cartas do governador, primeiro em meio à polêmica sobre o recrutamento — corpos aparentemente inadequados para a luta podem ter outras utilidades —, e, aos poucos, ganhando a temática da expansão das fronteiras e da agricultura em zonas remotas. Dom Antônio tinha clareza surpreendente sobre a especificidade de uma formação social em que o trabalho escravo dominava, e de um território onde havia espaços inteiros ocupados por índios não aculturados, como fica evidente na longa carta que escreveu ao vice-rei em 19 de novembro de 1776:

> Pelo que pertence aos vadios, permita-me V. Excia. que eu lhe diga que sendo esta qualidade de gente ódio de todas as nações civilizadas, e para cuja extirpação se tem tantas vezes legislado, não podem ser aplicáveis as regras comuns relativas a este ponto no território desta capitania; porque estes vadios, que em outra parte seriam prejudiciais, se fazem aqui úteis. Eles, excetuando um pequeno número de brancos, são todos mulatos, mestiços, cabras e negros forros: por estes atrevidos homens é que se mandam povoar os remotos sítios do Cuieté, Abre-Campo e outros: deles é que se compõem as esquadras que defendem o mesmo Cuieté das invasões do gentio bárbaro, e que penetram como feras os matos virgens no seguimento do mesmo gentio: deles é que se compõem também as esquadras que entram pelos matos para destruir os quilombos dos negros fugitivos que proximamente têm feito os mais atrozes insultos, como já ponderei a V. Excia. E deles finalmente é que eu me tenho servido na abertura do novo caminho que se dirige ao Cuieté, onde têm trabalhado mais de duzentos homens.[57]

57. BNRJ, SMs, 2,2,24, carta a Lavradio, 19 de novembro de 1776, fls. 52-3.

Há mais de vinte anos, a ideia da utilidade dos vadios foi um dos pontos centrais de meu estudo sobre os desclassificados, e atribuí sua paternidade a Teixeira Coelho por não conhecer em profundidade, naquela época, o teor da correspondência de Dom Antonio.[58] A leitura desta não dá, porém, margem a dúvidas: a ideia da utilidade dos elementos aparentemente inúteis assume, nas suas cartas, formas variadas. Quando chegou à capitania, Dom Antonio conta que procurou com "incansável cuidado promover o adiantamento da civilização dos índios, persuadido que estes em algum tempo poderiam vir a ser *úteis* ao Estado". O tempo, contudo, o dissuadiu dessa crença, levando-o a acreditar "que deles se não colhe nenhum bom serviço" e que só prestavam para gastar dinheiro da Real Fazenda.[59] Nesse episódio, a utilidade se revelou ônus. Mas havia outros casos em que o ônus mostrava ser, no fundo, utilidade. Para incorporar economicamente o inóspito sertão do Cuieté, Dom Antonio viu que era preciso abrir estrada de vinte léguas, mas como não havia dinheiro e a Fazenda Real não arcava com as despesas, conseguiu que a população pagasse um donativo proporcional a seus cabedais. Quando já estavam abertas sete léguas, escreveu a Lavradio a carta já referida, e, com ironia, deu nova alfinetada: "e nela [na estrada] trabalham em grande número aqueles mesmos vadios que V. Exa. reputa *inúteis* e que não fazem falta nestas Minas".[60]

A ideia da utilidade dos vadios das Minas foi, assim, fruto de uma reflexão sofisticada sobre as peculiaridades do meio natural e dos habitantes da capitania: a prática administrativa levava a concepções sobre a ordem social, e a sensibilidade de Dom Antonio

58. Laura de Mello e Souza, "Da utilidade dos vadios", in id., *Desclassificados do ouro...*, pp. 51-90.
59. BNRJ, SMs, 2,2,24, carta de 20 de agosto de 1777, fl. 133.
60. BNRJ, 2,2,24, fl. 64.

impunha que reformulasse ideias preconcebidas com flexibilidade maior do que outros seus companheiros na função da governança. Numa resposta ardida ao colega de São Paulo, Martim Lopes Lobo de Saldanha, negou, em maio de 1777, haver cabimento no envio para o Sul de tropas bem fardadas, pois a aspereza do caminho se encarregaria de fazê-las chegar rotas. O argumento sobre que justifica a afirmação é análogo ao usado na defesa da utilidade dos vadios, sendo igual o estilo:

> Não se admire V. Exa. em ver mal vestidos os sobreditos homens, porque esta qualidade de gente, excetuando alguns brancos, assim é que se costuma vestir de verão e de inverno; e assim é que penetra em esquadra os matos virgens, e sítios desertos desta capitania, no seguimento do gentio bravo, e na extinção dos quilombos de negros, sem que para estas entradas levem outros aprestos mais que as armas, pólvora, chumbo e alguma farinha, e parece que do mesmo modo sem outros aprestos, os devia eu mandar para o Rio Grande, evitando uma grande despesa à Real Fazenda com aquelas comodidades que eles desconhecem.[61]

Em sua *Instrução*, Teixeira Coelho, que tinha sido intendente do ouro e procurador real da fazenda em Vila Rica, repetiu quase literalmente o que o governador registrara na correspondência oficial.[62] Na sequência da ponderação sobre a utilidade dos vadios, introduziu, contudo, uma modificação básica: indicou o conde de

61. BNRJ, 2,2,24, fl. 115v.
62. "Os vadios são o ódio de todas as nações civilizadas, e contra eles se tem muitas vezes legislado, porém, as regras comuns relativas a este ponto não podem ser aplicáveis ao território de Minas, porque estes vadios, que em outra parte seriam prejudiciais, são ali úteis: eles, à exceção de um pequeno número de brancos, são todos mulatos, cabras, mestiços e negros forros; por estes homens atrevidos é que são povoados os sítios remotos do Cuieté, Abre Campo e Peçanha e outros;

Valadares como o primeiro executor dessa política e, assim, evidenciou o *processo*, que deitava raízes em governos anteriores. *Instrução* e cartas indicam, contudo, uma inflexão havida por volta de 1776: só Dom Antonio foi capaz de pensar o problema em termos mais abstratos, transformando em conceito a observação de uma prática continuada. Por isso Teixeira Coelho pôde afirmar que, com Dom Antonio, a prática administrativa adquiriu, em Minas, contornos de *sistema*.

O sistema de Dom Antonio levou-o a planejar a fixação de desocupados na região do Cuieté. Se outros haviam antes cogitado, de modo vago, em aproveitar economicamente a região, coube-lhe lançar-se, com empenho, à empreitada. Primeiro, trabalhou na criação das condições de acesso, abrindo a estrada que levava ao Cuieté. O bando que mandou publicar determinava que todos os que quisessem lá ir poderiam fazê-lo "livremente", prometendo-lhes proteção e preferência nas datas.[63] Por volta de setembro de 1779, tinha já pronto um cuidadoso "Plano Secreto para a nova conquista do Cuieté", revelador de seu temperamento meticuloso e sistemático, exemplar raro de racionalidade administrativa num mundo, como o do império português, dado com frequência a improvisações e não raro embalado pelo vento das contingências.[64] Dividido em 26 parágrafos, o documento discorre sobre a construção do povoado,

---

deles é que se compõem as esquadras que defendem o presídio do mesmo Cuieté da irrupção do gentio bárbaro e que penetram, como feras, os matos virgens, no seguimento do mesmo gentio: e deles é, finalmente, que se compõem as esquadras que muitas vezes se espalham pelos matos para destruir os quilombos dos negros fugidos, e que ajudam as justiças nas prisões dos réus." Teixeira Coelho, *Instrução para o governo da capitania de Minas Gerais*..., pp. 149-50.

63. Almeida Barbosa, *História de Minas*..., p. 616, vol. III.

64. BNRJ, SMs., 2,2,24, "Plano secreto para a nova conquista do Cuieté", fl. 229v-233v. Até onde sei, esse plano é inédito e desconhecido.

sua defesa, a administração da justiça, a divisão das terras minerais e das sesmarias, a proibição de se abrirem outros caminhos para, assim, conter extravios.[65] Redigido o plano, havia que observar diretamente a realidade, e Dom Antonio partiu para o Cuieté.[66]

Se houve sintonia entre o governador e o magistrado, nem tudo eram rosas, então, e alguns funcionários no governo se empenhavam em jogar as cristas com sucessivos governadores, conforme o próprio Teixeira Coelho revela — "ministros que só cuidam em adiantar os negócios de que vencem salários e que nunca querem ajudar os governadores nas matérias que respeitam ao interesse público" —, procurando, com o apoio "do povo", subjugá-los — "querem dominar os mesmos governadores; se estes lhe resistem, conspiram logo contra o seu crédito, persuadem os povos ignorantes, fazem liga com os maus e espalham na Corte imposturas falsas e abomináveis".[67]

Apesar disso, os pontos de vista partilhados indicam que nunca, como naquele momento, haviam os homens do rei se empenhado em transformar a observação empírica em projetos abrangentes e capazes de encaminhar soluções para a crise de Minas. O passo seguinte seria o estreitamento das relações com as elites locais, mas tal assunto extravasa o âmbito destas reflexões — e impõe outras.[68] De qualquer forma, abria-se o primado da região, e por isso Dom

65. Mal terminara a redação do Plano, pôs-se a caminho do Cuieté, pois escreve, nas cartas, que partiu a 12 de setembro, e Teixeira Coelho também registra essa data como sendo a da partida de sua expedição. BNRJ, SMs., 2,2,24, cartas de 18 de outubro de 1779 para o marquês de Angeja (fl. 234v) e para Martinho de Mello e Castro (fls. 234v-235v).

66. Para tal decisão, devem ter pesado os conselhos recebidos de Lavradio, conforme carta citada à nota 5 supra.

67. Teixeira Coelho, *Instrução para o governo da capitania de Minas Gerais...*, p. 163.

68. Ver a respeito o próximo capítulo deste livro.

Antonio reagiu de modo aguerrido quando Lavradio louvou a capacidade de Gomes Freire governar Minas sem sair do Rio: "o tempo em que aí residiu o conde de Bobadela não tem semelhança com o presente: então estavam florescentes estas Minas, e agora estão pobres".[69] Épocas de vacas magras impunham reequacionamentos da economia e da política, cabendo, mais do que nunca, circunscrever o mando ao âmbito particular. Circunstâncias específicas eram ainda capazes de mudar o estilo mental de um governador sensível. Dom Antonio nunca ocupara cargos administrativos até ser nomeado para as Minas, e nunca mais o faria depois de voltar para o Reino. Era homem afeito à vida dos regimentos, militar de carreira confinado, na maior parte da vida, em fortalezas fronteiriças, espreitando espanhóis que a qualquer momento podiam surgir ao longe. Conforme escreveu a Lavradio, não se podia permitir o erro:

> reputando-se em meu lugar nesta capitania, diga-me que desgostos e que aflições lhe não perturbariam o espírito em ver que logo no primeiro governo se reduzia aos termos de perder a reputação, por se lhe cortarem os caminhos por onde dirigia os passos para mostrar a que desempenhava as suas obrigações. Vossa Excelência deve persuadir-se que se eu não fizer com que se remedie [sic] a falta que há muitos anos se experimenta no quinto do ouro, serei olhado como um governador pouco zeloso.[70]

Poucos governantes teriam se posicionado tão claramente sobre o acerto, que no seu caso, mais do que desejo, talvez fosse necessidade. Discordou de Lavradio, militar como ele e amigo de longa data, porque agiu primeiro como povoador, cioso do bem-estar dos habitantes da capitania sob seu governo, deixando em

69. BNRJ, SMs, 2,2,24, carta a Lavradio, 19 de novembro de 1776, fl. 59 ss.
70. BNRJ, SMs, 2,2,24, fls. 53-4.

segundo plano o homem de armas que recrutava a qualquer preço. Aproximou-se, por outro lado, de um magistrado, de um homem de lei, e ambos viram nos vadios a utilidade povoadora, recusando a perspectiva mais desumana que os considerava mera bucha de canhão. Na administração da América portuguesa, ecoavam ideias que a Ilustração começava a impor na Europa.[71]

A DÁDIVA E SEUS LIMITES

Pouco foi possível saber da vida particular de Dom Antonio de Noronha, mesmo que, por pertencer a grandes famílias, se consiga obter informações sobre seu círculo mais próximo de relações. Indícios esparsos por vários tipos documentais revelam que era baixo, mal-humorado, amante do cachimbo e que morreu solteiro, não havendo, aliás, o mais leve indício de presença feminina em toda a sua vida.[72] Já na esfera pública, conforme os documentos oficiais, tudo parece ter sido difícil para ele. Como ajudante de ordens, o pai, Dom Rodrigo Antonio de Noronha e Meneses, escolheu o primogênito Diogo, seguindo o costume nesse tocante.[73] Em maio de 1777, quando já fazia dois anos que governava a capitania, conseguiu que Dona Maria I lhe concedesse 4 mil cruzados de ajuda de custo para as viagens entre o Reino e Minas, pagos pela Provedoria do Rio de Janeiro. Na ocasião, Dom Antonio alegou

71. Cf. Cesare Beccaria, *Dos delitos e das penas*. São Paulo, Atena Editora, s/d. Ver a bela análise de Franco Venturi, *Utopia e reforma no iluminismo*. Tradução de Modesto Florenzano. Bauru, Edusc, 2005, sobretudo cap. 3, "O direito de punir".
72. Cf. *Cartas do Brasil*: "e o teu gosto e os teus preceitos, devem-me tal interesse, que até o fumo de teu cachimbo, já eu o suportava sem violência nem descômodo", carta 557, p. 170. Há uma referência mais ambígua: "Fique você embora com o seu *cigarro*, enquanto eu cá vou usando da minha água fria", carta 544, p. 165. Cigarro ou cachimbo, não há dúvida que Dom Antonio fumava.
73. IANTT, Conselho de Guerra, Decretos, ano 1762, maço 121B, doc. 395.

que o mesmo se concedera ao conde de Valadares, "assim na ida deste reino como na volta para ele".[74] Começava um rol infindo de pedidos de remuneração de serviços, de mercês, de benefícios que coroassem uma longa folha de atividades militares e administrativas: pedidos insistentes, temperados com lamúrias, ressentimentos e quase nunca atendidos.

Mal regressou a Lisboa, encaminhou à rainha o requerimento solicitando a paga dos anos gastos em servi-la, bem como a remuneração devida a seu pai, mas não anexou os documentos comprobatórios, o que sugere a pouca familiaridade com as praxes e os usos do pedir. Na mesma época, estando de volta havia apenas quinze dias, Dona Maria o enviou para a Praça de Campo Maior como brigadeiro de seus Exércitos, e Dom Antonio viu — ou disse ver — na decisão a prova inequívoca de que era considerado um bom servidor. Lá estava ele de volta à antiga guarnição do Alentejo, na vila escarpada cuja fortaleza permitia divisar ao longe as terras de Espanha.[75] Enquanto o irmão Diogo cuidava da herança do pai, morto em 1773, conseguia promoções nos regimentos da Corte — tenente-coronel do regimento de infantaria de Cascais em 1780; coronel do famoso regimento do conde de Lippe em 1785 —, frequentava a boa sociedade — em 3 de julho de 1787 jantou com o primo-irmão, o marquês novo de Marialva, em casa de William Beckford — e "ganhava estado" casando-se com uma filha de Miguel de Melo, vulgo "o Letria", Dom Antonio via passarem-se os anos sem mulher ou filhos, cuidando do seu regimento de infantaria e perseguindo a remuneração dos serviços.[76] Das mercês e deferências solicitadas,

74. IANTT, Chancelarias Régias, D. Maria I, livro 3, fl. 26.

75. Pinho Leal, *Portugal antigo e moderno*..., pp. 70-1.

76. Para promoções de Diogo de Noronha, cf. IANTT, Conselho de Guerra, Decretos, 1780, mç. 139, doc. nº 66; ibid., 1785, mç. 143, doc. nº 23. Para o jantar em casa dessa controvertida personagem, cf. William Beckford, *Diário de William Beckford em Portugal e Espanha*, intr. e notas de Boyd Alexander, tradução e prefácio de João Gaspar Simões, Lisboa, Empresa Nacional de Publicidade, 1957, p. 117:

não obtinha nada, apenas, como escreveu em documento posterior, cuja data provável situa-se em torno de 1785, o prêmio "da honra de servir a Vossa Majestade, e ser *útil* [a]o Estado", em empregos, aliás, que a rainha lhe conferira "sem que ele os pedisse".[77] Sem muita convicção, movido pela necessidade retórica usual em situações análogas, admitia que ser útil — o adjetivo aparece sempre em seus escritos, qualificando as mais variadas ações — e cumprir com as obrigações de vassalo também lhe bastariam, "porque o seu gênio é mais de servir do que de pedir".

A certeza de ser merecedor, entretanto, e as circunstâncias de sua vida pessoal impeliam-no a lutar pelo reconhecimento e pelas mercês. Em 30 de novembro de 1773, ao morrer, o velho Dom Rodrigo Antonio de Noronha deixara para as filhas solteiras, Teresa e Maria da Arrábida, a remuneração dos seus serviços, e designara como testamenteiros e herdeiros a viúva, o primogênito dom Diogo Soares e o genro João Domingos de Mello.[78] Nenhuma palavra ou lembrança para Dom Antonio. A Casa da mãe, antes tão rica, ia de mal a pior, os documentos oficiais se referindo à "desgraça" que Dom Rodrigo Antonio teria padecido e à necessidade de Dona Maria I dar mostras públicas de que, mesmo depois de morto, reconhecia-o "sem culpa".[79] Em outubro de 1774, um

---

"O Marquês veio jantar e trouxe consigo o seu primo germano, D. Diogo de Meneses e Noronha, coronel do regimento do conde de Lippe, e considerado um dos melhores oficiais portugueses". Para o casamento de Diogo Soares de Noronha, cf. Felgueiras Gayo, *Nobiliário*..., p. 219, fl. 136v. Devo esta última informação a Tiago Reis Miranda.

77. Esta, e as demais citações, em IANTT, MR, Requerimentos, maço 675, cx. 782. Itálico meu.

78. IANTT, MR, Decretos, mç. 44, cx. 46, p. 11. O testamento está entre vários outros documentos.

79. IANTT, MR, Decretos, mç. 44, cx. 46, 22/7/1778. Tiago Reis Miranda sugeriu-me que Dom Rodrigo Antonio talvez tenha caído em desgraça durante a *Guerra Fan-*

decreto régio nomeava dois administradores para a Casa que tinha sido de Dom Rodrigo: o doutor José Luís Franca (ou França), desembargador dos Agravos da Casa de Suplicação, e José Ferreira Coelho, negociante de Lisboa. Procurava-se, assim, garantir a subsistência da viúva, que se lamentava de achar-se "no mais confuso e deplorável estado, com todos os rendimentos [da Casa] apreendidos por credores, sem lhe restar o que indispensavelmente precisa para seus alimentos".[80] O que teria acontecido? E por que, no âmbito familiar, o tratamento distinto dado a Dom Antonio? Esperava-se que buscasse, como de fato ocorreu, o próprio sustento a servir o rei em conquistas do Império?

A trajetória de Dom Antonio é mais um bom caso a ilustrar de que modo a administração colonial integrava estratégias tecidas pelas grandes famílias nobres, revelando ainda que as disposições testamentárias de seu pai têm lógica e coerência. Diogo Soares era, por nascimento e direito, o chefe da casa. Uma das filhas, Joaquina Maria, tomara estado com o casamento. Dona Teresa, solteira, foi no testamento instituída herdeira da terça paterna pelo "grande amor, excessivo desvelo e trabalho" com que o assistiu nas "prolongadas e excessivas moléstias". As dívidas eram tantas que, diferindo de boa parte dos grandes nobres de então, Dom Rodrigo Antonio não estipulou o número de missas a serem rezadas por sua alma,

---

tástica (1762) por trapalhadas — então muito comuns no Exército português (cf. Dumoriez, *An account of Portugal as it appeared in 1766*, Londres, 1797, pp. 255-6) — ou, a meu ver mais presumivelmente, por simpatizar com os inimigos franceses. Cf. *Descriptive list of the state papers of Portugal 1661-1780 in the Public Record Office London*, Lisboa, Academia das Ciências de Lisboa, Public Record Office, 1979, p. 351, vol. II, em que, em carta de Hay a Pitt, fica dito que "Dom Rodrigo de Noronha, Governor of the Algarve, is very pro-French".

80. IANTT, Casa da Suplicação/Administração de Casas/Rodrigo Antonio de Noronha e Meneses/ mç. 11, nº 1-9, cx. 11. Agradeço a Tiago Reis Miranda por me ter dado essa informação preciosa.

deixando à mulher toda liberdade nesse sentido: mandasse rezar quantas achasse por bem, e ainda talvez ficasse algum patrimônio para a família. Entre as razões para a sua derrocada financeira, o moribundo escolheu uma que servia para alinhavar um pedido de remuneração a ser colhido pelos descendentes: o fato de ter servido bem à rainha nos postos que ocupou, sempre arcando com as despesas. Fechando o testamento, um belo gesto de aristocrata bondoso e consciente da sua responsabilidade social: que a mulher tivesse atenção a um dos criados, José da Cunha, servidor fiel e enfermeiro de suas moléstias por mais de trinta anos. Dona Maria Antonia, a viúva, parece ter seguido as disposições à risca, dando continuidade ao "sistema" arquitetado pelo marido. Em decorrência dele, Dom Fernando Antonio, o filho menor, tornava-se, em 1775, moço fidalgo da Casa Real, um ano depois de Dom Antonio, o irmão segundo, conseguir o governo da capitania de Minas Gerais, sucesso para o qual devem tanto ter contribuído as ingerências e maquinações cortesãs de seu avô, o ainda todo-poderoso Dom Pedro de Meneses, o velho marquês de Marialva, quanto a amizade com o vice-rei do Brasil, expressa várias vezes nas cartas que Lavradio escreveu a Dom Antonio quando este já se encontrava em Vila Rica.[81] Foi ainda no seguimento do sistema traçado por Dom Rodrigo que, em 1777, dona Maria Antonia entrou com o pedido de remuneração dos seus serviços para dona Teresa.[82]

Evidências documentais indicam que, no regresso da América, Dom Antonio juntou-se à mãe e à avó na tentativa de obter junto à Coroa aquilo que os rendimentos familiares já não podiam mais proporcionar. Mesmo dizendo-se mais homem de servir que

81. Cf. *Cartas do Rio de Janeiro...*, pp. 158-70.

82. Para D. Fernando, IANTT, Mordomia Mor da Casa Real, livro 2, fl. 67; para os primeiros pedidos de remuneração para dona Teresa, IANTT, Ministério do Reino, Decretos, mç. 44, cx. 46.

de pedir, acreditava-se merecedor de remunerações, e necessitado delas porque, numa sociedade em que a honra era virtude decisiva, a tal o impelia sua história pessoal e as imposições do status:[83]

> como se vê reduzido a não ter em que sustentar-se, nem poder pela sua pobreza, aparecer com aquela decência que corresponde ao honroso lugar em que se acha, e ao seu nascimento, porque o suplicante não tem outra coisa mais que o seu soldo, e uma pequena mesada, *porque a casa de sua mãe não tem com que socorrê-lo*; enquanto o espírito de desinteresse do suplicante é bem constante, *por que basta se diga que veio pobre da América.*

Num só dia, 5 de agosto de 1780, Dona Maria I promovia o primogênito Dom Diogo Soares a tenente-coronel do regimento de infantaria de Cascais e Dom Antonio de Noronha a brigadeiro de seus exércitos no regimento de infantaria de Campo Maior: para o que ficava na fronteira e servira no ultramar, a graduação era maior; para o herdeiro, que fazia vida na Corte, a maior comodidade e visibilidade nos altos círculos compensava a inferioridade no grau.[84] Afinal, foi a este, e não a Dom Antonio, que Beckford pôde se referir, em 1787, como "um dos melhores oficiais portugueses".[85]

A avó, Dona Ana Joaquina de Portugal, criara duas filhas: Maria Antonia, a mãe de Dom Antonio, e Dona Antonia, casada

83. Antonio Manuel Hespanha observou que a tradição é elemento fundamental da sociedade de ordens: "Isto leva a que o estatuto social decorra não tanto da situação atual das pessoas, mas sobretudo de uma 'posse de Estado' estabelecida pela tradição familiar, pelo uso e pela fama". A mobilidade não desaparece, mas a estrutura social tende à ossificação, "reforçada pela ideia de que uma virtude decisiva — a honra (*honor*) consiste na permanente observância de cada um dos deveres e direitos do seu Estado". Cf. *As vésperas*..., p. 308.
84. IANTT, Conselho de Guerra, Decretos, ano 1780, mç. 139, doc. 66 e doc. 67.
85. Ver nota 76 supra.

com outro governador de Minas, Luís Diogo Lobo da Silva, e falecida em 1778.[86] Dona Ana Joaquina sobreviveu portanto à filha mais nova, e ante os apertos da casa da filha mais velha, recém-enviuvada, resolveu contribuir da maneira que estava a seu alcance, entrando com uma petição junto à rainha:

> a suplicante padece moléstia que totalmente a desengana da sua pouca duração; vê a sua casa decadente e empenhada pelo Real Serviço; segue-se o desamparo de suas duas netas, às quais não aconteceram legítimas por causa das muitas dívidas, não tem nesta situação triste mais do que procurar a piedade real e paternal proteção de Vossa Majestade para que se digne fazer-lhe a mercê que a Segunda vida que se havia de verificar na filha da suplicante D. Maria Antonia Soares de Noronha em a tença de dama se verifique em suas duas filhas Dona Teresa de Noronha e D. Maria d'Arrábida, netas da suplicante.

A rainha não demorou muito para deferir o pedido, mas quando o fez a velha dama já não estava mais neste mundo para assistir ao bom desfecho de sua estratégia: as duas netas receberam os 400 mil-réis de tença, "que levava a dita sua avó no almoxarifado da Portagem", divididos em duas partes iguais para cada, "ficando com esta mercê extinta, e de nenhum vigor a mencionada vida". A rainha fez-lhes ainda mercê de outra tença que a avó tinha no almoxarifado das Três Casas, de 100 mil-réis, divididos em duas parcelas de cinquenta, "para lograrem tudo com a mesma antiguidade do seu vencimento".[87]

Na década de 1780, portanto, arranjava-se a situação das

86. Fernando de Castro da Silva Canedo, *A descendência portuguesa de el rei D. João II*, Lisboa, Edições Gama, 1945, vol. II, pp. 25-7.
87. IANTT, MR, Decretos, 1782, maço 34, n°s 9-10.

irmãs solteiras, e Dom Diogo Soares passava a integrar o brilhante regimento do conde de Lippe. Só faltava Dom Antonio, bom governante e militar zeloso, que mesmo considerando o *serviço* como valor mais alto que o *pedido,* acreditava que ele impunha a recompensa. Na primeira súplica que dirigiu à rainha, Dom Antonio pediu a graça de uma comenda da Ordem de Avis, a de Santa Maria da Alçova na Cidade de Elvas, que então se achava vaga. Ante a omissão régia, Dom Antonio não perdeu a ocasião para invocar a ausência de reciprocidade:

> V. M. não deixa sem prêmio aqueles vassalos que têm sido *úteis* [a] o Estado, e o suplicante podia repetir muitos exemplos de todos aqueles a quem V. M. tem despachados; e os serviços do suplicante não são de menos condição, e parece que devem merecer a piedade de V. M. para a remuneração, visto até agora não ter tido despacho algum deles.

Qual o motivo que levava a rainha a agir com descaso? Afinal, argumentava Dom Antonio, "as comendas das ordens militares foram estabelecidas para premiar aqueles que se acham empregados no Real Serviço e que no mesmo adquiriram merecimentos que se fazem atendíveis", e Dom Antonio acreditava — com razão — "estar nas circunstâncias de Vossa Majestade o atender", como aliás o fazia com vassalos "fiéis e beneméritos que trabalham com zelo, honra e desinteresse na defesa do Estado".

Dom Antonio continuou tentando: a comenda achava-se vaga havia mais de vinte anos. Mais de uma vez frisou seu desprendimento, a honra de servir a rainha, "a glória de ser *útil* [a]o Estado, e de imitar os seus ascendentes". Valores ideais, contudo, iam sendo eclipsados pelo "pequeno soldo" e pela "mesada insignificante que lhe dá a sua casa", ambos insuficientes para "satisfazer as obrigações de um tratamento proporcionado à sua pessoa, e ao posto que exercita sem que, ou faça uma figura indecente, ou se veja nas circunstâncias de acrescentar novos empenhos aos que tem contraído no serviço de V. M., os quais nunca poderá pagar". O serviço do rei o ia assim empobrecendo, ao mesmo tempo que diminuía-lhe a honra, pondo a nu o paradoxo e a contradição de, naquele sistema, servir sem obter remuneração. Por outro lado, só a continuidade do serviço real o poderia tirar do impasse em que se achava, pois constituía uma forma de investimento, um capital suscetível de, num tempo posterior, ser convertido na doação.[88] Mais do que aquilo que Fernanda Olival denominou de *economia da mercê*, tinha-se, assim, um *sistema*: para poder continuar servindo à rainha, Dom Antonio precisava da sua graça, e o círculo se fechava.

Por isso, "fazendo violência ao desinteressado gênio" que era o seu, suplicava por recompensa. Se pedia remuneração dos serviços desde que voltara de Minas, em 1780, o primeiro insucesso foi, ao que parece, atribuído à ausência de comprovantes: mais um indício da inexperiência ou ingenuidade do postulante, pois os requerentes, em geral, anexavam vasta documentação aos pedidos, chegando a constituir montanhas de papel.[89] No último dia de 1784, Teixeira Coelho atestara seu desempenho exemplar como governador de Minas, e em maio de 1785 foi a vez do visconde de Lourinhã, sob cujas ordens servira antes de partir para a colônia, testemunhar sobre suas qualidades invulgares de organizador militar. Nova petição seguiu, assim, e no segundo semestre de 1788, como nada acontecia, Dom Antonio deixou sua Praça de Campo Maior para poder acompanhar, na Corte, o andamento da papelada. Numa fórmula curiosa, que mais uma vez revela o

88. Fernanda Olival, *As ordens militares e o Estado moderno: honra, mercê e venalidade em Portugal (1641-1789)*, Lisboa, Estar, 2001, p. 24.
89. Este foi o caso, por exemplo, do pedido de Luís Diogo Lobo da Silva, que ultrapassa os mil fólios. Ver a respeito o capítulo anterior deste livro.

aspecto patrimonial do serviço e sistêmico da mercê, prometeu depositar aos pés do rei os anos que lhe restavam: "A necessidade do suplicante o obriga a oferecer a Vossa Majestade, quando os trinta anos de serviço não bastem para merecer a dita comenda, todos os mais, que forem do seu Real agrado".[90] A própria vida deixava de ser sua e, levando às últimas consequências o seu lado público, empenhava-a junto à Coroa. A rainha reagiu com a concessão de "400 mil réis de tença efetiva nos almoxarifados do Reino".[91] Comendas, nenhuma. Delas, contudo, Dom Antonio não abriria mão: mais do que sobre as propriedades rurais, muitas vezes seculares, era nos bens da Coroa em geral, e nas comendas em particular, que repousava o patrimônio das grandes famílias nobres de então.[92]

Em 20 de agosto de 1793, ou seja, treze anos após ter iniciado os pedidos de remuneração de serviços, Dona Maria despachou condecorando Dom Antonio de Noronha com o Hábito Militar da Ordem de Santiago — uma ordem subalterna —, da comenda do Forno do Sapalinho.[93] Dois anos antes, em 1º de abril de 1791, um decreto real nomeava o irmão mais moço, Dom Fernando Antonio, governador e capitão-general do Maranhão, onde permaneceu até 1798, mais tempo, portanto, que Dom Antonio em Minas. Em maio daquele mesmo ano, Dom Antonio tinha se tor-

90. IANTT, MR, Decretos, maço 44, caixa 46, p. 14.
91. Ibid.
92. Se os bens da Coroa e ordens representavam cerca de 55% dos rendimentos dos grandes estudados por Nuno Monteiro, cabia "às comendas das ordens militares, só por si, quase um terço do total". Nuno Gonçalo Monteiro, *O crepúsculo dos grandes...*, p. 493.
93. IANTT, MR, Registro de Portarias, livro 402, fls. 59v-60. No documento, consta como se fosse da Ordem de São Bento de Avis, mas Nuno Monteiro e Fernanda Olival sustentam que a comenda do Forno do Sapalinho pertence à ordem de Santiago. Cf. IANTT, MR, 155A.

nado marechal de campo, o que só aconteceria com o irmão Dom Diogo Soares dois anos depois.[93]

Em 1795, a comenda do Forno do Sapalinho achava-se vaga, mas Dom Antonio continuava vivo e atuante nas funções militares. Diferentemente de outros militares de seu tempo, inclusive dos que foram promovidos a marechal de campo ou agraciados com comendas de ordens militares no mesmo dia e no mesmo despacho que ele, Dom Antonio vivia, ao que tudo indica, ausente da Corte e do convívio familiar, aparecendo apenas nos documentos militares, confinado que devia continuar às guarnições da fronteira alentejana. Luís de Miranda Henriques, terceiro conde de Sandomil, frequentava a Corte e era amigo íntimo do príncipe do Brasil.[95] Forbes Skellater, general inglês que em mais de uma ocasião é seu companheiro nas fontes oficiais, casara-se na aristocracia do Reino, tivera filhas, frequentava com assiduidade o círculo de William Beckford e de Marialva — primo-irmão de Dom Antonio —, mantendo casa na área nobre da Lisboa de então. O milionário inglês considerava-o dono de uma reconfortante "franqueza varonil" e admirava o senso crítico com que via Portugal.[96]

94. AHM, documento citado. IANTT, Conselho de Guerra, Decretos, ano 1793, mç. 151, doc. nº 57.
95. Beckford, *Diário*..., p. 195.
96. "Tudo o que eu diga em louvor de Forbes é pouco. [...] A sua opinião foi claramente esta: que quanto mais cedo eu deixasse esta terra de piolhos, de escroques e de mendigos melhor para mim." Beckford, *Diário*..., p. 204. Ver, nas pp. 96, 120 e 200, outras referências a Forbes Skellater. As peripécias de seu casamento com uma linda jovem da nobreza que enfrentou tudo e todos para se unir a ele está em Arthur William Costigan, *Cartas sobre a sociedade e os costumes de Portugal: 1778-1779*, trad., prefácio e notas de Augusto Reis Machado, Lisboa, Lisóptima, 1989, pp. 168-74, vol. 1. Em Sequeira, *Depois do terramoto*..., fica dito que Forbes, na época em que convivia com Beckford, morava num correr de casas que iam do Rato à rua de Vale do Pereira, de propriedade do conselheiro José Botelho Muniz da Silva (p. 301), e que se casara com dona Ana Joaquina de Almeida, tendo três

Dom Antonio não logrou as comendas e mercês que pediu, não teve Casa sua, títulos, mulher, filhos ou atuação cortesã. O governo de Minas, que desempenhou com dedicação, foi episódio passageiro de uma vida dedicada às armas, e não lhe trouxe maior benefício ou riqueza. Nos últimos anos de sua vida, uma trajetória eminentemente pública esfumaça os vestígios deixados pela vida privada. Participou, entre finais de 1793 e o início de 1795, da campanha do Rossilhão, destacando-se pela coragem e disciplina: em dezembro de 1793, comandou o regimento de Olivença no ataque a Villelongue, nos Pireneus, e os seus soldados, ao contrário dos espanhóis, abstiveram-se de pilhar os cadáveres; um ano depois, em Gerona, teve de assumir o comando deixado por Forbes, que caíra doente, apesar de ele mesmo encontrar-se, então, com a saúde bastante comprometida.[97] Quase sempre preso ao leito, impossibilitado de montar a cavalo, Dom Antonio logo passou o comando a seu imediato, o marechal de campo Dom Francisco Xavier de Noronha, indo "buscar lenitivo a Barcelona".

---

filhas: Maria Cristina, Joana Vitória e Ana Benedita. Forbes achava-se vivo em 1807, e oito anos depois "habitavam ainda no Salitre a sua viúva e filhas" (p. 308). O decreto real que concede a comenda a Dom Antonio, a Miranda Henriques, a Forbes Skellater e a outros encontra-se em IANTT, MR, Decretos, maço 54, p. 155, caixa 58.

97. Para a referência ao fato de ter substituído Forbes no comando, cf. *Gazeta de Lisboa*... A campanha do Rossilhão decorreu da ideia de enfrentar a França revolucionária por meio de uma coalizão formada por Portugal, Espanha e Inglaterra. Os inícios foram marcados por sucessos, mas na sequência verificaram-se "verdadeiras jornadas de sacrifícios, pois as tropas não podiam ser convenientemente apoiadas". Os luso-espanhóis tiveram que bater em retirada, e em 1795 assinou-se em Basileia uma paz entre a República Francesa e a Espanha que deixou Portugal de lado. Cf. Joel Serrão, *Pequeno dicionário da história de Portugal*, Porto, Figueirinhas, 1981, p. 682.

Em meio à desordem imperante nas tropas aliadas, o velho militar deu vazão ao *amertume*:

> Escrevendo ao ministro da guerra, debuxava com as mais sombrias cores o estado lastimoso, em que tinha vindo a parar a situação militar dos aliados. Assombravam-lhe o ânimo abatido as consequências, que porviriam certamente da condição, em que haviam decaído as forças contrapostas ao exército francês vitorioso. Impossíveis se lhe afiguravam os prospectos de que as circunstâncias viessem a melhorar.[98]

Em 1798, ingressou no Conselho de Guerra, e entre o segundo semestre de 1808 e o início de 1809 foi encarregado do Governo de Armas da Corte e da Província da Estremadura, vendo-se, no final do ano, governador da Torre de Belém.[99] Velho, aproximava-se dos centros decisórios do poder, mas fazia-o, sintomaticamente, quando a Corte e os cortesãos se haviam transmigrado para o Rio de Janeiro, e o que se necessitava na Lisboa ocupada era de militares experimentados. Dom Antonio deixava assim a fronteira alentejana onde passara a vida espreitando espanhóis e instalava-se na barra do Tejo, onde fundeavam navios ingleses.

Em 1807, pouco antes de vir afinal ter a Lisboa, Dom António Soares de Noronha encabeça um requerimento, junto com os irmãos Dom Fernando António de Noronha, Dona Joaquina Mariana de Noronha e Dona Teresa Soares de Noronha — teria Maria da Arrábida morrido? —, destinado a integrá-los na posse dos rendimentos de um padrão de juros de 100$000 réis. Tornara-se, ao que parece, o chefe da Casa, passando inclusive a usar o Soa-

98. José Maria Latino Coelho, *História militar e política de Portugal desde fins do XVIII século até 1814*, Lisboa, Imprensa Nacional, 1891, p. 440, t. III.

99. AHM, documento citado.

res que antes só se via nos documentos alusivos ao primogênito, dom Diogo Soares de Noronha Matos Veiga do Avelar Taveira Corte Real, por conta de quem o tal processo correra até então.[100] A pouca fortuna — material e figurada — perseguiu Dom Antonio até o fim, cabendo-lhe ser chefe de uma família arruinada.

Em 1814, quando morreu, a *Gazeta de Lisboa* deu destaque ao fato, ocorrido na noite de 4 para 5 de março.[101] Conta que sepultaram-no no jazigo familiar do Convento da Santíssima Trindade — possivelmente o mesmo que enterrara tantos Soares da Cotovia antes dele — e que, ao longo do caminho por que passou o féretro, as tropas da guarnição da capital estiveram "postadas em alas, com todo o asseio".[102] O comandante das forças britânicas, general Peacock, ordenou que seus soldados também lhe rendessem home-

100. Paço Ducal de Vila Viçosa, *Cartório da Casa de Bragança*, N. N. G. 1.038 (antigos N. G. 224 e Ms. 1.546), Padrão A.

101. No início de agosto de 1814, o processo já referido pela integração de juros passa a ser capitaneado por Dom Fernando António de Noronha. Com sua morte, em 1827, quem se habilita é Dom Miguel António de Melo Abreu Soares de Brito Barbosa Vasconcelos Guedes, 1º conde de Murça, filho da irmã Joaquina e de Dom João Domingos de Melo, que Dom Rodrigo Antonio nomeara, como se viu, o terceiro na ordem de seus herdeiros. Dom Miguel, como os tios Antonio e Fernando, foi administrador colonial, estando à frente do governo de Angola (1795-1800), recebendo em 1801 nomeação para Pernambuco (onde não serviu) e respondendo pelos Açores durante a Guerra Peninsular. Coroou esses serviços com o Ministério da Fazenda e dos Negócios Estrangeiros, e foi colaborador fiel de Dom João VI. Agradeço a Tiago Reis Miranda por ter me chamado a atenção para esses dados, com os quais travou contato por meio de um catálogo datilografado no Cartório da Casa de Bragança do Paço Ducal de Vila Viçosa.

102. Consta que, desde pelo menos o século XVI, os Soares, da Cotovia, moravam na região entre o Carmo e a Trindade. No final do século XVIII, há referência a um Manuel Soares de Noronha a administrar uma capela na Santíssima Trindade, a de Margarida Álvares. Não é improvável que seja a referida na *Gazeta* como última morada de Dom Antonio de Noronha. Cf. Gustavo de Matos Sequeira, *O Carmo e a Trindade*, vol. III, p. 217. Agradeço a Tiago Reis Miranda por mais essa informação preciosa.

nagem, "pelo apreço que fazia do extinto fidalgo". Todas as referências invocam o homem público: "As relevantes virtudes morais e militares do Tenente General Governador são mui geralmente conhecidas, para que se nos possa taxar de exageração o dizermos que foi ele um dos mais abalizados e beneméritos vassalos dos soberanos deste Reino", considera a *Gazeta*. Do caráter, parece que o tempo o suavizara, e foi possível então dizer que Dom Antonio sabia "temperar com moderação o rigor da lei, tratando com comedida afabilidade os subalternos, e com atenção os iguais", mostrando-se "inteiro e reto no desempenho das obrigações de seus cargos" e, dessa forma, sabendo fazer-se "digno do Real Agrado dos nossos Augustos Soberanos, e credor de geral benevolência".[103]

As qualidades de Dom Antonio foram destacadas também na subliteratura, por meio da pena de um seu criado — um secretário, talvez. Por ocasião de seu penúltimo aniversário, um certo José Gonçalo de Araújo e Sousa dedicou-lhe uma *Ode* de possível inspiração gonzaguiana, alternando as virtudes públicas e as privadas:

Na Guerra furibundo, Mestre d'Arte
Na paz, suave, piedoso, e terno
Com as sábias leis do Eterno
Adoça as leis de Marte;
Ouve as Minas carpir, ouve Além-Tejo,
Esse bem que lhe rouba o pátrio Tejo.
[...]
Amar a Pátria, defender constante
O Soberano, a virtude, o desgraçado,
Este é o cunho honrado
Do Varão triunfante,

103. IANTT, *Gazeta de Lisboa*...

Que Jove manda ao torpe se anteponha;
Este o Caráter do Ínclito Noronha.[104]

No ano seguinte à sua morte, o mesmo *criado* publicou um *Panegírico Histórico* exaltando-lhe os feitos. Abria-se o tempo da Santa Aliança, e o autor sentiu-se à vontade para criticar os que se aferravam aos princípios igualitários e não distinguiam os que se elevavam acima "deste geral formigueiro de homens, que não fazem mais do que limitar-se só a si, e ao pequeno círculo em que se movem".[105] Dom Antonio, ao contrário, tinha vivido para servir o Estado, e nunca se deixara contaminar pelo orgulho, soberba, altivez e insensibilidade tão comuns entre os de sua condição. Em vez de se aferrar aos "brasões idosos" e apontar "aos outros os túmulos dos seus", praticou, desde jovem, o bem por dever, e cultivou qualidades nem sempre encontráveis entre guerreiros, como as do espírito. Governando as Minas, foi braço do rei e acolheu os pobres, sempre cioso das obrigações: "pôs aos pés do Trono um coração desempenhado nos seus deveres, mas livre dos desejos de recompensa de novo progresso da fortuna, somente certo que tem feito o seu dever, e indicando quanto se abrasa por novos e mais altos sacrifícios".[106]

104. *Ode aos annos do Ill.mo, e Ex.mo Senhor D. Antonio Soares de Noronha offerecida, e dedicada pelo seu criado Gonçalo José de Araújo e Sousa.* Na Impressão Régia, 1812. Com licença.
105. *Panegírico histórico da vida do ill.mo e Ex.mo Senhor D. Antonio de Noronha, do Conselho de S.ªR., e do de Guerra; Grã Cruz da Ordem de Santiago da Espada, Comendador da Ordem de S. Bento de Aviz, Tenente General dos Reais Exércitos, Encarregado do Governo das Armas da Corte, e Província da Extremadura, e Governador da Torre de S. Vicente de Belém, &c. Escrito e dedicado à Memória por Gonçalo José de Araújo e Souza.* Lisboa, na Typografia Lacerdina, ano de 1815. Com licença da Mesa do desembargo do Paço, p. 14. Devo essa referência, bem como a da ode, à generosidade de Tiago Reis Miranda.
106. Ibid., p. 32.

Não é cômoda a situação dos grandes, prossegue o panegirista. Nascem já alçados acima do comum dos homens, a condição natural pondo-os "aos olhos dos povos em elevados teatros", e o destino oferecendo-lhes possibilidades múltiplas:

> os pequenos estão sempre no mar morto das circunstâncias, onde nunca as ondas se levantam por nenhuma rajada desmedida, e assim navegam sempre ao porto seguros, e sem receio; a viagem dos grandes é quase sempre feita por um oceano vasto e incompreensível, em o qual há sempre tufões furiosos, ondas encapeladas; onde há sempre riscos medonhos, e que trazem naufrágios inevitáveis, quando se mareia muitas vezes na mais agradável e doce bonança; os pequenos, limitados a um só caminho, chegam ao seu destino sem extravio; os grandes, tendo muitos que o conduzam ao seu fim, perdem-se neles frequentes vezes, cansam-se, e morrem desfalecidos em meio de tantos passos, sem poderem atinar, nem conservar-se na vereda direita e infalível.[107]

O senso público do dever, contudo, norteou Dom Antonio até o fim da vida: "nunca se escutou no seu gabinete a voz queixumenta e egoística da velhice; [...] S. Excia tinha por máxima, como Alexandre, mas com um espírito oposto, que o espaço em que se devia medir o homem não era aquele da idade, mas sim o da utilidade que podia produzir, ou das virtudes que podia praticar".[108]

Este texto obscuro só corrobora a hipótese de que há um mistério a envolver a vida de Dom Antonio de Noronha, nascido muito nobre mas, como segundo filho e rebento de outro filho segundo — Dom Rodrigo Antonio de Noronha —, desprovido de Casa ou título. A carreira das armas era o destino natural de

107. Ibid., p. 38.
108. Ibid., pp. 62-3.

homens como ele, mas teve ainda uma breve passagem pela administração do Império, que também dourava brasões, conferia honras e mercês.[109] Não há palavra que desabone os seus longos anos de vida pública, nem suspeita que lhe embace a reputação de honrado. Não foi homem de salão, não privou da intimidade dos reis nem frequentou a Corte, como outros do seu meio ou que ostentassem trajetória análoga. Galgou com disciplina e método a carreira militar — afinal, desde Minas mostrara-se *homem de sistema* — e só dela extraiu a honra e a estima social que, na hora da morte, foi invocada como seu galardão maior. Na única ocasião em que pediu um reconhecimento que era também simbólico, teve resposta decepcionante.

Talvez as contradições do tempo se expressassem em Dom Antonio com intensidade maior que o desejável, conforme testemunham os escritos que deixou. *Utilidade* não é expressão muito corrente na documentação da época, mas onipresente em tudo quanto Dom Antonio escreveu: dos vadios, que podiam transformar o trabalho esporádico em sistemático; do serviço, que dava ao dever de vassalagem um matiz mais moderno. Nos centros europeus já francamente capitalistas, a expressão ia se transformando em conceito, moderno por excelência. Na pena de Dom Antonio — e na sua cabeça —, convivia com o apreço pelo reconhecimento do rei, pela estima social, pelo lustro da linhagem, pelo sistema de mercês que cimentava as elites e a monarquia lusitana de Antigo Regime.

Dom Antonio de Noronha viveu a cavaleiro de dois mundos e às voltas com princípios distintos: os do Antigo Regime, que eram seus desde o berço, e os da carreira aberta ao talento, que o furacão de Bonaparte descortinara para o Ocidente; os da sociedade de

109. O panegirista alude ao fato de cogitarem dele para o governo de armas da Bahia logo antes da campanha do Rossilhão. Cf. *Panegírico histórico...*, p. 41.

estados, à qual viera distinguido pelo nascimento, e os da sociedade de classes, à qual satisfazia com o valor pessoal. Tudo isso faz dele um objeto privilegiado para a análise micro-histórica, pois a reconstituição de sua trajetória traz à tona as estruturas invisíveis da sociedade, que no seu tempo viam-se sacudidas por contradições incontornáveis.[110] Dom Antonio foi um observador estrito do mérito, sem para tanto abandonar por completo as estratégias familiares, conforme se viu acima. Mas foi discretíssimo: nunca aludiu à filiação ilustre ou à parentela, preferindo sempre invocar os feitos e o zelo.

Teria motivos especiais para isto, assentados talvez numa desavença familiar? O pai o nomeou no testamento, sem contudo incluí-lo entre os testamenteiros ou entre os que estavam na linha sucessória; a mãe, de quem ostentou o nome — o dos Soares da Cotovia — no único documento que assinou, pedia, já viúva, que Lavradio zelasse por seu filho, perdido no centro da América portuguesa. Teriam as questões de herança levado Dom Antonio a se afastar da família, ou o fizera devido a um gênio impossível?

Não há por ora resposta acabada ou suficiente. Mas parece fora de dúvida que, no império português, não era para todos, nem sempre, que a economia do dom, da dádiva, da graça ou da mercê distribuía seus benefícios, nem achavam-se eles diretamente relacionados com o merecimento. Se havia sempre uma cota disponibilizada para garantir o funcionamento do sistema, havia igualmente, em nome da racionalidade de uma época contraditória,

110. Penso aqui na definição de micro-história proposta por Ginzburg em "O nome e o como — troca desigual e mercado historiográfico", in id., *A micro-história e outros ensaios*, Lisboa, Difel, 1989, pp. 177-8: "A análise micro-histórica é, portanto, bifronte. Por um lado, movendo-se numa escala reduzida, permite em muitos casos uma reconstituição do vivido impensável noutros tipos de historiografia. Por outro lado, propõe-se indagar as estruturas invisíveis dentro das quais aquele vivido se articula".

a parte que se devia poupar. Não foi com certeza por faltar-lhe mérito ou qualidade que a Dom Antonio coube esta segunda: sua história enigmática sugere que não sabia pedir, agradecer e que, quem sabe, viera ao mundo já infortunado.

Uma versão preliminar deste capítulo foi apresentada no Seminário Internacional *The making of the overseas career*, Instituto Universitário Europeu, Florença, 11 a 13 de dezembro de 2003.

10. Um servidor e dois impérios: Dom José Tomás de Meneses

Firme em minha tristeza, tal vivi.
Cumpri contra o Destino o meu dever.
Inutilmente? Não, porque o cumpri
Fernando Pessoa, *Mensagem*

DA NAU "GIGANTE" A VILA RICA — 1779-1780

As embarcações que uniam as diferentes partes do império português carregaram administradores, religiosos, homens comuns em busca de vida nova, sementes, plantas e animais. Apesar das tempestades e das calmarias, do casco muitas vezes deteriorado a fazer água, da falta de alimento fresco e de qualquer conforto, essas embarcações foram por séculos o único elo entre as metrópoles e suas colônias. As viagens podiam se complicar, espichando exageradamente o trajeto, e um historiador do império espanhol observou que, hoje, parece surpreendente o fato de viagens por vezes tão longas, difíceis e desagradáveis serem "uma experiência comum" e constituírem "a ligação entre as colônias e a mãe pátria".[1]

No terceiro quartel do século XVIII, a nau "Gigante" era uma dessas embarcações, cruzando regularmente o Atlântico na diagonal norte-sul e sul-norte. Em 1779, ela trazia para o Brasil um nobre de linhagem ilustre, o primeiro administrador colonial do seu ramo. O pai, Dom Pedro de Meneses, o célebre marquês de Marialva dos tempos de Pombal, foi homem de corte, cavaleiro famoso em toda a Europa e notável por inaugurar um modo próprio de cavalgar. Dom Rodrigo, o nono e último de seus filhos, havia primeiro sido designado para o governo do Pará, mas, talvez por pressão familiar, acabou indo ter ao das Minas Gerais, região menos ameaçadora para quem se iniciava nos negócios da colônia e dos trópicos.[2] Embarcou na "Gigante" com a mulher, Dona Maria José Ferreira d'Eça e Bourbon, com quem tinha se casado em 1766, e os dois filhos do casal, Dom Gregório, de dez anos, e Dom Diogo, de sete, ambos nascidos em Guimarães, no Minho.[3] O terceiro veio ao mundo a 24 de setembro, cerca de dois meses após terem deixado Lisboa e quase quarenta dias antes de chegarem à Bahia. Filho do mar ou rebento de um império marítimo, Dom Manuel foi batizado aos quatro dias por Dom Domingos da Encarnação Pontével, que seguia para assumir o bispado de Mariana. Bispo e governador, ambos novos em seus cargos,

1. Murdo J. Macleod, "A Espanha e a América: o comércio atlântico", in Leslie Bethell (org.), *História da América Latina. I — América Latina Colonial*, São Paulo/Brasília, Edusp/FUNAG, 1997, pp. 339-90.

2. Para esses e outros detalhes, ver Laura de Mello e Souza, "Os nobres governadores de Minas. Mitologias e histórias familiares", in id., *Norma e conflito — aspectos da História de Minas no século XVIII*, Belo Horizonte, UFMG, 1999, pp.175-99. D. Rodrigo José de Menezes era primo-irmão de Dom Antonio de Noronha, estudado no capítulo anterior deste livro e filho de seu tio paterno, Rodrigo Antonio de Menezes e Noronha.

3. Para os dados sobre a família de Dona Maria José, ver Albano da Silveira Pinto,

devem ter selado na travessia atlântica a amizade que, sabe-se, continuou em Minas, onde interesses intelectuais análogos aproximaria ambos da elite letrada da capitania.[4] O prelado era idoso, o governador completou os 28 anos já em território colonial: tão moço, mas já pai de três crianças, e desde os catorze anos, casado com Dona Maria José, que na época da boda tinha apenas treze.

Na "Gigante" veio também o marquês de Valença, Dom Afonso Miguel de Portugal e Castro, novo governador da Bahia e que, como Dom Rodrigo, trouxe consigo a mulher, Dona Maria Telles da Silva, filha dos marqueses de Alegrete.[5] Parece que começava então a se tornar mais corriqueiro o fato de as mulheres acompanharem os maridos governadores nas viagens de serviço, uma das precursoras mais célebres nesse sentido tendo sido, no meado do século, a desafortunada marquesa de Távora, que seguiu para Goa com o marido vice-rei cerca de dez anos antes de ambos pere-

---

Resenha das famílias titulares e grandes de Portugal, Lisboa, Empresa Editora de Francisco Arthur da Silva, 1883, pp. 433-5, t. I.

4. O bispo Pontével, diferentemente de outros clérigos da capitania, tinha biblioteca vasta e variada, não se atendo apenas a livros relacionados às atribuições imediatas dos eclesiásticos. Cf. Luís Carlos Villalta, "Os clérigos e os livros nas Minas Gerais da segunda metade do século XVIII", *Acervo* – Revista do Arquivo Nacional, Rio de Janeiro, vol. 8, nº 1/2, jan.-dez. 1995, p. 21.

5. Há referências esclarecedoras à viagem de Lisboa ao Brasil numa carta do marquês de Valença ao ministro Mello e Castro, em que conta: "A nau que me conduziu saiu daqui no dia 14 de dezembro de 1779, fazendo viagem para o Rio de Janeiro e levando o meu antecessor Manuel da Cunha Meneses, o bispo de Mariana e o Governador das Minas D. Rodrigo de Menezes, com sua mulher que trazendo 2 filhos de Lisboa, se achou com mais outro que lhe nasceu no mar com bom sucesso aos 12 dias de viagem". Cf. "Carta do Marquês de Valença para Martinho de Mello e Castro, em que lhe dá notícia da viagem, da sua chegada à Bahia, de ter tomado posse em 13 de novembro último e da partida do seu antecessor Manuel da Cunha Menezes. Bahia, 5 de janeiro de 1780", *Anais da Biblioteca Nacional*, vol. XXXII, 1910, pp. 455-6, citação à p. 456.

cerem supliciados em praça pública.[6] A marquesa de Valença era mais jovem que a herdeira dos Ferreira d'Eça, e estava casada havia cerca de um ano, tendo possivelmente engravidado a bordo: em maio de 1780 deu à luz ao primogênito, o "baiano" José Bernardino. Se havia os laços do meio social a unirem as duas famílias antes da viagem, a travessia serviu para estreitá-los, e visto que a nau só partiu cerca de um mês depois — chegou em 11 de novembro e deixou a Baía de Todos os Santos em 14 de dezembro —, os Menezes e os Portugal tiveram ainda um mês de convívio pela frente. Pela vida afora, seus destinos se cruzariam mais de uma vez: em 1784, o marquês de Valença passou o governo da Bahia para Dom Rodrigo; em 1834, sua neta, Maria do Resgate Portugal e Castro, filha de José Bernardino, o baiano, casou-se com um dos netos de Dom Rodrigo, Rodrigo José de Menezes Ferreira d'Eça, filho de José Tomás, um de seus filhos nascidos em Minas, e tornado herdeiro dos avós ante a ausência de geração no casamento dos tios mais velhos.[7]

Nos idos de 1779, a 14 de dezembro, Dom Rodrigo, a família, o bispo e Manuel da Cunha Meneses, que tinha passado o governo ao marquês de Valença, seguiram afinal para o Rio de Janeiro. Minas só foi alcançada no início do ano seguinte: a posse do governador verificou-se em 20 de fevereiro e a do bispo, com

6. A decisão da jovem marquesa de Valença acompanhar o marido ao Brasil mereceu um poema encomiástico: ver José Jacinto Nunes de Mello, *Canção em que se pertendia louvar a illma e excma senhora Marqueza de Valença D. Maria Telles da Silva pela resolução de acompanhar ao governo da Bahia a seu esposo o illmo e excmo senhor Marquez de Valença dedicada ao illmo e excmo senhor marquez de Penalva &c &c &c*, Lisboa, na Regia Officina Typografica, MDCCLXXXIX.
7. Afonso Eduardo Martins Zuquete, *Nobreza de Portugal*, Lisboa, Editorial Enciclopédia Ltda., 1989, p. 469, vol. III. Domingos de Araujo Affonso e Ruy Dique Travassos Valdez, *Livro de oiro da Nobreza*, Braga, Na Tipografia da "Pax", 1934, pp. 608, 627-32, t. III.

entrada solene, cinco dias depois.[8] Do Rio, a "Gigante" voltou para Lisboa, levando Manuel da Cunha Meneses.

Em Minas, a família de Dom Rodrigo José aumentou. Primeiro nasceu Eugênia, cujo nome homenageava a avó paterna, a marquesa de Marialva, morta de febre puerperal após o nascimento de Dom Rodrigo José. Eugênia teria, como se verá adiante, sorte ainda mais triste que a antepassada.[9] Veio depois

8. Todos os dados sobre a "Gigante" em Francisco Adolfo de Varnhagen, *História geral do Brasil*, 3ª ed. integral, São Paulo, Melhoramentos, s.d., p. 361, vol. v. Notar que o historiador comete alguns erros: o bispo que vinha na nau era Pontével, e não frei Cipriano de São José; à p. 383, quando arrola os prelados de Minas, ele mesmo afirma que o designado para Mariana fora Domingos da Encarnação Pontével. Cipriano só foi nomeado em 1796, tomando posse em Lisboa em 1797 e chegando a Minas apenas em 1799. Para o encontro entre dom Rodrigo e dom Antonio de Noronha na fronteira, ver Laura de Mello e Souza, "Frontière géographique et frontière sociale à Minas Gerais dans la seconde moitié du XVIIIe siècle", in Katia de Queiros Mattoso, Ildelette Muzart Fonseca dos Santos Denis Rolland, *Naissance du Brésil moderne — 1500-1808*, Paris, Presses Universitaires de Paris-Sorbonne, 1998, pp. 273-97; esse artigo foi publicado depois como "Fronteira geográfica e fronteira social em Minas na segunda metade do século XVIII", in Maria Clara Tomaz Machado, Rosângela Patriota (orgs.), *Política, cultura e movimentos sociais: contemporaneidades historiográficas*, Uberaba, Programa de Mestrado em História, UFU, 2001, pp. 103-14.

9. Ver a respeito IANTT, Real Mesa Censória. *Gazeta de Lisboa*, cx. 465, *Gazeta* nº 13, sábado 1º de abril de 1752, p. 259: "O filho que ultimamente nasceu ao Ilustrissimo e Excelentissimo Senhor D. Pedro de Meneses, 4º Marquês de Marialva, foi batizado D. Rodrigo José de Meneses". Na *Gazeta* nº 10, terça-feira 7 de maio de 1752, p. 192, fica registrado que a marquesa dera à luz em 13 de fevereiro na sua quinta na Marvila, e que passados alguns dias teve febre, foi sangrada, teve alívio de imediato mas logo piorou, tomando os sacramentos a 26 de fevereiro e morrendo no dia seguinte, com 29 anos. Cf. Júnia Ferreira Furtado, *Chica da Silva e o contratador de diamantes*, São Paulo, Companhia das Letras, 2003, p. 312, nota 80. Por ocasião da morte da marquesa, o desembargador João de Sousa Caria escreveu um *Elogio fúnebre da sentidíssima morte da ilustrissima e excelentissima senhora marquesa de Marialva, condessa de Cantanhede, D. Eugenia Josefa Teresa de Assis Mascarenhas*, Lisboa, 1752 (cf. *Gazeta* nº 10. Terça-feira 7 de maio de 1752, p. 192).

Isabel, nome escolhido, provavelmente, para homenagear a avó materna, Isabel de Bourbon, já que o avô materno fora lembrado no primogênito, Gregório: a dupla homenagem aos ascendentes se justificava porque, sendo Dona Maria José filha única, sobre ela recairia a herança do pai, 11º senhor da Casa de Cavaleiros.[10] Por último, no segundo semestre de 1782, nasceu José Tomás, em cuja descendência, portanto, continuaria, como se verá, a casa e o título dos Cavaleiros.

No final de1783, Dom Rodrigo e família seguiram para a Bahia, onde o marquês de Valença passou-lhe o governo. Deve ter sentido deixar a capitania onde fizera amigos e um nome de administrador sério, empenhado e cheio de boas intenções. Sua casa, governada por Dona Maria José, recebia a elite intelectual de Vila Rica e provavelmente sediava sessões em que se recitavam poemas vários, alguns laudatórios e feitos em intenção da família governante, como o *Canto genetlíaco*, que Inácio José de Alvarenga Peixoto compôs por ocasião do nascimento de Dom José Tomás e que é, até hoje, considerado um de seus melhores trabalhos.

Uma carta de Alvarenga ao contratador João Rodrigues de Macedo sugere que continuou, à distância, a conservar estima pelo antigo governador, ou a manter com ele interesses econômicos comuns: em maio de 1788, procurava se informar sobre a nau que proximamente chegaria ao Rio, "e se vier o Sr. D. Rodrigo, como dizem, espero acompanhar o Exmo. Sr. Luís da Cunha [Meneses], e beijar a mão ao Sr. D. Rodrigo, e ao

10. Silveira Pinto, *Resenha das famílias titulares e grandes de Portugal*... D. Gregório d'Eça, pai de Dona Maria José, tinha sido ainda moço fidalgo da Casa Real com exercício, capitão-mor da vila de Guimarães, Familiar do Santo Ofício (carta de 13/6/1720) e senhor de outros vínculos. Dona Maria José nasceu de seu segundo casamento, com Isabel de Bourbon, filha de Dom João d'Almeida Portugal, veador da rainha, e de sua mulher, Cecília de Noronha, da Casa de Avintes.

nosso novo general".[11] Após cumprir o mandato, Dom Rodrigo havia deixado Salvador em 18 de abril, a bordo de uma fragata construída na Bahia, a Nossa Senhora da Graça. Conforme a menção de Alvarenga, no Rio ficou o novo governador de Minas, Luís Antonio Furtado de Mendonça, o visconde de Barbacena da Inconfidência Mineira. A fragata seguiu viagem, e após 58 dias de travessia devolveu ao Reino a família Meneses: haviam se passado dez anos, quatro crianças tinham nascido em terras (ou águas) americanas e Dom Rodrigo voltava servidor do Império.[12]

O MENINO E O POEMA — 1782

Antes de 1782, quando Alvarenga Peixoto dedicou seu poema a Dom José Tomás de Meneses, pelo menos quatro governadores de Minas tinham sido festejados com versos: Gomes Freire de Andrada, Luís Diogo Lobo da Silva, Dom José Luís de Meneses e Dom Antonio de Noronha, todos por Cláudio Manuel da Costa. Após compor o poema de que se fala aqui, o próprio Alvarenga Peixoto continuou cortejando outros poderosos com o verso.[13] A peculiaridade do *Canto genetlíaco* não é, pois, lou-

11. "Correspondência de Alvarenga Peixoto", Manuel Rodrigues Lapa, *Vida e obra de Alvarenga Peixoto*, Rio de Janeiro, INL/MEC, 1960, p. 75. Pesquisas em andamento estão em vias de estudar mais a fundo a coincidência de interesses econômicos entre a oligarquia mineira e os governadores que estiveram à frente da capitania entre 1763, quando morreu o conde de Bobadela, e 1784, quando Dom Rodrigo José de Menezes partiu para a Bahia. Kenneth Maxwell foi dos primeiros a mostrar tal identidade, cf. *A devassa da devassa*, Rio de Janeiro, Paz e Terra, 1977.

12. Para a viagem de volta de Dom Rodrigo, cf. Varnhagen, *História geral do Brasil*, p. 309.

13. Para o hábito do encômio, ver o trabalho de Ivan Teixeira, *Mecenato pombalino e poesia neoclássica*, São Paulo, Edusp, 1999. Os poemas em questão são: "Epicédio I — À morte do Ilustríssimo e excelentíssimo senhor Gomes Freire de

var um governante, o que era comum na poesia encomiástica da época, mas o filho de um deles; não é o encômio, em si, mas a forma de que se reveste.

O poema tem 152 versos decassílabos, divididos em 19 oitavas — estrofes usadas preferencialmente pelos cantos épicos desde o Renascimento e que obedecem ao esquema *abababcc*.[14] Há um narrador, o poeta, que abre o poema e, no verso 40, cede a palavra à criança recém-nascida, Dom José Tomás de Meneses, que está sendo batizado e que, curiosamente, expressa-se durante os 56 versos seguintes. É essa a sequência mais longa do poema, apesar de, no total, os versos do narrador/poeta somarem 63, pois ele

Andrada etc."; "O Parnaso Obsequioso — drama — para se recitar em música no dia 5 de dezembro de 1768, em que faz anos o Ilmo. e Exmo. Sr. D. José Luiz de Meneses, Conde de Valadares, etc."; "Canto heroico ao Ilmo. e Exmo. Sr. D. Antonio de Noronha, etc."; in Domício Proença Filho (org.), *A poesia dos inconfidentes — poesia completa de Cláudio Manuel da Costa, Tomás Antonio Gonzaga e Alvarenga Peixoto*, Rio de Janeiro, Nova Aguilar, 1996, respectivamente pp. 97-107; 309-20; 479-86. Com respeito a outros governantes que não os das Minas, o próprio Alvarenga celebraria, anos depois, o vice-rei Luís de Vasconcelos e Sousa ("De meio corpo, nu, sobre a bigorna,/ os ferros malhe o imortal Vulcano...", poema 25 na edição Rodrigues Lapa), o visconde de Barbacena ("Segue dos teus maiores,/ ilustre ramo, as sólidas pisadas"..., poema 26) e a morte do marquês do Lavradio ("Que mal se mede dos heróis a vida/ pela série dos anos apressados...", poema 27). Manuel Rodrigues Lapa, *Vida e obra de Alvarenga Peixoto*, pp. 40, 41 e 43. Não tive acesso aos poemas de Cláudio em louvor de Luís Diogo Lobo da Silva: a versão original da écloga *Lísia* (antes chamada *Olinda*) e uma canção que aparece cortada no manuscrito dos arquivos da Torre do Tombo. Agradeço Sérgio Alcides do Amaral por essas informações. Cf. *Estes penhascos. Cláudio Manuel da Costa e a paisagem das Minas (1753-1773)*, São Paulo, Hucitec, 2003.

14. Conforme observou Sérgio Alcides Amaral quando comentou, a meu pedido, esse texto, Alvarenga Peixoto alternava decassílabos heroicos e sáficos, valendo-se dos primeiros — nos quais a sexta sílaba é tônica e forte — quando o efeito devia ser mais marcadamente rítmico, e dos segundos quando desejava ressaltar o lirismo.

retoma a fala após a criança, introduz o bispo de Mariana, Dom Domingos da Encarnação Pontével e fecha o poema.

A substância do *Canto genetlíaco* é a relação entre Portugal e a América — no poema, quase sempre sinônimo de Minas Gerais — e, nela, a possibilidade do governante metropolitano compreender as especificidades de um mundo diverso.[15] Sendo, como Dom José Tomás, um filho da América, essa possibilidade se torna mais efetiva, pois harmoniza a tradição europeia e a força da juventude americana. O poema se encerra com a previsão de que o recém-nascido governará aquele país um dia: país que, com grande probabilidade, é a região — Minas — e não o todo — Brasil.

Vale a pena olhar o poema de perto, analisando mais detidamente as oitavas. Os oito versos iniciais afirmam que os grandes vultos portugueses já podem ser considerados patrícios dos filhos das brenhas duras — os mineiros, mas sobretudo os negros e os índios —, que tanto sofreram e ensoparam a terra com seu sangue. Este, por sua vez, não correu em vão, pois o esforço do trabalho árduo foi capaz de produzir frutos iguais aos melhores da Europa, pelo que também os colonos — e os negros e índios — se igualaram aos heróis das mais altas *cataduras*. Insinua-se assim, logo na abertura do poema, um toque revolucionário: considerar nobres vultos portugueses como equivalentes aos filhos das brenhas duras, colonizadores iguais a colonos e a colonizados. O que os irmana não são os valores estamentais — apesar de não serem negados —, mas os do trabalho (que, como se frisou em tantos poemas da época, dá merecimento). A oitava seguinte repete essa ideia: a boa semente produz bem em qualquer lugar, aclimatando-se: o lugar é circunstancial (a fereza do forte leão não degenera fora da Espanha). Está

15. O poema, na íntegra, pode ser lido em anexo, pp. 451-6.

refeita, em outros termos, a homologia entre o local de origem e o de transplantação, entre Portugal e sua colônia.[16]

Na terceira oitava, o poeta recorre a heróis fundadores: Henrique de Borgonha, pai de Portugal; Rômulo, criado pela loba e criador de Roma. Não são heróis escolhidos ao acaso, mas, em potência, dois criadores de impérios. Com relação a eles, que não poderiam ser considerados, respectivamente, como *português* ou *romano*, Dom José Tomás leva vantagem: apesar dos pais portugueses, nasceu, efetivamente, na nova terra, e será o fundador presumido de um outro império.

Os vinte primeiros versos prepararam, pois, os "bárbaros filhos" para uma apresentação que poderia parecer insólita, e que se introduz com o verso 21: a de José Americano, personagem que começa a conciliar opostos aparentemente irredutíveis, um patrício afeito às coisas da colônia, capaz de conservar a raiz portuguesa ao exercer o mando e, ao mesmo tempo, empenhar-se no louvor das serras e dos ares de Minas, fazendo a ponte entre o Império e a região. O mando real será por ele moderado, o que soa ambíguo: se é fundador de um outro império, como Henrique e Rômulo, como pode, ao mesmo tempo, moderar (e não excluir) o mando real? Digno de menção o fato de um *afeto*, o amor, ser capaz de propiciar uma percepção diferente do pátrio berço — que não é ainda a pátria na acepção que posteriormente lhe foi dada pelo Estado nacional, mas é o local de origem, como se vê, repetidas vezes, na poesia de Cláudio Manuel da Costa.[17]

Uma inflexão se insinua com o verso 37, quando o poeta

16. Conforme observou Sérgio Alcides Amaral, a ideia de que animais e sementes não degeneram em solo americano nega Buffon, muito em voga na época. Cf. Antonello Gerbi, *O Novo Mundo. História de uma polêmica — 1750-1900*, São Paulo, Companhia das Letras, 1996.

17. Sobre o Ribeirão do Carmo, que corta a terra em que nasceu: "Leia a posteridade, ó *pátrio* rio/ em meus versos teu nome celebrado" (Soneto II, p. 29);

entra para mostrar que, na boca do herói — José Americano —, o horror — as "serras na aparência feias", os "matos negros e fechados" — se transforma em grandeza. O poeta dá voz ao herói, mas, antes de fazê-lo, iguala-se a ele, porque confessa seu peito inflamado por um "pastor loiro" — Apolo, a tradição clássica;[18] o fato de ambos se identificarem com os valores europeus não os impede, contudo, de entenderem a forma e o sentido da metamorfose do que parece horrendo em grandioso.[19] Abrem-se aspas, então, e a palavra passa para José, que apresenta uma visão das Minas a partir de *dentro*, desvendando os significados ocultos: o que parece feio é formoso, a superfície das serras "brutas" oculta riquezas que pagam as alianças políticas da metrópole; das florestas escuras e fechadas saem as madeiras, logo transformadas em edifícios marcados pelo traço o mais característico da

---

"A vós do *pátrio* rio em vão cantado/ o sucesso infeliz eu vos entrego" (em que o Ribeirão do Carmo se opõe ao Mondego, "Fábula do Ribeirão do Carmo", p. 67); "Formosas habitantes/ Do pátrio Ribeirão, as flutuantes/ Madeixas sacudi, deixai o seio", "Ode no nascimento de um filho do Ilmo. E Exmo. Sr. D. Rodrigo José de Meneses", in Proença Filho (org.), *A poesia dos inconfidentes*..., p. 506. Para a identificação óbvia entre pátria, país e *região*: "Enquanto o *pátrio* gênio lhe oferece/ Por mão de destro artífice pintadas/ Nas paredes as férteis, dilatadas/ *Montanhas do país*, e aqui lhe pinta/ Por ordem natural, clara e distinta/ As diferentes formas de trabalho,/ Com que o sábio mineiro entre o cascalho/ Busca o loiro metal", Cláudio Manuel da Costa, *Vila Rica*, Canto x, vv. 116-23, in Proença Filho (org.), *A poesia dos inconfidentes*..., p. 444.

18. Agradeço mais uma vez a Sérgio Alcides por ter observado que, nesse verso 37, a inspiração "divina" — de Apolo — resolve o problema da verossimilhança suscitado pela fala do bebê.

19. Sérgio Alcides chamou-me a atenção para uma originalidade digna de nota em Alvarenga: se em Cláudio Manuel da Costa a simples louvação de um herói operava a transformação do "sítio tenebroso" em *locus amoenus*, no *Genetlíaco* a paisagem não se metamorfoseia, o horrendo permanece lá enquanto os valores, estes sim, mudam. Sérgio Alcides observou ainda que, nesse contexto de paralelismos, a simpatia de Alvarenga por índios e negros deve ser relativizada — ou matizada.

cultura ocidental: a civilização grega, invocada nos "coríntios palácios", "dóricos templos, jônicos altares" (versos 53-54).

Deixando de lado a *natureza física* da terra, o pequeno José Tomás passa a falar do mando, *natureza política*. Também nesse plano as coisas não são o que parecem ser: é ilusória a oposição entre Europa rica, civilizada, e colônia bárbara, pois é esta que viabiliza e sustenta o mando, ressaltado, no poema, pelos atributos do cetro e da coroa. O verso 59 cria, por certo de forma deliberada, uma falsa expectativa: o José, aqui, não é o menino que fala, mas o rei que já morrera, pai da rainha da época. Terá algum significado o fato de o rei e o *governante em potência*, então um recém-nascido, serem homônimos?

Após a natureza física e a política, seu assunto, a partir do verso 65, é *a natureza humana*: homens de várias cores (*acidentes*, no texto), entre eles os escravos, tratados no poema de modo positivo. Eles não são qualificados de bárbaros, mas como *homine fabris*; imprescindíveis à transformação da natureza, à criação de cultura e, portanto, à civilização, equiparáveis aos grandes heróis da tradição helênica e helenística: Hércules, Ulisses, Alexandre. No longo período que se segue, marcado por uma divagação de cunho ético, as ações guerreiras dos helenos são eclipsadas pela ação transformadora dos escravos: matar é ignóbil, procurar ouro é nobre. As forças guerreiras se medem umas com as outras, são homens contra homens, disputas em que os fins correspondem aos intentos. A força dos escravos se mede com a natureza, transforma a terra, luta contra os elementos, "apesar duma vida a mais austera" — eufemismo para as péssimas condições em que vivem.

No verso 97, interrompe-se, estrategicamente, a falação do recém-nascido — "São dignos de atenção..." —, que ia se tornando cada vez mais radical, e fecha-se o núcleo central do poema. O poeta retoma a narração para contar da chegada do bispo Pontével, que já batizara o irmão Manuel na nau "Gigante" e que agora batiza José Tomás, a quem chama, comovidamente, de filho espiritual, pois é por sua mão que este ingressa no grêmio da Igreja. Há uma queda nítida no ritmo do poema, um tom mais banal e talvez pouco sincero, já que pairam dúvidas sobre a autenticidade da fé de Alvarenga Peixoto.[20] As três oitavas dedicadas à peroração de Dom Pontével enterram, portanto, a parte mais radical e inflamada do poema, limitando-se a um aconselhamento anódino, contemporizador: honrar a linhagem, seguir os passos do pai, que aqui é homenageado com a lembrança de suas andanças incansáveis pela capitania.[21] A passagem mais importante se encontra nos versos 129-132: o bispo incita a criança a harmonizar os interesses da pátria — Minas, onde o menino nascera, ou Portugal? —, os do Estado — este sim, Portugal, ou pelo menos o que ele representa —, os da religião.

No verso 137, o poeta retoma a narração e o tom cresce até o final: além de se empenhar na propagação da fé, na civilização dos *patrícios* e na defesa dos régios interesses, o menino encarna a esperança de se voltar a um "século doirado", que é o do momento, o de Rodrigo e de Maria — Maria José, a mãe da criança e mulher do governador, ou Maria, a rainha? — e que será aquele em que José governe a pátria terra.

O fato de Alvarenga colocar na boca da criança os versos mais contundentes não pode ser fortuito. Neles, os americanos se equi-

20. Sobre o ateísmo de Alvarenga, que não o impedia de adotar retórica religiosa, ver Letícia Malard, "As louvações de Alvarenga Peixoto", in Proença Filho, *A poesia dos inconfidentes...*, p. 947.

21. As andanças de Dom Rodrigo encontram-se documentadas no códice 224 do Arquivo Público Mineiro e, ainda, na descrição de sua viagem anexada à Memória de José Joaquim da Rocha sobre a capitania. Cf. Laura de Mello e Souza, "Frontière géographique...", pp. 283 ss. José Joaquim da Rocha, "Apêndice 1", in *Geografia histórica da capitania de Minas Gerais* (estudo crítico de Maria Efigênia Lage de Resende), Belo Horizonte, Fundação João Pinheiro, Centro de Estudos Históricos e Culturais, 1995, pp. 189-97.

param aos europeus e até os suplantam no que tiveram de mais sublime: a civilização grega. O recém-nascido portador da voz da experiência, o bebê que escuta e pondera, é em si um elemento insólito, que só pode ser considerado do ponto de vista simbólico: O nascimento de algo novo? Uma região ou país na primeira infância? Um eco ilustrado de Rousseau, que valoriza a inocência da primeira época da vida?[22] O poeta, Dom José Tomás e o bispo parecem personificar o *colono*, o *colonizador* e a *catequese*, elementos fundantes da dominação portuguesa na América.

Cabe observar, por fim, que Alvarenga Peixoto realizou duas inversões curiosas. O colono é um adulto e o colonizador, um bebê, indício de que a civilização velha do Reino pode renascer e se tornar jovem na metrópole. O recém-nascido, filho de colonizadores, é autor de algumas das falas mais radicais, como as que se referem ao valor dos escravos. Nelas, mais do que em outras, destaca-se o peso econômico da colônia, imprescindível à metrópole.

O POEMA E O CONTEXTO — 1763-1783

O *Canto genetlíaco* foi, com certa frequência, identificado com a gênese de um sentimento nativista no Brasil.[23] Para um dos mais importantes estudiosos de Alvarenga Peixoto, foi "apologia entusiástica da terra brasileira, das suas riquezas e dos seus homens", realizada por um poeta que sentia "como ninguém até então a presença e a promessa magnífica da terra brasileira" e que, num "toque de alvorada", anunciava o "programa gene-

22. Agradeço o comentário de Antonio Manuel Hespanha sobre o sentido rousseauísta da inocência infantil.

23. Por exemplo, num dos primeiros "críticos" da obra de Alvarenga, Joaquim Norberto de Sousa e Silva, *Obras poéticas de Alvarenga Peixoto*, Rio de Janeiro,

roso da independência brasileira".[24] Num texto fundador, Sílvio Romero destacou que "[o] brasileirismo de Peixoto era ativo e militante".[25] Num texto recente, Letícia Malard considerou que o poema "tematiza, simultaneamente, a louvação e a brasilidade", atributo localizável também em outros poemas — mais precisamente, o "Sonho poético", número 28 na relação de Rodrigues Lapa, e a "Ode a D. Maria I", de número 29.[26] Em Alvarenga manifestar-se-ia, em síntese, uma "brasilidade áulica", comprometida com uma visão em que Brasil e Portugal não podiam ser vistos em separado e na qual sobrava, "em todos os níveis e em todos os aspectos", uma subserviência expressa, mais do que em qualquer parte, na imagem do índio submisso.[27]

Como, aliás, no conjunto dos depoimentos tomados nos *Autos da Devassa da Inconfidência Mineira* anos depois, não se trata propriamente, no *Canto genetlíaco*, de brasilidade: o sentimento ali expresso deve ser matizado. Assim como o *pátrio rio* da lírica de Cláudio é sempre o Ribeirão do Carmo, o orgulho da terra que exala do *Canto* — de suas serras, dos matos escuros, das riquezas ocultas — é o sentimento da *região*. Dom José Tomás não era brasileiro, mas americano — da mesma forma que, na fala de Tiradentes, não aparecem brasileiros, mas "pobres filhos da América, sem nada de seu".[28]

E isso não poderia ser diferente, na medida em que o reco-

Garnier, 1865, p. 65. Ver a respeito Antonio Arnoni Prado, *Alvarenga Peixoto (Melhores Poemas)*, São Paulo, Global, 2001, pp. 10-4.

24. Manuel Rodrigues Lapa, *Vida e obra de Alvarenga Peixoto*, pp. XLI-XLII.

25. Sílvio Romero, *História da literatura brasileira — tomo primeiro (1500-1830)*, 2ª edição, Rio de Janeiro, Garnier, 1902, p. 239.

26. Manuel Rodrigues Lapa, *Vida e obra de Alvarenga Peixoto*, pp. 44-50.

27. Letícia Malard, "As louvações...", pp. 953-6.

28. Autos da Devassa da Inconfidência Mineira. O fato de Alvarenga qualificar Dom José Tomás como "americano" teria caráter precursor. Sobre o uso da pala-

nhecimento de uma brasilidade implicaria ruptura com Portugal, o que era incompatível com a mentalidade ilustrada, progressista mas contraditoriamente conservadora, característica dos letrados mineiros nas décadas que antecederam o episódio de 1789. Mais do que expressão de um protonativismo, pois, o *Canto* é fruto de um contexto ilustrado muito específico, marcado pela situação periférica da América portuguesa e onde os ensinamentos do centro — a Europa — adquiriam contornos próprios.[29]

Uma das expressões desse contexto ilustrado foi o louvor a reis e poderosos como forma de se chegar "à meditação sobre problemas locais": "A homenagem tornava-se pretexto, tanto mais seguro quanto o poeta se escudava no homenageado e mesclava habilmente lisonja e reivindicação".[30] Outra expressão igualmente importante foi a sociabilidade da prática literária setecentista, que no círculo dos poetas mineiros depois envolvidos na Inconfidência adquiriu contornos peculiares.[31] Sociabilidade e encômio engastavam-se num ambiente que, mesmo se acanhado, guardava

---

vra "americano", Sérgio Buarque de Holanda considera que se trata de "designação ainda então pouco usual para os brancos naturais do Novo Mundo", apesar de usada por Basílio da Gama quando se inscreveu na Arcádia de Roma. Em nota, diz que a designação só se generalizou no México depois de 1789, substituindo a de criollo, "que indicava tradicionalmente os descendentes de espanhóis sem mistura com as populações nativas". Sérgio Buarque de Holanda, "A Arcádia Heroica", in id., *Capítulos de literatura colonial*, org. e intr. de Antonio Candido, São Paulo, Brasiliense, 1991, pp. 116-74, citação à p. 149.

29. Fernando A. Novais, *Portugal e Brasil na crise do antigo sistema colonial*, São Paulo, Hucitec, 1979.

30. Antonio Candido, *Formação da literatura brasileira. Momentos decisivos (1750-1836)*, São Paulo, Livraria Martins Editora, s.d, pp. 110-1, vol. 1.

31. Ibid., p. 110, em que Antonio Candido fala de "demonstração compacta do caráter de sociabilidade da literatura setecentista".

muito do espírito cortesão, consagrado na Europa desde o Renascimento, e onde a lisonja e o elogio não podem ser vistos com as cores pejorativas que às vezes lhe são emprestadas — cores essas contaminadas pelas concepções de hoje.[32] É assim que, após destacar em Cláudio Manuel da Costa o apreço pela lisonja e a admiração pelo perfeito cortesão, Caio de Mello Franco pondera que "seria loucura julgarmos hoje as qualidades morais do poeta, cortesão do século XVIII, com os nossos olhos de homens modernos", pois "outra era a maneira de viver, outros os tempos".[33]

Os poemas laudatórios ou encomiásticos marcaram a sociabilidade de pelo menos uma das vilas mineiras do Setecentos, Vila Rica. Entre 1763 e 1791, Cláudio Manuel da Costa e Alvarenga Peixoto, dois dos principais poetas fixados na região, praticaram o gênero com certa regularidade. Descartando os poemas dirigidos a autoridades que exerciam o mando em âmbito mais vasto — vice-reis fixados no Rio de Janeiro, como Luís de Vasconcelos e Sousa; ministros do Reino, como Pombal; monarcas, como Dom José I ou Dona Maria I —, interessa aqui sugerir a relação horizontal estabelecida entre os diversos poemas feitos em louvor de governantes locais ou de expressão local. No conjunto dessa produção, pontifica o mais velho dos árcades, e o mais influente: Cláudio Manuel da Costa.

32. Por exemplo, a análise de Letícia Malard, que sublinha a "subserviência em todos os níveis e em todos os aspectos" dos versos de Alvarenga Peixoto. Cf. "As louvações...", pp. 953 e ss. Sobre a sociabilidade cortesã, Baldassar Castiglione, *Il libro del Cortegiano*, introduzione di Amedeo Quondam, note di Nicola Longo, 5ª ed., Milão, Garzanti, 1992 [tradução brasileira: *O cortesão*, São Paulo, Martins Fontes, 1997]). Seria interessante verificar qual a penetração desse escrito entre os letrados luso-brasileiros dos séculos XVII e XVIII.

33. Caio de Mello Franco, *O inconfidente Cláudio Manuel da Costa — O parnaso obsequioso — As cartas chilenas*, Rio de Janeiro, Schmidt Editores, 1931, p. 49.

1763 é a data mais provável para a elaboração do belo *Epicédio ao conde de Bobadela*, em que o poeta ressalta a importância da justiça para o bom governo e o "papel do mérito como critério de eminência social".[34] Naquele ano, morria no Rio de Janeiro Gomes Freire de Andrada, conde de Bobadela, um dos maiores administradores da América portuguesa em todos os tempos.[35] Enfeixando o governo da porção sudeste e sul da colônia, Gomes Freire tivera grande expressão em Minas, incluída entre as capitanias sob sua jurisdição. Substituído várias vezes por governadores interinos — entre eles, Martinho de Mendonça de Pina e Proença e seu irmão José Antonio Freire de Andrada —, Bobadela foi entretanto o governante que mais tempo esteve à frente de Minas, de 1735 até o ano de sua morte.

Justiça, bom governo e linhagem nobre, cinzelada nas lides imperiais, encontram-se, desde então, presentes nos poemas do gênero compostos em Minas. Em 1768, Cláudio daria outra contribuição decisiva com a peça e os poemas encomiásticos contidos no *Parnaso obsequioso*, academia de circunstância que teria, inclusive, inaugurado a Colônia Ultramarina da Arcádia Romana e que se publicou, pela primeira vez, graças à iniciativa de Caio de Mello Franco.[36]

Seguindo as observações agudas de Melânia Silva de Aguiar,

34. Antonio Candido, *Formação*..., pp. 101 ss.

35. Para a grande autoridade e poder enfeixados por Gomes Freire, ver Dauril Alden, *Royal government in colonial Brazil*, Berkeley e Los Angeles, University of California Press, 1968, p. 478; para um estudo geral sobre Bobadela, ver Robert Allan White, *Gomes Freire de Andrada: life and times of a Brazilian colonial governor, 1688-1763*, Austin, University of Texas, 1972, exemplar datilografado.

36. Caio de Mello Franco, *O inconfidente Cláudio Manuel da Costa*. O "Parnaso Obsequioso" foi recentemente incluído em Proença Filho, *A poesia dos inconfidentes*..., pp. 307-45. Sobre a criação da Arcádia Ultramarina, ver o artigo de Antonio Candido, que esclareceu o assunto, "Os ultramarinos", in *Vários escritos*, 3ª edição revista e ampliada, São Paulo, Duas Cidades, 1993, pp. 215-31.

tem-se com o *Parnaso* um ponto de viragem na vida e na obra do poeta, quando, preocupado com o descalabro da economia mineira e consciente de que lhe cabe um papel naquela sociedade, passa a revelar outras preocupações: "*estas composições de 1768 indicam o nascimento do ilustrado*, muito mais voltado para os problemas sociais, concretos e palpáveis, do que para as 'doces fadigas do amor', sugerindo uma nova fase em sua trajetória". Mais ainda: no conjunto da obra poética de Cláudio, os poemas encomiásticos do *Parnaso* revelam, melhor do que outros, o caráter de resistência embutido na forma laudatória: "a homenagem é um mero pretexto para abrir o espaço da reivindicação e firmar o sentido do compromisso".[37] A incoerência da aproximação entre poesia de louvação e poesia de resistência torna-se, assim, mera aparência: é nos nossos dias que a poesia se recusa a integrar os "discursos correntes da sociedade", e, naquele tempo, "as figuras do poeta e do homem público eram complementares".[38]

Levando-se em conta o prestígio de Cláudio, "espécie de mestre de orquestra da brilhante plêiade mineira",[39] é possível afirmar que, desde então, os demais poemas encomiásticos produzidos no âmbito da capitania acompanharam, em maior ou menor grau, muitas das ideias e imagens por ele "limadas". Mesmo que tais ideias e imagens integrassem a temática própria do arcadismo, aclimataram-se a tópicos locais por meio da sociabilidade intensa que caracterizou a vida urbana nas principais vilas mineiras, e da qual a criação de uma Colônia Ultramarina da Arcádia Romana — onde, entre outros, eram "pas-

37. Melânia Silva de Aguiar, "A trajetória poética de Cláudio Manuel da Costa", in Proença Filho, *A poesia dos inconfidentes...*, pp. 27-38, citações às pp. 31 e 34. O grifo é meu.
38. Ibid., p. 36.
39. Sérgio Buarque de Holanda, "A Arcádia Heroica", pp. 116-74, citação à p. 155.

tores" Cláudio e Alvarenga — foi, como demonstrou Antonio Candido, um dos aspectos mais destacados.[40]

Por isso, o *Canto genetlíaco*, escrito catorze anos depois do *Parnaso obsequioso*, dialoga não apenas com seus versos mas com toda a tradição que ia se fixando nas Minas. Tal diálogo assume formas variadas, ora invertendo, ora glosando os tópicos anteriores. Veja-se um exemplo do primeiro caso, ou seja, da inversão. Em Cláudio, a força da linhagem, que passa de pai a filho, é um dos motivos que explicam o êxito e a justiça do governo:

De seus avós o sangue
Ilustre tantas vezes,
A glória dos Meneses
No Filho respirou

E, mais adiante:

Os fortes criam fortes,
E só de um Pai o exemplo
O Filho guia ao Templo,
Aonde a Fama o pôs.[41]

Seria possível extrair exemplos semelhantes de outros poemas encomiásticos de Cláudio, como os dedicados a Dom Antonio de Noronha entre 1775 e 1779. No *Canto Heroico*, o governante segue com as tropas mineiras para acudir o Rio de Janeiro, ameaçado de invasão castelhana, e leva nas mãos a espada ainda

40. Antonio Candido, "Os ultramarinos", passim.
41. Cláudio Manuel da Costa, "O parnaso obsequioso — drama", in Proença Filho, *A poesia dos inconfidentes*..., respectivamente pp. 313 e 314.

fumegante "do sangue hispano" derramado por seus "preclaros avós", exemplo que inspira o herói nos seus feitos.[42] Na *Fala*, os feitos civilizatórios do governante no sertão do Cuieté tornam-no merecedor das glórias militares conquistadas pelos avós em Elvas e Montes Claros, batalhas da Restauração portuguesa, e, apesar de dever-lhes "menos o sangue que a virtude herdada", o poeta lembra que esses "varões sempre gloriosos" deram

> Espanto, lustre, crédito e defesa
> Ao Rei, ao Reino, à Pátria, ao mundo inteiro.

No *Canto genetlíaco*, apesar da provável inspiração na obra encomiástica de Cláudio, ocorre contudo um movimento que atenua o impacto da linhagem, sugerindo que Alvarenga Peixoto bebeu na tradição mas a reelaborou, invertendo-a:

> *Que importa que José Americano*
> *traga a honra, a virtude e a fortaleza*
> *de altos e antigos troncos portugueses,*
> *se é patrício este ramo dos Meneses?*[43]

Ao se confrontar os poemas de Cláudio e o *Canto genetlíaco*, percebe-se que os casos em que este glosa os primeiros parecem se referir sobretudo a aspectos da natureza. Veja-se como a questão aparece no *Parnaso*:

42. Id., "Canto heroico ao Ilmo. e Exmo. Sr. D. Antonio de Noronha, na ocasião em que os movimentos da Guerra do Sul obrigaram a marchar para o Rio de Janeiro com as tropas de Minas Gerais", in Proença Filho, *A poesia dos inconfidentes...*, p. 480.
43. Alvarenga Peixoto, "*Canto genetlíaco*", in Proença Filho, *A poesia dos inconfidentes...*, p. 978.

Enfim tudo é delícia
Na opulenta região das áureas Minas;
E tu, ó bom Meneses,
Desses troncos incultos, dos penhascos
Mais hórridos, mais feios,
Dos queimados Tapuias
Fazes pulir a bárbara rudeza,
Fazes domar a natural fereza.[44]

E na *Fala a D. Antonio de Noronha*:

Ele é quem desprezando os ameaços
De um bárbaro País, áspero e fero,
Por entre os tigres e o Gentio armado
Levou o nome e as Quinas Lusitanas.[45]

Alvarenga Peixoto retomaria a problemática da natureza áspera e dos homens brutos, mas não a consideraria apenas do ponto de vista da civilização que cresce e doma a barbárie, tema dominante nas obras de Cláudio — incluindo-se, nesse tocante, o poema *Vila Rica*, de que não se tratará aqui. No *Canto genetlíaco*, em que está posto o problema, tão caro aos ilustrados, do progresso trazido pelo polimento, a questão é, contudo, mais complexa e matizada: a aparência externa é ilusória — resquício barroco? — e, se tomada de imediato, pode levar ao engano:

44. Cláudio Manuel da Costa, "O parnaso obsequioso...", in Proença Filho, *A poesia dos inconfidentes*..., p. 319.
45. Id., "Fala ao Illmo. e Exmo. Sr. D. Antonio de Noronha, governador e capitão general das Minas Gerais, recolhendo-se da conquista do Caeté, que com ardente zelo promoveu, adiantou e completou finalmente no seu felicíssimo Governo", in Proença Filho, *A poesia dos inconfidentes*..., p. 517.

Aquelas serras na aparência feias
— dirá José — oh como são formosas!
Elas conservam nas ocultas veias
a força das potências majestosas;
têm as ricas entranhas todas cheias
de prata, oiro e pedras preciosas;
aquelas brutas e escalvadas serras
fazem as pazes, dão calor às guerras.

Paradoxalmente, é o inculto e feio ou, em suma, o polo bárbaro, que propicia o funcionamento do polo civilizado: a metrópole. E os limites entre natureza e cultura não são tão nítidos quando permeados pela ação transformadora do homem:

Aqueles matos negros e fechados,
que ocupam quase a região dos ares,
são os que, em edifícios respeitados,
repartem raios pelos crespos mares.
Os coríntios palácios levantados,
dóricos templos, jônicos altares,
são obras feitas desses lenhos duros,
filhos desses sertões feios e escuros.

Os "queimados Tapuias" do *Parnaso obsequioso* de Cláudio conservam aqui o "acidente da cor", mas vão perdendo a bruteza por meio do trabalho sistemático, que os dignifica e torna passíveis de serem valorados de forma positiva:

Estes homens de vários acidentes,
pardos e pretos, tintos e tostados,
são os escravos duros e valentes,
aos penosos trabalhos costumados:

Eles mudam aos rios as correntes,
rasgam as serras, tendo sempre armados
de pesada alavanca e duro malho
os fortes braços feitos ao trabalho.[46]

Alvarenga avançaria ainda mais no sentido de suplantar os empecilhos naturais e humanos, podendo assim exaltar de modo mais pleno a promessa de uma nova ordem, nascida a partir da colonização: é o que se vê no "Sonho" e na "Ode a Dona Maria I". Mas não cabe, no âmbito destas reflexões, entrar pela década de 1790, quando era outro o contexto, o poeta preso e processado por crime de sedição e lesa-majestade. Importa, sim, destacar, no conjunto dos poemas laudatórios, aqueles que se remeteram ao contexto mais específico: o da sociabilidade literária desenvolvida em torno de Dom Rodrigo José de Meneses.

ENCÔMIO E UNIVERSO AFETIVO

Antes de qualquer coisa, chama a atenção o fato de os poetas não dedicarem poemas à pessoa de Dom Rodrigo, ao contrário do que acontecera com Bobadela, Valadares ou Dom Antonio de Noronha: homenageia-se a *família* do governante, e ele por meio dela. À mulher, Dona Maria José, por ocasião de natalícios, Cláudio dedicou uma écloga e uma ode, e ao filho caçula, Dom José Tomás, dedicou outra, o que foi feito também por Alvarenga Peixoto no *Canto genetlíaco*, e tudo provavelmente na mesma época.[47] Aqui reside a diferença entre o encômio mais impessoal e político dos anos 1760 e 1770 e esse, tam-

46. "*Canto genetlíaco*", in Proença Filho, *A poesia dos inconfidentes*..., todas as estrofes à p. 977.
47. "Écloga à Ilma. e Exma. Sra. D. Maria José Ferreira d'Essa, no dia dos seus

bém afetivo e doméstico, que marcou a estada do futuro conde de Cavaleiros na capitania de Minas no início dos anos 1780.

Os quatro poemas dedicados ao círculo familiar do governador apresentam muitos elementos comuns. A *Écloga* a dona Maria José, concebida conforme o modelo arcádico, expressa a confiança num tempo bonançoso, sem lobos, com o rebanho pastando solto enquanto o pastor dorme com a porta aberta e "até o próprio cão dorme e descansa". Quem não é do lugar talvez não saiba o porquê dessa calma, diz o pastor Títiro ao amigo Melibeu, que vive em outras montanhas: é que do Minho chegou uma ilustre maioral, egressa de linhagem nobre e célebre, e fará reviver "a doirada idade", revertendo inclusive o desalento que se abatera sobre a região:

O mal, que aos nossos gados agoirava,
De sorte fugiu já, que não tememos
O contágio da peste e a fera brava.[48]

A *Ode* é um exercício medíocre, confuso e cifrado, mas retoma o tema, sempre presente nesse tipo de poesia, da linhagem como valor. Um pouco depois da metade do poema, as estrofes 10 e 11 celebram o amor conjugal de Dom Rodrigo e de Dona Maria José.[49]

---

felicíssimos anos"; "Ode aos anos da Ilma. e Exma. Sra. D. Maria José Ferreira d'Essa e Bourbon"; "Ode no nascimento de um filho do Ilmo. e Exmo. Sr. Dom Rodrigo José de Meneses", in Proença Filho, *A poesia dos inconfidentes*..., pp. 487-93; pp. 506-10.

48. "Écloga....", p. 489.

49. "Ode...", p. 492: "Com providência o Céu criado havia/ De troncos tais um ramo florescente:/ Eu o tenho presente/ Ao lado da suavíssima Maria./ Oh! Que bem neste laço eu imagino/ Que mais do que a eleição pode o Destino.// Se Maria do Sol não visse a face,/ Quem de Rodrigo o coração prendera?/ E quem o merecera?/ Sim, Rodrigo no mundo também nasce:/ Preveniu, eu o vejo, cuidadoso,/ A tal Esposa, o Céu tão grande Esposo".

Era raro, então, os governantes coloniais se fazerem acompanhar das consortes, raríssimo dos filhos. Dom Rodrigo trouxe a mulher e, como se viu, os filhos já nascidos, aumentando a família enquanto governava Minas e constituindo exemplo para a sociedade aluvional característica da capitania.[50] Talvez pelo inusitado da situação — o filho de um governador que nascia na colônia, durante o exercício da função paterna —; talvez pelo ambiente afetivo que, ao que tudo indica, unia os letrados locais ao representante do poder real, o fato é que Dom José Tomás mereceu duas celebrações em versos.

Muito diferentes entre si, a *Ode* de Cláudio e o *Canto genetlíaco* de Alvarenga apresentam, contudo, alguns elementos comuns que sugerem ter havido entre os poetas a intenção de se exercitarem sobre um mesmo tema. Se a prática literária dos bardos mineiros se pautou, de fato, numa sociabilidade acentuada, e se o encômio, no caso desse "ciclo" em torno do governador e sua família, assumiu tons afetivos, parece natural que o nascimento de Dom José Tomás suscitasse tal exercício. Pesada e sem inspiração, a *Ode* de Cláudio é muito inferior ao *Canto*; a ascendência que esse poeta tinha sobre os demais do grupo sugere, contudo, que sejam suas, originalmente, algumas das ideias que Alvarenga desenvolveu tão bem e que o celebrizaram.

As montanhas mineiras que ocultam riquezas nas entranhas abrem o poema:

Florescentes oiteiros,
A meus paternos lares sobranceiros,
Que nutris dentro em vós de oiro a semente,
Agora lisonjeiros,
Inclinai para mim a verde frente;

50. Ver, a respeito, Laura de Mello e Souza, "Os nobres governadores de Minas...".

Ouvi o canto na região estranha,
Que entoou já do Ródope a montanha.[51]

Como dissera em outros poemas, Cláudio frisa, mais uma vez, que o sentimento poético não é apanágio da Europa — aqui invocado na pessoa de Orfeu —, podendo se manifestar "no meu novo país", onde ninfas que habitam o "pátrio ribeirão" sobem às margens para cantar o recém-nascido. Os amores e os faunos tecem grinaldas frescas com as flores e, celebrando a natureza local, cavam dos montes os "finos rubis, safiras, esmeraldas".[52] Enquanto os gênios, as ninfas e as três graças rodeiam o berço do pequeno Dom José Tomás, o demônio se revira no Inferno ante a iminência de perder essa alminha. Sob intervenção do bispo de Mariana, frei Pontével — que também figura no *Canto* —, o batismo — "banho santo" — restitui a graça ao menino, e, conclamada pelo poeta, a natureza mineira se compraz, triunfando da europeia e revelando, sob a aparência enganadora, tesouros insuspeitados:

Gênios do pátrio Rio,
Eu já vos chamo, eu já vos desafio
A dar mil provas de um prazer sincero.
A empresa de vós fio,
Nem despojar-vos desta glória quero;
Não diga o Tejo que a ventura é sua,
Ou que a sorte feliz a faz comua.

Montes, doirai a testa,
Todo o seu riso o Céu vos manifesta,

51. "Ode no nascimento de um filho do Ilmo. e Exmo. Sr. D. Rodrigo José de Meneses", in Proença Filho, *A poesia dos inconfidentes...*, p. 506.
52. Proença Filho, *A poesia dos inconfidentes...*, p. 507.

Brilhe em vós toda a face da alegria.
Orne a grenha funesta
A lúcida, a custosa pedraria,
Para vós é que o céu tinha guardado
Novo tesoiro nunca em vós achado.[53]

Uma "prole de heróis" se levanta então do letargo e lê para Henrique de Borgonha a história dos antepassados de Dom José Tomás, entre eles seu avô, Pedro de Meneses, marquês de Marialva.[54] Na última estrofe, o poeta dá a palavra a dom José Tomás: não ao recém-nascido que jaz no berço "de pérolas ornado" — Alvarenga seria muito mais ousado —, mas ao homem já adulto:

Se em rodas amontoadas
Vejo as ramas do loiro, se espalhadas
Junto ao berço mil palmas estou vendo,
Não de sombras pesadas,
Eu nutro a fantesia; o Herói crescendo,
Estas — dirá — são as lições que um dia
Sobre os passos de um Pai eu aprendia.[55]

A exaltação da família surge, assim, nos versos finais, o que também acontece no *Canto genetlíaco*, em que, contudo, a virtude do círculo doméstico é mais acentuada, caracterizando-se como uma verdadeira "idade de ouro" da capitania e lembrando, nesse sentido, a *Écloga* de Cláudio a Dona Maria José:

Feliz governo, queira o Céu sagrado
Que eu chegue a ver esse ditoso dia,

53. Ibid., grifo meu.
54. Ibid.
55. Ibid., p. 510. Grifo no original.

Em que nos torne o século doirado
Dos tempos de Rodrigo e de Maria;
Século que será sempre lembrado
Nos instantes de gosto e de alegria,
Até os tempos, que o Destino encerra,
De governar José a pátria terra.[56]

Aqui cessa, porém, o paralelismo que possa haver entre os dois poemas dedicados ao nascimento de Dom José Tomás, e em tudo o mais o *Canto genetlíaco* toma a dianteira. Se de fato buscou inspiração em poemas anteriores de Cláudio — ou nesse mesmo, que foi seu contemporâneo —, ultrapassou o mestre na forma mais simples e no conteúdo mais afinado com a especificidade do momento então vivido. Quando o bispo Pontével evoca os feitos de Dom Rodrigo nas suas andanças pela capitania — exemplo que o filho deverá ter sempre em mente nos atos futuros —, ressoam os versos da *Fala* de Dom Antonio de Noronha, escrita cerca de sete anos antes por Cláudio:

[...] *permita o Céu que a governar prossigas,*
seguindo sempre de teus pais os passos,
honrando as suas paternais fadigas.
Não receies que encontres embaraços
aonde quer que o teu destino sigas,
que ele pisou por todas estas terras
matos, rios, sertões, morros e serras.

Valeroso, incansável, diligente
no serviço real, promoveu tudo
já nos países do Puri valente,

56. *Canto genetlíaco*, in Proença Filho, *A poesia dos inconfidentes...*, p. 979.

já nos bosques do bruto Boticudo;
sentiram todos sua mão prudente
sempre debaixo de acertado estudo;
e quantos viram seu sereno rosto
lhe obedeceram por amor, por gosto.

Assim confio o teu destino seja,
servindo a pátria e aumentando o Estado,
zelando a honra da Romana Igreja,
exemplo ilustre de teus pais herdado;
permita o Céu que felizmente veja
quanto espero de ti desempenhado.[57]

Não foi por acaso que essa manifestação afetivizada do encômio ocorreu no governo de Dom Rodrigo José de Meneses. Foi então que as relações entre o governo e as elites locais se estreitaram ao máximo: afinal, Cláudio fora secretário de dois governos — o de Luís Diogo Lobo da Silva e o de José Antonio Freire de Andrada — e era advogado; Gonzaga era o ouvidor de Vila Rica e Alvarenga, após ter exercido o mesmo cargo na Comarca do Rio das Mortes, passou a se dedicar à exploração de suas lavras e terras, sendo um dos grandes proprietários daquela região.[58] Como quase todos os governadores de Minas depois da morte do conde de Bobadela — ou seja, Luís Diogo Lobo da Silva, Dom José Luís de Meneses, conde de Valadares e Dom Antonio de Noronha —, dom Rodrigo tinha se empenhado na busca de caminhos alternativos para uma capitania que, segundo a política metropoli-

57. Ibid.
58. O enraizamento das elites locais no poder durante esse período já fora observado por Kenneth Maxwell, que viu na chegada de Luís da Cunha Meneses, o Fanfarrão Minésio, a ruptura dessa situação. Cf. *A devassa da devassa*, passim.

tana, devia continuar perseguindo a quimera do ouro. Discordou com certa frequência do Conselho Ultramarino, insistindo que os senhores de Lisboa não conheciam a realidade específica da região para a qual ele se deslocara — ele e sua família.[59] Nesse contexto, a sociabilidade literária que se insinuava no palácio do governador, os poemas laudatórios e a solidariedade horizontal que englobava membros das elites e projetos de governo local são faces da mesma moeda.

Visto sob esse ângulo, o fato de tanto Cláudio quanto Alvarenga terem atribuído ao pequeno Dom José Tomás futuras funções de mando adquire novo sentido. Não se colocava, então, uma possível ruptura com a Metrópole: o momento era de harmonia entre as elites e o poder, expressa nas imagens da idade de ouro, do tempo bonançoso, do rebanho que pasta solto enquanto o pastor dorme, sem temor de lobos. O arranjo harmonioso introduzia uma nova ordem, que o século XIX enxergou sob o viés do nativismo e da sedição porque, de fato, ocorreria a ruptura poucos anos depois, quando o pacto se desmanchou. Em 1782, contudo, o que se preconizava era a inserção efetiva da colônia no Império: inserção plena, que permitiria a "brasileiros" exercerem o mando, como ocorria, aliás, na América espanhola, onde houve vice-reis *criollos*.[60] Do ponto de vista político, o "programa" do *Canto genetlíaco* é mais reformista do que revolucionário, pensando, possivelmente, na colaboração das elites de cá e de lá, reeditando as ideias de um império luso-brasileiro onde os polos poderiam ser

59. Ver a respeito meu artigo "O governador, os garimpeiros e os quilombolas", in Laura de Mello e Souza, *Norma e conflito*, p. 147.

60. É o caso, por exemplo, de Luís de Velasco, o jovem, vice-rei do México e do Peru, que em 1609 foi feito marquês de Salinas del Rio Pisuerga, "o primeiro funcionário público na América que foi distinguido com um título de nobreza". Doris M. Ladd, *The Mexican nobility at independence. 1780-1826*, Austin, University of Texas Press, 1976, p.15.

invertidos sem contudo desfazer o arranjo geral do todo: o Império idealizado com entusiasmo por Antonio Vieira, com temor por Antonio Rodrigues da Costa, com lucidez por Dom Luís da Cunha.[61] Do ponto de vista social, o tom mais radical é dado sobretudo pela valorização generosa das "classes subalternas", o que não era comum na época, mas não chegava a ser revolucionário.

O desejo de que José Americano viesse a governar a terra natal é a expressão última dessa forma afetiva de se relacionar com o poder político, num momento em que, sob o impacto das luzes, a colaboração entre reinóis e colonos parecia possível.

DE HORÓSCOPOS E PREMONIÇÕES

Conforme um dicionário contemporâneo, o adjetivo *genetlíaco*, que deriva do grego *genethliakos*, tem pelo menos duas acepções: na primeira, refere-se a algo relacionado com o horóscopo; na segunda, refere-se ao nascimento. Numa terceira, mais literária, derivada dessa segunda acepção, celebra o nascimento de alguém.[62]

Foi certamente esta última que orientou Alvarenga Peixoto

61. Ver, a respeito, Maria de Lourdes Viana Lyra, *A utopia do poderoso império. Portugal e Brasil: bastidores da política (1798-1822)*, Rio de Janeiro, Sette Letras, 1994. Luís Carlos Villalta, *1789-1808. O império luso-brasileiro e os brasis*, São Paulo, Companhia das Letras, 2000. Remeto ainda ao capítulo 2 deste livro.
62. *Novo Dicionário Brasileiro Melhoramentos*, 6ª edição revista, São Paulo, Melhoramentos, 1970, vol. 3, p. 181. Em dicionários antigos, a acepção é a mesma: em Bluteau, "genethliaco" é oração ou poema no nascimento de algum príncipe, aparecendo também o sentido premonitório: o que se lhe prognosticam grandes vitórias; Bluteau registra ainda a origem grega da palavra, língua em que "genethliaco" é tanto substantivo como adjetivo (vol. 4, p. 52). Moraes (edição de 1813) registra apenas uma acepção: "genethlíaca (s.f.). composição prosaica, ou poética celebrando o nascimento de alguém" (vol. 2, p. 84). Agradeço a Lúcia M. B. Pereira das Neves por essas referências.

quando escolheu o título de seu poema, que talvez não visasse muito além da circunstância festiva, da eventual brincadeira com os amigos poetas e do afago ao governador, pai da criança celebrada. Mas quando se conhece um pouco do destino de Dom José Tomás, o tom premonitório do poema causa forte impressão, como se, à maneira dos horóscopos, tivesse sido capaz de antecipar o futuro.

Com cerca de um ano de idade, Dom José Tomás seguiu com os pais para a Bahia. Naquela época, consta que Dom Gregório, seu irmão mais velho, já havia assentado praça como cadete, obtendo para isto dispensa pela menoridade. Em 1784 era promovido a alferes; no ano seguinte, foi feito moço fidalgo do rei, e cinco anos depois tornava-se segundo-tenente. Dessa forma, enquanto o pai desincumbia funções sucessivas na governança colonial, desenrolava-se para o filho mais velho, do outro lado do Atlântico, a trajetória própria à nobreza.[63]

Depois da Bahia, onde também foi louvado pelos locais como governador excelente, Dom Rodrigo voltou para Portugal e logo se tornou conde de Cavaleiros.[64] Como o pai, o quarto marquês de Marialva, e como Dom Diogo, o irmão mais velho que herdou

63. Não tive condições de apurar se Dom Gregório deixou a Bahia antes dos pais ou se a carreira se foi desenvolvendo independentemente de sua presença física, o que me parece mais provável.

64. D. Rodrigo foi feito conde de Cavaleiros por duas vidas em 1802, quando do nascimento do infante Dom Miguel, "graça a que ele se fez digno, pela memória dos seus maiores, e pela sua representação, e pública estimação". Ver Arquivo Nacional da Torre do Tombo, Chancelarias Régias, D. Maria I, livro 67, fls. 67v-68. A concessão do título se deu ainda no contexto da "nova explosão de títulos da década de noventa do século XVIII". Conforme Nuno Gonçalo Freitas Monteiro, "[...] o núcleo mais numeroso dos Grandes criados depois de 1790 [...] é constituído por secundogênitos de Grandes, ou pelos herdeiros dos seus serviços". Ver *O crepúsculo dos grandes — 1750-1832*, Lisboa, Imprensa Nacional/Casa da Moeda, s/d, pp. 40 e 42-3. Lembre-se que dom Rodrigo era o nono filho de um dos Grandes mais notáveis do Reino, o marquês de Marialva.

a casa, o novo conde tornou-se um nobre palaciano, vivendo na Corte e, para o bem ou para o mal, sendo enredado por suas engrenagens. Linda e doentia, Isabel, a filha mais nova, casou-se em 1798 com Dom João de Almeida de Melo e Castro, depois conde das Galveias e na ocasião das bodas ministro plenipotenciário de Portugal em Londres. A filha mais velha, Dona Eugênia, tornou-se dama das infantas, e foi banida da Corte por Alvará Real de 1803: um escândalo horrível que parece ter corrido a Europa toda, as versões contraditórias ora dizendo-a grávida do príncipe regente, dom João, ora uma vítima a mais do doutor João Francisco de Oliveira, médico da Corte que já tinha em sua biografia outros casos escabrosos de donzelas desonradas. Não há nos documentos disponíveis menção sequer de apoio prestado pela família: seja por desfibramento moral, seja porque, nesses casos, cortesãos não tinham vida própria e o privado se tornava público, a pobre Dona Eugênia só teve o apoio de Dom João: quando morreu, em 1819, ainda recebia, por seu intermédio, uma pensão do Estado.[65] Dom Rodrigo morreu bem antes, em 1807, na Quinta do Furadouro, em Óbidos, para onde se retirara, destroçado pela infâmia.

Dom José Tomás tinha quase seis anos quando pela primeira vez pisou terras portuguesas. Um "brasileiro", crescido mais à beira-mar, entre os negros da Bahia, do que entre as "duras penhas" da terra natal, que ele deixou ainda criança de colo, e para onde

65. Angelo Pereira, *D. João VI príncipe e rei — a Bastarda*, Lisboa, Empresa Nacional de Publicidade, 1955, em que se encontra vasta documentação sobre o caso. Affonso, Travassos Valdez, *Livro de oiro da nobreza...*, pp. 424-32, t. III. IANTT, Leis, livro 16, fls. 50v-51v: "Alvará porque S. A. R. há por bem mandar riscar a Dona Eugênia José de Meneses do título de Dama, privá-la de todas as mercês, e honras, e degradá-la da família e casa em que nasceu, e como se houvesse nascido da ínfima plebe, na forma abaixo declarada". Para sua reabilitação, em 1849, e a legitimação de sua filha, cf. IANTT, Registro Geral das Mercês, *D. Maria II*, livro 34, fl. 75v e ibid., livro 38, fls. 94v-95v.

não consta que tenha voltado jamais. Depois de, por um breve tempo, ter cursado em Salvador a casa de educação pública aberta sob iniciativa de seu pai, deve ter-se educado como os meninos de sua condição, próximo da Corte — onde Dom Rodrigo integrava o Conselho Real e a Junta da Administração do Tabaco —, das intrigas e das maquinações.[66] Aos catorze anos, ficou órfão de mãe, e um ano depois era nomeado "guarda-marinha da terceira brigada por nomeação do capitão de fragata Antonio Pires da Silva Pontes Leme".[67] Entrava na carreira das armas um pouco mais velho do que o fizera o irmão Dom Gregório: afinal, era o caçula da casa, e a mãe, quem sabe já doente, talvez o quisesse ter por perto até o fim.

Continuou no serviço real por muitos anos. Em 1799, a rainha o nomeou segundo-tenente da Armada Real, com soldo mensal de 8 mil-réis quando em terra, e de 12 mil-réis quando "embarcado". Aos 21 anos, já órfão também de pai, a carreira deu um salto, e foi nomeado sargento-mor de infantaria: primeiramente, "com exercício de ajudante de ordens do marquês estribeiro-mór, ajudante geral do exército" e soldo mensal de 38 mil-réis mais cavalo e ração

66. Para os dados sobre a carreira posterior de Dom Rodrigo, cf. Laura de Mello e Souza, "Os nobres governadores de Minas...". Para sua atuação no governo da Bahia, cf Luís dos Santos Vilhena, *Recopilação de notícias soteropolitanas e brasílicas contidas em XX cartas*, Bahia, Imprensa Oficial do Estado, 1921, Carta Undécima, pp. 434-41. À p. 439: "Tão amante era este senhor do bem público que correu com toda proteção e afabilidade para que na Bahia houvesse uma casa de educação pública, para o que abriu exemplo, introduzindo nela primeiro que alguém os seus ilustríssimos filhos apesar de terem havia pouco saído da infância".

67. Daqui em diante, todos os dados sobre a vida e a carreira de Dom José Tomás se encontram em documentação que, até onde sei, consultei pela primeira vez, e que constituem um conjunto de cópias feitas a partir de documentos de natureza variada — assentos de batismo, de casamento, de óbito; cartas-patentes; representações camerárias etc. — reunidos com o objetivo de obter a remuneração dos serviços prestados. IANTT, Ministério do Reino, Decretamento de Serviços, mç. 186, doc. 37.

respectiva; três anos depois, em 1806, tornava-se sargento-mor de infantaria adido à legião de tropas ligeiras. Até então, todos os documentos datam de Lisboa, onde Dom José Tomás, batizado no bispado de Mariana, Minas Gerais, galgava os degraus da carreira militar. Daí por diante, contudo, seriam datados do Rio de Janeiro, nova sede da Corte e do Império, para onde se dirigiu boa parte da nobreza fiel aos Bragança.[68]

Porque apesar da desgraça que se abatera sobre a família, mantendo a pobre Dona Eugênia enclausurada num convento de Tavira e, depois, de Portalegre, constrangida a ver a filha bastarda chamá-la de "Madrinha", o resto da prole adequou-se perfeitamente aos novos tempos e ao reequacionamento dos centros de poder no Império lusitano: Dom Gregório, Dom Diogo, Dom Manuel e Dom José Tomás cruzaram de volta o oceano rumo ao Rio de Janeiro. O primogênito acompanhou os monarcas na qualidade de estribeiro-mor da princesa Dona Carlota Joaquina, de quem sua mulher, viúva do terceiro conde da Cunha, era dama de honra. Dom Diogo, mais tarde conde de Louzã, foi moço fidalgo e fidalgo escudeiro antes de entrar na política joanina na qualidade de ministro e secretário de estado dos Negócios da Fazenda. Sob Dom Miguel, a quem se manteve fiel até o fim, foi presidente do real erário em 1821.O título veio-lhe pela via do casamento com Dona Mariana do Resgate de Saldanha Corte Real da Camara e Lencastre, senhora do Morgado de Cadafais e filha do segundo conde de Louzã. Dom Manuel foi capitão de mar e guerra da armada real e comandante da nau Martim de Freitas, integrando

68. Sobre a atuação da nobreza durante o período da invasão napoleônica, ver a tese fascinante de Lúcia Maria Bastos Pereira das Neves, que aborda igualmente a oposição popular a Bonaparte: *As representações napoleônicas em Portugal: imaginário e política* (*c. 1808-1810*), tese apresentada em Concurso para Provimento de Cargo de Professor Titular em História Moderna, Rio de Janeiro, UERJ, 2002 (exemplar datiloscrito).

a esquadra que em 1807 conduziu a família real ao Brasil.[69] Como se viu, tinha nascido a bordo algumas semanas antes de a nau Gigante atracar em Salvador; em 29 de janeiro de 1808, pereceu afogado no Rio de Janeiro, o destino trágica e intrigantemente ligado à água.[70]

Órfão, com três irmãos varões que o antecediam na sucessão da casa paterna, Dom José Tomás abriu mão, no final de 1808, de rendimentos consideráveis que lhe haviam ficado por herança. No Livro da Escrituração dos Donativos Voluntários oferecidos para o Exército, consta que, enquanto durasse a guerra contra Bonaparte, fazia reverter à Fazenda Real o rendimento anual de pensões nas abadias de Paços de Gaiolo, S. Miguel de Beire e S. Martinho de Couro, num total de dois contos, novecentos e cinquenta e três mil, quatrocentos e vinte e cinco réis. Por mérito próprio ou interferência dos irmãos e do cunhado, o ato nobre teve recompensa. Em 25 de janeiro de 1809, parecia que se começava a cumprir a premonição do *Canto genetlíaco*: por carta-patente passada no Rio, o príncipe regente Dom João nomeava Dom José Tomás de Meneses governador e capitão-general do Maranhão por três anos. Do mesmo dia data um documento idêntico, em que, inexplicavelmente, a capitania designada é a de Goiás, para onde ele nunca foi e da qual não há mais menção nos papéis. Equívoco ou correção rápida, feita sob alguma pressão? Impossível saber. O fato é que, em 14 de março, Dom José Tomás prestava "juramento de preito e homenagem, como do costume", para o dito governo. Se fosse honrar a memória do pai,

69. Afonso Eduardo Martins Zuquete (org.), *Nobreza de Portugal e do Brasil*, Lisboa, 1960, pp. 524-5, vol. II. Araujo Affonso, Travassos Valdez, *Livro de oiro da nobreza*, pp. 627-32, t. III.

70. Não há nada nos documentos que esclareça sobre as circunstâncias de sua morte, parecendo-me, contudo, que se deu em meio às confusões geradas pelo desembarque dos navios que chegavam de Lisboa com os fugitivos.

era aquele o primeiro posto numa carreira promissora de administrador colonial.

Os mandatos em geral chegavam ao termo. Mas em julho de 1810, pouco mais de um ano após Dom José Tomás ter tomado posse, o príncipe regente o nomeava para o governo dos Açores, interrompendo sua administração no Maranhão. Ao que tudo indica, o ato de Dom João repercutiu de modo negativo no local, e em 13 e 14 de novembro a Câmara, os misteres do povo, o clero, a nobreza e o comércio enviaram-lhe uma representação em que invocavam as altas virtudes do governador: prudência, imparcialidade, justiça, habilidade em desterrar

> a intriga, o orgulho e a depravação dentre os povos que por Vossa Alteza Real lhe foram confiados, livrando-os de opressões injustas, equilibrando com prudência pouco comum as causas e os indivíduos, fazendo dar, e restituir a cada um o que é seu, e de que a usura e a má administração da justiça os tinha despojado.

Ainda conforme o documento, Dom José Tomás tinha qualidades pessoais — a honra e o desinteresse "distintivos de seu caráter" — e qualidades de homem público, pois cuidava dos interesses da Real Fazenda e não poupara esforços em evitar "conhecidos roubos na Marinha e na Alfândega, como é notório": um general que equilibrava as causas e os homens, aliando "o que deve a Vossa Alteza Real com o que deve aos povos, que lhe foram confiados". Na retórica própria da época, a representação dos misteres via nele "um prodígio", "uma dádiva do céu de que Vossa Alteza Real nos fez presente, e de que em tão poucos tempos nos quer privar quando necessitamos mais"; e a representação da Câmara dizia:

> O Maranhão, Senhor, todo este povo seria feliz se Vossa Alteza Real nos fizesse a graça conservá-lo. O bem do serviço de Vossa Alteza

Real o pede, pedem os nossos votos, e o pedem todos os vassalos fiéis deste Estado.

Dentre os que assinavam a representação dos misteres do povo, clero e nobreza locais, figuram nomes da oligarquia local — como o pai em Minas, e num espaço de tempo muito menor, Dom José Tomás soubera compor com ela na capitania-geral do Maranhão. Chamam a atenção, pelo número, quatro membros da família Morais Rego. Mas o que interessa aqui é reter dois nomes de uma outra família, à qual se voltará adiante: José Antonio de Castro Sotto Maior e Antonio Carneiro Homem de Sotto Maior.

Em setembro de 1810, o príncipe regente escrevera ao governador que encerrava o mandato nos Açores, Dom Miguel Antonio de Mello, e pedira que, com as cerimônias devidas, passasse o governo a Dom José Tomás de Menezes. Isso, contudo, nunca aconteceu, e "José Americano" voltou a Lisboa para uma série de providências de ordem pessoal, a sua vida pública, desde então, submergindo na vida privada. Não é possível saber quanto tempo permaneceu em Portugal, do outro lado do oceano, enquanto a Corte e as decisões políticas mais importantes permaneciam no Brasil. O fato é que estava no Rio quando lhe sobreveio a morte, a 16 de abril de 1819, encerrando-lhe a carreira de governador colonial. Foi amortalhado "a cavaleiro" — com o hábito de Cristo? com o de outra ordem militar? — e encomendado pelo pároco, em sua casa, a dezenove sacerdotes. Sepultaram-no na igreja de Santo Antonio. Tinha 37 anos, vividos entre o Brasil e Portugal, entre o fim de uma era e o começo de outra.

DO PÚBLICO AO PRIVADO

Ao morrer, Dom José Tomás deixou viúva e filhos menores. Dona Luísa Perpétua Carneiro Sotto Maior — ou Luisa Perpétua

Carneiro Homem Sotto Maior — logo entrou com uma petição em que dizia que tinha "toda a capacidade para bem reger os bens e as pessoas" dos filhos, Maria José e Rodrigo, e pedia a mercê de ser sua tutora enquanto não casasse de novo. Ainda em 1819, Dom João VI, já rei do Reino Unido de Portugal, Brasil e Algarves, fez saber ao ouvidor provedor da Comarca do Rio de Janeiro que atendia à petição.

Além dessas crianças, então com oito e seis anos, respectivamente, Dona Luísa tinha duas outras de um primeiro casamento com o coronel Luís Carlos Pereira de Abreu Bacellar, que falecera na Vila de Valença, Capitania de São José do Rio Negro: Arcângela Maria, de catorze anos, e Luís Carlos, de onze. Sozinha, com quatro menores sob sua guarda, começou a tomar pé da situação na forma usual às elites do Antigo Regime: enredando-se num emaranhado de certidões e petições que a habilitassem a receber as mercês e a remuneração dos serviços devidos ao marido morto. Durante seis anos, os documentos cruzaram o Atlântico, concedidos ora no Rio de Janeiro, ora em Lisboa, onde os párocos vasculharam arquivos para conferir nascimentos, casamentos, óbitos; onde burocratas variados contaram o tempo de serviço, reviram registros, confirmaram certidões. Um dos últimos documentos comprobatórios juntados à papelada foi o referente ao ingresso de Dom José Tomás no serviço público, passado em 26 de junho de 1826, após o exame da Contadoria dos Armazéns da Guiné, Índia e Armadas, e onde se constatava a longínqua nomeação do menino de catorze anos como guarda-marinha da Terceira Brigada. Documentos frios, produzidos de forma mecânica e, às vezes, inexata; num deles, constatava-se:

> Nesta secretaria do Registro Geral das Mercês não consta, que Dom José Tomás de Meneses, que disseram ser filho do Conde de Cavaleiros Dom Rodrigo José de Meneses, natural de Minas Gerais, de

idade de quarenta e um anos, tenha havido mercê alguma, que lhe fosse feita a ele, nem a outra pessoa em remuneração de seus serviços até ao presente. Lisboa, dezenove de agosto de 1825.

Dom José Tomás estava morto havia seis anos, e se fosse vivo teria 43 anos, e não 41. Entretanto, essa burocracia obtusa e sujeita a falhas também produziu documentos que, lidos com cuidado, deixam entrever nesgas da vida privada de servidores do Império, conferindo-lhes dimensão humana e permitindo que sejam mais do que nomes perdidos no passado. É por meio desse cipoal de certidões e requerimentos que vem à tona uma trajetória pessoal singular, discrepante dos padrões que haviam regido a vida dos antepassados, enformado a poesia encomiástica que celebrara governadores e inspirado as premonições de Alvarenga no *Canto genetlíaco*.

Após prestar juramento de preito e homenagem ante o regente em 14 de março de 1809, Dom José Tomás deve ter se demorado no Rio de Janeiro, pois só tomou posse do governo em 17 de outubro de 1809.[71] Tinha 27 anos e era solteiro. A sociabilidade em São Luís não devia discrepar da de outras capitais da América portuguesa, onde era comum estabelecer-se relações de amizade e convivência entre a elite local e os governadores. Em reuniões, em festas, na missa, talvez, Dom José Tomás conheceu uma viúva de boa família local, Dona Luísa Perpétua Carneiro Sotto Maior. Não foi o primeiro e nem provavelmente o último dentre os administradores portugueses que tiveram amantes durante suas estadias nas colônias.[72] No seu caso, as coisas andaram rápido: por volta do fim de maio de 1810, sobreveio a gravidez de Dona Luísa Perpétua, seguida de sua

71. Varnhagen, *História geral do Brasil*, p. 342. Todas as informações anteriores, bem como as que seguem, continuam sendo referentes à documentação supracitada.

72. José Antonio Freire de Andrada, segundo conde de Bobadela e governador interino de Minas Gerais, se envolveu com uma senhora da família Correia de Sá

nomeação como governador dos Açores e do documento no qual os homens bons do Maranhão instavam para que continuasse — entre eles, como se viu, constavam dois Sotto Maior, parentes de sua concubina. Em 27 de fevereiro de 1811, nascia em São Luís a pequena Maria José, primeira filha daquela união, batizada em Lisboa, na freguesia de São Bartolomeu da Lapa, a 1º de julho do mesmo ano. Em 28 de agosto, tomava posse o novo governador do Maranhão, Paulo José da Silva Gama.

A partir desse momento, há que abandonar as evidências documentais e lançar mão de hipóteses: duas, pelo menos, são possíveis.

Primeira hipótese: a viúva, desesperada com a situação, pede aos parentes — seriam irmãos? — que articulem um pedido formal ao regente para que Dom José Tomás não vá embora. Uma variante desta hipótese: o próprio Dom José Tomás, ante a decisão do regente em mudá-lo de posto, pede aos amigos da oligarquia local que manifestem publicamente o apreço por sua pessoa, ressaltando-lhe as virtudes e capacidades.

Segunda hipótese: constrangido com a situação, envergonhado ante a sociedade local, na qual ocupava lugar de destaque, Dom José Tomás pede aos irmãos ou ao cunhado, influentes na Corte, que intercedam e o façam mandar para longe.

A vergonha e a dificuldade de assumir publicamente a situação não são, contudo, hipotéticas, como mostra o testemunho do pároco Antonio José da Fonseca Barros:

---

e Benevides, do Rio de Janeiro, e dessa união nasceu Francisco de Paula Freire de Andrada, comandante dos Dragões de Minas e depois inconfidente. Bernardo José de Lorena, governador de São Paulo, deixou descendência na capitania que governou, fruto de relação havida com uma senhora da elite local.

Em o primeiro de julho de 1811, em virtude de um decreto do eminentíssimo senhor bispo patriarca eleito e vigário capitular, datado aos [...] 17 de junho do dito ano, que fica no cartório desta igreja, batizei solenemente e pus os santos óleos em Maria José, que nasceu aos 27 de fevereiro do sobredito ano na cidade de São Luís do Maranhão, filha de pais incógnitos mas por estes mesmos entregue ao capitão do navio Sociedade Feliz, Joaquim José Torquato de Barros, para que, logo que chegasse a esta capital, a fizesse batizar, [sendo] padrinho o excelentíssimo Dom Fernando Antonio de Noronha, por sua procuração o capitão Joaquim José Torquato de Barros = O pároco Antonio José da Fonseca Barros.

Para evitar escândalo maior, numa família certamente traumatizada por eles depois do que acontecera com Dona Eugênia, Maria José foi, imediatamente após o nascimento, entregue pelos pais a um capitão de navio, atestando, mais uma vez, o destaque das embarcações na vida dos servidores do Império e, em particular, na dos condes de Cavaleiros. À distância, pois não podia deixar o cargo, Dom José Tomás havia provavelmente acionado suas boas relações em Lisboa, entre elas o primo-irmão Dom Fernando Antonio de Noronha e o arcebispo de Lacedemônia: conforme se lê à margem do documento transcrito acima, foi este quem passou sentença legitimando Maria José e indicando, pelo nome, os pais verdadeiros.

Entregue o cargo ao sucessor, Dom José Tomás ficou livre para ir a Portugal. Em Lisboa, na rua do Sacramento, nasceu Rodrigo, a 13 de maio de 1813: dia dos anos do príncipe regente. Os dois filhos evocavam os avós paternos, talvez expressando, mais do que um hábito, o desejo sincero de homenagear um casal exemplar. Cabia, naquela altura, regularizar a situação doméstica: em julho de 1814, o príncipe regente emitia um "alvará de licença" e o arcebispo de Lacedemônia um despacho, ambos autorizando a união. Em 2 de janeiro de 1815, Dom José Tomás e Luísa se casavam segundo o rito da Igreja católica e as disposições tridentinas: sempre na rua do Sacramento, Paróquia de Nossa Senhora da Lapa, no palácio do Morgado de Mateus, onde deviam estar morando.[73] As testemunhas foram o reverendo Manuel do Carmo Vieira e o sacristão Francisco José Dias, ambos daquela freguesia: um casamento simples, privado, sem alarde, com o intuito exclusivo de resolver um problema. Na ocasião, declararam que tinham dois filhos, apresentando-os ao reverendo e às testemunhas "na ação de os receber, e declarar serem seus filhos, e como tais os reconheciam para a todo tempo contar a sua legitimação".

Dom José Tomás não mais desempenhou funções públicas. Voltou para o Brasil, talvez doente, talvez porque aqui estivessem seus irmãos, o núcleo do poder, talvez, enfim, porque se sentisse "brasileiro". Morreu com os ritos próprios a um homem de sua condição, a vida pessoal organizada, a honra restaurada.

UM SERVIDOR ENTRE DOIS IMPÉRIOS

Dois aspectos ressaltam da história de Dom José Tomás de Meneses. O primeiro é a homologia entre o poema que o homenageou e o seu próprio destino: uma criança, filha de ilustres nobres portugueses, nasce no Brasil e um dia virá a governar, ela também, a terra natal — aqui, identificada antes à terra americana de forma geral do que a uma região em específico ou, possibilidade mais remota, a um país. O segundo é a discrepância entre o tom geral da poesia encomiástica, dentro da qual — mas não apenas — o *Canto genetlíaco* se enquadra, e a vida pessoal de Dom José Tomás. No primeiro caso, a vida imita a arte; no segundo, ela a nega.

73. Foi também na rua do Sacramento que moraram os dois contratadores de diamantes homônimos, João Fernandes de Oliveira pai e filho. Cf. Júnia Ferreira Furtado, *Chica da Silva*..., pp. 199 ss.

De certa forma, a premonição era fácil: colonos ilustrados, como Alvarenga Peixoto, tinham consciência da encruzilhada em que se encontrava o império português, e da qual só sairia seguindo um dos caminhos ali disponíveis. O mais plausível era o do império luso-brasileiro, alterando-se, talvez, os termos da equação: o rei — ou a rainha, como na enigmática *Ode a Dona Maria I* — viria para o Brasil, e as reformas necessárias levariam em conta as especificidades da colônia para, sob novo patamar, constituir uma civilização distinta. O mais espinhoso era o da ruptura, que nos anos 80 do século XVIII não constituíam senão quimera vaga.

Em algumas regiões do Império, iam-se firmando solidariedades entre as elites locais e a burocracia estatal. A "corte" de Dom Rodrigo em Minas é, nesse ponto, um dos melhores exemplos, e a poesia encomiástica que ali celebrou governadores é uma de suas expressões privilegiadas. Os acontecimentos posteriores à vinda da Corte portuguesa para o Rio de Janeiro em 1808 contaminam, de forma quase incontornável, a análise do último quartel do século XVIII, a história assumindo a forma de marcha progressiva no sentido da emancipação política. Sílvio Romero, por exemplo, expressa tal perspectiva:

> Alvarenga tem duas notas principais como poeta: o doce sentimento da família e a grande *intuição* da independência do Brasil. O primeiro exala-se nos versos feitos na prisão remetidos a sua mulher, a segunda transpira de muitas de suas composições. Compreendeu a posição étnica dos brasileiros e o nosso futuro; teve um brado de alento para os míseros escravos. É por isso que o *Canto Genetlíaco* é como *revelação*; ali está o poeta com todos os seus entusiasmos e todas as suas ilusões.[74]

74. Sílvio Romero, *História da literatura brasileira — tomo primeiro (1500-1830)*..., pp. 237-8.

Antes que se fizesse a Independência, contudo — e como se faria? Com a união das partes? Com a divisão interna, à moda hispano-americana, o Império se esfarelando em regiões? —, as solidariedades horizontais, que cimentavam as elites lusitanas e as luso-brasileiras, construiriam uma nova ordem. A passagem do público ao privado, do poema à vida, permite perceber que assim foi, entre o tempo de Dom Rodrigo e o de seu filho caçula, Dom José Tomás; entre o reinado de Dona Maria I e o de seu neto, Dom Pedro I.

O que primeiro salta à vista do confronto entre o *Canto genetlíaco* e a vida de Dom José Tomás de Meneses é que, de certa forma, o filho seguiu os passos do pai, ingressando no serviço do rei e cumprindo a trajetória de praxe, das armas à administração colonial. O mais significativo, contudo, é o que não se constata de imediato, mas o que vai surgindo nas entrelinhas dos documentos e da vida. A carreira promissora não deslanchou: nomeado primeiro para governar Goiás, foi para o Maranhão; destinado a lá permanecer por três anos, não ficou mais do que um; designado, por fim, para os Açores, nunca cumpriu o mandato. A vida pessoal também foi truncada: moço nobre, rebento de uma das grandes famílias de Portugal, não casou entre os de sua condição: uniu-se a uma viúva dos confins do Império, gerando filhos naturais e fazendo com que um deles, a primogênita, desaparecesse, recém-nascida, da cidade onde viera ao mundo, numa operação rocambolesca e, por certo, pouco usual. Desses detalhes todos, portanto, ressalta a imagem da antítese da premonição: Dom Rodrigo e Dona Maria José, nobilíssimo casal cantado em prosa e verso, morreriam de desgosto com tal trajetória.

Mas, de novo, as coisas não são o que parecem. Dom José Tomás fez o que estava em seu alcance para evitar "pública murmuração", como se dizia na época, e durante cinco anos — 1810, antes mesmo do nascimento de sua primogênita, e 1815, quando se casou com Dona Luísa — foi recompondo, com paciência e método, a honra perdida. Se vários governadores coloniais se amasiaram nas colônias e nelas geraram filhos bastardos, Dom José Tomás discrepou da norma, casando-se com a concubina da véspera, como aliás o fizera o seu "criador", Inácio José de Alvarenga Peixoto, que teve de Bárbara Heliodora uma filha natural antes de desposá-la. Mais um exemplo curioso de como, em todo esse episódio, a vida insiste em imitar a arte. Da aparente desordem surge, assim, a obstinação em fazer triunfar os valores consagrados do mundo estamental de Antigo Regime, que era o seu e que vira ferido pela desonra da irmã. No intuito de preservá-los, abriu mão de parte substantiva da herança paterna: os rendimentos das abadias minhotas, que foram engordar as receitas reais na luta antinapoleônica.

Dom José Tomás morreu cedo e não pôde ver os desdobramentos do seu empenho em recompor a honra e a estima social da família. Se tivesse visto, teria gostado. A filha permaneceu solteira e morreu cedo, aos 31 anos de idade, mas Dom Rodrigo José, o rapaz, foi cadete do regimento de cavalaria, governador civil de Lisboa e de Braga, deputado da Nação e, como dito no início deste capítulo, casou-se, em 1834, com Dona Maria das Dores de Portugal e Castro, filha dos quintos marqueses de Valença e neta do antigo governador da Bahia. Por volta de 1874, vivia num palácio "com sete ou oito largas sacadas de frente", no largo da antiga Patriarcal, quase na entrada da rua do Colégio dos Nobres, onde antes vivera seu tio Diogo, o primeiro conde de Lousã.[76]

O *Canto genetlíaco* é enigmático porque seu sentido não é unívoco. Ao mesmo tempo que prega a solidariedade horizontal

75. Araujo Affonso, Travassos Valdez, *Livro de oiro da nobreza*, pp. 627-32, pp. 180-1, t. III. Gustavo Matos de Sequeira, *Depois do terramoto. Subsídios para a história dos bairros ocidentais de Lisboa*, Lisboa, Academia das Ciências de Lisboa, 1916, pp. 180-1, vol. I.

entre as elites portuguesas e luso-brasileiras — expressa na ideia do menino fadado a governar a terra onde nasceu e que, por isso, compreenderia melhor —, curva-se à irrefreável força vertical que se impõe de baixo para cima: os "bárbaros filhos das brenhas duras", os "pardos e pretos, tintos e tostados", os "escravos duros e valentes" sobre os quais repousa a riqueza das elites e a do Império todo.

Da mesma forma, a trajetória de Dom José Tomás remete ora a um mundo, ora a outro: afeito aos valores da tradição, cedeu a apelos que lhe eram estranhos, e talvez tenha por eles sacrificado a carreira pública. Na vida ou na poesia, o tempo era de ambiguidades. Essa a mensagem mais funda do poema de Alvarenga Peixoto e da trajetória de sua criatura: entre um império e outro — o de Dona Maria, que tinha tons crepusculares, e o de Dom Pedro I, que longe estava de anunciar grandes mudanças —, as identidades luso-brasileiras iam se tecendo na vida cotidiana: nos hábitos, amores e costumes híbridos; na confluência de dois mundos, oscilando entre uma e outra margem do oceano, no ritmo sazonal dos navios de carreira.

A primeira versão deste capítulo foi apresentada no XXII Simpósio Nacional de História — ANPUH, Simpósio Temático "Modos de Governar", João Pessoa, 28 de julho de 2003. Em janeiro de 2004, apresentei nova versão no seminário de Serge Gruzinski na EHESS. A versão definitiva é inédita, e se valeu dos comentários então feitos.

Anexo

"Oitavas feitas em obséquio do nascimento do ilustríssimo Senhor D. José Tomás de Meneses, filho do Ilustríssimo e Excelentíssimo Senhor D. Rodrigo José de Meneses, governando a capitania de Minas Gerais" [*Canto genetlíaco*]. Data: segundo semestre de 1782.

Bárbaros filhos destas brenhas duras,
nunca mais recordeis os males vossos;
revolvam-se no horror das sepulturas
dos primeiros avós os frios ossos:
5 que os heróis das mais altas cataduras
principiam a ser patrícios nossos;
e o vosso sangue, que esta terra ensopa,
já produz frutos do melhor da Europa.

Bem que venha a semente à terra estranha,
10 quando produz, com igual força gera;
nem do forte leão, fora de Espanha,

a fereza dos filhos degenera;
o que o estio numas terras ganha,
em outras vence a fresca primavera;
[15] e a raça dos heróis da mesma sorte
produz no sul o que produz no norte.

Rômulo porventura foi Romano?
E Roma a quem deveu tanta grandeza?
Não era o grande Henrique lusitano:
[20] quem deu princípio à glória portuguesa?
Que importa que José Americano
traga a honra, a virtude e a fortaleza
de altos e antigos troncos portugueses,
se é patrício este ramo dos Meneses?

[25] *Quando algum dia permitir o Fado*
que ele o mando real moderar venha,
e que o bastão do pai, com glória herdado,
do pulso invicto pendurado tenha,
qual esperais que seja o seu agrado?
[30] *Vós exp'rimentareis como se empenha*
em louvar estas serras e estes ares
e venerar, gostoso, os pátrios lares.

Isto que Europa barbaria chama,
do seio das delícias, tão diverso,
[35] quão diferente é para quem ama
os ternos laços de seu pátrio berço!
O pastor loiro, que o meu peito inflama,
dará novos alentos ao meu verso,
para mostrar do nosso herói na boca
[40] como em grandezas tanto horror se troca.

"Aquelas serras na aparência feias,
— dirá José — oh como são formosas!
Elas conservam nas ocultas veias
a força das potências majestosas;
45 têm as ricas entranhas todas cheias
de prata, oiro e pedras preciosas;
aquelas brutas e escalvadas serras
fazem as pazes, dão calor às guerras.

Aqueles matos negros e fechados,
50 que ocupam quase a região dos ares,
são os que, em edifícios respeitados,
repartem raios pelos crespos mares.
Os coríntios palácios levantados,
dóricos templos, jônicos altares,
55 são obras feitas desses lenhos duros,
filhos desses sertões feios e escuros.

A c'roa de oiro, que na testa brilha,
e o cetro, que empunha na mão justa
do augusto José a heroica filha,
60 nossa rainha soberana augusta;
e Lisboa, da Europa maravilha,
cuja riqueza todo o mundo assusta,
estas terras a fazem respeitada,
bárbara terra, mas abençoada.

65 Estes homens de vários acidentes,
pardos e pretos, tintos e tostados,
são os escravos duros e valentes,
aos penosos trabalhos costumados:

Eles mudam aos rios as correntes,
70 rasgam as serras, tendo sempre armados
de pesada alavanca e duro malho
os fortes braços feitos ao trabalho.

Porventura, senhores, pôde tanto
o grande herói, que a antiguidade aclama,
75 porque aterrou a fera de Erimanto,
venceu a Hidra com o ferro e chama?
Ou esse a quem da tuba grega o canto
Fez digno de imortal e eterna fama?
Ou inda o macedônico guerreiro,
80 *Que soube subjugar o mundo inteiro?*

Eu só pondero que essa força armada,
debaixo de acertados movimentos,
foi sempre uma com outra disputada
com fins correspondentes aos intentos.
85 *Isto que tem co'a força disparada*
contra todo o poder dos elementos
que bate a forma da terrestre esfera,
apesar duma vida a mais austera?

Se o justo e o útil pode tão somente
90 ser o acertado fim das ações nossas,
quais se empregam, dizei, mais dignamente
as forças destes ou as forças vossas?
Mandam destruir a humana gente
terríveis legiões, armadas grossas;
95 procurar o metal, que acode a tudo,
é destes homens o cansado estudo.

"São dignos de atenção..." Ia dizendo
a tempo que chegava o velho honrado,
que o povo reverente vem benzendo
100 do grande Pedro co poder sagrado;
e já o nosso herói nos braços tendo,
o breve instante em que ficou calado,
de amor em ternas lágrimas desfeito,
estas vozes tirou do amante peito:

105 Filho, que assim te chamo, filho amado,
bem que um tronco real teu berço enlaça,
porque foste por mim regenerado
nas puras fontes da primeira graça;
deves o nascimento ao pai honrado,
110 mas eu de Cristo te alistei na praça;
e estas mãos, por favor de um Deus eterno,
te restauram do poder do Inferno.

Amado filho meu, torna a meus braços,
permita o Céu que a governar prossigas,
115 seguindo sempre de teus pais os passos,
honrando as suas paternais fadigas.
Não receies que encontres embaraços
aonde quer que o teu destino sigas,
que ele pisou por todas estas terras
120 matos, rios, sertões, morros e serras.

Valeroso, incansável, diligente
no serviço real, promoveu tudo
já nos países do Puri valente,
já nos bosques do bruto Boticudo;
125 sentiram todos sua mão prudente

sempre debaixo de acertado estudo;
e quantos viram seu sereno rosto
lhe obedeceram por amor, por gosto.

Assim confio o teu destino seja,
130 servindo a pátria e aumentando o Estado,
zelando a honra da Romana Igreja,
exemplo ilustre de teus pais herdado;
permita o Céu que felizmente veja
quanto espero de ti desempenhado.
135 Assim, contente, acabarei meus dias;
tu honrarás as minhas cinzas frias.

Acabou de falar o honrado velho,
com lágrimas as vozes misturando.
Ouviu o nosso herói o seu conselho,
140 novos projetos sobre os seus formando:
propagar as doutrinas do Evangelho,
ir os patrícios seus civilizando;
aumentar os tesouros da Reinante
são seus disvelos desde aquele instante.

145 *Feliz governo, queira o Céu sagrado*
Que eu chegue a ver esse ditoso dia,
Em que nos torne o século doirado
Dos tempos de Rodrigo e de Maria;
Século que será sempre lembrado
150 Nos instantes de gosto e de alegria,
Até os tempos, que o Destino encerra,
de governar José a pátria terra.

Considerações finais

Não cabe a nós, efêmeros que somos, brilhar sem sombra. Só a eternidade tem esse glorioso privilégio.
Louis Antoine de Caraccioli, século XVIII

Num livro cuja importância talvez ainda não tenha sido devidamente avaliada, Carlo Ginzburg mostrou que a distância tem mais de um sentido: sem ela, não é possível haver crítica, mas, por outro lado, atenua e esfumaça o que, observado de perto, chega a ser insuportável.[1] Se, na sua raiz grega, *história* significa pesquisa, é a distância, ou a perspectiva, que a transforma em

1. Carlo Ginzburg, *Olhos de madeira. Nove reflexões sobre a distância*, São Paulo, Companhia das Letras, 2001, sobretudo cap. 1, "Estranhamento", pp. 15-41; cap. 7, "Distância e perspectiva", pp. 176-98, e cap. 8, "Matar um mandarim chinês", pp. 199-218.

reflexão. Ginzburg tem sido também um crítico acerbo do relativismo, hoje bem representado nos pós-modernismos, e um defensor da possibilidade do conhecimento histórico.[2]

A história é a disciplina que estuda os contextos singulares e, levando em conta as repetições, procura ultrapassá-las visando à compreensão: vive na linha tensa entre o geral e o particular, sem poder descuidar de nenhum dos dois. Por isso a micro-história apresenta perigos: recortes microscópicos anulam a distância; por isso, igualmente, as grandes sínteses caíram em descrédito: quando observada do alto, a paisagem perde a nitidez.

Perigos e incertezas, contudo, estão por toda parte. História implica pesquisa miúda, convívio com fundos arquivísticos, mas igualmente tentativa de síntese. Ao longo deste livro procurei alternar os procedimentos: sem fugir das preocupações de natureza mais teórica e geral, debruçar-me sobre o detalhe, sempre revelador, mas, em si, insignificante. Tentei conjugar aquilo que penso serem as tendências mais instigantes da historiografia contemporânea e que, num mundo globalizado, chegam a todos os pontos do planeta num piscar de olhos, ou num clique de mouse: a micro-história, em que pesem os limites que oferece; o recurso à comparação e às conexões entre realidades históricas aparentemente muito distintas; a história antropológica; a história política renovada. Mas procurei não relegar ao esquecimento tradições analíticas culturalmente enraizadas e significativas, que, justamente por não serem de domínio global, são capazes de atribuir originalidade à análise. Os países menos desenvolvidos, dentre os quais o Brasil e os vizinhos hispano-americanos, construíram ao longo dos séculos formas específicas de ver e pensar, marcadas pela dor e pela delícia da distância, tanto geográfica quanto cultural. Penso ser imprescindí-

2. Id., *Relações de força. História, retórica, prova*, São Paulo, Companhia das Letras, 2002, sobretudo "Introdução", pp. 13-45.

vel preservar as diferenças de visão, repensar perspectivas analíticas, entre elas uma das que mais contou na minha formação: a do antigo sistema colonial, que, conforme essa perspectiva, integrava o mundo do Antigo Regime, mas não todo ele e, nesse tocante, dava especificidade a algumas de suas expressões.

Contudo, a questão não é fácil. Até que ponto é possível preservar análises consagradas em clássicos como *Formação do Brasil contemporâneo*, de Caio Prado Jr., ou *Portugal e Brasil na crise do antigo sistema colonial*, de Fernando Novais? Como coadunar a ideia de que a colonização, por um lado, teve um *sentido* e as evidências surgidas mais recentemente, por outro, de que muitas vezes não houve univocidade, havendo, no limite, quase que sentidos múltiplos? Seria o conceito de um antigo sistema colonial aplicável ao mundo imperial anterior ao século XVIII, antes da tentativa pombalina de reordenar o império português, ou quando o Império ainda não era bem deste mundo? Impérios distintos comporiam sistemas coloniais distintos, mesmo se profundamente conectados entre si? Ou seriam Império e Sistema Colonial totalidades autoexcludentes?

Para tantas inquietações, poucas respostas. Talvez seja mesmo preferível, por enquanto, tentar exercícios mais empíricos, e é o que penso ter feito aqui: à minha moda, heterodoxamente, porque acredito no vigor do ecletismo desde que não se ignorem as referências teóricas, sem as quais, creio, a reflexão histórica engatinha.

Ainda à minha maneira, persegui as variações de sentido acarretadas pela distância, apostando que a metrópole e a colônia, o centro e a periferia, o reino e a conquista — nunca vistos como binômios, mas como elementos de uma relação contraditória — têm muito em comum, mas são fundamentalmente distintos entre si, acarretando transformações no olhar e no entendimento em função do ponto no qual se situa o observador. Os oceanos eram uma das evidências da distância, mas, através dos tempos, também foram considerados sob prisma diverso. Houve quem neles visse elemento de união: Giovanni Botero, por exemplo, no contexto de um império — o espanhol — que desejava ser sobretudo monarquia católica, e apostava na ocidentalização. No rastro da crise desencadeada por 1776 — e que abalou profundamente o império britânico —, Thomas Paine e Edmund Burke ressaltaram-lhe os atributos da separação, os meses escoados entre as demandas coloniais e as respostas vindas da Corte.[3] Por outro lado, continuo acreditando que as relações entre um e outro polo — a metrópole e a colônia — são dialéticas. O olhar emanado pela periferia — ou colônia, ou conquista — fecunda o centro — ou a metrópole, ou o reino — e o transforma, e a recíproca é verdadeira. Mas olhar de longe, como no caso do mandarim chinês relembrado por Ginzburg, torna normal o que é aberrante, palatável o que é excepcional. Para o reinol, escravos nas ruas de Lisboa incomodam muito mais que nos engenhos do Nordeste, enquanto para habitantes da colônia um mau governador de capitania é menos tolerado que um rei incapaz a andar em círculos no palácio de Sintra. Nas colônias, o dito característico das revoltas europeias seiscentistas e setecentistas — "viva o rei e morra o mau governo" — adquire novo significado, distendendo e possibilitando a dominação exercida a uma distância oceânica. Na metrópole, as *alterações* coloniais tomam feição de incêndio propagável e indistinto: por isso, vistas de Lisboa as conquistas se amalgamam e tendem a formar um só corpo.

3. Botero foi citado na epígrafe da parte I deste livro. Quanto a Paine, refiro-me a "Reflexões quanto ao estado atual das questões americanas", in Id., O senso comum, Brasília, EDUNB, 1982, p. 29: "Estar sempre correndo três ou quatro mil milhas com uma história ou uma petição, esperando de quatro a cinco meses por uma resposta, a qual quando obtida, exige cinco ou seis meses mais para ser explicada, será, dentro de poucos anos, considerado uma tolice e infantilidade — houve época em que era adequado, e há uma época para cessar de vez".

Movi-me no âmbito de uma das dimensões do império português: a atlântica, sobretudo na rota que une Lisboa à América, parando vez ou outra na costa da África. Constatei que, malgrado as normas e dispositivos estabelecidos para o governo do Império se traçarem em Lisboa, a situação colonial os transformou e manipulou, cabendo ressalvar que, muitas vezes, aplicou-os no senso estrito: o diferencial coube ao contexto histórico e aos interesses da circunstância. De qualquer forma, a monarquia portuguesa fez-se presente nas conquistas, e o poder central, consolidado no final da Idade Média, contou muito. Não o suficiente, porém, para reproduzir na colônia a sociedade reinol: houve a tentativa de impor uma forma, mas a realidade atropelou o modelo, grandemente auxiliada pela presença de escravos e, sobretudo, pelo fato de o escravismo articular as relações sociais. Sobre um fundo comum — mercês, patentes, estima social, pureza de sangue — engendrou-se algo novo: a mestiçagem, a reelaboração permanente de tradições, a mobilidade social e física, de tal forma que a nobreza do Antigo Regime não frutificou no solo americano, a não ser na forma de uma *nobreza de fumaça*, elite aberta a ingressos e arranjos, inclusive com sangue negro e índio. Não por acaso, Antonil observou, em inícios do século XVIII, que o Brasil era o inferno dos negros, o purgatório dos brancos e o paraíso dos mulatos: situação em tudo distinta da encontrada em Portugal.

Nos meandros da política e da administração, os juízos formados sobre os vassalos variaram, indo, com gradações, da pura negatividade à exaltação. Ao mesmo tempo, forjou-se o modo de governar, a adequação entre punir e premiar. Acredito que, até o século XVIII, a distância favoreceu o olhar vindo do centro, que apreendeu com agudeza as situações coloniais e, inclusive, possibilitou-lhe a visão de conjunto. Mais de um governante — e neste livro, destaco Assumar e Dom Antonio de Noronha — transformou a prática governativa em discurso político, ajudando a refinar a exploração da colônia americana por sua metrópole, mas, sobretudo no caso do segundo, avançando um pouco mais — muito provavelmente sem o saber — no sentido de se pensar um império luso-brasileiro. Com a Ilustração, o nexo se inverteu: as ideias que viajaram a partir do centro deram aos povos das conquistas um instrumental novo, permitindo-lhes melhor se situarem dentro do sistema, abrindo, efetivamente, a época do império luso-brasileiro e do orgulho americano: o *Canto genetlíaco,* de Alvarenga Peixoto, foi aqui analisado sob esse ângulo, bem como a história — em vários pontos decepcionante, mas por isso mesmo comovente — de Dom José Tomás de Meneses, cuja vida tentou imitar a arte de Alvarenga.

Durante mais de cem anos, estruturas e trajetórias encarnaram-se em pessoas reais: escolhi governadores que se deslocaram entre Lisboa, a América e a África, perseguindo recompensas mas também glória e imortalidade; movendo-se por ideais e por dinheiro, oscilando entre vícios desprezíveis e virtudes dignas de nota. Em cada trajetória tentei mostrar as várias pontas da estrela: a origem familiar, a inserção social, os estratagemas urdidos na Corte, a tessitura de redes clientelares, os acordos feitos nas colônias, as hesitações que pontuaram a escolha de cada um, as catástrofes pessoais, as aventuras sertão adentro e os dissabores amargados pelos que ficaram longe — a família deixada para trás, muitas vezes sem condições de gerir os negócios particulares do chefe da casa tornado servidor do Império. Em cada trajetória, constatei a dinâmica de um império, as contradições de um sistema, acreditando, assim, ter dado sentido também aos indivíduos.

Como ponto final, reitero que a relação entre o sol e a sombra é mutável, e a distância desempenha, nela, um papel fundamental. Se consegui ilustrar essa relação, dou-me por satisfeita.

Fontes e bibliografia citadas

FONTES

I. FONTES PRIMÁRIAS MANUSCRITAS

Arquivo Histórico Militar (AHM), Lisboa.

AHM, Proc. Ind., cx. 34, D. Antonio Soares de Noronha.
AHM, Proc. Ind., cx. 1964.

Arquivo Histórico Ultramarino (AHU), Lisboa.

AHU, Carta a Diogo de Mendonça Corte Real, códice 449, fl. 215.
AHU, Carta régia de nomeação de Dom Pedro de Almeida governador de Minas e São Paulo, Lisboa, 2/3/1717, códice 126, fls. 183-185v.
AHU, Conselho Ultramarino, Avulsos, caixa 1, documento 4, "Carta do ouvidor de Paranaguá Antonio Alves Lanhas Peixoto ao rei em que relata a sua viagem de São Paulo à vila de Cuiabá na companhia do governador Rodrigo César de Meneses e a fundação da Vila Real do Bom Jesus de Cuiabá", 3/2/1727.
AHU, Conselho Ultramarino, Avulsos, capitania de Mato Grosso, caixa 1, documento 60.

AHU, Conselho Ultramarino, Avulsos, Mato Grosso, caixa 1, documento 8, "Carta de Rodrigo César de Meneses a Diogo de Mendonça Corte Real", 10/3/1727.
AHU, Conselho Ultramarino, Consultas Mistas, códice 20, 1704-1713, fl.400.

Arquivo Nacional do Rio de Janeiro (ANRJ)

ANRJ, Carta de José da Silva Pais ao Vice-Rei Conde das Galvêas (26/9/1738), fls. 271-2. Secretaria de Estado do Brasil, códice 84, vol. 9.
ANRJ, Carta de Martinho de Mello e Castro ao Marquês do Lavradio, códice 67, vol. 5, fl. 160v.
ANRJ, Cartas do Governador José da Silva Paes para o general Gomes Freire de Andrada, in Secretaria de Estado do Brasil, códice 84, vol. 9, fls. 49-53v e 124v (correspondência dos governadores do Rio de Janeiro com diversas autoridades).
ANRJ, códice 67, vol. 5, fl. 160v.

Arquivo do Palácio da Ajuda

"Carta para o Padre Magalhães de Sebastião da Veiga sobre os seos serviços e pertenções, e varias noticias militares. Alcantara, 1º de dezembro de 1706", 3 ff., mss, 51-v-37.

Arquivo do Palácio da Ega

Códice 21, fls. 114v-117v.

Arquivo Público Mineiro (APM)

APM, Seção Colonial, códice 11.
APM, Seção Colonial, códice 25. Livro das posses dos senhores governadores, 1721-1827, fls. 16-17v.
APM, Seção Colonial, cód. 143. Registro das cartas do governador ao vice-rei e também aos outros governadores e autoridades da capitania, circulares, ordens, representações e respostas, instruções e cartas dirigidas ao governo, 1764-1769, fls. 93v-96.

APM, Seção Colonial, códice 207. "Para Paulo Mendes Ferreira Campelo comandante do Cuiaté", fls. 151.
APM, Seção Colonial, cód. 224, fls. 1; 16; 20-1.

Biblioteca Nacional de Lisboa (BNL)

Carta de 20/3/1777, BNL, fls. 98v-99. SMS, 2,2,24.
Carta de 9/4/1777 para o ouvidor da Vila do Príncipe, BNL, fls. 104-106. SMS, 2,2,24.
Carta de amizade para o Sr. Martinho de Melo com as cópias das cartas do vice-rei, 7/1/1777, BNL, fls. 80 SMS, 2,2,24,
Carta de Dom Luís da Cunha ao Conde de Assumar, 16/3/1744, BNL, Seção de Reservados, códice 10671.
Carta de Rio de Janeiro, 9/7/1717, BNL, fls. 47-v. Seção de Reservados, Coleção Pombalina, códice 479.
Carta de Vila do Carmo dirigida ao rei, 12/5/1719, BNL, fls. 70-4.
Carta de Vila do Carmo, 4/10/1719 (dirigida ao rei), BNL, Seção de Reservados, Coleção Pombalina, códice 479, fl. 83-v.
Livros das Conferências da Academia Real de História, 14ª Conferência, 5/7/1721, BNL, Seção de Reservados, cód. 685F4768.
Novidades de Lisboa, I, BNL, fls. 46v, 50, 59v-60, 60v, códice 10745
Para o Marquês de Alorna Vice-Rei da Índia (Carta de Alexandre de Gusmão, Paço, 6/3/1747), BNL, Seção de Reservados, mss 218, nº 9.
Primeiro copiador das respostas dos srs. governadores desta capitania às ordens de Sua Majestade, e contas que lhe deram, que principia no governo do sr. Antonio de Albuquerque Coelho de Carvalho, 1710-1721, Carta de Vila do Carmo, 10/5/1720, BNL, fl. 94v.
Representações do Marquês d'Alorna, em que pede se lhe dê vista das acusações, pelas quais foi privado da honra de beijar a mão a S. Magde. quando se recolheu de vice-rei da Índia, 1753, abril 29, BNL, Seção de Reservados, cód. 852 (coleção Moreira).
Votto para Governador das Minas (Lisboa, 10/8/1712), BNL, Coleção Pombalina, ms. 230, fls. 66v-67.

Biblioteca Nacional do Rio de Janeiro (BNLRJ)

Seção de Manuscritos, 2,2,24, Livro Segundo das Cartas que o Ilmo. e Exmo. Sr. D. Antonio de Noronha Capitão General da Capitania de Minas Gerais escreveu durante o seu governo que teve princípio em 28 de maio de 1776 (correspondência de D. Antonio de Noronha).

Instituto Arquivos Nacionais, Torre do Tombo (IANTT)

Casa da Fronteira, 122, Cartas dirigidas aos Marqueses de Alorna, por seu filho João e por D. Luís da Cunha, carta de 14/9/1745.
Casa da Fronteira, 110, Documentos respeitantes a Dom Pedro de Almeida, 1717-1750.
Casa da Fronteira, 118, carta de D. Diogo de Almeida ao sobrinho D. João, 16/11/1745.
Casa da Fronteira, 118, carta de 17/8/1745.
Casa da Fronteira, Inventário nº 120, fls. 16: "Para Dom João Mascarenhas", Vila do Carmo, 13/1/1721.
Casa da Fronteira, Inventário nº120, fl. 30: "Para o Bispo de Rio de Janeiro", Vila do Carmo, 31/1/1721.
Casa da Suplicação / Administração de Casas / Rodrigo Antonio de Noronha e Meneses / mo. 11, nº 1-9, cx. 11.
Chancelaria da Ordem de Cristo, livro 76, f. 118v.
Chancelaria de D. José I, Ofícios e Mercês, livro 78, fl. 274 v.
Chancelaria de Dom João V, livro 48.
Chancelarias Régias, D. Maria I, livro 3, fl. 26.
Chancelarias Régias, D. Maria I, livro 67, fls. 67v-68.
Chancelarias Régias, D. José I, livro 84, fls. 47v e 200v; livro 76, fl. 52v.
Coleção Moreira, caderno 1º, fls, 23-39v [publicado por Antonio dos Santos Pereira, "A Índia em preto e branco: uma carta oportuna, escrita em Cochim por D. Constantino de Bragança à Rainha D. Catarina", in *Anais de História de Além-Mar*, vol. IV, 2003, p. 470 (data da carta: 20/1/1561)].
Conselho de Guerra, Decretos, 1715, maço 74, nº 18. "Decreto sobre a reformação geral", 21/8/1715.
Conselho de Guerra, Decretos, 1730, maço 89, nº 10.
Conselho de Guerra, Decretos, 1735, maço 94, nº 6.
Conselho de Guerra, decretos, ano 1762, mç. 121; ano 1780, mç. 139, doc. nº 66 e 67; ano 1785, maço 143, doc. nº 23.
Conselho de Guerra, Decretos, 1761, maço 120, doc. nº 125; idem.
Conselho de Guerra, Decretos, 1762, maço 121 B, doc. nº 395.
Conselho de Guerra, Decretos, 1780, maço 139, docs. nºs 66 e 67.
Conselho de Guerra, Decretos, 1793, maço 151, doc. nºs 57 e 143; idem, 1762,

maço 121; 142; idem, ano 1762, maço 121, doc. nº 194; idem, ano 1762, maço 121B, doc. 395; idem, ano 1767, maço 126, doc. 97; idem, ano 1767, maço 126, doc. 93; idem, ano 1774, maço 133, doc. 48 (caixa. 384); idem, ano 1774, maço 133, doc. nº 57.

Gazeta de Lisboa, nº 59 de 1814, quinta-feira, 10 de março, pp. 3-4. (Série Preta, nº 2734).

Habilitações da Ordem de Cristo, let. A, mç. 51, nº 62.

Inquisição de Lisboa, Caderno do Promotor nº 129 (1765-1775), livro 318, fl. 276.

Leis, livro 16, fls. 50v-51v: "Alvará porque S. A. R. há por bem mandar riscar a Dona Eugênia José de Meneses do título de Dama, privá-la de todas as mercês, e honras, e degradá-la da família e casa em que nasceu, e como se houvesse nascido da ínfima plebe, na forma abaixo declarada".

Manuscritos do Brasil, livro 2. "Pareceres sobre o projeto da capitação, e maneio de que leva cópia Martinho de Mendonça", fl. 15.

Mercês de D. João v, livro 12, fls. 387v.

Ministério do Reino, Decretos, maço 54, p. 155, caixa. 58.

Ministério do Reino, Registro de Portarias, livro 402, fls. 59v-60.

Ministério do Reino, Chancelarias Régias, D. José I, livro 84, fl. 47v.

Ministério do Reino, Decretamento de Serviços, maço 186, doc. nº 37.

Ministério do Reino, Decretamentos do Reino, maço 210, doc. nº 26.

Ministério do Reino, Decretos, maço 28, doc. nº 71: Luís Diogo Lobo da Silva.

Ministério do Reino, Decretos, 1782, maço 34, nº 9-10.

Ministério do Reino, Decretos, maço 22, nº 13.

Ministério do Reino, Decretos, maço 44, caixa 46, pp. 11 e 14.

Ministério do Reino, Requerimentos, maço 675, cx. 782.

Ministério do Reino, Requerimentos, maço 675, cx. 782, Atestado passado por José João Teixeira, professo na Ordem de Cristo e Desembargador da Relação do Porto, 31/12/1784.

Mordomia da Casa Real, livro 1, fl. 207v.

Mordomia Mor da Casa Real, livro 2, fl. 67.

Real Mesa Censória, Gazeta de Lisboa, caixa 465, Gazeta nº 13. Sábado, 1º de abril de 1752, p. 259.

Registro Geral das Mercês, D. Maria II, livro 34, fl. 75v.

Registro Geral de Mercês, D. João v, livro 41, fl. 344, carta de padrão de tença.

Registro Geral de Mercês, D. José I, livro 28, fl. 16v.

Registro Geral de Mercês, D. Maria II, livro 38, fls. 94v-95v.

Registro geral de testamentos, 1739, livro 217, fls. 162-63.

Santo Ofício, Habilitações, maço 19, doc. nº 403, Luís Diogo Lobo da Silva.

Santo Ofício, Habilitações, maço 19, doc. nº 403.
Santo Ofício, Habilitações, maço 36, doc. nº 900.

Instituto de Estudos Brasileiros (IEB)

Fundo J. F. Almeida Prado, códice 25 — Rodrigo César de Meneses — Cartas e papéis administrativos concernentes a capitania de SP e as minas de Cuiabá, enviadas por Rodrigo Cesar de Meneses a el rei, datadas de 1729 [sic].
Fundo J. F. Almeida Prado, códice 31 — Francisco Palacio — "Roteiro da viagem de São Paulo para as minas de Cuiabá que fez Francisco Palacio no ano de 1726-1734".

Paço Ducal de Vila Viçosa

Cartório da Casa de Bragança, no N.N.G. 1038 (antigos N.G. 224 e Ms. 1546), Padrão A, fl. 230v.

2. FONTES PRIMÁRIAS IMPRESSAS

ANTONIL, André João. *Cultura e opulência do Brasil por suas drogas e minas*. Edição crítica de Andrée Mansuy. Paris, Institut des Hautes Études de l'Amérique Latine, 1968 [Tradução portuguesa: CNPCDP, Lisboa, 1998].
As cartas chilenas — fontes textuais. Edição de Tarquínio J. B. de Oliveira. São Paulo, Referência, 1972.
As prisões da Junqueira durante o ministério do marquês de Pombal escritas ali mesmo pelo marquês de Alorna, uma de suas vítimas. Publicadas conforme o original por José de Sousa Amado, presbítero secular [conforme a 1ª edição (1857)]. Lisboa, Frenesi, 2005.
BECKFORD, William. *Diário de William Beckford em Portugal e Espanha*. Introdução e notas de Boyd Alexander. Tradução e prefácio de João Gaspar Simões. Lisboa, Empresa Nacional de Publicidade, 1957.
BOMBELLES, Marquis de. *Journal d'un ambassadeur de France au Portugal. (1786-1788)*. Edition établie, annotée et precedée d'une introduction par Roger Khann. Paris, PUF, 1979.

BOTERO, Giovanni. *Da razão de Estado*. Coordenação e introdução de Luís Reis Torgal. Coimbra, Instituto de Investigação Científica, 1992.

BOXER, Charles R. "Uma carta inédita da primeira [sic: segunda] Condessa de Assumar para seu filho D. Pedro de Almeida e Portugal (20 de junho de 1704)". In *Colectânea de estudos em honra do prof. dr. Damião Peres*. Lisboa, Academia Portuguesa de História, 1974, pp. 273-5.

Breviário dos políticos segundo as notas do cardeal Mazarin. Brasília, Alhambra, s.d.

CABRAL, Sebastião da Veiga. "Descrição corográfica e coleção histórica do Continente da Nova Colônia da Cidade do Sacramento". *Revista del Instituto Histórico y Geográfico del Uruguay*, t. XXIV, p. 64.

CALLIÈRES, François de. *De como negociar com príncipes. Os princípios clássicos da diplomacia e da negociação*. Rio de Janeiro, Campus, 2001.

CARIA, Desembargador João de Sousa. *Elogio fúnebre da sentidíssima morte da ilustrissima e excelentissima senhora marquesa de Marialva, condessa de Cantanhede, D. Eugenia Josefa Teresa de Assis Mascarenhas*. Lisboa, 1752 (cf. *Gazeta* nº 10, terça-feira, 7 de maio de 1752, p. 192).

"Carta do Marquês de Valença para Martinho de Mello e Castro, em que lhe dá notícia da viagem, da sua chegada à Bahia, de ter tomado posse em 13 de novembro último e da partida do seu antecessor Manuel da Cunha Menezes. Bahia, 5 de janeiro de 1780". *Anais da Biblioteca Nacional*, 1910, pp. 455-6, vol. XXXII.

Cartas do Padre Vieira. Organização de João Lúcio de Azevedo. Coimbra, Imprensa da Universidade, 1925.

CASTIGLIONE, Baldassare. *Il libro del Cortegiano*. Introduzione di Amedeo Quondam. Note di Nicola Longo. 5ª ed., Milão, Garzanti, 1992.

CASTIGLIONE, Baltasar. *O cortesão*. São Paulo, Martins Fontes, 1997.

Códice Costa Matoso. Coordenação geral de Luciano Raposo de Almeida Figueiredo e Maria Verônica Campos. Belo Horizonte, Fundação João Pinheiro, Centro de Estudos Históricos e Culturais, 1999.

COELHO, José João Teixeira. *Instrução para o Governo da Capitania de Minas Gerais*. Introdução de Francisco Iglésias. Belo Horizonte, Fundação João Pinheiro, 1994.

"Consulta de 12/01/1713". *Documentos Históricos*. Rio de Janeiro, Biblioteca Nacional, 1952, pp. 98-100, vol. 96.

"Consulta de 18/11/1712". *Documentos Históricos*. Rio de Janeiro, Biblioteca Nacional, 1952, pp. 174-7, vol. 98.

"Consulta de 27/07/1712". *Documentos Históricos*. Rio de Janeiro, Biblioteca Nacional, 1952, pp. 41-52. vol. 96.
"Consulta do Conselho Ultramarino a S. M., no ano de 1732, feita pelo conselheiro Antonio Rodrigues da Costa". *Revista do Instituto Histórico e Geográfico Brasileiro*, vol. 7, pp. 498-506.
CORREIA, Elias Alexandre da Silva. *História de Angola [1782]*. [Que na verdade deve ser 1792, cf. Manuel Múrias no "Prefácio", pp. VIII-IX.] Lisboa, Coleção "Clássicos da Expansão Portuguesa no Mundo", 1937, 2 vols.
Correspondência ativa de João Roiz de Macedo. Edição de Tarquínio J. B. de Oliveira. Ouro Preto, Minas Gerais, ESAF/Centro de Estudos do Ciclo do Ouro/Casa dos Contos, 1981, 2 vols.
"Correspondência e papéis avulsos de Rodrigo César de Meneses: 1721-1728". *Documentos Interessantes para a História e Costumes de São Paulo*, XXXII, São Paulo, 1901.
COSTA, Antonio Rodrigues da. *Justificação de Portugal em la resolucion de Ayudar a la Nacion Espanola a sacudir el yugo Francês y poner en el Trono Real de su Monarchia al rey catholico Carlos III*. Oficina de Acosta Deslandes, 1704.
______. *Relaçam dos sucessos e gloriosas acções militares obradas no Estado da Índia, ordenadas e dirigidas pelo vice-rey e capitam general do mesmo Estado Vasco Fernandes Cezar de Meneses em 1713*. Oficina de Antonio Pedro Galram, 1715.
COSTA, Cláudio Manuel da. "Fundamento histórico ao poema Vila Rica". In Id. *Obras completas*. Edição de João Ribeiro. Rio de Janeiro, Garnier, 1903, pp. 145-79, vol. II.
COSTIGAN, Arthur William. *Cartas sobre a sociedade e os costumes de Portugal. 1778-1779*. Tradução, prefácio e notas de Augusto Reis Machado. Lisboa, Lisóptima, 1989, pp. 168-74, vol. 1.
CUNHA, D. Luís da. *Instruções políticas*. Edição de Abílio Dinis-Silva, Lisboa, CNPCDP, 2001.
"Descrição da cidade de Lisboa e onde também se discorre da corte de Portugal, da língua portuguesa, dos costumes, dos habitantes, da governação daquele Reino, das forças de terra e mar, das colônias portuguesas e do comércio da referida cidade — 1730". In ANÔNIMO. *O Portugal de D. João V visto por três forasteiros*. Tradução, prefácio e notas de Castelo Branco Chaves. Lisboa, Biblioteca Nacional, 1983, pp. 35-128.
Discurso Histórico e Político sobre a sublevação de 1720 em Minas Gerais. Estudo crítico, estabelecimento do texto e notas de Laura de Mello e Souza. Belo Horizonte, Fundação João Pinheiro, 1994.
"Documentos Históricos: correspondência do Conde de Assumar depois da

revolta de 1720: para Ayres de Saldanha de Albuquerque, Governador do Rio" (28/1/1721). *Revista do Arquivo Público Mineiro*, ano 6, 1901, p. 206.

FAZENDA, Vieira. "Funeral notável (1738)". In "Antiqualhas e memórias do Rio de Janeiro", *RIHGB*, t. 86, vol. 140, Rio de Janeiro, 1921, pp. 186-92.

FONSECA, Manuel da. *Vida do venerável padre Belchior de Pontes*. São Paulo, Melhoramentos, s.d.

Gazetas Manuscritas da Biblioteca Pública de Évora. Edição de João Luís Lisboa, Tiago C. P. dos Reis Miranda, Fernanda Olival. Lisboa, Colibri, 2002, vol. 1 (1729-1731); 2005, vol. 2.

Instrução dada pelo excelentíssimo Marquês de Alorna, ao seu sucessor no governo deste estado da Índia, o excelentíssimo Marquês de Távora. Goa, na Typografia do Governo, 1836, 49p. Seguida da *História da Conquista da Praça de Alorna relatada pelo próprio Conquistador*, pp. 49-75, e da *Provisão do Conselho Ultramarino acerca das mercês concedidas pelo vice-rei por ocasião da tomada da praça*.

Instrução e norma que o Ilmo. e Exmo. Sr. Conde de Bobadela a seu irmão o preclaríssimo Snr. José Antonio Freire de Andrade para o governo das Minas, a que veio suceder pela ausência de seu irmão, quando passou ao sul (1752). *RAPM*, ano IV, 1899, pp. 727-35.

"Instrução para Dom Antonio de Noronha, Governador e Capitão-General da Capitania de Minas Gerais". *Jornal do Instituto Histórico e Geográfico Brasileiro*, nº 21, abril de 1844, pp. 215-21.

LAVRADIO, Marquês do. Cartas do Rio de Janeiro, 1769-1776. Rio de Janeiro, Imprensa Oficial.

LEME, Pedro Taques de Almeida Paes. *Informação sobre as minas de São Paulo* e *A expulsão dos jesuítas do colégio de São Paulo*. São Paulo, Melhoramentos, s.d.

______. *Nobiliarchia paulistana historica e genealógica*. Publicações Comemorativas do IV Centenário. São Paulo, Livraria Martins Editora, 1953.

______. "Carta régia de oito de outubro de mil setecentos e dezoito. Secretaria Ultramarina, maço de cartas de mil, setecentos e dezenove das conquistas". In *Notícias das Minas de São Paulo e dos sertões da mesma capitania*. São Paulo, Publicações Comemorativas da Comissão do IV Centenário da Cidade de São Paulo, Livraria Martins Editora, 1954.

MAQUIAVEL, Nicolau. *O príncipe*. São Paulo, Nova Cultural, 1996.

MARQUES, Azevedo. *Apontamentos históricos, geográficos, biográficos, estatísticos e noticiosos da Província de São Paulo*. São Paulo, Biblioteca Histórica Paulista/Comemorações do IV Centenário da Cidade de São Paulo, 1953, t. II.

MARTA, Teodósio de Santa. *Elogio Histórico da Ilustrissima e Excelentissima casa de Cantanhede Marialva...* Lisboa, na Oficina de Manuel Soares Vivas, 1761.

MAZARIN, Cardinal de. *Bréviaire des politicians.* Paris, Arléa, 1996.

MELLO, José Jacinto Nunes de. "Canção em que se pertendia louvar a illma e excma senhora Marqueza de Valença D. Maria Telles da Silva pela resolução de acompanhar ao governo da Bahia a seu esposo o illmo e excmo senhor Marquez de Valença dedicada ao illmo e excmo senhor marquez de Penalva &c &c &c.". Lisboa, na Regia Officina Typografica, MDCCLXXXIX.

Mémoire inédit d'Ambroise Jauffret sur le Brésil à l'époque de la découverte des mines d'or (1704). Edição e notas de Andrée Mansuy. Coimbra, V Colóquio Internacional de Estudos Luso-Brasileiros, 1965.

MERVEILLEUX, Charles Fréderic de. "Memórias instrutivas sobre Portugal: 1723--1726". In *O Portugal de D. João V visto por três forasteiros.* pp. 129-257

MONTEIRO, Nuno Gonçalo (org.). *Meu pai e meu senhor muito do meu coração. Correspondência do conde de Assumar para seu pai, o marquês de Alorna.* Lisboa, Quetzal, 2000.

"Motins do Sertão". *Revista do Arquivo Público Mineiro*, vol. I, 1896.

Ode aos annos do Ill.mo, e Ex.mo Senhor D. Antonio Soares de Noronha offerecida, e dedicada pelo seu criado Gonçalo José de Araújo e Sousa. Na Impressão Régia, 1812.

OLIVEIRA, Brigadeiro José Joaquim Machado de. *Quadro Histórico da Província de São Paulo até o ano de 1822.* São Paulo, Typographia Brasil de Carlos Gerke & Cia., 1897.

PAINE, Thomas. "Reflexões quanto ao estado atual das questões americanas". In *O senso comum.* Brasília, EdUnB, 1982.

Panegírico histórico da vida do ill.mo e Ex.mo Senhor D. Antonio de Noronha, do Conselho de S. A. R., e do de Guerra; Grã Cruz da Ordem de Santiago da Espada, Comendador da Ordem de S. Bento de Aviz, Tenente General dos Reais Exércitos, Encarregado do Governo das Armas da Corte, e Província da Extremadura, e Governador da Torre de S. Vicente de Belém, &c. Escrito e dedicado à Memória por Gonçalo José de Araújo e Souza. Lisboa, na Typografia Lacerdina, ano de 1815. Com licença da Mesa do desembargo do Paço.

PEREIRA, Bernardo. *Anacephaleosis medico-theologica, mágica, juridica, moral e política, na qual em recompiladas dissertações e divisões se mostra a infalivel certeza de haver qualidades maleficas, se apontão os sinais por onde se possão conhecer e se descreve a cura assim em geral, como em particular, de que se devem valer nos achaques precedidos das ditas qualidades malefi-*

cas e demoniacas, chamadas vulgarmente feitiços. Coimbra, Francisco de Oliveira, 1734.

PEREIRA, Nuno Marques. *Compêndio narrativo do Peregrino da América*. Rio de Janeiro, Publicações da Academia Brasileira, 1939, 2 vols.

PITTA, Sebastião da Rocha. *História da América portuguesa desde o ano de mil e quinhentos do seu descobrimento até o de mil e setecentos e vinte e quatro*. 2ª ed., Lisboa, Francisco Arthur da Silva, 1880.

"Prática e relação verdadeira da derrota e viagem, que fez da cidade de São Paulo para as minas do Cuiabá o exmo. Sr. Rodrigo César de Meneses governador e capitão general da capitania de São Paulo e suas minas descobertas no tempo do seu governo, e nele mesmo estabelecidas". In *Relatos monçoeiros*. Publicações Comemorativas da Comissão do IV Centenário da Cidade de São Paulo, São Paulo, Editora Martins, 1953, pp. 101-13.

"Registro da patente do Exmo. Snr. Rodrigo César de Meneses Governador e Capitão General desta capitania de São Paulo". Lisboa, 1º/4/1721. In *Documentos Interessantes para a História e Costumes de São Paulo*, vol. XXXVIII. São Paulo, 1902, pp. 3-8.

"Relação da viagem que fez o conde de Azambuja, D. Antonio Rolim, da cidade de São Paulo para a vila de Cuiabá em 1751". In *Relatos monçoeiros*, São Paulo, Comemorações do IV Centenário de São Paulo, Editora Martins, 1953, pp. 181-202.

RESENDE, Manoel Marques. *Espelho da Corte ou um breve mapa de Lisboa, no qual epilogadamente se mostram e retratam as suas grandezas, e um abreviado elogio, e verdadeira cópia dos bons costumes de seus habitadores, em um diálogo curioso e aprazível. Dedicado ao Ilustríssimo senhor D. José César de Meneses e Alencastro, cônego da Santa Igreja Patriarcal, do Conselho de Sua Magestade, e seu Sumilher da Cortina*. Lisboa Ocidental, na Oficina da Música, 1730.

ROCHA, José Joaquim da. *Geografia histórica da capitania de Minas Gerais*. Estudo crítico de Maria Efigênia Lage de Resende. Belo Horizonte, Fundação João Pinheiro, 1995.

SAINT-HILAIRE, A. *São Paulo nos tempos coloniais*. Organizado por Leopoldo Pereira. São Paulo, Monteiro Lobato e Cia., 1922.

"Satisfaz-se ao que Sua Majestade ordena na consulta inclusa que se havia feito sobre as contendas que houveram entre os paulistas e os homens de negócio". *Documentos históricos*. Rio de Janeiro, Biblioteca Nacional, 1951, pp. 245-51, vol. 93.

SEMEDO, João Curvo. *Polyanthea medicinal. Notícias galenicas e chymicas repartidas em três tratados*. Lisboa, Antonio Pedroso Galram, 1716.
"Sobre a carta que escreveu Domingos Duarte do Rio de Janeiro a esta Corte a Manuel Mendes Pereira e o capítulo de outra carta para outra pessoa, nas quais se trata das diferenças que se acham nos paulistas com os reinóis deste Reino; e vão os papéis que se acusam". *Documentos históricos*. Rio de Janeiro, Biblioteca Nacional, vol. 93, 1951, pp. 242-5.
"Sobre a volta de Bartolomeu Bueno de Goiás" (SP, 22/10/1725). In *Documentos interessantes para a história e costumes de São Paulo*, vol. XXXII, 1901, pp. 136-8.
VIEIRA, Padre Antonio. *Sermões pregados no Brasil*. Lisboa, Agência Geral das Colónias, 1940.
VILHENA, Luís dos Santos, *Recopilação de notícias soteropolitanas e brasílicas contidas em XX cartas*. Bahia, Imprensa Oficial do Estado, 1921.
"Violência de um governador". *RAPM*, ano VI, 1901, pp. 185-8.

BIBLIOGRAFIA

1. LIVROS E ARTIGOS

ABALADEJO, P. Fernández. *Fragmentos de monarquia. Trabajos de Historia política*. Madri, Alianza, 1992.
ABREU, J. Capistrano. *Capítulos de história colonial*. Rio de Janeiro, F. Briguiet, 1934.
ABUD, Kátia Maria. *O sangue itimorato e as nobilíssimas tradições. A construção de um símbolo paulista: o bandeirante*. Tese de Doutorado em História. São Paulo, FFLCH-USP, 1985.
AGUIAR, Melânia Silva de. "A trajetória poética de Cláudio Manuel da Costa". In Domício Proença Filho. *A poesia dos inconfidentes. Poesia completa de Cláudio Manuel da Costa, Tomás Antonio Gonzaga e Alvarenga Peixoto*, Rio de Janeiro, Nova Aguilar, 1996, pp. 27-38.
ALBUQUERQUE, Cleonir Xavier de. *A remuneração de serviços da guerra holandesa*. Recife, Universidade Federal de Pernambuco, Imprensa Universitária, 1968.
ALCIDES, Sérgio. *Estes penhascos — Cláudio Manuel da Costa e a paisagem das Minas. 1753-1773*. São Paulo, Hucitec, 2003.
ALDEN, Dauril. *Royal Government in colonial Brazil — with special reference to the*

administration of the Marquis of Lavradio, vice-roy, 1769-1779. Berkeley/Los Angeles, University of California Press, 1968.

ALENCASTRO, Luís Felipe de. "Um historiador na esquina do mundo". Entrevista concedida à *Revista de História da Biblioteca Nacional*, ano 1, nº 4, outubro 2005, pp. 45-6.

ALMEIDA, Luís Ferrand de. *A Colônia do Sacramento na época da Sucessão de Espanha.* Coimbra, 1973.

AMBIRES, Juarez Donisete. *Os jesuítas e a administração dos índios por particulares em São Paulo, no último quartel do século XVII.* Dissertação de Mestrado em literatura brasileira. Orientador: João Adolfo Hansen. São Paulo, FFLCH-USP, 2000.

ANASTASIA, Carla Maria Junho. *A geografia do crime. Violência nas Minas setecentistas.* Belo Horizonte, UFMG, 2005.

______. *Vassalos rebeldes. Violência coletiva nas Minas na primeira metade do século XVIII.* Belo Horizonte, C/Arte, 1998.

ANDERSON, Perry. *El Estado Absolutista.* México, Siglo XXI, 1979.

ARAÚJO, Ana Cristina. *A morte em Lisboa. Atitudes e representações. 1700-1830.* Lisboa, Notícias Editorial, 1997.

ARAÚJO, Ricardo Benzaquém de. *Guerra e paz. Casa-grande & Senzala e a obra de Gilberto Freyre nos anos 30.* 2ª ed. São Paulo, 34, 2005.

AZEVEDO, J. Lúcio de. *O marquês de Pombal e sua época.* 2ª ed. Rio de Janeiro/Lisboa/Porto, Anuário do Brasil/Seara Nova/Renascença Portuguesa, [1922].

BARBOSA, Waldemar de Almeida. *História de Minas.* Belo Horizonte, Comunicação, 1979.

BARREIROS, Eduardo Canabrava. *Episódios dos emboabas e sua geografia.* Belo Horizonte/São Paulo, Itatiaia/Edusp, 1984.

BEHRENS, C. B. A. *O Ancien Regime.* Lisboa, Verbo, 1967.

BETHENCOURT, Francisco. *História das inquisições. Portugal, Espanha e Itália. Séculos XV-XIX.* São Paulo, Companhia das Letras, 2000.

______. "A América portuguesa". In Francisco Bethencourt e Kirti Chaudhuri (orgs.). *História da Expansão portuguesa. O Brasil na balança do Império (1697-1808).* Lisboa, Círculo de Leitores, 1999, pp. 228-49, vol. 3.

BICALHO, Maria Fernanda. "As câmaras ultramarinas e o governo do Império". In João Fragoso, Maria Fernanda Bicalho, Maria de Fátima Gouvêa (orgs.). *O Antigo Regime nos trópicos: a dinâmica imperial portuguesa (séculos XVI-XVIII)*, Rio de Janeiro, Civilização Brasileira, 2001.

______. *A cidade e o império — o Rio de Janeiro no século XVIII.* Rio de Janeiro, Civilização Brasileira, 2003.

BLAJ, Ilana. *A trama das tensões. O processo de mercantilização de São Paulo colonial (1681-1721)*. São Paulo, Humanitas, 2002.

BLANCO, L. "Note sulla piú recente storiografia in tema di 'Stato moderno'". In *Storia amministrazione costituzione*. Annale ISAP 2, 1994, pp. 259-97.

BOSCHI, Caio César. *Os leigos e o poder*. São Paulo, Ática, 1986.

BOSI, Alfredo. "Colônia, culto e cultura". In id. *Dialética da colonização*. São Paulo, Companhia das Letras, 1992, pp. 11-63.

BOXER, Charles R. *Portuguese society in the tropics. The municipal councils of Goa, Macao, Bahia and Luanda, 1510-1800*. Madison, University of Wisconsin Press, 1965.

______. *O império colonial português*. São Paulo, Companhia das Letras, 2002.

______. *A Idade de Ouro do Brasil. Dores de crescimento de uma sociedade colonial*. 2ª ed., São Paulo, Companhia Editora Nacional, 1969.

______. *Salvador de Sá and the struggle for Brazil and Angola*. Bristol, Althlone, 1952.

BRUNNER, Otto. *Land and lordship: structures of governance in Medieval Austria*. Filadélfia, University of Pennsylvania Press, 1992.

______. *Terra e potere*. Introdução de P. Schiera. Milão, 1983.

CAETANO, Marcello. *O Conselho Ultramarino. Esboço da sua história*. Lisboa, Agência Geral do Ultramar, 1967.

CAMPOS, Maria Verônica. *Governo de mineiros. De como meter as Minas numa moenda e beber-lhe o caldo dourado*. Tese de Doutorado em História Social. São Paulo, FFLCH-USP,2002.

CANABRAVA, Alice P. "João Antonio Andreoni e sua obra". Introdução a Antonil. *Cultura e opulência do Brasil por suas drogas e minas*. 2ª ed., São Paulo, Companhia Editora Nacional, s.d., pp. 9-112.

CANDIDO, Antonio. "Os ultramarinos". In id. *Vários escritos*. 3ª ed., revista e ampliada, São Paulo, Duas Cidades, 1993, pp. 215-31.

______. "Da Vingança". In id. *Tese e antítese*. 2ª ed., São Paulo, Companhia Editora Nacional, 1971, pp. 3-28.

______. "A literatura na evolução de uma comunidade". In id. *Literatura e sociedade*. 2ª edição. São Paulo, Companhia Editora Nacional, 1967, pp. 161-91.

______. *Formação da literatura brasileira. Momentos decisivos. (1750-1836)*. São Paulo, Livraria Martins Editora, s.d. vol. 1.

CANEDO, Fernando de Castro da Silva. *A descendência portuguesa de el rei D. João II*. Lisboa, Gama, 1945, vol. II.

CARNEIRO, Maria Luiza Tucci. *Preconceito racial em Portugal e Brasil Colônia. Os cristãos-novos e o mito da pureza de sangue*. São Paulo, Perspectiva, 2005.

CARPENTIER, Alejo. *O século das luzes*. São Paulo, Companhia das Letras, 2004.
______. *Concierto barroco* e *El reino de este mundo*. 2ª ed., Santiago do Chile, Andrés Bello, 1999.
CARVALHO, Feu de. *Ementário da história mineira. Filipe dos Santos Freire na sedição de Vila Rica em 1720*. Belo Horizonte, Edições Históricas, s.d.
CARVALHO, Rômulo de. "Leonis de Pina e Mendonça, matemático português do século XVII?". *Separata da Revista Ocidente*, nº LXVI. Lisboa, 1964, pp. 170-5.
______. *História da fundação do Colégio Real dos Nobres de Lisboa*. Coimbra, Atlântida, 1959.
CASTILHOS, Júlio de. *A Ribeira de Lisboa — descrição histórica da margem do Tejo desde a Madre de Deus até Santos-o-Velho*. 2ª ed. Lisboa, Publicações Culturais da Câmara Municipal de Lisboa, 1944.
CELSO, Conde de Afonso. *RIHGB*, t. 87, vol. 141.
CHABOD, Federico. *Storia dell'idea d'Europa [1961]*. Roma, Laterza, 1995.
______. *Escritos sobre el Renacimiento*, trad., México, Fondo de Cultura Económica, 1990, pp. 523-93.
CLUNY, Isabel. "Elites aristocráticas: diplomacia e guerra". *Cultura. Revista de História e Teoria das Ideias. Ciência e Política*, vol. XVI-XVII, 2003, pp. 235-56.
______. *D. Luís da Cunha e a ideia de diplomacia em Portugal*. Lisboa, Livros Horizonte, 1999.
COELHO, José Maria Latino. *História militar e política de Portugal desde fins do XVIII século até 1814*. Lisboa, Imprensa Nacional, 1891, t. III.
CONSENTINO, Francisco Carlos Cardoso. *Governadores gerais do Estado do Brasil (século XVI e XVII): ofício, regimentos, governação e trajetórias*. Tese de Doutorado em História. Niterói, UFF, 2005.
CORDEIRO, Ana Paula Meyer. *Minas ocultas. Civilização e fronteira no ocaso da América portuguesa*. Dissertação de Mestrado em História, Niterói, UFF, 2001.
CORTESÃO, Jaime. *Alexandre de Gusmão e o Tratado de Madrid*. Lisboa, Livros Horizonte, 1984.
CUNHA, Mafalda Soares da, MONTEIRO, Nuno Gonçalo F. "Governadores e capitães-mores do império atlântico português nos séculos XVII e XVII". In Nuno G. F. Monteiro, Pedro Cardim e Mafalda Soares da Cunha (orgs.). *Optima Pars. Elites ibero-americanas do Antigo Regime*. Lisboa, ISC, Imprensa de Ciências Sociais, 2005, pp. 191-252.
CURTO, Diogo Ramada. "Notes à propos de la *Nobiliarchia Paulistana* de Pedro Taques". In *Arquivo do Centro Cultural Calouste Gulbenkian — Biographies*. Paris, Fundação Calouste Gulbenkian, pp. 110-9, vol. XXXIX.

DARNTON, Robert. "A unidade da Europa: cultura e civilidade". In id. *Os dentes falsos de George Washington*. São Paulo, Companhia das Letras, 2005, pp. 91-104.

DELGADO, Ralph. *História de Angola. Terceiro período: 1648-1836*. Lisboa, Edição do Banco de Angola, s/d., 4º vol.

DIAS, Carlos Malheiro. *História da colonização portuguesa do Brasil*. Porto, Litografia Nacional, 1921, 1923, 1924, 3 vols.

ELLIOTT, J. H. *Imperial Spain*. Londres, 1963.

FALCÃO, Joaquim, ARAÚJO, Rosa Maria Barbosa de (orgs.). *O imperador das ideias*. Rio de Janeiro, Topbooks, 2001.

FALCON, Francisco José Calazans. *A época pombalina (Política econômica e monarquia ilustrada)*. São Paulo, Ática, 1982.

FAORO, Raymundo. *Os donos do poder - formação do patronato político brasileiro*. 2ª ed., Porto Alegre/São Paulo, Globo/Edusp, 1975.

FERNANDES, Florestan. "A sociedade escravista no Brasil". In id. *Circuito fechado*. São Paulo, 1976.

FIGUEIREDO, Luciano Raposo de Almeida. "O Império em apuros — notas para o estudo das alterações ultramarinas e das práticas políticas no Império colonial português, séculos XVII e XVIII", In Júnia Ferreira Furtado (org.). *Diálogos oceânicos — Minas Gerais e as novas abordagens para uma história do Império Ultramarino Português*. Belo Horizonte, UFMG, 2001, pp. 197-254.

______. "Os muitos perigos dos vassalos aborrecidos: o Império Colonial na América Portuguesa do século XVIII (notas a respeito de um parecer do Conselho Ultramarino, 1732)". Comunicação apresentada no Seminário Internacional *25 anos do 25 de abril: um balanço*. Rio de Janeiro, UERJ, 26 de outubro de 1999. Exemplar datiloscrito.

______. *Revoltas, fiscalidade e identidade colonial na América portuguesa. Rio de Janeiro, Bahia e Minas Gerais, 1640-1761*. Tese de Doutorado em História. São Paulo, FFLCH-USP, 1996.

FLORENTINO, Manolo. *Em costas negras — uma história do tráfico de escravos entre a África e o Rio de Janeiro (séculos XVIII e XIX)*. São Paulo, Companhia das Letras, 1997.

FOUCAULT, Michel. *Surveiller et punir. Naissance de la prison*. Paris, Gallimard, 1975.

FRAGOSO, João. "Potentados coloniais e circuitos imperiais: notas sobre uma nobreza da terra, supracapitanias, no Setecentos". In Nuno G. F. Monteiro et al. *Optima Pars — elites ibero-americanas do Antigo Regime*. Lisboa, ICS - Imprensa de Ciências Sociais, 2005.

______. BICALHO, Maria Fernanda, GOUVÊA, Maria de Fátima (orgs.), *O Antigo*

Regime nos trópicos: a dinâmica imperial portuguesa (séculos XVI-XVIII). Rio de Janeiro, Civilização Brasileira, 2001.

FRANCO, Caio de Mello. *O inconfidente Cláudio Manuel da Costa. "O parnaso obsequioso". "As cartas chilenas"*. Rio de Janeiro, Schmidt, 1931.

FREYRE, Gilberto. *Casa-grande & senzala*. Organização de Guillermo Giucci et. al. Paris, Allca XX, 2002.

FUMAROLI, Marc. *Quand l'Europe parlait français*. Paris, Fallois, 2001.

FURET, François. *Penser la Révolution française*. Nova edição revista e corrigida. Paris, Gallimard, 1983.

FURTADO, João Pinto. *O manto de Penélope*. São Paulo, Companhia das Letras, 2002.

FURTADO, Júnia Ferreira. "Honrados e úteis vassalos: os contratadores dos diamantes e a burguesia pombalina". In Lená Medeiros Menezes et al. (orgs.). *Olhares sobre o político: novos ângulos, novas perspectivas*. Rio de Janeiro, Eduerj, 2002, pp.147-73.

______. *Chica da Silva e o contratador de diamantes*. São Paulo, Companhia das Letras, 2003.

______. *Homens de negócio — a interiorização da metrópole e do comércio nas Minas setecentistas*. São Paulo, Hucitec, 1999.

______. *O livro da capa verde — o regimento diamantino de 1771 e a vida no Distrito Diamantino no período da Real Extração*. São Paulo, Annablume, 1996.

GARCIA, Rodolfo. *Ensaio sobre a história política e administrativa do Brasil (1500-1810)*. Rio de Janeiro, José Olympio, 1956.

GERBI, Antonello. *O Novo Mundo — história de uma polêmica. 1750-1900*. Trad., São Paulo, Companhia das Letras, 1996.

GINZBURG, Carlo. *A micro-história e outros ensaios*, trad. portuguesa. Lisboa, Difel, 1989.

______. *Olhos de madeira — nove reflexões sobre a distância*. Trad., São Paulo, Companhia das Letras, 2001. Sobretudo cap. 1, "Estranhamento", pp. 15-41; cap. 7, "Distância e perspectiva", pp. 176-98, e cap. 8, "Matar um mandarim chinês", pp. 199-218.

______. *Relações de força. História, retórica, prova*. Trad., São Paulo, Companhia das Letras, 2002.

GLETZER, Raquel. *Chão de terra — um estudo sobre São Paulo colonial*. Tese apresentada ao concurso de Livre-Docência em Metodologia da História. São Paulo, USP, 1992, p. 47 [ex. mimeografado].

GODBOUT, Jacques T. *O espírito da dádiva*, trad. Rio de Janeiro, FGV, 1999.

GODELIER, Maurice. *O enigma do dom*. trad. Rio de Janeiro, Civilização Brasileira, 2001.

GODINHO, Vitorino Magalhães. *Prix et monnaies au Portugal (1750-1850)*. Paris, Armand Colin, 1955.

______. *Mito e mercadoria, utopia e prática de navegar. Séculos XIII-XVIII*. Lisboa, Difel, 1990.

______. "Portugal, as frotas do açúcar e as frotas do ouro (1670-1770)". *Revista de História*, nº 15, São Paulo, 1950, pp. 69-88.

______. *A estrutura da antiga sociedade portuguesa*. Lisboa, Arcádia, 1971.

GOLGHER, Isaías. *Guerra dos Emboabas*. Belo Horizonte, Conselho Estadual de Cultura de Minas Gerais, 1982.

GOMES, Joaquim Ferreira. *Martinho de Mendonça e a sua obra pedagógica — com a edição crítica dos "Apontamentos para a educação de um menino nobre"*. Universidade de Coimbra, Instituto de Estudos Filosóficos, 1964.

GONZAGA, Norberto. *História de Angola. 1482-1963*. S.l., C.I.T.A. [1969]

GOUVÊA, Maria de Fátima. "Poder político e administração na formação do complexo atlântico português (1645-1808)". In João Fragoso, Maria Fernanda Bicalho, Maria de Fátima Gouvêa (orgs.). *O Antigo Regime nos trópicos: a dinâmica imperial portuguesa (séculos XVI-XVIII)*. Rio de Janeiro, Civilização Brasileira, 2001, pp. 285-315.

______., "Poder, autoridade e o senado da Câmara do Rio de Janeiro, ca. 1780-1820". *Tempo* nº 13 [Dossiê Política e Administração no Mundo Luso-Brasileiro]. Niterói, UFF, julho 2002, pp. 111-55.

______., Frazão, Gabriel Almeida, Santos, Marília Nogueira dos. "Redes de poder e conhecimento na governação do império português, 1688-1735". *Topoi* nº 8, Rio de Janeiro, 2004, pp. 96-137.

GREENE, Jack P. *Peripheries and center. Constitutional development in the extended polities of the British Empire and the United States, 1607-1788*. Athens & Londres, University of Georgia Press, 1986.

______. *Negotiated authorities. Essays in colonial political and constitutional history*. Charlottesville, Londres, The University Press of Virginia, 1994.

GRUZINSKI, Serge. "Les mondes mêlés de la monarchie catholique et autres 'connected histories'". *Annales*, 1, jan.-fev. 2001, pp. 85-117.

GUARINI, Elena Fasano. "'Etat Moderne' et anciens états italiens: éléments d'Histoire comparée". *Revue d'Histoire Moderne et Contemporaine* nº 45, 1998, pp. 15-41.

GUÉRY, Alain. "Le roi dépensier — le don, la contrainte et l'origine du système financier de la monarchie française d'Ancien Regime". *Annales - E.S.C.*, 39e année, 6, 1984, pp. 1241-69.

HAZARD, Paul. *La crise de la conscience européenne. 1680-1715*. Paris, Gallimard, 1961.

HECKSHER, Eli F. *La época mercantilista*, trad. México, Fondo de Cultura Económica, 1943.

HENSHALL, Nicholas. *The myth of absolutism — change & continuity in early modern european monarchy*. Londres/Nova York, Longmans, 1992.

HESPANHA, Antonio Manuel. "Os poderes num império oceânico". In id. (coord.), José Mattoso (org.). *História de Portugal. O Antigo Regime (1620-1807)*, Lisboa, Editorial Estampa, 1998, pp. 351-66, vol. IV.

______. "La economía de la gracia". In Id. *La gracia del derecho — economía de la cultura en la Edad Moderna*. Madri, Centro de Estudios Constitucionales, 1993, pp. 151-76.

______. *As vésperas do Leviathan. Instituições e poder político. Portugal: século XVII*. Coimbra, Livraria Almedina, 1994.

______. (coord.). *História de Portugal. O Antigo Regime (1620-1807)*. Lisboa, Estampa, 1998, vol. IV.

______. "O debate acerca do Estado moderno". *Working Papers*, nº 1. Faculdade de Direito da Universidade Nova de Lisboa, 1999.

HIGGINS, Kathleen. *The slave society in eighteenth-century Sabara: a community study in colonial Brazil*. Yale, UMI, 1987.

HOLANDA, Sérgio Buarque de. *Raízes do Brasil*. 9ª ed. Rio de Janeiro, José Olympio, 1976.

______. *Caminhos e fronteiras*. 3ª ed. São Paulo, Companhia das Letras, 1994.

______. "Metais e pedras preciosas". In *História geral da Civilização Brasileira*. São Paulo, Difel, 1960, pp. 259-310, t. 1, vol. II.

______. *Monções*. 3ª ed. São Paulo, Brasiliense, 1990.

______. *Capítulos de literatura colonial*. Organização e introdução de Antonio Candido. São Paulo, Brasiliense, 1991.

JESUS, Nauk Maria de. *Na trama dos conflitos: a administração na fronteira oeste da América portuguesa (1719-1778)*. Tese de Doutorado em História. Niterói, UFF, 2006.

KANTOR, Íris. *Esquecidos e renascidos — Historiografia Acadêmica Luso-Americana (1724-1759)*. São Paulo/Salvador, Hucitec/Centro de Estudos Baianos/UFBA, 2004.

KAPPLER, Claude. *Monstros, demônios e encantamentos no fim da Idade Média*. Trad., São Paulo, Martins Fontes, 1993

KOSELLECK, Reinhart. *Crítica e crise. Uma contribuição à patogênese do mundo burguês*. Trad., Rio de Janeiro, Eduerj/Contraponto, 1999.

LADD, Doris M. *The Mexican nobility at independence. 1780-1826*. Austin, University of Texas Press, 1976.

LADURIE, Emmanuel Le Roy. *L'État royal. 1460-1610*. Paris, Hachette, 1987.

______. *L'Ancien Régime. 1610-1715*. Paris, Hachette, 1991.

LAPA, Manuel Rodrigues. *Vida e obra de Alvarenga Peixoto*. Rio de Janeiro, Instituto Nacional do Livro/Ministério da Educação e Cultura, 1960.

LARA, Sílvia Hunold. *Fragmentos setecentistas — escravidão, cultura e poder na América portuguesa*. Campinas, Tese de Livre-Docência, 2004.

LEITE, Aureliano. *Antonio de Albuquerque Coelho de Carvalho — capitão-general de São Paulo e Minas do ouro, no Brasil*. Lisboa, Agência Geral das Colônias, 1944.

LEITE, Serafim. *História da Companhia de Jesus no Brasil*. Rio de Janeiro, Instituto Nacional do Livro, 1949, vol. VIII.

LEONARD, Yves. "Immuable et changeant, le lusotropicalisme au Portugal". In *Le Portugal et l'Atlantique Arquivos do Centro Cultural Calouste Gulbenkian*, vol. XLII. Lisboa e Paris, 2001, pp. 107-17.

LIRA, Augusto Tavares de. *Organização política e administrativa do Brasil* (*Colônia, Império e República*). São Paulo, Editora Nacional, 1941.

Lo specchio dell'Europa. Immagine e immaginario di un continente. Rimini, Il Cerchio, 1999.

LUÍS, Washington. *Capitania de São Paulo — governo de Rodrigo César de Menezes*. 2ª ed. São Paulo, Companhia Editora Nacional, 1938.

LYRA, Maria de Lourdes Viana. *A utopia do poderoso império. Portugal e Brasil: bastidores da política. 1798-1822*. Rio de Janeiro, Sette Letras, 1994.

MACHADO, J. *Alcântara. Vida e morte do bandeirante*. 2ª edição. São Paulo, Revista dos Tribunais, 1930.

MACLEOD, Murdo J. "A Espanha e a América: o comércio atlântico". In Leslie Bethell (org.). *História da América Latina. I —América Latina Colonial*. São Paulo/Brasília, Edusp/Funag, 1997, pp. 339-90

MAGALHÃES, J. V. Couto de. "Um episódio da História Pátria (1720)". *Revista do Instituto Histórico e Geográfico Brasileiro*, t. 25, 1862, pp. 515-43.

MAGNO, David J. G. *Os dembos nos anais de Angola e Congo* (*1484-1912*). Lisboa, Typografia Universal, 1917.

MANDROU, *Robert. L'Europe "absolutiste": Raison et raison d'Etat. 1649-1775*. Paris, Fayard, 1977.

MANNORI, L. *Il sovrano tutore. Pluralismo istituzionale e accentramento amministrativo nel Principato dei Medici* (*sécs. XVI-XVIII*). Milão, 1994.

MARANHO, Milena. *A opulência relativizada. Significados econômicos e sociais dos níveis de vida dos habitantes da região do planalto de Piratininga. 1648-1682*. Dissertação de Mestrado em História sob orientação de Leila Mezan Algranti. Campinas, IFCH-Unicamp, setembro 2000.

MARAVALL, José Antonio. *A cultura do barroco. Análise de uma estrutura histórica*. São Paulo, Edusp/Imprensa Oficial, 1997.

MAURO, Frédéric. *Études économiques sur l'expansion portugaise, 1500-1900.* Paris, Centro Cultural Português da Fundação Calouste Gulbenkian, 1970.
MAURO, Frédéric. *Le Portugal et l'Atlantique au XVIIe siècle (1570-1670). Étude économique.* Paris, 1960.
MAUSS, Marcel. "Essai sur le don — forme et raison de l'échange dans les sociétés archaïques" [1929]. In *Sociologie et anthropologie.* Intr. de Claude Lévi-Strauss. 9ª ed., Paris, PUF, 2001, pp. 143-279.
MAXWELL, Kenneth. *A devassa da devassa.* Rio de Janeiro, Paz e Terra, 1977.
______. *Marquês de Pombal. Paradoxo do Iluminismo.* 2ª ed. Rio de Janeiro, Paz e Terra, 1997.
MELLO, Evaldo Cabral de. *A fronda dos mazombos. Nobres contra mascates. Pernambuco, 1666-1715.* São Paulo, Companhia das Letras, 1995.
______. *O nome e o sangue: uma fraude genealógica no Pernambuco colonial.* São Paulo, Companhia das Letras, 1989.
______. *Olinda restaurada.* Forense/Edusp, 1975.
______. *Rubro veio. O imaginário da Restauração Pernambucana.* Rio de Janeiro, Nova Fronteira, 1986.
______. *Um imenso Portugal — história e historiografia.* São Paulo, 34, 2002.
MELO, José Antonio Gonsalves de. *Henrique Dias - governador dos crioulos, negros e mulatos do Brasil.* Recife, Massangana/Fundação Joaquim Nabuco, 1988.
______. *João Fernandes Vieira — Mestre de campo do terço de Infantaria de Pernambuco.* Lisboa, Comissão Nacional para a Comemoração dos Descobrimentos Portugueses/Centro de Estudos de História do Atlântico, 2000.
______. *Tempo dos flamengos.* Recife, Fundação Joaquim Nabuco/Massangana, 1987.
MELO, José Soares de. *Emboabas* [1ª ed.: 1926]. Edição facsimilada: São Paulo, Governo do Estado, 1987.
MENEZES, Mozart Vergetti de. *Colonialismo em ação. Fiscalismo, economia e sociedade na capitania da Paraíba (1647-1755).* Tese de Doutorado em História Econômica. São Paulo, FFLCH-USP, 2005.
MIRANDA, Tiago Reis. "Dom Brás Baltazar da Silveira na vizinhança dos Grandes". Comunicação inédita apresentada no Colóquio *A nobreza na administração colonial do Brasil.* Organização Casa da Fronteira e Alorna, Lisboa, 23-26 de junho de 2002, exemplar datiloscrito.
MONTEIRO, John Manuel. "Os caminhos da memória: paulistas no Códice Costa Matoso". *Revista Varia Historia* 21, Belo Horizonte, julho de 1999, pp. 86-99
______. *Negros da terra. Índios e bandeirantes nas origens de São Paulo.* São Paulo, Companhia das Letras, 1994.
MONTEIRO, Nuno Gonçalo. "Poder senhorial, estatuto nobiliárquico e aristocra-

cia". In Antonio Manuel Hespanha (coord.). *História de Portugal. O Antigo Regime (1620-1807)*. Lisboa, Estampa, 1998, 297-338, vol. IV.

______. *O crepúsculo dos grandes (1750-1832)*. Lisboa, Imprensa Nacional/Casa da Moeda, s.d.

______. "Trajetórias sociais e governo das conquistas: notas preliminares sobre os vice-reis e governadores-gerais do Brasil e da Índia nos séculos XVII e XVIII". In João Fragoso, Maria Fernanda Bicalho, Maria de Fátima Gouvêa (orgs.). *O Antigo Regime nos trópicos: a dinâmica imperial portuguesa (séculos XVI-XVIII)*. Rio de Janeiro, Civilização Brasileira, 2001, pp. 251-83.

______. CARDIM, Pedro, CUNHA, Mafalda Soares da (orgs.), *Optima Pars — elites ibero-americanas do Antigo Regime*. Lisboa, ISC – Imprensa de Ciências Sociais, 2005.

MONTEIRO, Rodrigo Bentes. *O rei no espelho. A monarquia portuguesa e a colonização da América (1640-1720)*. São Paulo, Hucitec, 2002.

MOTA, Isabel Ferreira da. *A Academia Real da História. Os intelectuais, o poder cultural e o poder monárquico no século XVIII*. Lisboa, Minerva Coimbra, 2003.

MOUSNIER, Roland. *Les institutions de la France sous la Monarchie Absolue, 1578-1789*. 2ª ed. Paris, PUF, 1990.

MUCHEMBLED, Robert. *Le temps des supplices. De l'obéissance sous les rois absolus. XVe-XVIIIe siècle*. Paris, Armand Colin, 1992.

MUSI, Aurélio. "Um assolutismo preriformatore?". In id. *L'Italia dei Viceré. Integrazione e resistenza nel sistema spagnuolo*. 2ª ed., Salerno, Avagliano, 2001, pp. 225-41.

NABUCO, Joaquim. *O abolicionismo. Discursos e conferências abolicionistas*. São Paulo, Instituto Progresso Editorial, 1949.

NEVES, Lúcia Maria Bastos Pereira das. *As representações napoleônicas em Portugal: imaginário e política (c. 1808-1810)*. Tese apresentada em Concurso para Provimento de Cargo de Professor Titular em História Moderna. Rio de Janeiro, UERJ, 2002 (exemplar datiloscrito).

NORTON, Manuel Artur. *Dom Pedro Miguel de Almeida Portugal*. Lisboa, Agência Geral do Ultramar, 1967.

NOVAIS, Fernando A. *Portugal e Brasil na crise do antigo sistema colonial*. São Paulo, Hucitec, 1979.

______. "Condições da privacidade na colônia". In Laura de Mello e Souza (org.). *História da vida privada no Brasil. I — cotidiano e vida privada na América portuguesa*. São Paulo, Companhia das Letras, 1997, pp. 13-39.

______. *Aproximações. Estudos de história e historiografia*. São Paulo, Cosac Naify, 2005.

OLIVAL, Fernanda. *As ordens militares e o Estado moderno. Honra, mercê e venalidade em Portugal (1641-1789)*. Lisboa, Estar, 2001.

______. "Pagamentos de serviços e formas de comunicação entre o império português e a metrópole (século XVII)". Exemplar datiloscrito, 2004.

OLIVEIRA Jr., Paulo Cavalcante de. *Negócios de trapaça: caminhos e descaminhos na América portuguesa (1700-1750)*. Tese de Doutorado em História Social. São Paulo, 2002, 2 vols.

OLIVEIRA, Tarquínio J. B. de. Um banqueiro da Inconfidência. Ensaio biográfico de João Roiz de Macedo, arrematante de rendas tributárias no último quartel do século XVIII. Ouro Preto, Minas Gerais, ESAF, Centro de Estudos do Ciclo do Ouro, Casa dos Contos, 1981.

OLYNTHO, Antonio. "Revolta de Vila Rica de 1720". *Revista do Instituto Histórico e Geográfico Brasileiro*, t. 85, vol. 139, 1919, pp. 443-97.

ORTEGA Y GASSET, José. *España invertebrada. Bosquejo de algunos pensamientos históricos*. 13ª edição. Madri, Austral, 2002.

ORTIZ, Fernando. *Contrapunteo cubano del tabaco y del azúcar [1948]*. Prefácio de B. Malinowski. Havana, Consejo Nacional de Cultura, 1963.

PAGDEN, Anthony. *The fall of natural man. The american indian and the origins of comparative ethnology*. Cambridge University Press, 1982.

______. (org.). *The idea of Europe. From Antiquity to the European Union*. Woodrow Wilson Center Press/Cambridge University Press, 2002.

PARKER, Geoffrey. *The army of Flanders and the Spanish Road (1567-1659). The logistics of Spanish victory and defeat in the Low Countries' War*. Cambridge, 1972.

PEREIRA, Ângelo. *D. João VI príncipe e rei — a bastarda*. Lisboa, Empresa Nacional de Publicidade, 1955.

PETRALIA, Giuseppe. "'Stato' e 'moderno' in Italia e nel rinascimento". *Storica*, nº 8, 1997, pp. 7-48.

PIJNING, Ernst. *Controlling contraband: mentality, economy and society in Eightenth-Century Rio de Janeiro*. Tese de Doutorado apresentada à Johns Hopkins University, Baltimore, Maryland, 16 de maio de 1997.

POSSAMAI, Paulo César. *O cotidiano da guerra: a vida na colônia do Sacramento (1715-1735)*. Tese de Doutorado em História. São Paulo, FFLCH-USP, 2001(Publicado como: A vida cotidiana na Colónia do Sacramento (1715--1735) — um bastião português na terra do futuro Uruguai. Lisboa, Editora Livros do Brasil, 2006)

PRADO Jr., Caio. *Formação do Brasil contemporâneo. Colônia*. São Paulo, Livraria Martins Editora, 1942.

PRADO, Antonio Arnoni. *Alvarenga Peixoto (Melhores Poemas)*. São Paulo, Global, 2001.

PRADO, Paulo. *Paulística etc.* Org. de Carlos Augusto Calil. São Paulo, Companhia das Letras, 2004.

PRATT, Mary Louise. *Imperial eyes. Travel writing and transculturation.* Londres/ Nova York, Routledge, 1992.

PRIORE, Mary del. *Ao sul do corpo: condição feminina, maternidades e mentalidades no Brasil colônia.* Rio de Janeiro, José Olympio Editora, 1993.

______. *O mal sobre a terra. Uma história do terremoto de Lisboa.* Rio de Janeiro, Topbooks, 2003.

PUNTONI, Pedro. *A guerra dos bárbaros. Povos indígenas e a colonização do sertão nordeste do Brasil (1650-1720).* São Paulo, Hucitec/Edusp, 2002.

REIS, João José. *Rebelião escrava no Brasil. A história do levante dos malês (1835).* São Paulo, Brasiliense, 1986.

______., GOMES, Flávio. *Liberdade por um fio. História dos quilombos brasileiros.* São Paulo, Companhia das Letras, 1996.

______., SILVA, Eduardo. *Negociação e conflito. A resistência escrava no Brasil escravista.* São Paulo, Companhia das Letras, 1989.

RIBEIRO, João. "Cláudio Manoel da Costa". In *Cláudio Manoel da Costa. Obras poéticas.* Rio de Janeiro, Garnier, 1903, pp. 1-45, t. I.

RIBEIRO, Márcia Moisés. *A ciência nos trópicos.* São Paulo, Hucitec, 1997.

ROMEIRO, Adriana. "Revisitando a guerra dos emboabas: práticas políticas e imaginário nas Minas setecentistas". In Maria Fernanda B. Bicalho e Vera Lúcia Amaral Ferlini (orgs.). *Modos de governar. Ideias e práticas políticas no império português (séculos XVI-XIX).* São Paulo, Alameda, 2005, pp. 387-401.

______. *Um visionário na Corte de Dom João V. Revolta e milenarismo nas Minas Gerais.* Belo Horizonte, UFMG, 2001.

ROMERO, Sílvio. *História da literatura brasileira (1500-1830).* 2ª ed. Rio de Janeiro, H. Garnier, 1902, t. I.

ROSA, Carlos Alberto. *A Vila Real do Senhor Bom Jesus do Cuiabá. Vida urbana em Mato Grosso no século XVIII (1722-1808).* Tese de Doutorado em História Social. São Paulo, FFLCH-USP, 1996.

ROSA, Maria de Lurdes. *O morgadio em Portugal. Séculos XIV-XV.* Lisboa, Estampa, 1995.

RUSSELL-WOOD, A. J. R. "O governo local na América portuguesa: um estudo de divergência cultural". *Revista de História,* nº 108, vol. LV, ano XXVIII, 1977, pp. 25-79.

______. "Governantes e agentes". In Francisco Bethencourt e Kirti Chaudhuri (orgs.). *História da Expansão portuguesa. O Brasil na balança do Império (1697-1808).* Lisboa, Círculo de Leitores, 1999, pp. 169-92.

______. *Um mundo em movimento. Os portugueses na África, Ásia e América (1415-1808)*. Trad., Lisboa, Difel, 1998.
______. "Centros e periferias no mundo Luso-Brasileiro, 1500-1808". *Revista Brasileira de História*, vol. 18, nº 36, 1998, pp. 187-249.
______. "Autoridades ambivalentes: o Estado do Brasil e a contribuição africana para a 'boa ordem na República'". In Maria Beatriz Nizza da Silva (org.). *Brasil: colonização e escravidão*. Rio de Janeiro, Nova Fronteira, 1999, pp. 105-123.
______. *Escravos e libertos no Brasil colonial*. Rio de Janeiro, Civilização Brasileira, 2005.
______. "Identidade, etnia e autoridade nas Minas Gerais do século XVIII: leituras do *Códice Costa Matoso*". *Revista Varia Historia* nº 21 [Número Especial Códice Costa Matoso], julho de 1999, pp. 100-18.
______. *Fidalgos e filantropos. A Santa Casa de Misericórdia da Bahia (1550--1755)*. Brasília, Edunb, 1981.
SALGADO, Graça (coord.). *Fiscais e meirinhos. A administração no Brasil colonial*. Rio de Janeiro, INL/Nova Fronteira, 1985.
SANCHEZ, C. J. Hernando. "Repensar el poder. Estado, Corte y Monarquia Católica em la historiografia italiana". In *Diez años de historiografia modernista*. Bellaterra, Universitat Autônoma de Barcelona, 1997, pp. 103-39.
SANTOS, Corcino Medeiros dos. "Relações de Angola com o Rio de Janeiro". Separata da *Revista Estudos Históricos* 12, Marília, 1973.
SANTOS, Fabiano Vilaça dos. "Mediações entre a fidalguia portuguesa e o Marquês de Pombal: o exemplo da Casa de Lavradio". *Revista Brasileira de História* 48, 2005, pp. 301-29.
SANTOS, Nuno Beja Valdez Thomaz dos. *A fortaleza de São Miguel*. Luanda, Instituto de Investigação Científica de Angola, 1967.
SANZ, Virgínia Leon. "La llegada de los Borbones al trono". In Ricardo Garcia Cárcel (org.). *História de España. Siglo XVIII — La España de los Borbones*. Madrid, Cátedra, 2002, pp. 41-111.
SARAIVA, Antonio José. *Inquisição e cristãos novos*. 5ª ed., Lisboa, Editorial Estampa, 1985.
SCHIERA, Pierangelo. "Legitimità, disciplina; istituzioni: tre presupposti per la nascita dello Stato moderno". In G. Chittolini, A. Molho, P. Schiera (orgs.). *Origini dello Stato. Processi di formazione statale in Italia fra Medioevo ed età moderna*. Bolonha, Il Mulino, 1994.
SCHWARTZ, Stuart B. *Da América portuguesa ao Brasil. Estudos históricos*. Lisboa, Difel, 2003.
______. *Burocracia e sociedade no Brasil colonial*. São Paulo, Perspectiva, 1979.
______. *Segredos internos*. São Paulo, Companhia das Letras, 1988.

SEQUEIRA, Gustavo de Matos. *O Carmo e a Trindade*. P. 217, vol. III.

______. *Depois do terramoto. Subsídios para a história dos bairros ocidentais de Lisboa*. Lisboa, Academia das Ciências de Lisboa, 1916-1917.

SILVA, Alberto da Costa e. *Francisco Félix de Souza, mercador de escravos*. Rio de Janeiro, Eduerj/Nova Fronteira, 2004.

______. *Um rio chamado Atlântico. A África no Brasil e o Brasil na África*. Rio de Janeiro, Nova Fronteira, 2003.

SILVA, Joaquim Norberto de Sousa e. *Obras poéticas de Alvarenga Peixoto*. Rio de Janeiro, H. Garnier, 1865, p. 65.

SILVA, Marilda Santana da. *Poderes locais em Minas Gerais setecentista. A representatividade do Senado da Câmara e Vila Rica (1760-1808)*. Tese de doutorado em história. Campinas, IFCH-Unicamp, 2003.

SILVEIRA, Marco Antonio. *O universo do indistinto*. São Paulo, Hucitec, 1997.

SOUZA, Evergton Salles. *Jansénisme et reforme de l'Église dans l'Empire Portugais*. Lisboa, Calouste-Gulbenkian, 2004.

SOUZA, Laura de Mello e. "Motines, revueltas y revoluciones en la America Portuguesa de los siglos XVII y XVIII". In Enrique Tandeter e Jorge Hidalgo Lehuedé (coords.). *Historia general de América Latina*. S.l., Ediciones Unesco/Editorial Trotta, 2000, pp. 459-73, vol. IV.

______. "Os nobres governadores de Minas. Mitologias e histórias familiares". In id. *Norma e conflito. Aspectos da História de Minas no século XVIII*. Belo Horizonte, UFMG, 1999, pp. 175-99.

______. "Notas sobre as revoltas e as revoluções da Europa Moderna". *Revista de História* nº 135, São Paulo, 2º semestre de 1996, pp. 9-17.

______. "Tensões sociais em Minas na segunda metade do século XVIII". In Adauto Novais (org.). *Tempo e história*. São Paulo, Companhia das Letras, 1992, pp. 347-66.

______. "Administração colonial e promoção social: a atividade de Luís Diogo Lobo da Silva como capitão general de Pernambuco e Minas Gerais (1756--1768)". In Maria Beatriz Nizza da Silva (org.). *De Cabral a Pedro I. Aspectos da colonização portuguesa no Brasil*. Porto, Universidade Portucalense Infante D. Henrique, 2001, pp. 277-87.

______. "Fragmentos da vida nobre em Portugal setecentista". In Walnice Nogueira e Galvão, Nádia Batella Gotlib. *Prezado senhor, prezada senhora. Estudos sobre cartas*. São Paulo, Companhia das Letras, 2000, pp. 77-88.

______. "La conjoncture critique dans le monde luso-brésilien au début du XVIIIe siècle". In *Le Portugal et l'Atlantique – Arquivos do Centro Cultural Calouste Gulbenkian*, vol. XLII, Lisboa/Paris, 2001, pp. 11-24.

______. "Motines, revueltas y revoluciones en la America Portuguesa de los siglos

XVII y XVIII". In Enrique Tandeter e Jorge Hidalgo Lehuedé (coords.). *Historia general de América Latina.* S.l., Ediciones Unesco/Editorial Trotta, 2000, pp. 459-73, vol. IV.

______. "O público e o privado no Império português de meados do século XVIII: uma carta de Dom João de Almeida, conde de Assumar, a Dom Pedro de Almeida, marquês de Alorna e vice-rei da Índia, 1749". *Tempo* nº 13, Rio de Janeiro, julho 2002, pp. 59-75.

______. Prefácio a "Vida e Morte do Bandeirante". In Silviano Santiago (org.). *Intérpretes do Brasil.* Rio de Janeiro, Nova Aguilar, 2000, pp. 1191-203, vol. I.

______. "Frontière géographique et frontière sociale à Minas Gerais dans la seconde moitié du XVIIIe siècle". In Katia de Queiros Mattoso, Idelette Muzart Fonseca dos Santos e Denis Rolland (orgs.). *Naissance du Brésil moderne.* Paris, PUF, 1998, pp. 273-88.

______. "Fronteira geográfica e fronteira social em Minas na segunda metade do século XVIII". In Maria Clara Tomaz Machado e Rosângela Patriota (orgs.). *Política, cultura e movimentos sociais: contemporaneidades historiográficas.* Uberaba, Programa de Mestrado em História-UFFU, 2001, pp. 103-14.

______. *Desclassificados do ouro. A pobreza mineira no século XVIII.* Rio de Janeiro, Graal, 1982.

______. *Norma e conflito. Aspectos da história de Minas no século XVIII*, Belo Horizonte, UFMG, 1999.

______. BICALHO, Maria Fernanda. *1680-1720: o império deste mundo.* São Paulo, Companhia das Letras, 2000.

SOUZA, Marina de Mello e. *Reis negros no Brasil escravista. História da festa de coroação de Rei Congo.* Belo Horizonte, UFMG, 2002.

SUBRAHMANYAM, Sanjay. "Connected histories: notes towards a reconfiguration of Early Modern Eurasia". In V. Lieberman (ed.). *Beyond binary histories. Re-imagining Eurasia to c. 1830.* Ann Arbor, The University of Michigan Press, 1997, pp. 289-315.

______ "Du Tage au Gange au XVIe siècle: une conjoncture millénariste à l'échelle eurasiatique". *Annales*, nº 1, jan.-fev. 2001, pp. 51-84.

TAPAJÓS, Vicente (org.), *História administrativa do Brasil.* 2ª ed., São Paulo, DASP, 1965-1974, 7 vols.

TAUNAY, Affonso de E. "Escorço biográfico". In Pedro Taques de Almeida Paes Leme. *História da capitania de São Vicente.* São Paulo, Melhoramentos, s.d., pp. 10-3.

______. "Pedro Taques e a sua obra". In Pedro Taques de Almeida Paes Leme. *Informação sobre as Minas de São Paulo* e *A expulsão dos jesuítas do colégio de São Paulo.* São Paulo, Melhoramentos, s.d.

______. *A grande vida de Fernão Dias Pais*. Rio de Janeiro, Livraria José Olympio Editora, 1955.

TEIXEIRA, Ivan. *Mecenato pombalino e poesia neoclássica*. São Paulo, Edusp, 1999.

THOMPSON, E. P. "L'antropologia e la disciplina del contesto". In Id. *Società patrizia, cultura plebea*. Turim, Einaudi, 1981.

______. *Costumes in common. Studies in traditional popular culture*. Nova York, The New Press, 1993.

TOCQUEVILLE, Aléxis de. *L'Ancien Regime et la Révolution*. Paris, Flammarion, 1988.

TORGAL, Luís Reis. *Ideologia política e teoria do Estado na Restauração*. Coimbra, Biblioteca Geral da Universidade, 1981, 2 vols.

TORRES, J. C. Feo Cardoso de Castellobranco e. *Memórias contendo a biografia do vice-almirante Luís da Motta Feo e Torres, a história dos governadores e capitães generais de Angola, desde 1575 até 1825 e a descrição geográfica e política dos reinos de Angola e de Benguela*. Paris, Fantin, 1825, pp. 247-8.

TRINDADE, Raimundo. *Arquidiocese de Mariana*. 2ª ed., Belo Horizonte, Imprensa Oficial, 1953.

VASCONCELOS, Diogo de. *História antiga das Minas Gerais*. Belo Horizonte, Imprensa Oficial de Minas, 1904.

______. *História média de Minas Gerais*. Belo Horizonte, Imprensa Oficial de Minas, 1918.

VEIGA, José Pedro Xavier da. "Advertência" a *A revolta de 1720 em Vila Rica. Discurso Histórico-Político*. Ouro Preto, Imprensa Oficial de Minas Gerais, 1898, pp. 3-6.

VERSIANI, Carlos. *Cultura e autonomia em Minas (1768-1788): a construção do ideário não-colonial*. Dissertação de Mestrado em História. São Paulo, FFLCH-USP, 1996.

VIANNA, Oliveira. "Populações meridionais do Brasil". In Silviano Santiago (org.). *Intérpretes do Brasil*. Rio de Janeiro, Nova Aguilar, 2000, pp. 897-1188, vol. I.

VILLALTA, Luís Carlos. "Os clérigos e os livros nas Minas Gerais da segunda metade do século XVIII". *Acervo* 8 [1/2], Revista do Arquivo Nacional, Rio de Janeiro, jan.-dez. 1995.

______. *1789-1808. O império luso-brasileiro e os brasis*. São Paulo, Companhia das Letras, 2000.

VILLARI, Rosario. *Elogio della dissimulazione. La lotta politica nel Seicento*. 2ª ed. Roma, Laterza, 1993.

WADSWORTH, James. "Os familiares do número e o problema dos privilégios". In Ronaldo Vainfas, Lana Lage e Bruno Feitler (orgs.). *A inquisição em xeque: temas, controvérsias, estudos de caso*. Rio de Janeiro, Nova Fronteira /Eduerj, 2006.

WHITE, Robert Allan. *Gomes Freire de Andrada: life and times of a Brazilian colonial governor, 1688-1763*. Austin, University of Texas, 1972.

ZENHA, Edmundo. *O município no Brasil*, 1532-1700. São Paulo, Inst. Progresso Editorial, 1948.

2. OBRAS DE REFERÊNCIA

AFFONSO, Domingos de Araújo, VALDEZ, Ruy Dique Travassos. *Livro de oiro da nobreza*. Braga, Na Tipografia da "Pax", 1934, t. III.

CASTELLO, José Aderaldo. *A literatura brasileira — origens e unidade*. São Paulo, EDUSP, 2004, vol. I.

CASTILHOS, Júlio de. *Lisboa antiga. Bairros orientais*. 2ª ed., Lisboa, Câmara Municipal, 1936, vol. IV.

Dicionário da história de Lisboa. Direção de Francisco Santana e Eduardo Sucena. Lisboa, Carlos Quintas & Associados, Consultores, 1994.

Dicionário da história de Portugal. Direção de Joel Serrão. Porto, Figueirinhas, 1985, 5 vols.

"Diretores efetivos e interinos do Arquivo Público Mineiro, desde sua criação pela lei nº 126 de 11 de junho de 1895". *Revista do Arquivo Público Mineiro*, ano XXVII, dezembro de 1976, pp. 7-8.

FREIRE, Anselmo Braamcamp. *Brasões da Sala de Sintra*. 2ª ed. Coimbra, Imprensa da Universidade, 1921.

GAYO, Manuel José da Costa Felgueiras. *Nobiliário de famílias de Portugal* [1ª ed., 1938-1942]. Braga, Carvalhos de Bastos, 1989-1990.

HOLANDA, Sérgio Buarque de. *História geral da civilização brasileira. A época colonial*. São Paulo, Difel, 1960, vol. 1 de 2.

LEAL, Antonio Soares d'Azevedo Barbosa de Pinho. *Portugal antigo e moderno. Dicionário geográfico, estatístico, chorográfico, heráldico, archeológico, histórico, biográfico e etimológico de todas as cidades, vilas e freguesias de Portugal e de grande número de aldeias...* Lisboa, Mattos Moreira & Companhia, 1874.

MACHADO, Diogo Barbosa. *Biblioteca lusitana histórica, crítica e cronológica*. 2ª ed. Lisboa, 1933, t. III.

MATTOS, Armando de. *Brasonário de Portugal*. Porto, Livraria Fernando Machado, 1940.

MORAIS, Cristóvão Alão de. *Pedatura lusitana. Nobiliário de famílias de Portugal [1699]*. Porto, Livraria Fernando Machado, s.d.
Novo dicionário brasileiro Melhoramentos. 6ª ed. revista. São Paulo, Melhoramentos, 1970.
PINTO, Albano da Silveira. *Resenha das famílias titulares e grandes de Portugal*. Lisboa, Empresa Editora de Francisco Arthur da Silva, 1883, t. I.
RODRIGUES, José Honório. *História da história do Brasil. 1ª parte: Historiografia colonial*. 2ª ed. São Paulo, Companhia Editora Nacional, 1979.
ROMEIRO, Adriana, BOTELHO, Ângela Vianna. *Dicionário Histórico das Minas Gerais — Período Colonial*. Belo Horizonte, Autêntica, 2003.
SERRÃO, Joel. *Pequeno dicionário da história de Portugal*. Porto, Figueirinhas, 1981.
SOUTHEY, Robert. *História do Brasil*. Belo Horizonte / São Paulo, Itatiaia / Edusp, 1981, 3 vols.
SOUZA, Antonio Caetano de. *História genealógica da Casa Real portuguesa*. Lisboa, 1742, t. IX [Coimbra, Atlântida, 1951].
______. *Memórias históricas e genealógicas dos grandes de Portugal*. 4ª ed., Lisboa, Publicações do Arquivo Histórico de Portugal, 1933.
VARNHAGEN, Francisco Adolfo de. *História geral do Brasil antes de sua separação e independência de Portugal*. 3ª ed. São Paulo, Companhia Melhoramentos, s.d., 5 vols.
ZUQUETE, Afonso Eduardo Martins. *Nobreza de Portugal e do Brasil*. Lisboa, 1960.
______. *Armorial Lusitano. Genealogia e heráldica*. Lisboa, Representações Zairol Ltda., 1961.
______. *Nobreza de Portugal*. Lisboa, Editorial Enciclopédia Ltda., 1989, vol. III.

Créditos das imagens

Capa:
Visita que os governadores faziam todos os anos à capela da Graça, 190 x 290 cm, Igreja e Mosteiro de São Bento, Salvador. Reprodução: Rômulo Fialdini.

p. 1:
acima: *Visita que os governadores faziam todos os anos à capela da Graça*, 190 x 290 cm, Igreja e Mosteiro de São Bento, Salvador. Reprodução: Rômulo Fialdini.
abaixo: Alessandro Giusti, *Busto de d. João V*, 1748, mármore, Palácio Nacional de Mafra. Reprodução: Rômulo Fialdini.

pp. 2-3:
Drouet, baseado em desenho de N. Ozanne, *Prise de Rio-Janeiro [A esquadra de Dugay-Trouin]*, gravura, 297 x 448 cm, Biblioteca do Itamaraty, Rio de Janeiro. Reprodução: Rômulo Fialdini.

p. 4:
Carlos Julião, *Oficial de cavalaria da guarda*, desenho aquarelado, século XVIII, acervo da Fundação Biblioteca Nacional, Rio de Janeiro. Reprodução: Rômulo Fialdini.

p. 5:
João Frederico Ludovice, *Palácio-Convento*, Mafra.

p. 6:
Ex-voto encomendado por Agostinho Pereira da Silva, óleo sobre tela, 1749, Igreja e Mosteiro de São Bento, Salvador. Reprodução: Ivson.

p. 7:
Retrato de d. Luís Antônio de Souza Botelho Mourão, 4º Morgado de Mateus, século XVIII, óleo sobre tela, 225 x 120 cm, Fundação da Casa de Mateus, Vila Real. Reprodução: Rômulo Fialdini.

p. 8:
acima: Nicolau Nasoni, *Casa de Mateus*, Vila Real, 1739-43.
abaixo: *Fachada da casa de Chica da Silva*, Diamantina. Foto: Júnia Ferreira Furtado.

p. 9:
Retrato de d. Pedro Miguel Almeida Portugal, do I Marquês de Alorna (Conde de Assumar), século XVIII, óleo sobre tela, 76,5 x 63 cm, Fundação da Casa de Fronteira e Alorna, Lisboa.

pp. 10-1:
Planta da barra do Rio de Janeiro, *c*. 1761, gravura manuscrita a traço, aquarelada e colorida, 32 x 43 cm, Arquivo Histórico Ultramarino, Lisboa.

p. 11 b:
William Bradley, in *Rio de Janeiro, looking towards the entrance, 1787* [No Rio de Janeiro, olhando para a entrada, 1787], aquarela, 14,7 x 20,3 cm, *Journal A voyage to New South Wales* [*Diário da viagem a Nova Gales do Sul*], dezembro 1786-maio 1792, Mitchell Library, State Library of New South Wales.

pp. 12-3:
Leque comemorativo da chegada da família real portuguesa ao Rio de Janeiro, século XIX, China, papel pintado e varetas de marfim entalhado, 32 x 60 cm, Fundação Maria Luisa e Oscar Americano, São Paulo. Reprodução: Fernando Chaves.

pp. 14-5:
Leque comemorativo do retorno de d. João VI a Portugal, século XIX, China, papel pintado e varetas de marfim entalhado, 26,5 x 47,5 cm, Fundação Maria Luisa e Oscar Americano, São Paulo. Reprodução: Fernando Chaves.

p. 16:
acima: Brasão dos César, tipo I.
abaixo: Brasão dos César, tipo II.

Índice onomástico

1ª EDIÇÃO [200[illegible]] 1 reimpressão

ESTA OBRA FOI COMPOSTA PELA PÁGINA VIVA EM MINION E IMPRESSA
EM OFSETE PELA GEOGRÁFICA SOBRE PAPEL PÓLEN SOFT DA
SUZANO S.A. PARA A EDITORA SCHWARCZ EM JUNHO DE 2021

A marca FSC® é a garantia de que a madeira utilizada na fabricação do papel deste livro provém de florestas que foram gerenciadas de maneira ambientalmente correta, socialmente justa e economicamente viável, além de outras fontes de origem controlada.